Herbert Schneider · Chronologisch-thematisches Verzeichnis sämtlicher Werke von Jean-Baptiste Lully

MAINZER STUDIEN ZUR MUSIKWISSENSCHAFT

Herausgegeben von Hellmut Federhofer

Band 14

Herbert Schneider

CHRONOLOGISCH-THEMATISCHES VERZEICHNIS SÄMTLICHER WERKE VON JEAN-BAPTISTE LULLY (LWV)

VERLEGT BEI HANS SCHNEIDER · TUTZING

J. Bapt. Lully Surintendant de la Musique du Roy

Ses Ouvrages Brillants de charmes inoüis | Quelle gloire! il la doit a son rare genie,
L'ont fait prendre icy bas pour Dieu de l'harmonie: | Mais pouvoit il moins faire? il chantoit pour Loüis.

Bonnart f.   rue S. Iacques au Coq auec priuilege du Roy.

HERBERT SCHNEIDER

CHRONOLOGISCH-THEMATISCHES VERZEICHNIS
SÄMTLICHER WERKE
VON JEAN-BAPTISTE LULLY
(LWV)

VERLEGT BEI HANS SCHNEIDER · TUTZING

1981

Gedruckt mit Unterstützung der Deutschen Forschungsgemeinschaft

Das Frontispiz ist der Partitur zu „Achille et Polixène" (Paris, Ballard 1687) entnommen.
(Archiv Hans Schneider, Tutzing)

ISBN 3 7952 0323 6

Gesamtherstellung: Druck+Verlag Ernst Vögel GmbH, 8000 München 82 und 8491 Stamsried

Für Heide, Fabian und Saskia

INHALTSVERZEICHNIS

Vorwort   IX

Einleitung   1

Erhaltene Sammelabschriften   5

Verlorene Quellen   13

Handschriftliche Quellen der weltlichen nichtdramatischen Parodien   15

Gedruckte Quellen der weltlichen Parodien   15

Quellen der geistlichen Parodien   17

Verzeichnis der häufig zitierten Literatur   20

Verzeichnis der Bibliothekssigel   21

Thematisches Verzeichnis LWV 1—80   23

Anhang: Fälschlich zugeschriebene Werke   519

Überblick über die alte Gesamtausgabe und die in den Chefs-d'oeuvre classiques de l'opéra français
edierten Klavierauszüge   523

Systematischer Überblick über die Werke von Lully   525

Verzeichnis der Titel und Titelvarianten   527

Addenda und Corrigenda   529

Verzeichnis der Textanfänge und der Instrumentalsätze   543

Ortsverzeichnis   563

Personenverzeichnis   565

VORWORT

Die Erforschung der französischen Musik des 17. Jahrhunderts krankt bis heute trotz hervorragender Arbeiten an einer ungenügenden Quellenerfassung und -erforschung. Dies trifft auch auf das Lebenswerk von Jean-Baptiste Lully zu, der die Musik seiner Zeit in Frankreich prägte. Durch den vorliegenden Thematischen Katalog soll diese Lücke geschlossen und damit die Erforschung der Musik des „classicisme" auf eine neue Basis gestellt werden. Aber auch für die Barockforschung allgemein werden einige Impulse von diesem Katalog ausgehen. Wie aktuell die vor acht Jahren in Angriff genommene Arbeit sich mittlerweile erweist, zeigt die Tatsache, daß eine neue kritische Gesamtausgabe der Werke Lullys in Vorbereitung ist und auch für andere französische Komponisten dieser Zeit, z. B. Michel Lambert, ein Werkkatalog erstellt wurde.

Eine zusammenfassende Übersicht über die erhaltenen Quellen angesichts unzureichender Vorarbeiten erscheint gewagt. Dies wird auch aus der Tatsache deutlich, daß nach Abschluß der Fahnenkorrektur in letzter Minute bisher unbekannte Abschriften entdeckt wurden, die vor dem Umbruch eingearbeitet, aber nicht mehr in der Liste der Quellen ergänzt werden konnten.

Die Werkartikel wurden nach folgendem Prinzip aufgebaut: Nach dem Titel folgt jeweils die originale Gattungsbezeichnung, der Verfasser des Textes, Datum und evtl. Ort der ersten Aufführung. Die Librettodrucke sind den Partiturabschriften vorangestellt, da sie für die frühen Bühnenwerke als primäre Quelle zur Datierung und Identifizierung anzusehen sind. Nach den Partituren (Partition générale, dann Partition réduite) folgen die Stimmen, die Arien- und Suitendrucke, die dramatischen Parodien, Literaturangaben und evtl. Bemerkungen. In allen Rubriken sind die Abschriften den Drucken vorangestellt.

Bei dem Text zu den einzelnen Notenincipits wurden die Angaben wie folgt geordnet: Abschriften (nur solche, die nicht zu den Gesamtabschriften rechnen), Transkriptionen (handschriftliche und Drucke), Drucke in Suiten etc., weltliche Parodien, geistliche Parodien, Literatur, Bemerkung und Timbre, falls dieser nicht mit dem ursprünglichen Text übereinstimmt. Alle Titel und Texte wurden in der originalen Orthographie wiedergegeben, Modernisierungen wurden nur in Verweisen des Verzeichnisses vorgenommen.

Auf der Suche nach Quellen erhielt ich von vielen Seiten bereitwillig Hilfe. Allen Mitarbeitern der im Bibliotheksverzeichnis genannten Bibliotheken, die meine Arbeit unterstützen und mir Auskünfte erteilten, möchte ich an dieser Stelle aufrichtig danken. Stellvertretend seien nur der Leiter des Département de la Musique der Bibliothèque Nationale in Paris, M. François Lesure und Madame Catherine Massip genannt. Besonders meinem verehrten Lehrer, Herrn Professor Dr. Hellmut Federhofer, möchte ich für die Förderung der Arbeit danken und den Kollegen in Mainz, die mir mit Rat und Ermutigung zur Seite standen. Nicht zuletzt gebührt der Dank der Deutschen Forschungsgemeinschaft, die sowohl die Vorarbeiten (Reisen und Materialkosten) wie auch die Drucklegung großzügig mitfinanzierte, dem Verleger des Werkes, Hans Schneider, und der Druckerei Ernst Vögel, die viel Geduld und Verständnis für die zahlreichen Ergänzungen und Korrekturen aufbrachten.

Mainz, April 1981

EINLEITUNG

Der Ausgangspunkt für den vorliegenden Thematischen Katalog war eine Untersuchung charakteristischer Rezeptionsweisen der Musik im 17. und 18. Jahrhundert. Im Zusammenhang mit der Fertigstellung der Habilitationsschrift mit dem Titel „Verbreitung und Rezeption der Opern Lullys im Frankreich des ancien régime" erwies es sich als notwendig, den Thematischen Katalog zu erstellen, ohne dessen Erarbeitung die Rezeptionsuntersuchung kaum möglich gewesen wäre. Auf Grund dieser Voraussetzung sind viele Angaben zu den einzelnen Kompositionen aufgenommen worden, die in Verzeichnissen von Werken anderer Komponisten fehlen. Erwähnt seien nur das große Gebiet der weltlichen und geistlichen Parodien, von denen jeweils nur die erste Strophe mitgeteilt werden konnte, sowie die zahlreichen Suitenkopien. Somit stellt dieser Katalog, der alle Editionen bis 1800 verzeichnet, einen eigenständigen Typus eines Werkkatalogs dar.

Für das vorliegende Thematische Verzeichnis aller Werke Jean-Baptiste Lullys wurde die Form des chronologischen Verzeichnisses gewählt. Der Grund ist darin zu sehen, daß der weitaus größte Teil der Kompositionen datierbar und nur von einem verhältnismäßig geringen Teil der erhaltenen Werke die Entstehungszeit nicht genau festzulegen ist. Es ist zu erwarten, daß im Zuge der jetzt in Vorbereitung befindlichen neuen Gesamtausgabe das eine oder andere Dokument noch gefunden wird, wodurch eventuell manche jetzt noch nicht datierbare Komposition chronologisch einzuordnen ist, aber insgesamt liegen die Aufführungsdaten der dramatischen Werke infolge der Angaben auf den gedruckten Libretti und zahlreicher zeitgenössischer Zeugnisse über Aufführungen fest. Aus diesem Grund wurden auch die Librettodrucke an den Anfang der Übersichten über die Bühnenwerke gestellt.

Von den Gelegenheitskompositionen, die Lully schrieb, müssen die meisten als verloren gelten. Wichtige Quellen für diese kleineren Werke sind mit den Bänden 25 (*Symphonies*, u. a. von Lully), 26 (*Branles et autres Danses*, u. a. von Lully), 27 (*Pièces italiennes et espagnoles de differents auteurs*, u. a. von Lully) und 55 (*Airs de danse en partition à 6 parties et des boutades de Lully*) der Collection Philidor abhanden gekommen. Von den bei Le Cerf de la Viéville[1] erwähnten Tanzsätzen, die Lully für die Gitarre komponiert hatte, fehlen ebenso Abschriften wie auch von jenen, von H. Prunières[2] vermuteten frühen Kompositionen, die Lully im Dienst der Mlle d'Orléans geschrieben hatte.

Nicht ungewöhnlich für das 17. Jahrhundert ist die Tatsache, daß keine musikalische Autographe Lullys vorhanden sind. Die Überlieferung seiner Werke basiert wie jene der meisten französischen Komponisten dieser Zeit auf Abschriften von fremder Hand oder auf gedruckten Ausgaben. In Lullys Handschrift existieren lediglich einige Signaturen von Dokumenten, Quittungen oder Briefen, nicht aber ein einziges gesichertes Musikautograph.[3]

Bei den erhaltenen handschriftlichen Quellen ist zu unterscheiden zwischen Kopien von Einzelwerken in separaten Bänden und den Sammelabschriften. Die frühen Bühnenwerke bis zum *Bourgeois Gentilhomme* einschließlich sind nur in der Collection Philidor und wenigen anderen Abschriften in Einzelbänden, in der Mehrzahl aber in Sammelbänden überliefert. Während von der *Psyché* von 1671 keine Abschrift erhalten ist, wurden die erheblich umfangreicheren Bühnenwerke der Zeit seit 1672 (*Les Fêtes de l'Amour et de Bacchus*) in Einzelbänden tradiert. Lediglich die aus den späten dramatischen Werken entnommenen standardisierten Teilabschriften, die Foucault in zwei Bänden unter dem Titel „*Recueil des plus beaux endroits*" verkaufte, sowie einzelne Sammelabschriften von Arien und viele Suitensammlungen sind nicht auf ein Bühnenwerk beschränkt.

Frühere Versuche, die Quellen der Ballette und Comédies-ballets zu erfassen, wurden aus verschiedenen Intentionen heraus von mehreren Autoren unternommen. Die erste Aufstellung unternahmen H. Prunières und A. Tessier für die alte Gesamtausgabe der Werke Lullys (Ballets, vol. I), die nächste erarbeitete J. Eppelsheim[4] für die Untersuchung des Orchesters Lullys und die letzte H. M. Ellis in ihrer Disser-

---

[1] Comparaison, II, 174: *Il s'amusoit volontiers à battre ce chaudron-là* [la guitare], *duquel il faisoit plus que les autres n'en font. Il faisoit dessus cent Menuets et cent Courantes qu'il ne recueilloit pas, comme vous le jugez bien autant de perdu.*

[2] Vgl. L'Opéra Italien, 192.

[3] Vgl. H. Prunières, Lettres et autographes de Lully, in: SIM VIII (1912), 19—20, und Notes musicologiques sur un autographe musical de Lully, in: RM 10 (1928/29), 47—51. Prunières Annahme, bei der auch in MGG, Bd. 8, Tafel 66, wiedergegebenen Notenseite handele es sich um ein Lully-Autograph, ist durch nichts bewiesen, da jeglicher Hinweis auf die Autorschaft des Komponisten fehlt.

[4] Das Orchester in den Werken J.-B. Lullys, Tutzing 1961 (Münchner Veröffentlichungen zur Musikgeschichte, Bd. 7).

tation[5] über die Tänze Lullys. Diesen Autoren kam es darauf an, möglichst die ältesten Quellen zu erfassen, um die Urfassung der Bühnenwerke zu rekonstruieren. Bei der über alle bisherigen Versuche hinausgehenden Quellenerfassung des vorliegenden Verzeichnisses sollten alle nachweisbaren Abschriften, die bis 1800 entstanden sind, und die in alten Katalogen erwähnten Kopien aufgenommen und ihr Bestand an Einzelsätzen nachgewiesen werden. Fehler bei den genannten Autoren sind stillschweigend verbessert und zahlreiche, bei ihnen nicht erwähnte Quellen ergänzt worden.

Prunières gliedert die Abschriften in solche „qui présentent un caractère commercial et celles qui furent exécutées spécialement par ou pour le comte de particuliers. Les premières sont de beaucoup les plus nombreuses".[6] Desgleichen unterscheidet Tessier die Manuskripte der „collection Philidor" von den „manuscrits de commerce". „Entre les deux on pourrait placer quelques copies qui ne sont pas de Philidor ou de son atelier et qui ne semblent pas non plus avoir été faites pour la mise en vente chez les marchands de musique . . . mais qui, probablement, ont été commandées directement aux copistes par des bibliophiles musiciens".[7] Die von Tessier und Prunières behauptete Einheitlichkeit der „kommerziellen" Kopien läßt sich nur bei wenigen Exemplaren feststellen. Die Anzahl der individuell gestalteten Abschriften ist größer als die der standardisierten. Tessiers Zuordnung einiger Kopien aus dem Besitz der ehemaligen königlichen Bibliothek in Versailles zu den kommerziellen Kopien ist fragwürdig.[8]

In den den einzelnen Bühnenwerken angefügten Übersichten über noch vorhandene Kopien wurde trotz noch unzureichender Vorarbeiten der Versuch unternommen, die Abschriften chronologisch zu ordnen, so weit dies nach jetzigem Forschungsstand (Jahresmitte 1979) möglich ist. Einschränkend ist zu betonen, daß dem Verfasser nicht sämtliche Handschriften zur Verfügung standen, um einen Schriftenvergleich durchzuführen und auf Grund dessen genaue Aussagen über alle anonymen Schreiber machen zu können. Ebensowenig konnten die Wasserzeichen der Abschriften erschöpfend untersucht werden, zumal es über die französischen Papiere der Notenkopien der in Frage kommenden Zeit keine grundlegende Untersuchung gibt und bei der fast unveränderten Beibehaltung wenig variierender Wasserzeichen (Traube groß und klein, schmales Band mit abgerundeten Seiten, einzelnen Buchstaben und Symbolen, z. B. das Herz) erst ihre genaue Analyse möglicherweise Ergebnisse für die Datierung bringen kann. Während in den bereits erwähnten Quellenzusammenstellungen nur die Partituren und Stimmen sowie einzelne Suitensammlungen aus Philidors Atelier aufgenommen sind, wurden hier auch alle nachgewiesenen Suitenabschriften eingearbeitet. Die für die Typisierung der Instrumentalsätze bedeutenden, je nach Quelle wechselnden Titelgebungen wurden jeweils mitgeteilt.

Da für den überwiegenden Teil der Kompositionen die Handschriften als primäre Quellen anzusehen sind, sei es daß keine Drucke, sei es daß nur solche vorliegen, die erst nach Lullys Tod entstanden sind, wurden grundsätzlich die Abschriften vor den Drucken angeordnet. Die Namen, die in Klammern hinter der Signatur der Abschriften notiert sind, bezeichnen den Schreiber bzw. das Kopistenatelier (z. B. Foucault). Bei den Parodien ist vor dem Parodietext in Klammern die Person oder das Ereignis angegeben, auf den der Text Bezug nimmt, in der Klammer nach dem Parodietext der Autor, sofern er ermittelt werden konnte. Es mußte aus Gründen der Ökonomie darauf verzichtet werden, jeder der teilweise sehr kurzen Airs ein eigenes Incipit zu geben. Die Incipits wurden auf die mindest notwendige Anzahl beschränkt. Folgende Kriterien wurden aufgestellt, von denen mindestens eines erfüllt sein mußte, um die Aufnahme des Incipits in das Verzeichnis zu rechtfertigen:

— die musikalische Bedeutung des Vokal- oder Instrumentalsatzes in der betreffenden Szene,
— Abschriften in vokalen oder instrumentalen Exzerpten,
— Erscheinen in Separatdrucken,
— Reduzierung auf neue Besetzungen oder Transkription auf Einzelinstrumente,
— die Übernahme in geistliche oder weltliche Parodiesammlungen,
— die Erörterung in der Literatur.

Bei ihrer Notierung wurde aus Umfangsgründen auf die Generalbaßüber- oder -einleitungen sowie auf Verzierungen und Generalbaßziffern verzichtet, da diese von Quelle zu Quelle voneinander abweichen.

Um eine Vereinfachung des Anmerkungsapparates bei den einzelnen Incipits zu erreichen und eine für viele Sammelabschriften zahlreiche Wiederholungen des Bibliothekssigels und der Signatur zu vermeiden, wurden die großen Sammelhandschriften an den Anfang des Verzeichnisses gestellt und mit einer Nummer versehen (Qu. 1 usw.).

---

[5] The Dances of J.-B. Lully, Diss. Stanford Univ. (Calif.) 1967. Exzerpte in: RMFC VIII (1968) und IX (1969).
[6] Lully-GA, Ballets, Bd. I, S. XLIX.
[7] Lully-GA, Ballets, Bd. I, S. VIII.
[8] ebd. S. IL.

2

Es wäre sicher von Bedeutung für den Theaterwissenschaftler gewesen, auch die in den Textbüchern genannten Interpreten der Rollen mit in das Werkverzeichnis aufzunehmen, aber leider mußte in Anbetracht der vielen Ausgaben der Libretti und der damit anfallenden Zahl von Interpreten darauf verzichtet werden. Bei den Librettodrucken wurden die Ausgaben der Oeuvres Quinaults (Amsterdam 1697, Paris 1715 und 1778) nicht mit aufgenommen. Bezüglich der übrigen Ausgaben der Libretti sind mit der neuen Aufstellung die Angaben bei E. Gros überholt. Um das Finden der Drucke zu erleichtern, wurde jeweils ein Fundort angegeben.

Schließlich soll nicht unerwähnt bleiben, daß Lully sich auch dichterisch betätigte. Dies beweisen die zahlreichen Parodien, die im vorliegenden Katalog mitgeteilt sind sowie die italienischen Texte des *M. de Pourceaugnac*, der *Psyché* von 1671 und des *Carnaval Mascarade* von 1675.[9]

Obwohl der Verfasser bemüht war, alle zugänglichen und ihm bekannten Abschriften aufzunehmen, kann und wird kein Anspruch auf Vollständigkeit bei der Aufnahme der Quellen und Abschriften erhoben. Auch in den kommenden Jahren werden wie bisher immer wieder neue Kopien von ganzen Werken oder Exzerpten gefunden und, wie in den Antiquariatskatalogen festzustellen sein wird, sogar zum Verkauf angeboten werden.

---

[9] Vgl. Le Cerf de la Viéville, Comparaison, II, 179—180: *il avoit une vivacité fertile en saillies & en traits originaux . . . dans de jolis Vers Italiens & François, que nous sçavons de lui.* Noch 1803 wurde in den „Poésies de Chaulieu", 219, ein „Couplet de Lully pour mademoiselle de R . . . A la fête d'Anet, 1686" publiziert: *Quel étrange changement! Que mon ame est transportée! Trop aimable Galatée, Je vous aime assurément. Je renonce à ma partie, Je me jette à vos genoux; Secourez-moi, je vous prie, Mon salut dépend de vous.* Dabei ist gegenüber der Tatsache, daß noch 1803 ein Text Lullys gedruckt wurde, die Frage seiner Authentizität von sekundärer Bedeutung.

ERHALTENE SAMMELABSCHRIFTEN

Abschriften in Partition générale

Qu. 1 Collection Philidor des Fonds du Conservatoire, F-Pc.

Signatur	Bd.	Titel	Erstaufführung		kopiert
Rés F 502	6	Ballet du Temps		1654	1690
Rés F 503	6	Ballet de la Revente des Habits	1655 oder	1661	1690
Rés F 504	6	Ballet de Xerxes		1660	1690
Rés F 505	6	Ballet du Triomphe de Bacchus		1666	1690
Rés F 506	7	Ballet des Plaisirs		1655	1690
Rés F 507	8	Ballet Royal d'Alcidiane		1658	1690
Rés F 508	9	Ballet Royal de la Raillerie		1659	1690
Rés F 509	10	Ballet Royal de l'Impatience		1661	1690
Rés F 510	11	Les Noces de Village		1663	1690
Rés F 511	12	Les Amours déguisés		1664	1690
Rés F 512	13	Le Mariage forcé		1664	1690
Rés F 513	14	Ballet Royal de la Naissance de Venus		1665	1689
Rés F 514	15	Ballet Royal de l'Amour malade		1657	1690
Rés F 515	16	Ballet Royal de Flore		1669	1690
Rés F 521	24	Ballet des Muses		1666	s. d.
Rés F 523	29	L'Amour médecin		1665	1690
Rés F 526	33	La Feste de Versailles (George Dandin)		1668	1690
Rés F 530	44	Ballet des Plaisirs troublés, Ballet de la Revente des Habits, Ballet des Fâcheux			1681
Rés F 531	47	Ballet des Plaisirs de l'Isle enchantée		1664	s. d.
Rés F 532	49	Ballet de la Grotte de Versailles		1668	s. d.

Bei der Collection Philidor[10] handelt es sich um die älteste Quelle, die auf Anordnung Ludwigs XIV. durch seine Musikbibliothekare angelegt wurde. Der König wollte die zu bestimmten Anlässen komponierten Ballets de Cour und die Kirchenmusik aus der Zeit seiner Väter und seiner Jugend erhalten und die Grundlagen für ein Musikarchiv der nicht gedruckten französischen sowie von Ausländern komponierten Werke, die am Hof aufgeführt worden waren, anlegen. Die Sammlung entstand zwischen 1683 und 1697. Die meisten Bände tragen das Exlibris Philidors von 1702: „Ce livre appartient à Philidor l'aîné l'an 1702" sowie teilweise dessen Namensstempel.

Die Bandzählung der Collection Philidor ist völlig willkürlich getroffen worden. Sie stimmt weder mit der Chronologie der Werke, noch mit jener der Abschriften überein. Die Datierungen der Bände sind, wie die Radierungen am Papier beweisen, teilweise manipuliert und später verändert worden. Auch Namen der Kopisten, besonders jener François Fossards, wurden offenbar von Philidor entfernt. In diesen Bänden fehlen folgende Ballette: Ballet des Saisons, Ballet d'Hercule amoureux einschließlich des Ballet des sept Planètes, Ballet des Arts, Entr'actes d'Oedipc, Ballet des Gardes, Le Carnaval Mascarade (1668), M. de Pourceaugnac, Les Amants magnifiques, Le Bourgeois Gentilhomme und Psyché (1671).[11]

Qu. 2 Vieux ballets I, F-Pc Rés F 519. Diese zur Collection Philidor gehörende Abschrift ist entgegen den Angaben A. Tessiers[12] keine kommerzielle Kopie, da sie Ballette einbezieht, die in kommerziellen Kopien fehlen: Ballet du Temps, Ballet des Plaisirs, Ballet de la Revente des Habits, während das Ballet d'Alcidiane fehlt.

---

[10] Vgl. A. Tessier, Un fonds musical de la Bibliothèque de Louis XIV, in: RM XII, 2 (1931), 295—302; E. H. Fellowes, The Philidor manuscripts. Paris, Versailles, Tenbury, in: ML 12 (1931), 116—129. Der Bestand an Philidor-Kopien in Tenbury wurde am 30. 11. 1978 bei Pierre Berès in Paris versteigert. Ein Teil der Bände wurde durch das Département de la Musique der Bibliothèque Nationale in Paris erworben.

[11] Die meisten dieser Bühnenwerke waren in den verlorenen Bänden 22 und 23 enthalten. Sie gibt es auch in Einzelbänden, die alle Merkmale der Collection Philidor haben: Le Bourgeois Gentilhomme, F-Pc Rés F 578; Les Amants magnifiques, Rés F 601; Ballet des Saisons, Rés F 658; Ballet des Arts, F-V Ms mus 80; Ballet des Muses, Ms mus 86; Le Carnaval (1675), Ms mus 104.

[12] Lully GA, Ballets, Bd. I, S. L.

Qu. 3 Vieux Ballets, F-V Ms mus 75—78. Diese Kopie entspricht nicht den von Foucault vertriebenen standardisierten Abschriften, da sie das *Ballet du Temps*, das *Ballet de la Revente des Habits,* die beiden erhaltenen Sätze des *Ballet de Toulouse* sowie unter dem Titel *La Mascarade de Versailles ou l'Impromptu* zwei Sätze aus dem *Ballet des Gardes* enthält.

Qu. 4 Recueil de Ballets de feu Monsieur de Lully, F-Pn Vm⁶ 1, Bd. 1—6. Auch diese Sammlung entspricht nicht den Foucault-Kopien, da zusätzlich das Ballet du Temps, das Ballet de la Revente des Habits und die *Entr'actes d'Oedipe* aufgenommen wurden.

Qu. 5 Ballets de Lully, DDR-Bs AMB 320—325. In Anordnung der Bühnenwerke und durch die Aufnahme des *Ballet du Temps* und der *Entr'actes d'Oedipe* weicht diese Abschrift von jenen Foucaults ab.

Qu 6 Ballets de Lully, F-TLm Cons 1, Bd. 1—6. Über die Abschrift aus Foucaults Atelier hinaus enthält der erste Band die beiden Sätze aus dem *Ballet de Toulouse* von 1660 sowie zwei Sätze aus dem *Ballet des Gardes* unter dem Titel *Mascarade de Versailles ou l'Impromptu.*

Qu. 7 Ballet de Lully, F-Po ♮ 1410. Vier Bände einer Ballett-Abschrift in zwei Bänden gebunden. Die Anordnung entspricht nicht jener Foucaults. Die Kopie entspricht Qu. 4, wobei die Bände 5 und 6 fehlen.

Qu. 8 Théâtre de musique, CS-Pnm, II La 4, Abschrift von 21 Balletten Lullys, die jeweils separat broschiert und in zwei großen, festen Kartons eingelegt sind. Die Numerierung der Broschüren entspricht nicht der Chronologie der Bühnenwerke. Die Ballettkopien wurden vermutlich eigens für den Fürsten Lobkowitz angefertigt, in dessen Schloß sie sich bis zum Zweiten Weltkrieg befanden. Neben den selten kopierten *Ballet des Plaisirs* und *Ballet de la Revente des Habits* enthält die Sammlung die beiden *Divertissements d'Anet* der Lully-Söhne und ein anonymes *Grand Ballet d'Hercule,* das jedoch in keinem Satz mit Lullys Balletmusik zu F. Cavallis *Ercole amante* übereinstimmt.

Qu. 9 Ballets de Lully, F-PMeyer. In drei Bänden sind 26 Ballette Lullys einschließlich des *Ballet de Toulouse,* der *Mascarade de Versailles ou l'Impromptu,* ein *Divertissement d'Anet,* der erste Akt aus *Zéphire et Flore* von Louis und Jean-Louis Lully sowie Instrumentalsätze aus dem Druck der *Idylle sur la Paix* (1685) kopiert.

Qu. 10 Ballets et Divertissements in acht Bänden, F-B Ms 13734—13741. Die Bände 1—5 und 7 entsprechen der von Foucault vertriebenen sechsbändigen Sammlung, jedoch weichen sie in der graphischen Gestaltung, in der Auswahl und Anordnung der Stücke von jener ab. Außerdem enthalten sie auch die beiden Sätze des *Ballet de Toulouse.* Band 6 ist den beiden *Divertissements d'Anet* der Lully-Söhne und dem *Ballet de Villeneuve-Saint-Georges* von P. Collasse gewidmet. In Band 8 wurden das *Ballet du Temps, le Bourgeois Gentilhomme* und *le Ballet des Ballets* vereinigt. Die Einbände mit den Wappen des duc Victor-Marie d'Estrées, vice amiral de France, beweisen die höfische Herkunft der Abschrift.

Qu. 11 Ballettabschrift aus dem Atelier Foucaults, F-Pc Rés F 652—657. Der erste Band entspricht jedoch nicht dem entsprechenden Band der Foucault-Kopien. Er wurde offenbar anstelle des fehlenden ersten Bandes den 5 Bänden angefügt und enthält *Les Amants magnifiques, Les Fêtes de l'Amour et de Bacchus* und *Le Carnaval Mascarade* (1675). Im dritten Band ist ein Katalog Foucaults[13] eingebunden. Danach sind die Ballette folgendermaßen angeordnet:

Bd.	I	Ballet de l'Amour malade	1657
		Ballet d'Alcidiane	1658
		Ballet de la Raillerie	1659
		Ballet de Xerxes	1660
Bd.	II	Ballet de l'Impatience	1661
		Ballet des Saisons	1661
		Hercule amoureux und Ballet des sept Planètes	1662
		Les Noces de Village	1662
Bd.	III	Ballet des Arts	1663
		Ballet des Amours déguisés	1664

---

[13] Der früheste Katalog von 1693 oder 1694 ist eingebunden in Thésée, F-Dc Infol. 69: *Catalogue des Anciens Ballets Mis en musique Par M. de Lully ecrits à la main en six Volumes in folio.*

Bd. IV	Le Mariage forcé	1664	
	Ballet de la Princesse d'Elide	1664	
	La Naissance de Venus	1665	
Bd. V	Ballet des Gardes	1666	
	Ballet de Crequy	1666	
	Ballet des Muses	1667	
	La Mascarade de Versailles	1668	
	La Feste de Versailles	1668	
Bd. VI	Ballet de Flore	1669	
	L'Amour médecin	1669	[sic!]
	M. de Pourceaugnac	1669	
	Le Bourgeois Gentilhomme	1670	
	Les Jeux Pythiens	1670	

Das Repertoire der einzelnen Ballettabschriften besteht aus einer Auswahl von Instrumental-und Vokalsätzen.

Qu. 12 Ballets en musique, Bd. 1—6, D-Sl HB XVII 403—409. Die Gliederung der Bände und die Auswahl der Stücke entspricht der Foucault-Ausgabe. Die Sammlung war ursprünglich im Besitz der englischen Familie Wingfield.

Qu. 13 Ballets de Lully, F-Mc Ms 62 und 63. Hierbei handelt es sich um Band 5 und 6 der Foucault-Ausgabe.

Qu. 14 Ballets de Lully, 7 Bände, Quartformat, F-Pa Rés M 926, 1—7. Die Werke sind nicht chronologisch geordnet. Im 7. Band, der offenbar später (etwa um die Mitte des 18. Jahrhunderts) hinzugefügt wurde, sind Ergänzungen zu *Les Jeux Pythiens, Ballet d'Alcidiane* und *la Naissance de Venus* angefügt worden. Mehrere Hinweise auf J.-C. de la Beaume-Le Blanc, duc de la Vallière und seine Schrift *Ballet, Opera, et autres ouvrages lyriques* (1760) lassen darauf schließen, daß sich diese Sammlung in seinem Besitz befand und evtl. auf seine Anregung hin angefertigt wurde. Die Ballettsätze sind in relativ großer Vollständigkeit kopiert worden.

Qu. 15 Recueil de ballets, F-Pn Vm⁶ 2. Diese Abschrift enthält nur Auszüge aus dem *Ballet des Muses,* dem *Ballet des Jeux Pythiens* und dem *Bourgeois Gentilhomme.*

Qu. 16 Suite de plusieurs ballets, F-Pn Vm⁶ 6. Hierbei handelt es sich um die Kopie von Instrumentalsätzen der meisten Ballette zwischen dem *Ballet de l'Amour malade* (1657) und dem *Ballet de Flore* (1669) sowie aus *la Grotte de Versailles.*

Abschriften in Partition réduite

Qu. 17 Recueil de Plusieurs belles pieces de simphonie . . . copiées, choisies et mises en ordre par Philidor l'aisné . . . second tome (1695), F-Pc Rés F 533. Dieser zur Collection Philidor gehörende Band enthält Suiten, die in Tonarten angeordnet sind.

Qu. 18 Ballet des Muses par Benserade [ausgestrichen] musique de Lully (?) / septieme divertissement des vieux ballets / Recueil factice d'airs de Ballet de différentes époques et auteurs divers, F-Pc Rés F 536. Der Band beinhaltet Auszüge aus verschiedenen frühen Bühnenwerken Lullys.

Qu. 19 Recueil des Ballets et Symphonies de M. de Lully, F-Pn Vm⁶ 4. Der Band ist entgegen der Angabe A. Tessiers[14] keine standardisierte Abschrift aus Foucaults Atelier. Er enthält neben dem *Ballet du Temps, La Revente des Habits* und *la Mascarade de Versailles ou l'Impromptu* auch einige der *Trio pour la Chambre du Roi.* Die Anordnung der Ballette ist nicht chronologisch, sie stimmt mit keiner anderen Abschrift überein.

---

[14] Lully GA, Ballets, Bd. I, S. LI.

Qu. 20 Anciens Ballets de Lully, GB-Cfm 80.22 H7. Hierbei handelt es sich um eine Abschrift aus dem Atelier Foucaults, die auch einen Katalog aus den Jahren 1694 oder 1695 enthält.[15] Der Inhalt ist identisch mit den Bänden 3—5 der Foucault-Ausgabe. Von dem 5. Band fehlen lediglich die beiden letzten Ballette *(La Fête de Versailles* und *la Mascarade de Versailles)*.

Qu. 21 Ballets, F-Pc Cons X 1602. Der Band beinhaltet Auszüge aus fünf Balletten der Bände 4 und 5 Foucaults.

Stimmen

Qu. 22 Airs de ballets et d'opera, Folio-Format, dessus de violon, F-Pn Vm⁶ 5. Prachtvolle Handschrift von Vokal- und Instrumentalsätzen aus Bühnenwerken Lullys und vieler anderer Komponisten (Beauchamps, Dumanoir, Mayeux etc.). Der Band ist ausgestattet mit Stichen Bonnards, auf denen Musiker (u. a. J.-B. Lully) mit ihren Instrumenten dargestellt sind. Viele sonst kaum nachzuweisende Kompositionen sind in diesem Band überliefert, der im Jahre 1691 von einem gewissen Veron angelegt bzw. fertiggestellt wurde und der das Wappen Wignerod de Richelieus trägt.

Qu. 23 Recueil des opera de Lully, F-Pa Rés M 879, 1—3. Generalbaßstimme der seit 1672 entstandenen Bühnenwerke Lullys und der *Grotte de Versailles*.

Qu. 24 Livre De la musique du Roy donné par madame la Duchesse de Bourgogne au Sieur Prin fameux joüeur de trompette marine au concert des princesses Trianon dans le parc De Versailles le 15 juillet 1702, F-LYm Ms 133654. Es handelt sich um eine Stimme für Trompette marine der Opern Lullys sowie anderer Stücke und Jagdsignale. Auf einem eigenen Titelblatt wird nochmals vermerkt: *Opera de Monsieur de Lully pour les Trompettes Du Roy.* Die durch zahlreiche kleine Stiche geschmückte Stimme trägt auch die Unterschrift Prins.

Qu. 25 Anciens Ballets de Monr. de Lully, dessus de violon, F-TLm Cons 82 (1). Die Handschrift stimmt mit der Foucault-Ausgabe überein, sie ist 1706 datiert.

Qu. 26 Basse continue des opera de Lully, F-Tlm Cons 82 (7), datiert 1706.

Qu. 27 Basse continue du Premier Volume des Anciens Ballets, dass. du Troisième Volume, F-Mc Ms 66 und 67. Außerordentlich reich bezifferte Generalbaßstimme aus dem Atelier Foucaults.

Qu. 28 Basse continue des ballets de M. de Lully, F-PMeyer, Generalbaßstimme von 31 Bühnenwerken Lullys aus dem frühen 18. Jahrhundert.

Qu. 29 Dessus de violon des Opera de M. de Lully, F-Po ♮ 2705, Stimme aus den Opern zwischen *Cadmus et Hermione* und *Acis et Galatée.* Am Ende ist eine *Marche des hautbois des mousquetaires au concert du Roy* aus dem Jahre 1715 sowie die *Marche funebre pour le Convoy du Roy* notiert (Exlibris von Joan. Dion Guillois).

Qu. 30 Oeuvres de M. de Lully correctement copiées par le sieur Bourdin, dessus de violon, F-Po ♮ 1324. Dieser umfangreiche Band enthält die Violinstimme der meisten Ballette und Comédies-ballets, aller Opern Lullys sowie von *Zéphire et Flore* von Jean und Jean-Louis Lully und *Thétis et Pelée* von P. Collasse.

Suiten in orchestraler und kammermusikalischer Besetzung

Qu. 31 Dessus de violon, F-Po ♮ 2705 bis, Ouvertürensuiten aus Bühnenwerken Lullys zwischen *Les Fêtes de l'Amour et de Bacchus* und *Acis et Galatée.*

Qu. 32 Drei Stimmbücher von Instrumentalsuiten aus Balletten, Comédies-ballets und Opern Lullys, GB-En Ms 9459—9461 / Panmure 13—15. Jedes Stimmbuch enthält zwei Stimmen auf den jeweils gegenüberliegenden Blättern: 1. Stimmbuch, dessus und basse, 2. Stimmbuch, 1er und 2nd dessus, 3. Stimmbuch, taille und quinte. Das Repertoire besteht aus den Bühnenwerken von 1658 bis 1677 (Isis), eine andere Hand hat drei Sätze aus Bellérophon hinzugefügt.

---

[15] Dieser Katalog enthält die 1694 zuerst aufgeführten Opern *Céphale et Procris* von Elisabeth Jacquet de Laguerre und *Circé* von Desmarets, daher ist die Datierung zu rechtfertigen.

Qu. 33 Triobearbeitung von Sätzen aus Balletten, Comédies-ballets und frühen Opern (bis *Bellérophon*), drei Stimmen, GB-Lbl Add 31425.

Qu. 34 Recueil de Plusieurs belles pieces de simphonies copiées, choisies et mises en ordre par Philidor l'aisné ordinaire de la musique du Roy et l'un des deux gardiens de la musique de Sa M^té, Second tôme 1695, F-Pc Rés F 533, zwei- bis dreistimmige Partitur mit Kompositionen von Lully, Philidor, A. Corelli, Delalande, Du Boucet, Desmarets. Alle Sätze stehen in g-Moll oder G-Dur.

Qu. 35 Recueil de pieces de basson, F-V Ms mus 132. Kopie Philidors aus dem Jahre 1696. Suiten, die ausschließlich aus Vokalsätzen der Opern und einzelner Comédies-ballets Lullys zusammengestellt sind.

Qu. 36 Livre de simphonies, tome premier, Airs de dance des anciens ballets de Lully, F-Pn Rés 685. Zweistimmige Partition réduite, zu Anfang Ballettsuiten mit Sätzen aus der *Sérénade de Belleville*, dann folgen Opernsuiten mit Ouvertüren. Die Tonart bleibt in kleineren Suiten unverändert. Das Repertoire endet mit Sätzen aus *Le Temple de la Paix* (1685).

Qu. 37 Dessus-Stimme einer Folge von Opern- und einigen gemischten Suiten mit vielen anonymen Tänzen und anderen Instrumentalsätzen am Ende des Bandes, US-Cu. Neben Lully sind auch Collasse, Desmarets und Marais vertreten. Das Repertoire endet mit Werken, die 1695 entstanden sind.

Qu. 38 Recueil des Symphonies de M^r. de Lully comme sont de Cadmus . . ., CS-Pnm II La 11. Ouvertürensuiten aus Bühnenwerken Lullys einschließlich zahlreicher Stücke der Lully-Söhne und von Collasse. Vier Stimmen im Folio-Format.

Qu. 39 Pieces de Trompettes de Mr. de la Lande, Rebelle, et Philidor, mises en estat et copié par le Sr. Philidor L'aisné ordinaire de la Musique du Roy Et enrichy des Pieces de Mr. Huguenet l'aisné compositeur de Triots de trompette plus antien ord^re. de la Musique du Roy, F-Pc Rés 921. Obwohl Lullys Name in dem ausführlichen Titel nicht genannt ist, befinden sich zahlreiche Stücke Lullys in diesem Band, der Bearbeitungen für mehrere Trompeten enthält.

Qu. 40 Partition des huit divertissemens des vieux Ballets Mis en Musique Par Mr. de Lully, Surintendant de la Musique du Roy. Copiez par ordre exprés de son Altesse Serenissime Monseigneur le Comte de Toulouse, par M. Philidor l'aîné, Ordinaire de la Musique du Roy . . . & par son Fils aîné, l'An 1703, zwei Partituren, zwei Dessus, Basse, Basse continue und vier Vokalstimmen, ehemals GB-T Ms 214—219 und 102—105, jetzt F-Pn Rés F 1710. Alle Bände enthalten das gedruckte Titelblatt und Inhaltsverzeichnis, die Noten sind handschriftlich.

Qu. 41 Symphonie des Opera de M. de Lully surintendant de la Musique de la Chambre du Roy. Qui se joüent ordinairement entre les Actes des Comédies, chez le Roy. Copiées par ordre exprés de son Altesse Serenissime Monsieur le Comte de Toulouse . . . 1703, ehemals GB-T Ms 251—254, zwei Dessus und zwei Baßstimmen; Ouvertürensuiten aus Opern mit wechselnden Tonarten, gedruckter Titel und Inhaltsverzeichnis, die Noten sind handschriftlich.

Qu. 42 Second dessus de violon, F-V Ms mus 122. Ouvertürensuiten zusammengestellt aus Bühnenwerken vom *Ballet du Triomphe de Bacchus dans les Indes* bis zu *Cadmus*.

Qu. 43 Suite des symphonies des vieux ballets de M. de Lully Surintendant de la Musique de la Chambre du Roy. Qui se joüent ordinairement entre les actes des comedies, chez le Roy . . . & par son Fils, aîné, l'An 1703, ehemals GB-T Ms 225—258, premier et second dessus, 2 basses continues. Die Stücke der 22 Suiten stammen aus 32 weltlichen Werken zwischen dem *Ballet d'Alcidiane* und *Psyché*. Die Angaben des gedruckten Inhaltsverzeichnisses weichen mehrfach von dem Inhalt der Kopien ab.

Qu. 44 Symphonies de Lully, F-TLm Cons 82 (1 und 2), premier dessus und basse, die Dessus-Stimme ist 1706 datiert; 11 Suiten aus Opern und *Les Fêtes de l'Amour* und *le Carnaval Mascarade* (1675).

Qu. 45 Simphonies des opera de Mr. De Lully Dessus / Se Vendent a paris chez foucault marchand rüe St. honnoré à la regle dor pres la rüe des bourdonnais, Dessus 1708, Dessus 1709, Basse 1716, ehemals GB-T Ms 264—266, Ouvertürensuiten aus Opern in chronologischer Reihenfolge mit wechselnden Tonarten innerhalb jeder der 19 Suiten.

Qu. 46 Triosuiten, F-V Ms mus 119—121, premier et deuxième dessus, basse. Die Suiten aus den Balletten und Comédies-ballets sind in der Mehrzahl gemischte Suiten, die übrigen Suiten sind mit Ausnahme der letzten, die Sätze verschiedener Herkunft vereinigt, jeweils auf eine Oper beschränkt.

Qu. 47 Recueil des plus beaux airs de violon de feu Mr. de Lully Rangez par suite et par ton, propres pour toutes sortes de divertissements, ou concerts de chambre, Baßstimme ohne Bezifferung, 18 Ouvertürensuiten, teilweise gemischt aus Ballett- und Opernsätzen. Das Exemplar ist im Besitz des Verfassers.

Qu. 48 Livre de toutes les simphonies De Monsieur De Lully, F-TLm Cons 82 (3 und 6), dessus und basse, 18 Ouvertürensuiten aus Opern, dem *Idylle sur la Paix*, der *Grotte de Versailles* sowie eine Suite aus *Thétis et Pelée* von Collasse und den beiden Destouches-Opern *Amadis de Grèce* (1699) und *Marthésie* (1699).

Qu. 49 Premier Tome. Symphonies des premiers Dessus des Opera de Armide . . . F-Pn Vm⁷ 3185 (1). Suiten aus Bühnenwerken und anderen Kompositionen in Form der Ouvertürensuite. Die Sammlung enthält neben dem beliebten Stück *Les plaisirs de* [Pierre] *Gautier* auch Sätze aus dem *Trio de Cariselli* von Cambert, das 1702 in den *Fragments de M. de Lully* wiederverwendet worden war.

Qu. 50 Symphonies des Opera et Ballets de M. de Lully, F-Pn Vm⁷ 3185 (bis), Basse de violon, Ouvertürensuiten aus Bühnenwerken Lullys, die seit 1672 entstanden sind sowie der Fragments de Lully von 1702 und eine Bearbeitung der *Folies d'Espagne*.

Qu. 51 Symphonies choisies d'opera et de ballets, F-Pn Vm⁷ 3185 (ter), basse; Reihung von Instrumentalsätzen aus den Opern Lullys in den Tonarten C, D, F, G, A, B, jeweils in beiden Tongeschlechtern. Einige Sätze stammen aus *Céphale et Procris* (1694) von Elisabeth Jacquet de Laguerre, einige sind anonym. Die dazugehörige Stimme des dessus de violon hat die Signatur Rés 1856.

Qu. 52 Recueil des Symphonies de Monsieur de Lully, premier et second dessus, Coppié en 1712, gestochenes Titelblatt, in dessen Mitte handschriftlich der Titel eingetragen ist, US-U.

Qu. 53 Suitte en f ut fa, F-Pn Vm² 86 bis, Ouvertürensuite; mit Ausnahme eines anonymen Satzes stammen alle Stücke aus Bühnenwerken Lullys; 12 dessus-Stimmen, 2 Stimmen haute-contre und taille, 12 Stimmen basse continue, Partition réduite im Querformat.

Qu. 54 Suitte en G re sol, F-Pn Vm² 36 und 36 bis. Ouvertürensuite, deren Sätze aus verschiedenen Werken Lullys entnommen sind; eine Stimme premier dessus und second dessus de violon et de hautbois, 12 Stimmen premier dessus, 11 Stimmen second dessus, 2 Stimmen haute-contre und taille, 12 St. basse continue.

Qu. 55 Suite des Symphonies et Trio de M. de Lully, Et quelques Trio de M. de la Lande, Surintendant de la Musique du Roy. Pour les petits Concerts qui se font les soirs devant sa Majesté. Recüeillie & mise en ordre par Philidor le Pere, Ordinaire de la Musique du Roy & Garde de sa Bibliotheque, l'an 1713, F-Pc Rés F 670; Titel und Inhaltsverzeichnis sind gedruckt, die Noten der fünf Stimmen handschriftlich. Bis zur Suite 21 sind nur Sätze aus Bühnenwerken vor 1673 von Lully und anderen Komponisten, von Suite 22 bis 66 auch Opern Lullys vertreten. Von den Suiten werden 32 mit Ouvertüren und 34 mit anderen Sätzen eingeleitet.

Qu. 56 Recueil de pieces de Symphonies de Mr. Jean Baptiste de Lully et des autres meilleurs auteurs de ce temps, premier dessus, F-C Ms 2536,; Reihung von Instrumentalsätzen in freier Tonartenfolge. Neben Lully sind Destouches, Campra, Desmarets, M. A. Charpentier und [Pierre] Gautier de Marseille mit Kompositionen vertreten.

Qu. 57 Recueil de Trios de Mr. de Lully et de plusieurs autres Auteurs, basse, F-Pn Rés Vm⁷ 546; der Einband trägt das Wappen des duc d'Orléans; gemischte Suiten, davon nur eine mit Ouvertüre; nur wenige Stücke stammen von anderen Komponisten.

Qu. 58 Pour les Comedies. Basson des Mousquetaires, F-Pn Rés Vma ms 500; bunt gemischte Zusammenstellung von Sätzen aus Bühnenwerken Lullys; meist sind bis zu vier Sätzen in einer Tonart aneinandergereiht.

Qu. 59 Dessus-Stimme von Exzerpten (vorwiegend Ritournelles und Vokalsätze mit Instrumentalbegleitung) aus Bühnenwerken Lullys der Zeit von 1672 bis 1687, französische Kopie, A-GÖ. Das Titelblatt weist darauf hin, daß auch eine Baßstimme existiert hat.

Qu. 60 Simphonie premier et second dessus, basse, Tome I und II, F-V Ms mus 139—143, Einband mit dem Wappen der Melle de Clermont. Insgesamt 83 Suiten (davon fehlt Nr. 67), von Suite 28 ab sind auch Sätze aus den Opern Lullys enthalten. Neben Lully sind zahlreiche andere Komponisten wie Campra, Marchand und Mouret vertreten. Auf Grund der gesicherten Datierungen verschiedener Kompositionen kann die Handschrift nicht vor 1718—1720 entstanden sein.

Qu. 61 Symphonies de Lully, F-TLm Cons 82 (5 und 5 bis), dessus und basse continue; neun Ouvertürensuiten aus Opern Lullys mit Tonartenwechsel.

Qu. 62 Symphonies de Lully, basse, F-LYm 133726, zwei Exemplare. In den Suiten werden Sätze aus verschiedenen Bühnenwerken Lullys unter Beibehaltung der Grundtonart vereinigt. Innerhalb einer Suite erscheinen mehrere Ouvertüren, die offenbar zur Auswahl dienten. Der letzte Teil der Handschrift besteht aus vielen Chaconnen. Neben Lully ist auch Pierre Gautier mit vielen Kompositionen vertreten.

Qu. 63 Symphonies des opera de differens auteurs, GB-Cfm Ms 32 E 28; Opernsuiten mit Ouvertüren aus *Tancrède* (Campra, 1702), *Semiramis* (Destouches, 1718), *La Naissance de Vénus* (Collasse, 1696) und Bühnenwerken Lullys in Partition réduite. Datierung am Ende der Suite aus *Tancrède:* 6. 7. 1720.

Qu. 64 Symphonies de M. de Lully, F-TLm Cons 82 (4), Partition réduite, Reihung von Ouvertüren, Tänzen und Airs, die in Tonarten geordnet sind. Mit Hilfe zweier Tafeln sind Suiten leicht zusammenzustellen. Verschiedene Schreiber waren an der Handschrift beteiligt. Von S. 288 ab sind nur noch Stücke der Lully-Nachfolger notiert. Die letzte Oper ist *Médée et Jason* von Salomon (1713).

Qu. 65 Recueil des Trio et airs de Mr. de Lully, F-Po ♮ 2704, dessus de violon. Der Inhalt besteht aus einem Konglomerat von Vokal- und Instrumentalsätzen, von denen die meisten von Lully stammen.

Qu. 66 Dessus chantans, F-V Ms mus 124; die Table enthält einen Hinweis auf die Ausführung der Suiten: *airs à jouer et à chanter avec accompagnement de flûtes et de violons.* Nur zwei Sätze stammen aus Balletten, der Rest aus Opern Lullys und anderer Komponisten. Es handelt sich um Tonartensuiten in C, D, e, F, G, a, B mit wechselnden Tongeschlechtern. Auf Grund der Datierungen der zitierten Opern kann die Abschrift nicht vor 1720 entstanden sein.

Qu. 67 Abschrift von vier Ouvertürensuiten aus La *Grotte de Versailles, Cadmus, Alceste* und *Thésée* in fünf Stimmen, von denen der second dessus de violon heute fehlt. S-Uu Vokal mus ihs 57:23 b, vermutlich keine französische Abschrift.

Qu. 68 Instrumentalsuiten in Stimmen, violon und basse, S-B NB holm 197—198. Der Inhalt besteht aus Ouvertüren und Instrumental- sowie Vokalsätzen aus Bühnenwerken.

Qu. 69 Recueil de Plusieurs Symphonies de Mr. de Lully et plusieurs autres Copié par philidor laisné, B-Bc Fa VI 17, Partition réduite; Reihung von Kompositionen aus verschiedenen Gattungen Lullys und zahlreicher anderer französischer Komponisten sowie Vaudevilles und Tänzen aus französischen Provinzen. Diese Art von Handschriften im kleinen Querformat kopierte Philidor in den letzten Jahren seines Lebens in Dreux, ca. 1725—1728.

Qu. 70 Piéces de Musique, F-Pn Rés 2060, dessus, Zusammenstellung von Sätzen aus Bühnenwerken Lullys. Die Stücke sind in vier Suiten unter Beibehaltung der Ausgangstonart angeordnet. Die reiche Verwendung von Seufzervorhalten und Verzierungen läßt darauf schließen, daß die Handschrift nicht vor 1730 entstand.

Qu. 71 Concert pour le Roy composé par Mrs Rebel et Francoeur, Suitte premiere à sixieme, F-Pa M 914 a und b, dessus und basse, handschriftliche Anmerkung *Ex catal. Biblioth^{ae} Argenson.* Von den fünf Suiten sind vier Ouvertürensuiten mit beibehaltener Grundtonart. Die Herkunft des Exemplars aus der Bibliothek des duc d'Argenson und die Anlage der Suiten sowie die gemeinsame Autorschaft von Rebel und Francoeur legen die Zeit der Zusammenstellung um 1730 nahe.

Qu. 72 Livre d'Opera. Les Faites de l'Amour et Bacu Pour de violon et la Flute, premier et second dessus. Fait à Paris le 10 Avrille 1745, F-Po ♩ 1403. Der Inhalt besteht aus Ouvertürensuiten aus Bühnenwerken, die nach 1672 entstanden sind einschließlich *Zéphire et Flore* von Louis und Jean-Louis Lully und *Thétis et Pelée* (1689) von Collasse. Die Werke sind nicht chronologisch geordnet.

Vokale Auszüge aus Opern

Qu. 73 Recueil / des plus beaux endroits / des / Opera / De Mr de Lully. / Sçavoir; / Les Duo, Trio & Recits chantans, avec la Basse-continue chiffrée. / Des Opera de Psiché / Folio 1 / Cadmus Folio 13 / Alceste Folio 29 . . . Proserpine Folio 107 / Tome I. / manuscrit 18 £ enblanc / Chez le sieur Foucault, Marchand, demeurant à l'entrée de la ruë / S. Honoré, prés la ruë de la Lingerie, à l'Enseigne de la Regle d'Or, F-LYm Ms 27256; F-AG (mit gedrucktem Register) II, 163; F-PMeyer; F-Pc Rés F 649; F-Pn Vm² 102; Vm² 100a (mit gedrucktem Register und 8 Stichen von Arnoult; Vm² 101; S-N (mit gedrucktem Register). Vol. II (Werke von le *Triomphe de l'Amour* bis *Acis et Galatée*), F-Pn Vm² 101; Vm² 100b (mit gedrucktem Register); F-Pc Rés F 650; S-N (mit gedrucktem Register); Vol. I, II F-P garnier-arnould.

Qu. 74 Chants à la louange du Roy, Sammlung von Opernprologen in Partition générale, F-Pc Rés 1838 (in diesem Exemplar sind auch Werke von Delalande, Du Buisson, Bourgeois, Clérambault und Marais enthalten); F-V Ms mus 65 (1), (3); Ms mus 64 und 109 (1713 kopiert).

Qu. 75 Airs tirés des opera, comédies-ballets, pastorales et ballets, Ms. Ende des 17. Jahrhunderts, F-Pn Rés Vma ms 866.

Qu. 76 Fragments des Opera: Amadis, Armide, Atys, Proserpine, Phaeton, Alceste, Acis et Galatée, Isis, Einband mit dem Wappen der comtesse d'Egmont. F-Pn Rés F 473.

Qu. 77 Basses chantantes avec des accompagnemens de violon et tous les recits de basse de tous les ouvrages de Mr. de Lully. Das Titelblatt besteht aus einem Stich, auf dem Instrumente dargestellt sind, in einem Oval ist handschriftlich der Text eingetragen, F-B Ms 279 147.

Qu. 78 Livre de musique. Ce livre contient tous les plus beaux endroits de toutes les plus belles & principales pieces, que feu Monsieur De Lully sur Intendant de la Musique du Roy, a composées . . . commencé au commencement du mois de Nov. 1693 [?] & finy à la fin du mois de Juillet 1696 [?] Augier, F-Pc Rés F 768. Die Stücke sind meist einstimmig, teilweise mit gesondert notiertem Baß.

Qu. 79 Opernexzerpte in Partition réduite, D-W Cod guelf 151 Mus handschr.

Qu. 80 Recueil d'airs et fragments de divers opera de Lully, Campra et Charpentier, F-Pn Vm² 102 bis.

Qu. 81 Fragments d'opera, Singstimme mit basse continue, F-Pn Vm² 25.

Qu. 82 Airs de cinq Opera, sçavoir de Phaeton, Roland, Thésée, Alceste et Atys, Ms 1700, Einband mit dem Wappen von Jeydeau de Brou, intendant de Montauban, F-Pn 4⁰ Vm⁷ 1709.

Qu. 83 Scenes tirées des operas avec des airs Serieux et à boire de differens auteurs, 2 volumes, Partition réduite, S-St S 15.

Qu. 84 Recueil d'opera, Partition réduite, S-Skma T-SE-R Ox vol 18.

Qu. 85 Auszüge aus acht Opern Lullys, französische Kopie aus dem Besitz Dragonettis, GB-Lbl Add 16045.

Qu. 86 Auszüge aus vier Opern Lullys, US-Sp ML 96 L 85 A 3.

Qu. 87 Airs aus französischen Opern, einstimmig notiert, GB-Lbl Add 17785.

Qu. 88 Recueil d'Airs de Lully, GB-Lbl Add 37501.

Verlorene Quellen

Aus der immensen Produktion von Stimmen, die die Bibliothekare der königlichen Bibliothek und ihre Gehilfen für die Chambre du Roi und die Académie Royale de Musique zu kopieren hatten, sind aus der Zeit Lullys bzw. bis zum Ende des 17. Jahrhunderts nur ganz wenige Stimmen erhalten.[16] Mit dem Verlust dieser Quellen sind auch wichtige Hinweise auf die Aufführungspraxis der Zeit verloren gegangen.

Aus der Collection Philidor sind folgende Bände abhanden gekommen, die von grundlegender Bedeutung für die Überlieferung sind:

Bd. 22 Ballet de l'Impatience, Ballet des Saisons, Hercule amoureux, les Noces de Village, Ballet des sept Planètes
Bd. 23 La Princesse d'Elide, le Mariage forcé, la Naissance de Venus
Bd. 25 Symphonies, u. a. von Lully
Bd. 26 Branles et autres Dances (der Epoche Ludwigs XIII. und XIV., zu den Autoren gehörten Lully, Chancy u. a.)
Bd. 27 Pièces italiennes et espagnoles de differents auteurs (u. a. Lullys, La Barres und Luigi Rossis)
Bd. 37 Le Ballet de l'Amour malade, le Ballet de Psyché ou la Puissance de l'Amour
Bd. 38 Airs, u. a. von Lully
Bd. 45 u. a. Ballet des Proverbes, Ballet du Temps, les Noces de Village, Ballet de la Revente des Habits
Bd. 46 Le grand Ballet des Bienvenus
Bd. 55 Airs de Dance en partition à 6 parties et des boutades de Lully
Bd. 56 Premier recueil des vieux ballets; Ballet de l'Amour malade, Ballet d'Alcidiane, Ballet de la Raillerie, Xerxes

In dem von Philidor im Jahre 1729 niedergeschriebenen *Catalogue general De tous les Vieux Ballets du Roy et Operas tant de Mr. De Lully que de plusieurs autres Compositeurs Modernes*, F-A Ms 1201, wird eine siebenbändige Balletsammlung erwähnt, die folgenden Inhalt hatte:

„Premier Tome des vieux Ballets du Roy: Le Ballet des Proverbes, dansé devant le Roy au Louvre l'an 1654.
Le Ballet des Bien-venus, dansé devant le Roy à Compiegne aux Noces de Madame La Duchesse De Modenne, l'an 1655.
Plusieurs Suittes de Branles, Symphonies, et Trios de Mr. De Lully.
Ballet Masquarade donné au Roy à Toulouse l'an 1659.
Ballet Des Plaisirs, dansé devant le Roy, l'an 1655.
Ballet De l'Amour Malade, dansé devant le Roy, l'an 1657.

Deuxiéme Tome Des Vieux Ballets de Mr. De Lully et autres Auteurs: Ballet dansé à Essone devant la Reine Christine De Suede, donné à Sa Majéste Suedoise par Mr. Inselin dans sa Maison à Essone l'an 1656 [Musik vermutlich von Charles-Louis Beauchamps]
Ballet Du Tems, Dansé au Louvre devant le Roy chez Mr Le Cardinal. Les Moyens de parvenir, dansé devant le Roy à Ruelle chez Mr. Le Cardinal l'an 1654.
Ballet dit Batdelory dansé au Louvre devant Sa Majesté, Donné par M. Thuboeuf l'an 1655.
Recueil de toutes les Marches de Haut-bois et Batteries de Tambours tant Françoises qu'Etrangeres.
Les Airs du 3e Carousel de Monseigneur fait à Versailles dans la Cour des Grandes Ecuries, l'an 1686.

Tome Troisiéme Des Vieux Ballets du Roy: Ballet Masquarade des Plaisirs troublez, dansé devant le Roy par Mr. De Guise l'an 1657.
Le Ballet Royal d'Alcidiane dansé devant le Roy l'an 1658.
Le Ballet Royal de Xerxes dansé devant le Roy l'an 1660.
Le Ballet Royal de la Raillerie dansé devant le Roy l'an 1659.
Ballet de l'Impatience, danse devant le Roy au Petit Bourbon l'an 1661.
Le Ballet Royal des Saisons, dansé devant le Roy dans le petit Parc de Fontainebleau l'an 1661.
Le Grand Ballet d'Hercule Amoureux, dansé dans la grande sale des Thuilleries a paris l'an 1662.

Tome Quatriéme Des Vieux Ballets du Roy: La Masquarade Ridicule de Vincennes, ditte les Noces de Village, l'an 1663.
Le Ballet des Arts, l'an 1663.

---

[16] Vgl. J. Eppelsheim, Das Orchester in den Werken Jean-Baptiste Lullys, Tutzing 1961 (Münchner Veröffentlichungen zur Musikgeschichte 7), 22—29.

Le Ballet dansé à Fontainebleau devant le Roy, et le Legat, Entre les Actes de la Comedie d'Oedipe l'an 1664.

Ballet du Mariage-forcé, dansé devant le Roy l'an 1664.

Ballet Royal, La Grande Feste de Versailles. La Princesse d'Elide, l'an 1664.

Tome 5e Des Vieux Ballets du Roy: L'Impromptu de Versailles, Ballet des Gardes, danse devant le Roy l'an 1665.

Le Ballet et Masquarade du Gentil-homme de Campagne, dansé devant le Roy l'an 1665.

Ballet de l'Amour Medecin, dansé au Palais Royal, à Paris, devant le Roy l'an 1665.

Ballet de la Naissance de Venus, dansé au Palais Royal a paris devant le Roy à l'arrivée de Madame, l'an 1665, fille d'Angleterre.

Ballet du Triomphe de Bacchus dans les Indes dansé par sa Majesté le 9e Janvier 1666.

Le Grand Ballet des Muses dansé par Sa Majesté au Chateau de St. Germain en Laye le 2e Xbre 1666.

Tome 6e Des Vieux Ballets du Roy: La Grotte de Versailles, Divertissement Joüé devant le Roy dans la Grotte de Versailles avec toute la Musique de Sa Majeste l'an 1667.

Ballet Royal de la Grande Feste de Versailles, George Dandin, dansé devant le Roy, l'an 1668.

Ballet Masquarade du Carnaval dansé devant le Roy au Louvre, Ensuitte à St. Germain en Laye l'an 1667.

Ballet Royal de Flore, dansé devant Sa Majeste dans le grand Sallon des Thuilleries vis-à-vis le pont Royal au mois de fevrier l'an 1669.

Tome 7e Des Vieux Ballets du Roy: Le Ballet de Mr. De Poursonniaque dansé devant le Roy à Chambord, l'an 1669.

Le Ballet des Jeux Phitiens, dansé devant le Roy à St. Germain en Laye l'an 1669.

Le Ballet du Bourgeois Gentilhomme, dansé devant le Roy à Chambord l'an 1670.

Les Sept premiers Volumes contiennent 35 Ballets, et 119 Simphonies particulieres, et 19 Trios tant Suittes de Branles, Concerts particuliers, que de toutes sortes de Marches et Batteries de Tambours; Et les Airs du 3e Carousel de Monseigneur, l'an 1685."

Eine Abschrift dieser Bandverteilung und dieses Inhalts ist bisher nicht aufzufinden gewesen. Einige Ballette sind in der Literatur über das höfische Ballet der Epoche Ludwigs XIV. bisher unbeachtet geblieben. Auch handschriftliche Partituren fast aller am Hof und in Paris aufgeführter Opern bis zum Jahre 1729 sind in Philidors Katalog aufgeführt. Diese Bände konnten bisher mit der von Philidor mitgeteilten Numerierung in den großen französischen Bibliotheken nicht nachgewiesen werden.

Zu den verlorenen Beständen gehören auch die Kopien, welche in der Karlsruher Bibliothek im Zweiten Weltkrieg verbrannten. Nach Eitner[17] enthielt die Sammlung folgende Bühnenwerke, die jeweils in einem Band gebunden waren: *Ballet de l'Amour malade, Ballet de la Raillerie, Ballet de l'Impatience, les Plaisirs de l'Ile enchantée, les Amants magnifiques, le Bourgeois Gentilhomme* und *le Ballet des Muses.*

Auch unter den Beständen der Bonner Hofbibliothek[18] ist eine siebenbändige Abschrift von Balletten nachweisbar. In dem erhaltenen Katalog sind namentlich folgende Werke genannt: *Ballet de Chambre* [?], *Ballet de la Raillerie, Ballet des Arts, Mascarade de Versailles, Ballet d'Alcidiane, Ballet des Saisons* und *eine ohne Zill.* Außerdem befand sich unter den anderen Partituren eine Kopie eines *Ballet des Amours déguisés*[19], wobei es sich vermutlich aber um jenes von Louis Fuzelier und Louis Thomas Bourgeois von 1713 handelt.

S. Brossard erwähnt in seinem *Catalogue des Livres de Musique Theorique et Pratique* von 1724[20] eine Ballettkopie, die er ungefähr 1684 für Straßburg hatte anfertigen lassen und die in zwei Bänden gebunden waren. Der erste Band enthielt das *Ballet de l'Amour malade, Xerxes, Ballet de l'Impatience, Ballet des Saisons, Ballet d'Hercule amoureux,* ein *Concert, Ballet des Noces de Village, Ballet des Arts, Ballet de l'Amour deguisé, Ballet de la Naissance de Venus, le Mariage forcé, Ballet de Créquy,*

---

[17] Biographisch-Bibliographisches Quellen-Lexikon der Musiker und Musikgelehrten der christlichen Zeitrechnung bis zur Mitte des 19. Jahrhunderts, Leipzig 1900—1904, Art. Lully.

[18] Vgl. S. Brandenburg, Die kurfürstliche Musikbibliothek in Bonn und ihre Bestände im 18. Jahrhundert, in: Beethoven-Jahrbuch, Jg. 1971/72, 11. Brandenburg blieb unbekannt, daß Lully der Komponist der Stücke war.

[19] Vgl. ebd. 15.

[20] F-Pn Vm⁸ 21, 531—532. Nur für die Vorlage des Originals, aus dem die Ballette 40 Jahre zuvor (d. h. vor der Fertigstellung seines Kataloges) kopiert wurden, mußte Brossard eine „pistole" bezahlen.

Ballet des Muses, Ballet de Flore und der zweite Band das *Ballet des Muses, Ballet des Jeux Pythiens* und *le Bourgeois Gentilhomme*. Offenbar waren die beiden Bände nicht als zusammengehöriges Ganzes konzipiert, sonst hätte man auf die zweimalige Kopie des *Ballet des Muses* verzichtet.

Die Überlieferung des Kataloges von Philidor aus dem Jahre 1729 zeigt deutlich, daß verschiedene Quellen über jene der Collection Philidor hinaus verloren gegangen sind.

Handschriftliche Quellen der weltlichen nichtdramatischen Parodien

Chansonnier Clairambault, F-Pn, Ms fr 12686—12743
Chansonnier Maurepas, F-Pn, Ms fr 12616—12659
Recueil de chansons, F-Pn, vol. I—VIII, Rés 1593
Chansons satiriques, F-Pa, Ms 4840—4843
Recueil de chansons choisies en vaudevilles pour servir à l'histoire anecdote, F-LYm Ms 1552—1553
dass. F-LYm Ms 1549—1551
Recueil de chansons, F-LYm Ms 1552—1553
Recueil de chansons, GB-Lbl Egerton 1519—1521
Recueil de chansons, GB-Lbl Egerton 814—817
Recueil de chansons, GB-Lbl King's 332
Parodies et chansons, F-V Ms mus 262
Livre de Chansons Parisiennes, F-Pn Rés 684
Chansonnier, F-AIXm, Ms 1248

Gedruckte Quellen der weltlichen Parodien

Bacilly, Bénigne de: Recueil / des plus / beaux vers, / Qui on esté mis / en chant, / Avec le Nom des Autheurs tant des Airs / que des Paroles / A Paris / Chez Charles de Sercy . . . M.DC.LXI, F-Po
ders. Recueil, Troisiesme Partie [1666], F-Pn Rés Vm Coir. 165
ders. Nouv. Recueil, 1666, F-Pn Rés Vm Coir. 166
ders. Recueil, 1668, F-Po
ders. Recueil, 1671, F-Pn Vm Coir. 155
ders. Recueil, 1680, F-Pn Vm Coir. 164
Airs / et / Vaudevilles / de Cour. / dediez / à son Altesse royale / Mademoiselle. / A Paris, / Chez Charles De Sercy, au Palais . . . M.DC.LXV. / F-Pn Rés Vm Coir. 120
Ph.-E. de Coulanges: Recueil / de / Chansons / choisies. / divisé en deux parties. / A Paris, / Chez Simon Bernard . . . M.DC.XCIV, F-Pn Ye 10637
ders. Recueil de Chansons, Paris, Simon Bernard, 1698, F-Pn Ye 10635
dass. Titelauflage, Paris, Guillaume Cavelier, 1710, F-Pn Ye 10633
Parodies / Bachiques. / sur les airs / et symphonies / des Opera. / Recueillies & mises en ordre / par Monsieur Ribon. / Chez Christophe Ballad [sic] . . . 1695, F-Pn Rés 1598
Nouveau Recueil / des / plus beaux airs / des Opera, / et / autres chansons / . . . Paris, Antoine Raflé 1695
Parodies / Bachiques, / Sur les Airs / et symphonies / des Opera. / Recueillies & mises en ordre / Par Monsieur Ribon. / Suivant la Copie de Paris. / A Amsterdam, / Chez Jean du Fresne, dans / La Lombert steeg; au Fresne verd. / 1696, F-Pa 8° BL 11368
Nouveau Recueil / des / plus beaux airs / des Opera, . . . Paris A. Raflé 1697. Daran angebunden die Du Fresne-Ausgabe der Parodie bachiques, D-BÜ
Parodies / Bachiques, / Sur les airs / et symphonies / des Opera. Recueillies & mises en ordre / Par Monsieur Ribon. / Seconde Edition, revûë & augmentée. / A Paris, / Chez Christophe Ballard . . . 1696
Nouvelles / Parodies / Bachiques, / mélées / de Vaudevilles / ou / Rondes de table. / Recueillies & mises en ordre par / Christophe Ballard . . .
tome I, II, 1700, tome III, 1702, F-Pn Rés 1599
tome I und II, Ballard 1714

Les / Moines / Comedie en Musique. / Composée par les RR. PP. Jesuites / & representée en leur Maison de re / création de Mont-Loüis, devant feu / le R.P.D.L. par les Jeunes de / leur Société. / A Berghopsom, / Par Abacuc Strelitz 1709 [eingebunden in: Chansonnier Maurepas 12644]

Tendresses / Bacchiques, / ou / Duo et Trio / melez / de petits airs, / tendres et à boire, / des meilleurs auteurs; / Avec une Capitolade, ou Alphabet / de Chansons à deux Parties; / Recüeillies, & mises en ordre par / Chr. Ballard 1712

Les / Mille-et-un air, / ambigu / en forme de dialogue, / divisé en douze services [par Chauvon] . . . Paris, C. Ballard 1712

dass. Nouvelle Edition 1715

La / Gamme / Bacchique / A Paris / Chez C. Ballard 1715

Bouhours: La Manière de bien penser . . . Paris 1715

Gherardi: Le / Théâtre / italien / de / Gherardi . . . Paris 1717

dass. Paris 1700, Amsterdam 1701, 1721, Paris 1741

La Clef / des / Chansonniers / ou / recueil / des vaudevilles / depuis cent ans & plus . . . Paris, J.-B.-C. Ballard 1717

D'Urfey: Wit and Mirth or pills to purge Melancholy, London, W. Pearson 1719

vol. II Songs Compleat, Pleasant and Divertive, 1719

d'Orneval et Lesage: Le / Théâtre / de / la Foire, / ou / L'Opera-Comique . . . vol. I—III, Paris 1721

vol. IV—V, 1724

vol. IV, 1728

vol. VII—VIII, 1731

vol. IX—X, 1734

dass. Amsterdam 1722—1738

Concerts / parodiques, / divisez / en six suites. / Ballard 1721, livre 2e 1725, livre 3e 1730, livre 4e 1732

H. Zweerts: Innerlyke Zieltochten, Amsterdam 1722

Nouveau Recueil de chansons choisies, La Haye, P. Gosse & J. Neaulme tome II, 1724

dass. ²1731, ³1735

tome V, 1732, dass. 1753

Les / Ouvertures / des opera / De Monsieur De Lully, / Précédées / de son apotéose / sur l'ouverture de Pourceaugnac, / tirée du Ballet de Chambord; / Propres à chanter et à jouer. / Paris . . . Ballard . . . 1725

Simon Vergier, Oeuvres / diverses / de / Mr. Vergier, Commissaire de la Marine. / Tome premier / A Amsterdam / M.DCC.XXVI, F-Pn Ye 8896

Bailly: Phaéton. / Parodie, / . . . Paris 1730? F-Pn ThB 627

Les / Parodies / nouvelles, / et / Les Vaudevilles / inconnus. / livre 1er, Ballard 1730, livre 2nd 1731, livre 3e 1732, F-Pn Rés 2.148

Les / Parodies / du nouveau / Theatre Italien, / ou / Recueil des Parodies / . . . A Paris, / Chez Briasson . . . 1731

dass. Nouvelle édition revüe 1738

J. Le Bas: Festin / Joyeux, / ou, / La Cuisine / en Musique. /en vers libres. / . . . Paris Lesclapart Pere . . . 1738, F-Pn Ye 22212

La Boutique de Peintre . . . Paris, Boivin [1740]

Le / Tribut / de la / Toilette / Melanges Lyriques / A Paris, / Chez Me Boivin [1744], F-Pn Vm⁷ 4130

Recüeil Complet / De Vaudevilles / et Airs choisis, / . . . Paris 1753.

Saint Evremond: Oeuvres . . . o. O. 1753 [Maizeaux-Ausgabe]

de Coulanges: Chansons choisies de M. de Coulanges, mises sur des airs connus, nouvelle édition, Paris, Valleyre 1754

G. Hoorns: Enkhuyzer, Alkmaarder en Purmerender Liedeboek, Amsterdam [ca. 1762]

C.-F. Panard: Théâtre et oeuvres diverses de M. Panard . . . Paris, Duchesne 1763

Monnet: Anthologie / Françoise, / ou / Chansons choisies, / Paris, 1765

Abbé L'Attaignant: Poésies . . . vol. II, Londres 1766

dass. 1757

C. Collé: Théâtre de société, ou recueil de différentes pièces . . . Paris, P. F. Gueffier 1768

dass. 1777

B. de la Monnoye, Oeuvres, la Haye 1770, F-Pn

[P.-J. De Soer:] Trois cens Fables . . . Liège 1777

Nouveau Recueil de chansons choisies . . . Genf 1785

Révolutions lyriques / ou / le Triomphe, / de / la Liberté Française, Paris, Frère [ca. 1790]

Quellen der geistlichen Parodien

Françoise Pascal: Cantiques / Spirituels, / ou / Noels / Nouveaux, / Sur la Naissance / du Sauveur, Sur les plus beaux / Airs de ce temps. / Par M. P. Fille. / A Paris; / Chez Nicolas Oudot, rue vieille / Bouclerie, au bout du Pont / Saint Michel. / 1672, F-Pn Ye 29588.
dass. 1. Auflage 1670, 1673, 1679, 1681, Dijon 1675, Paris 1692, Troyes 1696, Paris 1723

Henry Reboulh: Noels / Nouveaux, / ou / Opera spirituel, / sur la naissance, mort, et / Resurrection de Nostre Seigneur Jesus, sur aucuns Airs de l'Academie Royale de Musique. / Dedié à Madame de Lully. / A Paris, / Par René Baudry 1673, F-Pn Ye 3686

La Grand / Bible des Noels / Tant vieils que nouveaux, / Augmentée & corrigée de plusieurs Noels sur la Na- / tivité de N. Seigneur Jesus-Christ, . . . Troyes, Nicolas Oudot, 1679. F-Pn Ye 11307 (weitere Ausgaben, Nr. 341, 343—346, 350, 352, 354—357, 422, 423 des Catalogue descriptif von A. Morin)

Noels / ou / Cantiques / nouveaux / sur la nativité de / Nostre Sauveur & Redempteur / Jesus-Christ. / Sur les plus beaux airs de ce temps / A Paris, / Chez la veuve Nicolas Oudot . . . 1679, F-Pn Ye 28578

Cantiques / sacrez, / Sur les mysteres / de la Vie, & de la Mort de Nôtre / Seigneur Jesus-Christ . . . Par Messire L. Chassain, Prêtre, & / Chanoine de N. D. de Montluel . . . A Lyon, Jean-Baptiste Barbier, 1684, F-Pn Ye 11327

Cantiques / de l'ame devote, / divisez en 6 livres. / . . . Accomodez à des airs vulgaires / Par un ecclésiastique habitué dans le Diocese de Marseille / 4e edition / Marseille, Claude Garcin, 1688, F-Pn
Die Approbation ist 1678 datiert

Cantiques / spirituels / et Prieres / Recueillis par A.H.P.E.L.D.L. qui se recommande à vos Prieres, / s'il vous plait / Lyon, Germain Nanty, Pour l'Année 1692, F-Pn Ye 16599

Cantiques / spirituels / d'un / Solitaire. / composez / sur divers chants & airs nouveaux / Paris, Simon Langronne, 1698, F-Pn Ye 16685

Nicolas Saboly: Recueil / des Noels / provenceaux, / composez par le sieur / Nicolas Saboly, / Beneficier / et maitre de Musique / de l'Eglise de Saint Pierre d'Avignon. / A Avignon, / chez Michel Chastel, . . . 1699, F-Pn Ye 12578. Nach Gastoué zuerst in acht Lieferungen zwischen 1668 und 1674 publiziert. Dass. 1724, 1737, 1763, 1774, 1824, 1829 etc.

Cantiques / spirituels / d'un / Solitaire / composez / sur divers chants & airs nouveaux. / A Paris, / Chez Simon Langronne, 1700, F-Pn Ye 16684
dass. 1. Auflage 1698, 1703, 1723

Abbé Simon-Joseph Pellegrin: Cantiques / spirituels / sur les points les plus importans de / la Religion & de la Morale Chré- / tienne . . . Paris / Chez Nicolas le Clerc 1701, F-Pn Ye 11354
dass. ²1706 [Poësies chrétiennes], ³1715, 1728

Bernard de La Monnoye: Noei / tô nôvea, / Compozai an lai ruë de / lai Rôlôte, / Ansanne le' Noei / Compôzai ci-devan en lai / ruë du Tillô / Troizeime édicion, revuë & co- / rigie por l'Auteu. / Ai Lucsambor [ca. 1701]. Die Zensur durch die Sorbonne trägt das Datum 26. 10. 1701. In dem Vorwort werden mehrere fehlerhafte Ausgaben burgundischer Verleger erwähnt, F-Pn Rés Vmf 16
dass. 1718, Dijon ⁴1720, Paris ⁵1738, nach Gastoué französisch 1735, 1825, 1842 etc.

Abbé Simon-Joseph Pellegrin: Noels / Nouveaux / Pour / L'année Sainte / et / Chansons spirituelles / propres pour le temps du jubilé . . . 2e Edition revûë, corrigée & augmentée . . . Paris, Nicolas Le Clerc 1702, F-Pn Ye 11355, 3e Recueil 1725, 4e Recueil 1707, 5e Recueil 1709, 6e Recueil 1711, 7e Recueil 1728 [alle Seiten sind durchnumeriert]
dass. als Noëls nouveaux sur les chants des noëls anciens, notez pour en faciliter le chant, Paris, Le Clerc 1er Recueil 1735, 2e Recueil 1732, 3e Recueil 1725, 4e—7e Recueil 1728, F-Pn Ye 11362
dass. nur 3e Recueil 1739, F-Pn Ye 29746
dass. als Noëls nouveaux sur les chants des noëls anciens et chansons spirituelles, Paris, Nicolas Le Clerc 1er und 2e Recueil 1708 [4e Edition], 3e und 4e Recueils 1707 [2e Edition], 5e Recueil 1709, 6e Recueil 1711, 7e Recueil 1728, F-Pn Ye 29752
dass. 1er Recueil 1722, 2e Recueil 1708 [4e Edition], 3e Recueil 1707 [2e Edition], 4e Recueil 1728, 5e Recueil 1709, 6e Recueil 1711, 7e Recueil 1728 [der Generaltitel ist 1711 datiert], F-Pn 29738
dass. nur 2e Recueil 1712, 3e Recueil 1712 [3e Edition], 4e Recueil 1710, F-Pn Ye 29742

Abbé Simon-Joseph Pellegrin: Histoire / de l'Ancien / et / du nouveau / Testament, / avec / le fruit qu'on en doit tirer / le tout mis en cantiques / . . . Paris, Nicolas Le Clerc 1702, F-Pn Ye 11365
dass. 1713

Les hymnes / et / les proses / de l'office divin / à l'usage de Rome, / traduites en vers / sur le Chant de l'Eglise, / & autes Airs. / Par M. Chassain, Chanoine de / Nôtre-Dame D. M. . . . / Paris, La Veuve de Daniel Horthemels, 1705, F-Pn B 3820

Pellegrin, Chansons spirituelles propres pour le temps du Jubilé et utiles pour tous les autres temps, Paris, Nicolas Le Clerc 1706.

dass. [4]1708; 1722, F-Pn Ye 11354; 1735

ders.: Les / Pseaumes / de David, / et / les Cantiques / de l'ancien / et du nouveau Testament. / Mis en vers françois, / Sur les plus beaux Airs des meilleurs Autheurs . . . Paris, Le Clerc 1705, F-Pn Ye 11367

La Grande / Bible / de Noels / tant anciens que nouveaux. / Où tous les Mysteres de la Naissance & de l'Enfance de / Jesus-Christ sont expliquez. / Troyes, P. Garnier s. d. F-Pa 8⁰ BL 10628 (4) (weitere Ausgaben, Nr. 324, 327—329, 331—337, 358—359, 362—381, 386, 387, 393—395, 407 des Catalogue descriptif von A. Morin)

Cantiques / des / familles chrétiennes / composés sur des airs anciens et nouveaux, Lyon 1710, F-Pn Weck. G 46

Opera / spirituel / ou / Recueil / de Noëls / et cantiques, / Parodiez, & Notez / sur les plus beaux Airs des Opera . . . Paris, Christophe Ballard, 1710, F-Pa BL 10666

Noels / nouveaux / sur / les airs anciens. / A Paris, / Chez Jean de Nully . . . 1712, F-Pn

Parodies / spirituelles. / En forme de cantates. / Sur des Airs choisis de Messieurs Le Camus, / Lambert, de Lully, & autres / Nouvelle Edition revûë & corrigée. / . . . J.-B.-C. Ballard 1717, F-Pn

La Belle Bible des Cantiques de la Naissance et des autres mysteres de Notre Seigneur . . . 3e édition Troyes, Vve Jacques Oudot 1717, F-Pa

Cantiques / spirituels, / sur plusieurs points / importants de la Religion, & de la / Morale Chrétienne. / Pour les Catechismes / & les Missions. / Sur les plus beaux Airs anciens & nouveaux. / A Lille, / Chez Chestelin, prés le Palais. / 1718, F-Pn Ye 11358; [2]Paris 1728

Cantiques / spirituels, / Sur les devoirs du Chrêtien, les plus importantes Veritez de la Foi & de la sainte Vierge . . . Avec la permission de Monseigneur . . . Loüis de Lavergne de Tressau Evêque de Nantes, chez N. Verger 1721, F-Pn Ye 11372

Abbé Simon-Joseph Pellegrin: Les Proverbes / et / Paraboles / de / Salomon / Mis en Cantiques / sur des Airs & des Vaudevilles choisis / & notez. / . . . Paris, / Chez Pierre Witte . . . 1725, F-Pn Ye 11368

ders.: L'Imitation / de / Jesus-Christ. / Mise / en cantiques spirituelles: / Sur les plus beaux Airs des meilleurs Auteurs, / tant anciens, que modernes, notez, / pour en faciliter le chant. / . . . Paris, Nicolas Le Clerc 1727, F-Pn Ye 11370

Nouveaux / Cantiques / spirituels / A l'usage des Missions, & Tres-utiles à tous bons Chrétiens. / . . . IHS / , Limoges, François Meilhac, 1728, F-Pn Ye 11391

Nouveau / Recueil / des plus beaux / Cantiques / spirituels / Sur les plus beaux Airs de l'Opera / IHS. / De Mante sur Seine & se vend / A Paris / En la Boutique de la V. Nicolas Ouboy s. d. F-Pa 8⁰ BL 10591

Exercices / et / Cantiques / spirituels / pour les Missions / Des PP Capucins / , Toulouse, Gaspard Henault s. d. F-Pa BL 10601

Odon / de Noei / Borguignon, / su lai nativitai / de l'enfan Jesu. / Compôsai de Messire chécun / sur des Ar vieu & nôveá. / Dijon, Claude Michard s. d. F-Pa 8⁰ BL 12323

La grande et grosse / Bible / de Noels / viels et nouveaux / sur les plus beaux Airs, pour / honorer la naissance de Nôtre seigneur Jesus-Christ / Melun, Menissel, F-Pa 8⁰ BL 10627

Noels / choisis / corrigés, augmentés, et nouvellement composés sur les airs les plus agréables, / les plus connus, et les plus en vogue / dans la Province de Béarn. / Par Henri d'andichon, ci-devant / Curé d'Aucamville, diocèse de Toulouse / et ensuite Archiprêtre de Lembege, dio / cèse de Lescar, Prieur de Saint Martin / de Maucour, diocèse d'Agen / Toulouse, Augustin Henault s. d. F-Pn Ye 14194

Cantiques / spirituels / à l'usage / Des Missions des Ecclesiastiques du / Diocese de Rodez. / Recueillis par les Prêtres Missionnaires / Et augmentez de quelques Hymnes de l'Eglise / traduits en langue Vulgaire. / Imprimez par ordre de Monseigneur l'Evêque / & Comte de Rodez / Rodez, G. Vedeilhhié s. d. F-Pn Ye 17030

Cantiques / spirituels / sur / divers sujets / de / la Doctrine / et de / la Morale / chretienne, / Sur les plus beaux airs anciens & nouveaux, / notés pour en faciliter le chant. / 1er Recueil Paris / Chez Ph. N. Lottin 1732, 2e Recueil 1733, 3e Recueil 1728 [1736], F-Pn Rés Vm Coir. 345

J. Desessartz: Nouvelles Poésies / spirituelles et morales / sur les plus beaux airs / De la musique / Françoise et Italienne / . . . A Paris / Chez G. Desprez et J. Desessartz 1730, F-Pn Rés 1701

2e Recueil Paris, G. Desprez 1731, F-Pn Rés 1702

3e Recueil Paris, G. Desprez 1732, F-Pn Rés 1703

1er—7e Recueil, Paris, P. N. Lottin 1733, F-Pn Rés 1704—1707

1er—8e Recueil, Paris, P. N. Lottin und J. H. Butard 1737, F-Pn Rés 1708

dass. Paris, La Veuve de P. N. Lottin 1752, F-Pn 4⁰ Ye 1127

Cantiques / spirituels, / à l'usage / des Missions, / en langue vulgaire. / Nouvelle édition augmentée, / Et rétablie sur l'original. / A Avignon, / Chez Fortunat Labaye, / Imprimeur . . . 1735, F-Pn Ye 12584
dass. 1743; 1749; 1759, F-Pn 8⁰ 8036; 1761; 1775

Cantiques / Spirituels / à l'usage / des missions / en langue vulgaire / [par le pere J. Jacques Gautier prêtre à l'oratoire] Avignon, Fortunat Labaye, 1735, F-Pn

Cantiques / spirituels / à l'usage de retraites / que l'on fait pour tous les Ouvriers / des ruës de Paris, à la Toussaints / & à Pâques, dans les Paroisses de / S. Benoît, S. Sulpice, S. Merry, / S. Sauveur & S. Médard. / Paris, Langlois, 1738, F-Pn Ye 16951

Recueil / de Cantiques / spirituels, / Choisis spécialement pour l'usage des Ecoles / Chrétiennes / IHS / Rouen, Veuve Laurent Dumesnil, 1738, F-Pn Ye 11413

Cantiques / spirituels / à l'usage des retraites / que l'on fait pour les Ouvriers / des ruë de Paris, à la Toussaint / à Pâques, dans les Paroisses de / S. Benoît, S. Sulpice, S. Merry, / S. Sauveur & S. Médard. / Paris / Chez Langlois . . . 1738, F-Pn Ye 16951
dass. 1752, 1756, 1758, 1760 etc.

Barles prêtre: Cantiques / spirituels / sur les sujets / les plus importans / de la Religion. / Dediés à la Reine. Avec les Airs notés à la fin . . . A Paris, / Chez Sebastien Jorry . . . 1740, F-Pn Ye 11398

Cantiques / spirituels à l'usage des missions / Royales du diocese d'Alais / . . . Nouvelle édition / Avignon, Claude Delorme, 1743, F-Pn Ye 11377

Cantiques / spirituelles, / à l'usage / des ecoles du diocese / de Reims / Paris, Barthelemy Multeau, 1751, F-Pa 8⁰ BL 10596

Cantiques / spirituels / à l'usage / des Missions royales / du diocèse d'Alais. / Nouvelle édition / Revue, corrigée & augmentée de plusieurs nouvels Cantiques. / A Avignon, / Et se trouvent / A Sens, / Chez Lavigne, 1759; dass. 1761, F-Pn Ye 11380

Abbé Simon-Joseph Pellegrin: Cantiques / spirituels / sur / les points principaux / de la religion, / et / de la morale chrétienne; / à l'usage / des catéchismes / et / des écoles chrétiennes. / Par M. l'Abbé Pellegrin, & autres Auteurs; / 4ᵉ édition / A Metz, chez Joseph Collignon . . . 1761, F-Pn Ye 11360

Abbé Gabriel-Charles de l'Attaignant: Cantiques / spirituels / de M. l'abbé / de l'Attaignant; / avec les airs notés; / Extraits des Oeuvres de l'Auteur; / dediés à la Reine. / Nouvelle édition revuë & augmentée. / Paris, Duchesne 1762, F-Pn
dass. 1757

Cantiques / spirituels, / sur / les points principaux / de la Religion, / et / de la morale chrétienne: / à l'usage / des moyens catéchismes / de la paroisse de Saint Sulpice. / A Paris / chez Nicolas Crapart . . . 1769
dass. 1766, F-Pn

Opuscules / sacrés et lyriques / ou / cantiques / sur différens sujets de piété . . . A Paris / Chez Nicolas Crapart . . . 1772 [von Simon]

Jean Chapelon: Oeuvres de Messire Jean Chapelon, Saint-Etienne 1779, F-Pn

Cantiques / spirituels / sur / les principaux vérités / de la Religion / et / de la morale chrétienne; / divisés en trois Parties: A l'usage des catéchismes & des Ecoles / de la Paroisse Royale de Notre-Dame / de Versailles . . . Paris / chez Charles-Pierre Berton . . . 1782, F-Pn 8⁰ 2 Le Senne 8127

Cantiques / à l'usage / des / Missions royales, . . . / Nancy, Claude Leseure, 1788, F-Pn Ye 16914

Abbé Simon-Joseph Pellegrin: Cantiques / spirituels / sur les points principaux de la / religion et de la morale chrétienne. / A l'usage des Catéchismes et des / Ecoles Chrétiennes. / . . . A Paris, Chez Madame Dubois 1811, F-Pn Ye 29734

ders.: Cantiques / spirituels / sur les points principaux de la religion / et de la morale chrétienne, / à l'usage / des catéchismes / et / des écoles chrétiennes. / Par Monsieur l'Abbé Pellegrin; / Augmentés de Prières pendant la Messe . . . A Reims / Chez le Batard . . . 1811, F-Pn Ye 29735

Cantiques / spirituels, / à l'usage / des missions royales / du diocèse de Nismes, / avec / les Prières du matin . . . Nouvelle édition. / Avignon / Chez L. Aubanel 1815, F-Pn Ye 16937

VERZEICHNIS DER HÄUFIG ZITIERTEN LITERATUR

Anthony, French Baroque Music:	James R. Anthony, French Baroque Music from Beaujoyeulx to Rameau, London 1974
Böttger, Die Comédies-ballets:	Friedrich Böttger, Die „Comédies-ballets" von Molière — Lully, Diss. Berlin 1931
Borrel, Lully:	Eugène Borrel, Jean-Baptiste Lully. Le cadre. La vie. L'oeuvre. La personnalité. Le rayonnement. Les oeuvres. Bibliographie, Paris 1949 (Euterpe, No. 7, Juli 1949)
Brenner, The Théâtre Italien:	Clarence D. Brenner, The Théâtre Italien, its Repertory 1716—1739, Berkeley and Los Angeles 1961 (University of California publications in modern philology 63)
Carmody, Le Répertoire de l'Opéra-comique:	Francis J. Carmody, Le Répertoire de l'Opéra-comique en Vaudevilles de 1708 à 1764, Berkeley and Los Angeles 1933 (University of California publications in modern philology 33)
Christout, Le Ballet de Cour:	Marie-Françoise Christout, Le Ballet de Cour de Louis XIV. 1643—1672. Mises en scène, Paris 1967 (Vie musicale en France sous les rois Bourbons 12)
Dangeau, Journal:	Philippe de Courcillon, marquis de Dangeau, Journal, hrsg. von E. Soulié und L. Dussieux, Paris 1854—1860
Ecorcheville, Vingt Suites:	Jules Ecorcheville, Vingt suites d'orchestre du XVIIe siècle français, Paris/Berlin 1906
Gastoué, Le cantique:	Amédée Gastoué, Le Cantique populaire en France: Ses Sources, son histoire, Lyon 1924
Girdlestone, La tragédie en musique:	Cuthbert Girdlestone, La tragédie en musique (1673—1750) considérée comme genre littéraire, Genf 1972
Grannis, Dramatic parody:	Valleria B. Grannis, Dramatic parody in eighteenth century France, New York 1931
Gros, Quinault:	Etienne Gros, Philippe Quinault, sa vie et son oeuvre, Paris 1926
Guibert, Bibliographie:	A.-J. Guibert, Bibliographie des Oeuvres de Molière publiées au XVIIe siècle, Paris 1961
Isherwood, Music in the service:	Robert M. Isherwood, Music in the Service of the King. France in the Seventeenth Century, Ithaca und London 1973
La Laurencie, Lully:	Lionel de La Laurencie, Lully, Paris 1911
Le Cerf de la Viéville, Comparaison:	J. L. de Fresneuse Le Cerf de la Viéville, Comparaison de la musique italienne et de la musique françoise, in: J. Bonnet, Histoire de la musique et de ses effets, Amsterdam 1725
Lully GA:	Jean-Baptiste Lully, Oeuvres complètes, hrsg. von H. Prunières, Paris 1930—1939
Morin, Catalogue descriptif:	Alfred Morin, Catalogue descriptif de la Bibliothèque bleue de Troyes, Genf 1974 (Centre de Recherches d'histoire et de philologie de la IVe Section de l'Ecole pratique des Hautes Etudes VI, Histoire et civilisation du livre 7)
Newman, Formal Structure:	Joye E. Newman: Formal Structure and Recitative in the Tragédie Lyrique of J.-B. Lully, Phil. Diss. Univ. of Michigan, 1974
Pellisson, Comédies-ballets:	Maurice Pellisson, Les Comédies-ballets de Molière, Paris 1914
Prunières, l'Opéra Italien:	Henry Prunières, L'Opéra Italien en France avant Lully, Paris 1913
Prunières, Lully:	Henry Prunières, Jean-Baptiste Lully, ²Paris 1927
Silin, Benserade:	Charles I. Silin, Benserade and his Ballets de Cour, Baltimore 1940 (Reprinted from the Johns Hopkins studies in romance literatures and languages, extra volume XV)
Sourches, Mémoires:	Louis-François de Bouschet Mis de Sourches (Mémoires sur le règne de Louis XIV. 1681—1712, Auszüge), La musique à la Cour de Louis XIV et de Louis XV d'après les mémoires de Sourches et Luynes. 1681—1758. Extraits recueillis par Norbert Dufourcq, Paris 1970 (La Vie musicale en France sous les rois Bourbons 17)

VERZEICHNIS DER BIBLIOTHEKSSIGEL

A-GÖ	Göttweig, Benediktinerstift, Musikarchiv
A-Wm	Wien, Minoritenkonvent, Klosterbibliothek und Archiv
A-Wn	Wien, Österreichische Nationalbibliothek, Musikabteilung
B-Bc	Bruxelles, Conservatoire Royal de Musique, Bibliothèque
B-BR	Bruxelles, Bibliothèque Royale
B-Lu	Liège, Université de Liège, Bibliothèque
C-Lu	London, University of Western Ontario, Lawson Memorial Library
CH-Zz	Zürich, Zentralbibliothek, Kantons-, Stadt- und Universitätsbibliothek
CS-Pnm	Praha, Národní muzeum, hudební oddělení
D-B	Berlin, Staatsbibliothek, Stiftung Preußischer Kulturbesitz
D-BFb	Burgsteinfurt, Fürstlich Bentheimische Bibliothek
D-Bhm	Berlin, Staatliche Hochschule für Musik und Darstellende Kunst
D-BS	Braunschweig, Stadtarchiv und Stadtbibliothek
D-BÜ	Büdingen, Fürstlich Ysenburg- und Büdingisches Archiv
D-DS	Darmstadt, Hessische Landes- und Hochschulbibliothek
D-F	Frankfurt, Stadt- und Universitätsbibliothek
D-G	Göttingen, Niedersächsische Staats- und Universitätsbibliothek
D-HR	Harburg über Donauwörth, Fürstlich Öttingen-Wallerstein'sche Bibliothek, Schloß Harburg
D-Hs	Hamburg, Staats- und Universitätsbibliothek, Musikabteilung
D-HVl	Hannover, Niedersächsische Landesbibliothek
D-KNub	Köln, Universitäts- und Stadtbibliothek
D-Mbs	München, Bayerische Staatsbibliothek, Musiksammlung
D-Mth	München, Bibliothek des Theatermuseums
D-OLl	Oldenburg, Landesbibliothek
D-Sl	Stuttgart, Württembergische Landesbibliothek
D-Tu	Tübingen, Universitätsbibliothek der Eberhard-Karls-Universität
D-Us	Ulm, Stadtbibliothek
D-W	Wolfenbüttel, Herzog-August-Bibliothek, Musikabteilung
D-WD	Wiesentheid (Bayern), Musiksammlung des Grafen von Schönborn
DDR-Bs	Berlin, Deutsche Staatsbibliothek
DDR-Dl(b)	Dresden, Sächsische Landesbibliothek, Musikabteilung
DDR-LEm	Leipzig, Musikbibliothek der Stadt Leipzig
DDR-SW	Schwerin, Wissenschaftliche Allgemeinbibliothek
E-Mn	Madrid, Biblioteca nacional
F-A	Avignon, Bibliothèque du Musée Calvet
F-AG	Agen, Archives départementales
F-AIXm	Aix-en-Provence, Bibliothèque municipale
F-AM	Amiens, Bibliothèque municipale
F-An	Angers, Bibliothèque municipale
F-B	Besançon, Bibliothèque municipale
F-BO	Bordeaux, Bibliothèque municipale
F-C	Carpentras, Bibliothèque Inguimbertine et Musée de Carpentras
F-Dc	Dijon, Bibliothèque du Conservatoire
F-G	Grenoble, Bibliothèque municipale
F-Lm	Lille, Bibliothèque municipale
F-LYm	Lyon, Bibliothèque municipale
F-Mc	Marseille, Bibliothèque du Conservatoire
F-Nm	Nantes, Bibliothèque municipale
F-NS	Nîmes, Bibliothèque municipale
F-Pa	Paris, Bibliothèque de l'Arsenal
F-Pc	Paris, Bibliothèque Nationale (ancien fonds du Conservatoire national de musique)
F-PMeyer	Paris, Collection André Meyer
F-Pn	Paris, Bibliothèque Nationale
F-Po	Paris, Bibliothèque-Musée de l'Opéra
F-Psg	Paris, Bibliothèque Sainte-Geneviève
F-PThibaut	Paris, Bibliothèque Geneviève Thibaut

F-Re	Rennes, Bibliothèque municipale
F-R(m)	Rouen, Bibliothèque municipale
F-TLm	Toulouse, Bibliothèque municipale
F-V	Versailles, Bibliothèque municipale
F-Va	Valenciennes, Bibliothèque municipale
GB-Cfm	Cambridge, Fitzwilliam Museum
GB-Ckc	Cambridge, Rowe Music Library, King's College
GB-Cmc	Cambridge, Magdalene College
GB-En	Edinburgh, National Library of Scotland
GB-Lbl	London, The British Library
GB-Lkc	London, King's College Library
GB-Ob	Oxford, Bodleian Library
GB-Och	Oxford, Christ Church Library
GB-T	Tenbury, St. Michael's College Library
I-MOe	Modena, Biblioteca Estense
I-Tn	Turin, Biblioteca Nazionale
NL-DHgm	Den Haag, Gemeente Museum
S-N	Norrköping, Stadsbiblioteket
S-Sk	Stockholm, Kungliga Biblioteket
S-SK	Skara, Stifts- och Landsbiblioteket
S-Skma	Stockholm, Kungliga Musikaliska Akademiens Biblioteket
S-St	Stockholm, Kungliga Teaterns Biblioteket
S-Uu	Uppsala, Universitetsbiblioteket
S-VX	Växjö, Stifts- och Landsbiblioteket
US-BE	Music Library University of California, Berkeley
US-Cn	Chicago, Newberry Library
US-Cu	Chicago, University of Chicago, Music Library
US-NH	New Haven, Yale University, The Library of the School of Music
US-R	Rochester, Sibley Music Library, Eastman School of Music, University of Rochester
US-Sp	Seattle, Seattle Public Library
US-U	Urbana, University of Illinois, Music Library
US-Wc	Washington, Library of Congress, Music Division

LWV 1
BALLET DU TEMPS

Bezeichnung:	Ballet
Text:	Isaac de Benserade
Erste Aufführung:	30. 11. 1654 im Louvre, 3. 12. 1654 im Louvre
Librettodrucke:	*Ballet / du Temps. / Dansé par le Roy le dernier jour / de Novembre 1654 / [Stich] / A Paris / chez Robert Ballard . . . 1654*, F-Pn Yf 1017 Weiteres Exemplar datiert am *3e jour de decembre:* F-Pa 4⁰ B 3770 (B)
Bemerkung:	Alle Sätze dieses Balletts (Ière Partie, Ouverture, 12 Entrées mit insgesamt 14 Sätzen, 2e Partie, Ouverture und 11 Entrées mit 14 Sätzen) sind in Qu. 1 (Rés F 502) einstimmig erhalten. Der zweite Satz der VIIe Entrée (2e Partie), betitelt *Mesmes* (= l'Eté) ist in verschiedenen Kopien der Ballette Lullys im üblichen fünfstimmigen Satz erhalten. Daraus schlossen die Herausgeber der Lully-Gesamtausgabe, nur dieser eine Satz stamme von Lully. Der Komponist trat selbst als Tänzer in der Ière Partie, I., IV. und VIII. Entrée auf. Ob von Lully weitere Tanzsätze stammen, ist ebensowenig mit Gewißheit zu entscheiden wie die Frage, wer die Baß- und Mittelstimmen ausgeführt hat. IIe. Partie, les Mesmes (= l'Esté):

Abschriften:	Qu. 1—5, 7, 10, 19, 43
Bemerkung:	In Qu. 4, 7, 8, 10, 19 sind unter dem Titel *Ballet du Temps* auch die Sätze LWV 2/1—6 kopiert. Qu. 10 enthält außerdem LWV 5/2.
Literatur:	Silin, Benserade, 239—241; Christout, Le Ballet de Cour, 77 f.

LWV 2
BALLET DES PLAISIRS

Bezeichnung:	Ballet
Text:	Isaac de Benserade
Erste Aufführung:	4. 2. 1655 im Louvre
Librettodruck:	*Ballet / des Plaisirs. / Dansé par sa Majesté le 4. / jour de Febvier 1655. / Divisé en deux parties / Dont la premiere contient les delices / de la Campagne & la seconde les / divertissements de la Ville. / A Paris / chez Robert Ballard . . . 1655*, F-Pa 4⁰ B 3770; F-Pn Yf 840
Bemerkung:	Alle Sätze dieses Balletts sind im fünfstimmigen Satz in Qu. 1 (Rés F 506) erhalten (Ière Partie, Ouverture, 12 Entrées mit 16 Sätzen, IIe Partie, Ouverture, 13 Entrées mit 20 Sätzen). In den Abschriften der Lully-Ballette sind jeweils nur sechs Sätze enthalten, die mit Sicherheit von Lully stammen. Das Libretto gibt keine Auskunft über Lullys Teilnahme als Tänzer.
Literatur:	Silin, Benserade, 242—246; Christout, Le Ballet de Cour, 78

2/1   Ière Partie, VI. Entrée, Gavotte:

Abschriften: Qu. 1—3, 8; (in Abschriften des *Ballet du Temps*) Qu. 4, 7, 8, 10, 19

2/2   VI. Entrée, Sarabande:

Abschriften: Qu. 1—3, 8; (in Abschriften des *Ballet du Temps*) Qu. 4, 7, 8, 10, 19

Weltl. Parodie: La Clef des Chansonniers, 1717: L'Hiver est au tombeau

2/3   IIe. Partie, VI. Entrée, Serenade, un Amoureux:

Abschriften: Qu. 1—3, 8; (in Abschriften des *Ballet du Temps*) Qu. 4, 7, 8, 10, 19

2/4   VII. Entrée, six Filous:

Abschriften: Qu. 1—3, 8; (in Abschriften des *Ballet du Temps*) Qu. 4, 7, 8, 10, 19; (in Abschriften von *Les Noces de Village*) Qu. 1, 3, 4, 7—11, 14, 16, 19, 22, 25, 30, 32, 37, 38, 42, 43, 46, 50, 60, 68; F-PN Vm⁷ 3555

Druck: R. A. Feuillet, Recueil de Dances, Paris 1700, 12 (F-Pn Rés 1821²)

Weltl. Parodien, hs.:   Chansonnier Maurepas 12641, 322 (1691): *Valdec en furie Crie Quoi donc, ma Gendarmerie*
GB-Lbl Egerton 1521, 106: *Loin des facheux, des critiques, des sots des esprits mélancoliques;* ebd. 1519, 128: *Roland en furie Crie de voir qu'une Bergerie*
Qu. 22: Ma petite Colinette

Drucke: Par. bach., 1695, 161, 1696, 193, du Fresne, 1696, 94, Nouv. Par. bach., 1700, II, 148: *Cabinets, lits de verdure, Ornements de la nature* (M. Ro.); dass.
Anthologie françoise, 1765, I, 221
S. Vergier, Oeuvres, 1726, 221: *Roland en furie*

Geistl. Parodie: Opera spir., 1710, 57: *Berger, sais-tu la nouvelle Que Jesus est né d'une pucelle*

Wiederverwendet: *Les Noces de Village*, 1664, 19/3
Roland, Tragédie en musique, nach dem Tode Lullys im 4. Akt eingeschoben

Timbre: Cabinets, lits de verdure oder Roland en furie (Egerton)

2/5   Gavotte pour les Suisses:

Abschriften: Qu. 1—3, 8; (in Abschriften des *Ballet du Temps*) Qu. 4, 7, 8, 10, 19

2/6   Bourrée pour les Courtisans:

Abschriften: Qu. 1—3, 8; (in Abschriften des *Ballet du Temps*) Qu. 4, 7, 8, 10, 19

LWV 3
UN CHARMANT DIALOGUE DE LA GUERRE AVECQUE LA PAIX

Bezeichnung:	Dialogue
Text:	anonym
Erste Aufführung:	2. 5. 1655
Quelle:	La Muze historique, éd. Livet, Tome II, S. 49
Bemerkung:	Die Musik dieses Dialoges ist nicht erhalten.

LWV 4
BALLET DES BIENVENUS

Bezeichnung:	Ballet
Text:	Isaac de Benserade
Erste Aufführung:	30. 5. 1655 in Compiègne anläßlich der Hochzeit von Alphonso d'Este mit Laura Martinozzi, der Nichte Mazarins.
Librettodruck:	*Le Grand / Ballet / des / Bien-Venus, / Dansé à Compiegne le 30 May 1655 / par Ordre exprés du Roy. Aux Nopces / de la Duchesse de Modene,* s. l. ɔ. d. F-Pa 40 B 3770 (10); dass. Ballard 1655, F-Pn Yf 839

Nach dem Libretto enthielt das Ballett folgende Tänze und Vokalstücke:
Premier Recit, Hymené et l'Amour: Dans la Cour du plus grand des Rois
I. Entrée, Mondor et Tabarin
II. Entrée les quatre parties du monde
III. Entrée, quatre Nobles Venitiens et quatre Gentildones (unter den Darstellern war Baptiste)
IV. Entrée, le Genie de la France
V. Entrée, la Deesse Lucine
VI. Entrée, les Heros de l'Histoire (unter den Darstellern war der duc de Crequy)
VII. Entrée, la Prudence, la Force, la Justice
VIII. Entrée, les Heros des Romans (unter den Darstellern war Baptiste)

25

Seconde Partie, Recit Crotesque Italien, partie de Voix, partie d'Instruments (unter den Darstellern war Baptiste; im Libretto ist kein Text mitgeteilt)
I. Entrée, quatre Egyptiens et quatre Egyptiennes
II. Entrée, la Renommée
III. Entrée, le Dieu Mars
IV. Entrée, les Heros des Romans (Don Quichote, Sancho Panza)
V. Entrée, les Heros des Romans
VI. Entrée, Bacchus avec les Menades et Satyres
VII. Entrée, Momus (Baptiste als Darsteller)
VIII. Entrée, les Courtisans

Bemerkung: Die Musik dieses Balletts ist nicht erhalten. Von Lully stammte der *Recit Crotesque Italien*, möglicherweise aber auch einige Tänze.

Literatur: Christout, Le Ballet de Cour, 78 f.

LWV 5
LE BALLET DE LA REVENTE DES HABITS

Bezeichnung: Ballet

Text: Isaac de Benserade

Erste Aufführung: 6. 1. 1655 oder 1661

Quelle: Beauchamps III, 152 (6. 1. 1655); ebd. 138 und Collection Philidor, Vol. XVI bis (1661)

Librettodruck: *Le Ballet / de / la Revente / des habits / du Ballet / & Comedie, / Dansé devant le Roy* [ohne Titelblatt], F-Pn Yf 1038

5/1   Ouverture:

Abschrift: Qu. 1 (Rés F 530)

Bemerkung: Das Stück ist nur zweistimmig überliefert.

5/2   Symphonie, la Revente des Habits, Recit d'une Revendeuse:

Abschriften: Qu. 1 (Rés F 503 und 530), 2, 3, 6—8, 10 (im *Ballet du Temps*), 19, 41, 43, 46, 55, 60, 69; US-BE Ms 454 (Philidor, Partition réduite)

Bemerkung: In zahlreichen Kopien wird dieser Satz, dessen zweiter Teil im ungeraden Takt steht, als Ouverture bezeichnet.

Druck: (Text) Bacilly, Nouv. Recueil, 1668, 267

5/3   I. Entrée, une Fripiere couverte d'habits de Masques:

Abschrift: Qu. 1 (Rés F 530)

5/4   II. Entrée, les Vieillards:

Abschrift: Qu. 1 (Rés F 530)

5/5   Quatre Vieillards et quatre Enfants:

Abschrift: US-BE Ms 454

5/6   III. Entrée, les Contre-faiseurs:

Abschrift: Qu. 1 (Rés F 530)

5/7   Les Contre-faiseurs:

Abschrift: US-BE Ms 454

5/8   IV. Entrée, deux Amants, & deux Servantes desguisées en Damoiselles:

Abschrift: Qu. 1 (Rés F 530)

5/9   Deux Amants et deux Servantes desguisés en Damoiselles:

Abschrift: US-Be Ms 454

5/10

V. Entrée, trois Sobres, six Yvrognes:

Abschrift: Qu. 1 (Rés F 530)

5/11

Trois Sobres et trois Yrognes:

Abschrift: US-BE Ms 454

5/12

II. Partie, Recit Turquesque, I. Entrée, les Paysans et Docteurs:

Abschrift: Qu. 1 (Rés F 530)

5/13

Trois Paysans et trois Docteurs:

Abschrift: US-BE Ms 454

5/14

II. Entrée, les Adroits et Maladroits:

Abschrift: Qu. 1 (Rés F 530)

5/15

Les Adroits et Maladroits:

Abschrift: US-BE Ms 454

5/16

III. Entrée, Soldats et Notaires:

Abschrift: Qu. 1 (Rés F 530)

5/17

Quatre Soldats et deux Notaires:

Abschrift: US-BE Ms 454

5/18   IV. Entrée, Poltrons et Braves:

Abschrift: Qu. 1 (Rés F 530)

5/19   Deux Poltrons et deux Braves:

Abschrift: US-BE Ms 454

5/20   V. et derniere Entrée, deux Vieillards espousent deux jeunes filles qui leur apprennent à danser la Bourrée:

Abschrift: Qu. 1 (Rés F 530)

5/21   Deux Vieillards qui espousent deux jeunes filles. On leur fait le Charivari:

Abschrift: US-BE Ms 454

5/22   Chaconne:

Abschrift: US-BE Ms 454

Bemerkung: Die Sätze 5/3—22 sind nur zweistimmig überliefert.

LWV 6
BALLET DE PSYCHE

Bezeichnung:	Ballet
Text:	Isaac de Benserade
Erste Aufführung:	16. 1. 1656 im Louvre
Librettodruck:	*Ballet / de Psyché, / ou / de la puissance / de l'Amour. / Dansé par sa Majesté le 16. jour / de Janvier 1656 / A Paris / Par Robert Ballard, 1656,* F-Pn Yf 842

Laut Librettodruck stammt nur die XII. Entrée der Seconde Partie von Lully. Während 17 Sätze der übrigen Teile des Ballets in Qu. 22 (nur Dessus de violon) erhalten sind, ist in den bisher bekannten Quellen kein Satz aus der Entrée Lullys erhalten. Im einzelnen handelt es sich um folgende Sätze, die Lully zu dem Ballet de Psyché beisteuerte:

Seconde Partie, XII. Entrée, un Antre s'ouvre, Pluton parest sur son Trône, environné de Demons, la Crainte, le Soupçon, le Desespoir & la Jalousie font un Concert Italien, soustenu de divers Instrumens, Composez par le Sieur Baptiste

Choro di passioni amorose: *Dell'inferno, e d'amore Noi siam parti infelici, e lagrimosi*

La Gelosia: *Geloso Veleno Che sempre ohimè*

Il Sospetto: *Sospettosi furori Qualhor da voi quest'alma é tormentata*

La Disperatione: *A Disperatione forte, Ceda, ceda, ogno, duolo*

Il Timore: *Il timor qual'hora affrena*

Choro: *Cosi cangia anch'or qui giù*

Pluton & sa Cour tenebreuse témoignent par une danse toute extraordinaire que l'Amour inspire la gayeté jusqu'aux Enfers.

Lully gehörte zu den Tänzern der XII. Entrée (première Partie) und der VII., VIII. und XII. Entrée (seconde Partie)

Literatur: La Laurencie, Lully, 110; Prunières, Lully, 94; Christout, Le Ballet de Cour, 79—81

LWV 7
LA GALANTERIE DU TEMPS

Bezeichnung: Mascarade

Text: anonym

Erste Aufführung: 14. 2. 1656

Librettodruck: *La Galanterie / du Temps. / Mascarade. /* [ohne Titelblatt], F-Pn Yf 1391/ 92 und Rés F 679

Nach dem Libretto enthielt das Ballet folgende Tänze und Vokalstücke:
Recit de Venus: *Venere io son che vo cercando il Riso*
I. Entrée, La belle Inconnuë, une Suivante, deux Pages
II. Entrée, le Galand
III. Entrée, les Trivelins (unter den Darstellern war Baptiste)
IV. Entrée, Scaramouches
V. Entrée, Mercure Dieu de l'Eloquence, l'Artifice et la Richesse
VI. Entrée, Pierre du Puis, Gille le Niais
VII. Entrée, Mathurine, ses fils et ses filles
VIII. Entrée, six Coquets
IX. Entrée, l'Amour, la Nuit, le Silence, le Repos
X. Entrée, le Galand suivy d'une excellente Musique vient donner une Serenade
Prima Serenata: *Hor che veglian le stelle Per l'altrui venture*
Riposta alla prima Serenata: *Per te veglia il cor mio*
Seconda Serenata: *Luci belle voi godete*
Riposta alla seconda Serenata: *Ah che non dormo nò*
A due: *Dal Regno amoroso*

Bemerkung: Die Musik dieses Balletts ist in den bisher bekannten Abschriften nicht erhalten.

Literatur: Prunières, L'Opéra italen, 195 f.; Christout, Le Ballet de Cour, 81

LWV 8
BALLET DE L'AMOUR MALADE

Bezeichnung:	Ballet
Text:	Francesco Buti
Erste Aufführung:	17. 1. 1657 in der Grande Salle du Louvre
Librettodruck:	*Amour / malade, / Ballet du Roy / Dansé par sa Majesté, le 17. jour de janvier 1657 / Paris, Robert Ballard, 1657,* F-Pa 4⁰ B 3770
Literatur:	La Laurencie, Lully, 110; Prunières, L'Opéra Italien, 198—204; Christout, Le Ballet de Cour, 82 f.

8/1   Ouverture:

Abschriften: Qu. 1—7, 9, 10, 12, 14, 16, 19, 22, 25, 27, 30, 32, 38, 42, 43, 46, 64

8/2   Prologue, Ritournelle:

Abschriften: Qu. 1, 22

Bemerkung: Es folgt: Lo Sdegno: Parmi che non rifiute (Musik verloren)

8/3   Ritournelle:

Abschriften: Qu. 1—7, 9, 12, 14, 16, 19, 22, 38, 42, 43

8/4   Ritournelle:

Abschrift: Qu. 1

Bemerkung: Qu. 1 enthält nur die Aufzählung der darstellenden Personen, die Seiten, auf denen die Musik notiert werden sollte, sind unbeschrieben.

8/5   Ouverture pour le premier Divertissement:

Abschriften: Qu. 1, 22, 42

8/6

I. Entrée, le Divertissement:
Qu. 22: Entrée, le Roy

Abschriften: Qu. 1, 22

8/7

Second Air, Sarabande:

Abschriften: Qu. 1, 22

8/8

Ritournelle:

Abschriften: Qu. 1; 22 (mit abweichender metrischer Notation)

8/9

Troisième Air pour le Concert du Divertissement:

Abschriften: Qu. 1, 22

8/10

II. Entrée, deux Astrologues poursuivis chacun par son propre malheur:

Abschriften: Qu. 1, 22

8/11

Second Air pour les mêmes, le Bonheur et le Malheur:

Abschriften: Qu. 1, 22

8/12

Ritournelle:

Abschrift: Qu. 1

32

| 8/13 | III. Entrée, deux Chercheurs de Trésors: |
| |  |

Abschriften: Qu. 1, 22

| 8/14 | III. Entrée, deux Esprits follets: |
| | 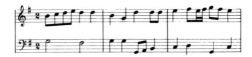 |

Abschrift: Qu. 1

| 8/15 | Air pour les mêmes battus par quatre Démons: |
| |  |

Abschriften: Qu. 1, 22

| 8/16 | Ritournelle: |
| |  |

Abschrift: Qu. 1

Bemerkung: Qu. 1 enthält den Hinweis auf das Récit der Ragione: *Quanti poveri amanti*
                      (die entsprechende Seite ist unbeschrieben, die Musik verloren)

| 8/17 | IV. Entrée de quatre Galants braves, de deux Coquettes et de Jaloux, de Pages et de Laquais: |
| |  |

Abschriften: Qu. 1, 22

| 8/18 | Ritournelle: |
| |  |

Abschrift: Qu. 1

Bemerkung: Qu. 1 enthält den Hinweis auf die Chanson d'une Coquette: *Il est vray,
                      nos charmes*

8/19   Ritournelle, Chanson contre les Jaloux:

Abschriften:	Qu. 1—7, 9, 10, 12, 14, 19, 27; 38 (nur Ritournelle)
Druck:	(Text) Bacilly, Recueil, 1661, 429 (I. de Benserade)
Bemerkung:	Dieser Text fehlt im Druck des Textbuches von 1657. Er stammt von Isaac de Benserade, in dessen Oeuvres, Paris 1696, er enthalten ist.

8/20   Ritournelle, le Damigelle delle cochette:

Abschriften:	Qu. 1—7, 9, 10, 12, 14, 19, 27; 38 (nur Ritournelle)

8/21   Second Air, les Braves et les Jaloux:

Abschriften:	Qu. 1, 22

8/22   V. Entrée, onze Docteurs reçoivent un Docteur en asnerie:

Abschriften:	Qu. 1, 22

8/23   Ritournelle:

Abschrift:	Qu. 1
Bemerkung:	Die Musik zu li Dottori: *Oh bene, oh bene*, ist verloren.

8/24   Second Air pour un Docteur portant une teste d'Asne:

Abschriften:	Qu. 1—7, 9, 10, 12, 14, 19, 25, 27, 38

8/25   Troisième Air pour Scaramouche:
Isaac de Benserade, Oeuvres, 1696: Pour Baptiste, Compositeur de la Musique du Ballet representant Scaramouche

Abschriften:	Qu. 1—7, 9, 10, 12, 14, 19, 22, 25, 27, 38, 49, 50

8/26   VI. Entrée, huit Chasseurs vont à la chasse avec des tambours:

Abschriften: Qu. 1, 22

8/27   Ritournelle:

Abschrift: Qu. 1

Bemerkung: Qu. 1 enthält den Hinweis auf das Récit von il Tempo: *Alla caccia d'amore* (Musik verloren)

8/28   VII. Entrée, deux Alchimistes:

Abschriften: Qu. 1, 22

8/29   Ritournelle:

Abschrift: Qu. 1

Bemerkung: Qu. 1 enthält den Hinweis auf das Récit von lo Sdegno: *Voler con fede esimia* (Musik verloren)

8/30   Second Air, six Mercures:

Abschriften: Qu. 1, 22

8/31   Ritournelle:

Abschrift: Qu. 1

8/32   VIII. Entrée, six Indiens et six Indiennes basannez portent des parasols:

Abschriften: Qu. 1, 22, 58

8/33

Ritournelle:

Abschriften: Qu. 1—7, 9, 10, 12, 14, 19, 27, 38

Bemerkung: Qu. 1 enthält den Hinweis auf das Récit von la Ragione: *Questi genti dal sol fosche già rese* (Musik verloren)

8/34

IX. Entrée, Jean Doucet et son Frere:

Abschriften: Qu. 1—7, 9, 10, 12, 14, 19, 22, 25, 27, 38, 43, 58

8/35

Second Air pour les mêmes:

Abschriften: Qu. 1—7, 9, 10, 12, 14, 19, 22, 25, 27, 38, 42, 46, 55, 58, 60

Weltl. Parodien, hs.:   Chansonnier Maurepas 12640, 98 (1677): *Eh quoi! vous montez sur Parnasse? Et les Muses vous font la grace;*
ebd. 12641, 47 (1687): *N'avez-vous point veu par la rüe La Pardaillan sur une grüe;*
ebd. 127 (1689): *La Trousse, Montgerou, Berniere Se baignoient dedans la Riviere*
F-Pa 4843: *N'avez-vous point vu dans la rue*

8/36

Ritournelle:

Abschrift: Qu. 1

Bemerkung: Qu. 1 enthält den Hinweis auf das Récit von il Tempo: *Tra gl'amanti che fan tanto gl'esperti* (Musik verloren)

8/37

Troisième Air pour les quatre Bohémiennes:

Abschriften: Qu. 1, 58

8/38

Une nopce de Village, Concert champêtre:

Abschriften: Qu. 1—7, 9, 10, 12, 14, 19, 25, 27, 39; 58 (Marche)

8/39   Gavotte pour le Marié et la Mariée:

Abschriften:	Qu. 1—7, 9, 10, 12, 14, 16, 19, 22, 25, 27, 30, 32, 38, 42, 43, 46, 55, 58, 60, 69, 70
Weltl. Parodien:	Bacilly, Recueil, 1661, 118: *Dois-je vous aimer, Silvie?* (Pellisson); ebd. 196: *J'ay cent fois, Beauté cruelle;* ebd. 355: *Philis, je reprens les armes* (M. de Bouillon); ebd. 517: *Vive l'amour de la fougere* Airs et Vaudevilles, 1665, II, 28: *Mon coeur, ne te mets plus en peine*

8/40   Sarabande pour le Pere et la Mere du Marié:

Abschriften:	Qu. 1—7, 9, 10, 12, 14, 16, 18, 19, 22, 25, 27, 30, 32, 38, 42, 43, 46, 55, 58, 60, 69, 70
Druck:	P. Collasse, *la Naissance de Venus,* 1696
Wiederverwendet:	P. Collasse, *la Naissance de Venus,* 1696

8/41   Ritournelle:

Abschrift:	Qu. 1
Bemerkung:	Qu. 1 enthält den Hinweis auf le Villani: *Chi negar potrà che domini* (Musik verloren)

8/42   Gavotte pour les Parents de la Mariée:

Abschriften:	Qu. 1—7, 9, 10, 12, 14, 16, 19, 22, 25, 27, 30, 32, 38, 42, 43, 46, 58, 69, 70
Weltl. Parodie:	Bacilly, Recueil, 1661, 325 und La Clef des chansonniers, 1717, I, 224: *Nos fâcheux maris jaloux Ont aimé tout comme nous* Bacilly, Recueil, 1661, 172: *Isis ne presumez pas;* ebd. 400: *Philis, ne vous trompez pas* (Pellisson)
Timbre:	Nos fâcheux maris jaloux (La Clef)

8/43

Second Air pour les Parents de la Mariée:
Qu. 43, 46, 55, 60: Rendez-vous M. le Gouverneur

Abschriften:	Qu. 1—7, 9, 10, 12, 14, 19, 22, 25, 27, 38, 40, 42, 43, 46, 55, 60, 69
Druck:	P. Collasse, *La Naissance de Venus,* 1696
Weltl. Parodie:	Nouv. Par. bach., 1702, III, 140: *Fay regner le calme dans ces lieux, Vien, puissant Dieu*
Wiederverwendet:	P. Collasse, *La Naissance de Venus,* 1696

8/44

Gaillarde pour les Parents et Amis des Mariés:

| Abschriften: | Qu. 1—7, 9, 10, 12, 14, 19, 22, 25, 27, 58 |

8/45

Sarabande et dernier Air:

| Abschriften: | Qu. 1—7, 9, 10, 12, 14, 16, 19, 22, 25, 27, 32, 38 |

8/46

Ritournelle:

| Abschrift: | Qu. 1 |
| Bemerkung: | Qu. 1 enthält den Hinweis auf das Récit des Amor: *O quanto mio* (Musik verloren) |

8/47 a, b, c

Ritournelle I, II, III:

| Abschrift: | Qu. 1 |
| Bemerkung: | Diese drei Ritournelle gehören zum abschließenden Tutti: *Ecco il rimedio vero* (Vokalteile sind verloren) |

LWV 9
BALLET D'ALCIDIANE

Bezeichnung:	Ballet
Text:	Isaac de Benserade
Erste Aufführung:	14. 2. 1658
Librettodruck:	*Ballet / royal / d'Alcidiane. / Divisé en trois parties. / Dansé par sa Majesté le 14. / de Fevrier 1658 / Paris, Robert Ballard, 1658*, F-Pn Yf 844
Literatur:	La Laurencie, Lully, 110 f.; Prunières, L'Opera Italien, 205—208; Silin, Benserade, 266—269; Christout, Le Ballet de Cour, 84 f.

9/1 Ouverture:

Abschriften: Qu. 1, 3—7, 9, 10, 12, 14, 16 (Mariage forcé, sic), 19, 22, 25, 27, 30, 32, 41—43, 46, 55, 58, 64, 69; US-BE Ms 454 (Philidor, Partition réduite)

9/2 Ritournelle, Recit italien:

Abschriften: Qu. 1, 3—7, 9, 10, 12, 14, 19, 27; US-BE Ms 454 (nur Récit)

Bemerkung: Es fehlt in allen Abschriften das im Libretto erwähnte Récit *Amor modera il Cielo*

9/2a: Ritournelle:

Abschrift: US-BE Ms 454 (anstelle der Ritournelle 9/2)

9/3 Ritournelle pour le Concert du Roy:

Abschrift: US-BE Ms 454

9/4 Symphonie pour le Concert du Roy:

Abschrift: US-BE Ms 454

9/5   Ritournelle, Recit:

Que votre em= pire, A= mour

Abschriften: Qu. 1, 3—7, 9, 10, 12, 14, 19, 27; US-BE Ms 454

Druck: (Text) Bacilly, Recueil, 1668, 364

9/5a   o. T. (Ritournelle):

Abschrift: US-BE Ms 454

9/6   Recit:

Sui=vons   de si dou = ces loix

Abschriften: Qu. 1, 3—7, 9, 10, 12, 14, 19, 27; US-BE Ms 454

Druck: A. Campra, *Fragments de M. de Lully*, 1702

Wiederverwendet: A. Campra, *Fragments de M. de Lully*, 1702

Bemerkung: In US-BE Ms 454 folgt die Ritournelle 9/5.

9/7   I. Entrée, premier Air de la Haine:

Abschriften: Qu. 1, 3—7, 9, 10, 12, 14, 19, 22, 27

9/8   Second Air:

Abschriften: Qu. 1, 22

9/9   Le Roy représentant la Haine:

Abschrift: US-BE Ms 454

9/10   Entrée de six autres Passions:

Abschrift: US-BE Ms 454

9/11   II. Entrée, l'Innocence:

Abschriften: Qu. 1, 22

9/12   L'Innocence:

Abschrift: US-BE Ms 454

9/13   Second Air:

Abschrift: US-BE Ms 454

9/14   III. Entrée, les Pêcheurs de perles:

Abschriften: Qu. 1, 22

9/15   Les Pêcheurs de perles:

Abschrift: US-BE Ms 454

9/16   IV. Entrée, les Baladins ridicules:

Abschrift: Qu. 1

9/17   Second Air:

Abschrift: Qu. 1

9/18   Un Balladin:

Abschrift: US-BE Ms 454

9/19   Second Air:

Abschrift: US-BE Ms 454

9/20   V. Entrée, six Galants amis et rivaux:

Abschrift: Qu. 1

9/21   Les Galants amis:

Abschrift: US-BE Ms 454

9/22   VI. Entrée, huit meilleurs Danseurs de la Cour d'Alcidiane:

Abschrift: Qu. 1

9/23   Les Balladins serieux:

Abschrift: US-BE Ms 454

9/24

VII. Entrée, un Combat de plaisir:
Qu. 60: la petite guerre, Qu. 3 und US-BE Ms 454. Un combat et un siege crotesque, l'assemblée au tambour

Abschriften:

Qu. 1, 3—7, 9, 10, 12, 14, 16 (im geraden Takt notiert), 19, 25, 27, 30, 32 (wie Qu. 16), 42, 43, 46, 60, 69; US-BE Ms 454

9/25

Autre Assemblée:

Abschriften:

Qu. 1, 3—7, 9, 10, 12, 14, 16, 19, 25, 27, 30, 32, 42, 43, 46, 60, 69; US-BE Ms 454

9/26

Marche italienne:

Abschriften:

Qu. 1, 3—7, 9, 10, 12, 14, 16, 19, 25, 27, 30, 32, 39, 42, 43, 69; US-BE Ms 454

9/27

L'Exercice des Mousquetaires:

Abschriften:

Qu. 1, 3—7, 9, 10, 12, 14, 16, 25, 27, 30, 32, 42, 43, 69; US-BE Ms 454

9/28

Marche françoise:

Abschriften:

Qu. 1, 3—7, 9, 10, 12 14, 16, 19, 25, 27, 30, 32, 43, 60, 69; US-BE Ms 454

9/29

La Charge:

Abschriften:

Qu. 1, 3—7, 9, 10, 12, 14, 16, 19, 25, 27, 30, 32, 42, 69; US-BE Ms 454

9/30

La Retraite:

Abschriften:

Qu. 1, 3—7, 9, 10, 12, 14, 16, 19, 25, 27, 30, 32, 42, 43, 46, 60, 69; US-BE Ms 454

9/31   L'Attaque du fort:

Abschriften: Qu. 1, 3—7, 9, 10, 12, 14, 16, 19, 25, 27, 30, 32, 43, 69; US-BE Ms 454

9/32   Le Combat:

Abschriften: Qu. 1, 3—7, 9, 10, 12, 14, 16, 19, 25, 27, 30, 32, 42, 43, 60, 69; US-BE Ms 454

9/33   Dernière Entrée, la Victoire:

Abschriften: Qu. 1, 3—7, 9, 10, 12, 14, 16, 19, 25, 27, 30, 32, 42, 43, 69; US-BE Ms 454

9/34   Seconde Partie, Ouverture:

Abschriften: Qu. 1, 4—7, 9, 10, 12, 14, 19, 25, 27

9/34a   Ouverture:

Abschrift: US-BE Ms 454 (anstelle von 39/34)

9/35   Recit de Bellone:

Abschriften: Qu. 1, 4—7, 9, 10, 12, 14, 19, 27; US-BE Ms 454

9/36   I. Entrée, Eole:

Abschrift: Qu. 1

9/37   Second Air, les Vents:

Abschrift: Qu. 1

9/38   Troisième Air pour Eole et les quatre Vents:

Abschrift: Qu. 1

9/39   Quatrième Air pour les mêmes:

Abschrift: Qu. 1

9/40   Le Roy representant Eole:

Abschrift: US-BE Ms 454

9/41   II. Entrée, un Pilote et six Mariniers:

Abschrift: Qu. 1

9/42   Un Pilote et les mariniers:

Abschrift: US-BE Ms 454

9/43   III. Entrée, Zelmatide et Chevaliers de sa suite:

Abschriften: Qu. 1, 42

9/44   Second Air:

        Abschriften: Qu. 1; US-BE Ms 454: les Geants (mit Varianten)

9/44a   Zelmatide:

        Abschrift: US-BE Ms 454

9/45   IV. Entrée, six Géants et autant de Nains:

        Abschrift: Qu. 1

9/46   V. Entrée, quatre des principaux Corsaires de Bajazet vaincus sur Mer par Polexandre, et faits prisonniers:

        Abschrift: Qu. 1

9/47   Second Air:

        Abschrift: Qu. 1

9/48   Quatre Corsaires de Bajazet:

        Abschrift: US-BE Ms 454

9/49   Les mesmes pour plusieurs autres Corsaires:

        Abschrift: US-BE Ms 454

9/50   Troisième Air pour les mesmes:

        Abschrift: US-BE Ms 454

9/51

VI. Entrée, huit Démons envoyez par la Magicienne Zelopa:

Abschrift: Qu. 1

9/52

Huit Démons:

Abschrift: US-BE Ms 454

9/53

VII. Entrée, Pallante, Chef des illustres Esclaves d'Alcidiane et de quatre de ses Compagnes:

Abschriften: Qu. 1, 4—7, 9, 10, 12, 14, 19, 25, 27

9/54

Second Air:

Abschriften: Qu. 1, 4—7, 9, 10, 12, 14, 19, 25, 27

9/55

Pallante:

Abschrift: US-BE Ms 454

9/56

Bourrée pour les mesmes:

Abschrift: US-BE Ms 454

9/57

Troisième Partie, Ouverture:

Abschriften: Qu. 1, 4—7, 9, 10, 12, 14, 19, 25, 27

9/58   Ritournelle, Recit de la Fortune:

          Abschriften: Qu. 1, 3—7, 9, 10, 12, 14, 19, 27; US-BE Ms 454 (nur Récit)

9/58a   Ritournelle:

          Abschrift: US-BE Ms 454 (anstelle der Ritournelle 9/58)

9/59   I. Entrée, Polexandre triomphant et suivi des principaux des siens, arrivant en l'Isle inaccessible:

          Abschriften: Qu. 1, 4—7, 9, 10, 12, 14, 19, 25, 27

9/60   Second Air, Polexandre:

          Abschrift: Qu. 1

9/61   Troisième Air, les Chevaliers de Polexandre:

          Abschrift: Qu. 1

9/62   Quatrième Air, la suite de Polexandre:

          Abschrift: Qu. 1

9/63   Polexandre:

          Abschrift: US-BE Ms 454

9/64

II. Entrée, trois Bergers et autant de Bergeres de cette heureuse Contrée,
Rondeau:
Qu. 43, 60: L'amitié de M. le duc de Vendôme

Abschriften:

Qu. 1, 3—7, 9, 10, 12, 14, 16, 19, 22, 25, 27, 30, 32, 42, 43, 46, 58, 60, 69;
US-BE Ms 454

9/65

Second Air:

Abschriften:

Qu. 1, 3—7, 9, 10, 12, 14, 16, 19, 22, 25, 27, 30, 32, 42; US-BE Ms 454

9/66

Troisième Air, Gavotte:

Abschriften:

Qu. 1, 3—7, 9, 10, 12, 14, 16, 19, 22, 25, 27, 30, 32, 42, 43; US-BE Ms 454

9/67

Trois Bergers et trois Bergeres:

Abschrift:

US-BE Ms 454

9/68

III. Entrée, quelques Courtisans se réjoüissent de la satisfaction de leur Roy:

Abschrift:

Qu. 1

9/69

Six Courtisans:

Abschrift:

US-BE Ms 454

9/70

IV. Entrée, Course de Faquin:

Abschrift:

Qu. 1: Course de bague au faquin

9/71   Second Air:

Abschrift: Qu. 1

9/72   Troisième Air:

Abschriften: Qu. 1, 3—7, 9, 10, 12, 14, 19, 25, 27

9/73   Quatrième Air:

Abschrift: Qu. 1

9/74   V. Entrée, les Saisons, le Printemps:

Abschrift: Qu. 1

9/75   VI. Entrée, les Plaisirs:

Abschrift: Qu. 1

9/76:   Petite Chaconne:

Abschriften: Qu. 1, 3—7, 9, 10, 12, 14, 18, 19, 25, 27, 40, 68, 69, 78
Drucke: P. Collasse, *La Naissance de Venus,* 1696, 181 (D-Dur)
                         A. D. Philidor, Suite de Trio de differents auteurs, Ballard, 1699, 12
                         A. Campra, *Fragments de M. de Lully,* 1702
Wiederverwendet: P. Collasse, *La Naissance de Venus,* 1696
                         A. Campra, *Fragments de M. de Lully,* 1702

9/77   VII. et dernière Entrée, Recit italien:

Cede al vo=stro va = lo=re Og = ni De = i = tà

Abschriften:	Qu. 1, 3—7, 9, 10, 12, 14, 18, 19, 27, 40
Druck:	A. Campra, *Fragments de M. de Lully*, 1702
Wiederverwendet:	A. Campra, *Fragments de M. de Lully*, 1702

9/78   Air chanté alternativement:

Sor=te ch'ognh'or leg = gie=ra Vo = lu=bil

Abschriften:	Qu. 1, 3—7, 9, 10, 12, 14, 18, 19, 27, 40
Druck:	A. Campra, *Fragments de M. de Lully*, 1702
Wiederverwendet:	A. Campra, *Fragments de M. de Lully*, 1702

9/79   Chaconne des Maures:

Abschriften:	Qu. 1, 3—7, 9, 10, 12, 14, 16, 19, 22, 25, 27, 30, 32, 36, 38, 40, 42, 43, 46, 47, 51, 55, 56, 60, 66, 69; F-Aixm Ms 1526 (Partitur des *Phaeton)*; US-BE Ms 454
Weltl. Parodien, hs.:	F-Aixm Ms 1526 (Chaconne inserée dans le 4e acte de Phaéton): *Charmants Transports d'une ame tendre*
Druck:	Les Par. nouv., 1731, II, 125: *Charmants Transports d'une ame tendre, Je m'abandonne à vous*
Bemerkung:	Diese Chaconne wurde vermutlich zu Beginn des 18. Jahrhunderts im 4. Akt der Tragédie en Musique *Phaéton* eingeschoben.

LWV 10
PREMIERE MARCHE DES MOUSQUETAIRES

Abschriften:	F-V Ms mus 168, F-Pc Rés F 671; Qu. 22, 24, 43, 69, 70
Weltl. Parodie:	Concerts Parodiques, 1721, 38: *Marchez, marchez, jeunes guerriers*
Geistl. Parodien:	Cant. spir. Avignon, 1735, 58: *Venés aprendre à navega Matelots & gens de Marino*
	Cant. spir., Paris, 1782, 60: *Mon Dieu, je crois sincerement Et je veux croire constamment*

Nach Qu. 24, die von dem Musiker Prin stammt, der selbst lange Jahre dem Orchester Lullys angehörte, wurde dieser Marsch 1658 komponiert: Premiere Marche des Mousquetaires faite par Mr de Lully 1658 pour les hautbois et Tambours.

LWV 11
BALLET DE LA RAILLERIE

Bezeichnung: Ballet

Text: Isaac de Benserade

Erste Aufführung: 19. 2. 1659

Librettodruck: *Ballet / de / la Raillerie. / Dansé par sa Majesté le 19. / Febvrier 1659. / Paris, Robert Ballard*, 1659, F-PnYf 848

Literatur: La Laurencie, Lully, 111; Prunières, L'Opéra Italien, 208—210; Christout, Le Ballet de Cour, 87

11/1   Ouverture:

Abschrift: Qu. 1

11/2   Ritournelle, la Poësie:

Abschriften: Qu. 1; US-BE Ms 454 (Philidor, Partition réduite)

11/3   Ouverture:

Abschriften: Qu. 1—10, 12, 14, 16, 19, 22, 25, 27, 30, 32, 38, 42, 46, 51, 53, 55, 58, 60, 64, 69; US-BE Ms 454

11/4   Ritournelle, la Beffa, la Saviezza, la Pazzia:

Abschriften der Ritournelle: Qu. 1—10, 12, 14, 16, 19, 22, 27, 30, 32, 38, 40, 42, 43, 46, 51, 55, 58, 60, 69; US-BE Ms 454 (g-Moll)

Abschriften des Récit: Qu. 1—10, 12, 14, 19, 27; US-BE Ms 454 (g-Moll)

11/5 La Beffa:

Abschriften: Qu. 1—10, 12, 14, 19, 27

11/6 La Saviezza e la Pazzia:

Abschriften: Qu. 1—10, 12, 14, 19, 27; US-BE Ms 454 (g-Moll)

11/7 La Pazzia:

Abschriften: Qu. 1—10, 12, 14, 19, 27; US-BE Ms 454

11/8 La Beffa, la Saviezza, la Pazzia:

Abschriften: Qu. 1—10, 12, 14, 19, 27; US-BE Ms 454

11/9 Sarabande:

Abschriften: Qu. 1—10, 12, 14, 16, 19, 22, 25, 27, 30, 32, 38, 40, 42, 43, 46, 51, 55, 58, 60, 69

11/10 I. Entrée, le Ris accompagné d'un Choeur d'instrumens:

Abschrift: Qu. 1

11/11 Sarabande pour le concert du Roy:

Abschrift: Qu. 1

11/12   Gavotte pour le Roy:

Abschrift: Qu. 1 (als Bourrée bezeichnet)

11/13   Le Roy représentant le Ris:

Abschrift: US-BE Ms 454

11/14   Bourrée:

Abschrift: US-BE Ms 454

11/15   II. Entrée, quatre Vieillards et quatre Enfans:

Abschrift: Qu. 1

11/16   Quatre Vieillards et quatre Enfants:

Abschrift: US-BE Ms 454

11/17   III. Entrée, les Sçavans et les Ignorans:

Abschrift: Qu. 1 (les Docteurs et quatre Paysans)

11/18   Un Docteur et quatre Paysans:

Abschrift: US-BE Ms 454 (identisch mit 31/27)

11/19   IV. Entrée, un Poltron et deux Braves:

Abschrift: Qu. 1

11/20   Un Poltron et deux Braves:

Abschrift: US-BE Ms 454

11/21   V. Entrée, le Bonheur de l'Esprit et de l'Argent:

Abschrift: Qu. 1

11/22   Second Air pour les memes:

Abschrift: Qu. 1

11/23   Le Bonheur de l'esprit et de l'argent:

Abschrift: US-BE Ms 454

11/24   VI. Entrée, les Sobres et les Yvrognes:

Abschrift: Qu. 1

11/25   Entrée des Sobres et des Yvrognes:

Abschrift: US-BE Ms 454

11/26   Intermedio, Ritournelle de la Musica Francese e la Musica Italiane:

Abschriften: Qu. 1—10, 12, 14, 19, 27 (nur Ritournelle); Qu. 22, 38; US-BE Ms 454
(a-Moll)

11/26a   Ritournelle:

Abschrift: US-BE Ms 454 (anstelle der Ritournelle 11/26)

11/27   VII. Entrée, les Filles de Cour et les Filles de Village:

Abschrift: Qu. 1

11/28   Les Filles de la Cour et les Filles de Village:

Abschrift: US-BE Ms 454

11/29   VIII. Entrée, les Contrefaiseurs, des Gens qui se contrefont les uns les autres:

Abschriften: Qu. 1—10, 12, 14, 16, 19, 22, 25, 27, 30, 32, 38, 42, 46, 47, 53, 55, 57,
60, 69; GB-Lbl Add 31425, 9; US-BE Ms 454

Drucke: Trios de Differents Auteurs Babel, 1697, I, 13
Philidor, Suite de trio de differents auteurs, Ballard, 1699, 4

11/30   Second Air, Sarabande, des Gens qui se contrefont les uns les autres:

Abschriften: Qu. 1—10, 12, 14, 16, 19, 22, 25, 27, 30, 32, 38, 42, 43, 57; GB-Lbl Add
31425, 12; US-BE Ms 454

Druck: (Text) Bacilly, Recueil, 1668, 159 und 1680, 159

11/31   Troisième Air, les Contrefaiseurs:

Abschriften: Qu. 1—10, 12, 14, 16, 22, 25, 27, 30, 32, 38, 58

11/32   Air des Contrefaiseurs:

Abschrift: US-BE Ms 454

11/33   IX. Entrée, la Farse et ses Soldats, la Raison:

Abschrift: Qu. 1

11/34   Second Air pour les Soldats:

Abschrift: Qu. 1

11/35   La Farce, quatre Soldats:

Abschrift: US-BE Ms 454

11/36   La Raison et quatre Notaires:

Abschrift: Qu. 1

11/37   X. Entrée, quatre Amants et quatre Maîtresses:

Abschrift: Qu. 1

11/38   Bourrée pour les mêmes:

Abschrift: Qu. 1

11/39   Quatre Amants et quatre Maîtresses:

Abschrift: US-BE Ms 454

11/40   XI. Entrée, les Adroits et Maladroits:

Abschrift: Qu. 1

11/41   Rondeau pour les Adroits et Maladroits:
                                     Qu. 1: Rondeau en Gavotte

Abschriften: Qu. 1—10, 12, 14, 16, 19, 22, 25, 27, 30, 32, 38, 42, 43, 46, 55, 60, 69;
                                     US-BE Ms 454

Druck: P. Collasse, *La Naissance de Venus*, 1696, 60

Wiederverwendet: P. Collasse, *La Naissance de Venus*, 1696

11/42   Bourrée pour les mêmes:
                                     Qu. 6, 10, 25, 27: Gavotte (sic)

Abschriften: Qu. 1—10, 12, 14, 16, 19, 22, 25, 27, 30, 32, 38, 42, 43, 46, 55, 60, 69;
                                     US-BE Ms 544

Druck: P. Collasse, *La Naissance de Venus*, 1696, 60

Weltl. Parodie: Nouv. Par. bach., 1702, III, 142: *Qu'un sçavant séche sur un livre
                                     Que dans les combats perissent Heros et Soldats* (M. Vault)

Wiederverwendet: P. Collasse, *La Naissance de Venus*, 1696

11/43   Entrée:

Abschrift: Qu. 19

11/44	Ritournelle: Qu. 16, 43, 46: Menuet; Qu. 7, 19: Symphonie

Abschriften:	Qu. 1—10, 12, 14, 16, 19, 25, 27, 30, 32, 38, 43, 46, 51, 55, 58, 69
11/45	La Louchie (Chaconne):

Abschriften:	Qu. 1—10, 12, 14, 16, 19, 25, 27, 30, 32, 38, 42, 43, 46, 51, 55, 58, 69; US-BE Ms 454
Druck:	P. Collasse, *La Naissance de Venus*, 1696, 275
Wiederverwendet:	P. Collasse, *La Naissance de Venus*, 1696

LWV 12
XERXES, COMEDIE EN MUSIQUE

Bezeichnung:	Comédie en musique
Text:	Nicolo Minato
Erste Aufführung:	22. 11. 1660 in der Grande Galerie de peinture du Louvre
Librettodruck:	*Xerxes / Comedie / en musique / del Signor / Francesco Cavalli. / Haec quoque munera pacis. / Avec six entrées de Ballet qui servent / d'Intermede à la Comedie. / Paris, Robert Ballard, 1660.* F-Pa 4⁰ B 3771 (3), F-Pn Yf 850
Literatur:	La Laurencie, Lully, 112; Prunières, L'Opéra Italien, 251, 213—261; Isherwood, Music in the Service, 132 f.
12/1	Ouverture:

Abschriften:	Qu. 1, 7, 9—10, 12, 14, 16, 19, 22, 25, 27, 30, 32, 38; US-BE Ms 454 (Philidor, Partition réduite)
Bemerkung:	In dem Librettodruck Ballards, der von den einzelnen Szenen der Oper nur den „Argument" enthält, ist als einziger Text eine kleine Szene aus dem Prolog abgedruckt, so daß davon auszugehen ist, daß dieser Text nicht von Cavalli, sondern von Lully vertont wurde, da er offenbar zu den Balletteinlagen gehörte. Im einzelnen handelt es sich um folgende Stücke, deren Musik nicht erhalten ist: Ninfa Francese e Ninfa Spagniola: *Hor che le destre invitte Stringonsi insieme i più gran Re del mondo* Ninfa Francese sola: *Fortezza debellate Sconfitte schieri armate* Ninfa Spagnola sola: *Lunga serie di Regi In pace, in guerra a gregi* Tutte due insiemi: *Pioua il Cielo a i vostri amori L'influenza le piu belle*

59

12/2   Prologue, I. Entrée, les Basques moitié François, moitié Espagnols:

Abschriften: Qu. 1—7, 9, 10, 12, 14, 16, 19, 22, 25, 27, 30, 32, 38, 41, 43, 46, 58, 60, 69; US-BE Ms 454

Transkription: d'Anglebert, F-Pn Rés 89ter (Autograph, Cembalo)

Weltl. Parodie: Bacilly, Recueil, 1668, 481: *Ce n'est qu'un Esclavage de servir la beauté*

12/3   Rondeau pour les mêmes:

Abschriften: Qu. 1—7, 9, 10, 12, 14, 16, 19, 22, 25, 27, 30, 32, 38, 41, 43, 46, 58, 60, 69; US-BE Ms 454

12/4   I, 9, II. Entrée, des Paysans et Paysannes, chantans et dansans à l'Espagnole:

Abschriften: Qu. 1—7, 9, 10, 12, 14, 19, 25, 27, 32, 38, 42; US-BE Ms 454

12/5   Ende 2. Akt, III. Entrée, Scaramouche au milieu de deux Docteurs deguisez: Qu. 2, 3, 6, 7 etc.: Gigue

Abschriften: Qu. 1—7, 9, 10, 12, 14, 16, 19, 22, 25, 27, 30, 32, 42; US-BE Ms 454

12/6   Second Air, Les Docteurs, Trivelins et Scaramouches:

Abschriften: Qu. 1, 3—7, 9, 10, 12, 14, 16, 19, 22, 25, 27, 30, 32, 38, 42; US-BE Ms 454

12/7   Troisième Air, les Trivelins et Polichinels:

Abschriften: Qu. 1—7, 8—10, 12, 14, 16, 19, 25, 27, 32, 38

12/8   Ende 3. Akt, IV. Entrée, un Poltron de vaisseau avec les Esclaves portans des singes, habillez en fagotins et des matelots joüans de la trompette:

Abschriften: Qu. 1—7, 9, 10, 12, 14, 19, 22, 25, 27, 38, 42; US-BE Ms 454

12/9   Second Air, les Matelots jouans des trompettes marines:
                   In den Foucault-Abschriften: Les Matassins

Abschriften: Qu. 1—7, 9, 10, 12, 14, 16, 19, 22, 25, 27, 30, 32, 38, 42; US-BE Ms 454

12/10   Troisième Air, les mêmes:

Abschriften: Qu. 1—7, 9, 10, 12, 14, 16, 19, 22, 25, 27, 30, 32, 38; US-BE Ms 454

12/11   Ende 4. Akt, V. Entrée, les Matassins:

Abschriften: Qu. 1—7, 9, 10, 12, 14, 16, 19, 22, 25, 27, 30, 32, 38; US-BE Ms 454
                    (I. Entrée des Basques)

12/12   Second Air pour les mêmes:

Abschriften: Qu. 1—7, 9, 10, 12, 14, 16, 19, 22, 25, 27, 30, 32, 38, 42; US-BE Ms 454

12/13   Ende 5. Akt, Bacchus accompagné de Sylvains, Bacchantes, Satyres et de
                    suivants de Bacchanale joüans de plusieurs Instrumens:
                    In den Foucault-Abschriften: Gigue

Abschriften: Qu. 1—7, 9, 10, 12, 14, 16, 19, 22, 25, 27, 30, 32, 38, 42; US-BE Ms 454

12/14   Gavotte en Rondeau pour les mêmes:

Abschriften: Qu. 1—7, 9, 10, 12, 14, 16, 19, 22, 25, 27, 30, 32, 38, 42; US-BE Ms 454

LWV 13
BALLET DE TOULOUSE

Bezeichnung:	Ballet
Text:	verloren
Erste Aufführung:	April 1660 während eines Aufenthalts des Hofes in Toulouse
Literatur:	H. Prunières, Lully GA, Ballets, Bd. II, XIV
Bemerkung:	Dem „Catalogue" Philidors von 1729 zufolge gehörte in der dort erwähnten siebenbändigen Ballett-Kopie auch das *Ballet Masquarade donné au Roy à Toulouse l'an 1659* zum Inhalt des 1. Bandes.

13/1   Ouverture:

Abschriften:	Qu. 3—10, 19, 25, 27, 38, 42, 43, 46, 58
Bemerkung:	In Qu. 8 ist die Ouverture 1659 datiert, in Qu. 46 wird auf den Ort und den Anlaß der Aufführung eingegangen: Ouverture du Ballet dansé à Toulouse au mariage du Roy l'an 1660.

13/2   Gigue:

Abschriften:	Qu. 3—10, 19, 25, 27, 38, 42, 43, 46, 58

LWV 14
BALLET DE L'IMPATIENCE

Bezeichnung:	Ballet
Text:	Francesco Buti
Erste Aufführung:	19. 2. 1661 im Louvre
Librettodruck:	*Ballet / Royal / de l'Impatience. / Dansé par sa Majesté le 19. / Febvrier 1661. / Paris, Robert Ballard, 1661,* F-Pa 4⁰ B 3771 (4)
Literatur:	La Laurencie, Lully, 113; Prunières, L'Opéra Italien, 262—265; Christout, Le Ballet de Cour, 103 f.

14/1   Ouverture:

Abschriften:	Qu. 1, 3—12, 14, 16, 19, 22, 25, 30, 32, 36, 38, 40, 46, 47, 55, 60, 64; US-BE Ms 454 (Philidor, Partition réduite)

Bemerkung:	In den Qu. 6, 10, 11, 14, 22, 30, 32, 36 ist der zweite Teil der Ouverture als Ritournelle bezeichnet und separat notiert. Von dem gesamt italienisch gesungenen Prolog ist die Musik verloren. Im einzelnen enthielt er folgende Nummern: Amore: *La Bellezza Sempre avvezza* Choro: *Ma poiche dotte in lei gia ne rendesti* L'Amante ricco: *Dunque sempre nel martoro* L'Amante meritevole: *Non è cora intelligibile* L'Amante attempato: *Ch'un a cui la grave età* L'Amante sdegnoso: *Maledette sian le scuole* L'Amante cappriccioso: *Spesso Amor vuol ch'il cappriccio* L'Amante sensuale: *Insegnar la dicta all appetito* L'Amante geloso: *Dunque à studio si penoso* La Prudenza: *Per due lustri di procelle* La Costanza: *Sofferenza tra li scogli* L'Humiltà: *Sofferenza è forte scudo* La Fedeltà: *Più che d'ogni mercede* L'Amante sdegnoso: *Io non la so* Choro di virtu: *Non t'ascolta* Choro di Amanti: *Gran Maestra del sopportare* L'Amante sensuale: *L'ho pur passata buona* Amore: *Basta per hoggi andate pure a spasso* Tutti insieme: *Amanti ch'adorate*

14/2   I. Entrée, Serenade; six Seigneurs:

Abschriften:	Qu. 1, 3—12, 14, 16, 19, 22, 25, 30, 32, 36, 38, 40, 43, 46, 47, 55, 60, 64, 67, 69; US-BE Ms 454
Transkriptionen:	F-Pn Rés 1106, 78 (Laute) Fidamants Kusjes van Blasius 1663 Hieronymus Zweerts, Innerlyke Zieltochten, Amsterdam 1722, 86 Buxtehude, Aria Rofilis (mit Variationen), vgl. G. Karstädt, BuxWV, 1974, 248 Klavierboek Anna Maria Van Eijl (1671—75), hrsg. in: MMN II, hrsg. F. Noske, Amsterdam 1959, 45
Drucke:	Brunettes, Ballard, 1711, 114 (Text) Bacilly, Recueil 1666, 266
Weltl. Parodie, hs.:	Chansonnier Maurepas 12621, 23 (1686, sur une danseuse de l'Opéra): *Pezant mois de vanité Avec votre air sec et fade;* ebd. 233 (1688): *Le trop heureux Frementeau;* ebd. 12622, 232 (1692): *Que craignez-vous donc Flamans* (dass. ebd. 307); ebd. 243 (Avril 1692): *Qu'est devenu le Printemps;* ebd. 291, 293, 307, 355; ebd. 12625, 408 (1706, sur Louis XIV): *Qu'est donc devenu le temps Où maître de la victoire;* ebd. 12626, 302 (1709): *Dans les siecles passés La France a brillé de gloire;* ebd. 440 (1710, par Mr. d'Hendicourt): *A chaque pas en ces lieux;* ebd. 447 (1710, Complainte du grand Prevost): *Or écoutez petits et grands;* ebd. 468 (sur Melle de Broglio): *Quand vous irez à Marly;* ebd. 12627, 227 (1713): *Pourquoy la brune Loyson;* ebd. 12629, 294 (1718; sur M. le duc de Bourbon): *Le duc de Bourbon est fou;* ebd. 323 (1718): *Toy qui par un juste effroy;* ebd. 329 (1718, sur le bruit des Assemblées du Parlement): *D'où vient cette émotion;* ebd. 331 (1718): *D'Huxelles dit, cette paix;* ebd. 355 (1718): *Longue et seche Berenger;* ebd. 12640, 200 (1680, sur la Maale de Rochefort): *Dans la Forest de Senar* (de Coulanges); ebd. 12641, 186 (1690, sur

Jacques II., roi d'Angleterre): *Bon Dieu, calmez ce grand vent;* ebd. 12642, 59 (1693, à la marquise de Louvois): *Enfin charmante Louvois* (de Coulanges); ebd. 60 (1693): *Aristote et Gabourg;* ebd. 392, 1696, faite à Sully): *Quand on est bien accueilly;* ebd. 417 (1696, sur le duc de Chaulne): *Quand reverrons-nous Bercy* (de Coulanges); ebd. 12643, 300 (1717, sur le duc d'Orléans Régent): *Régent, le courroux des Cieux;* ebd. 12644, 361 (1710, impromptu du sieur Danchet et de Coulanges): *Quand au milieu d'un festin*

Drucke:

de Coulanges, Recueil, 1694, 117: *Quand vous voulez pisser;* ebd. 126: *Mon père qu'il fait froid;* Recueil, 1698, 23: *Après avoir cherché;* ebd. 35: *Olivier de Chastellux;* II, 73: *Il est vray, c'est la raison;* ebd. 208: *Sous le nom de Liancour*
La Clef des chansonniers, 1717, I, 120: *Sommes-nous pas trop heureux*
La Monnoye, Poésies nouvelles, 1714, 132: *Avant le dernier hoquet*
Théâtre de la Foire, 1721, I, Air 137, II (Air 137), 230, III, Air 137
Cornelis Sweerts, Boertige en ernstige Minne-zangen, 5e druk, Amsterdam s. d., 49, 57, 69
J. Lebas, Festin Joyeux, 1738, II, 9: *Aux tortues de poulets*
Groot Horns, Eukhuyzer, Alkmaarder en Purmerender Liedeboek, Amsterdam (ca. 1762), 232

Geistl. Parodien:

F. Pascal, Cant. spir. ou Noëls, 1672, 27: *O Jour! ton divin flambeau Vient commencer sa carriere*
L. Chassain, Cant. sacrez, 1684, 89: *L'Homme qui veut écouter La sainte loix de son Maître;* ebd. 113: *Hé bien, mon Dieu, je conçoy*
Cantiques de l'ame devote, Marseille, 1688, 466: *Que chacun chante à son tour Les Vertus de Sainte Rose;* ebd. 489: *L'eau qui croupit aux étangs Ne produit que des grenoüilles*
La Monnoye, Noei tô nôvea, 1701, 25: *Eiu jor lai han Dei le Fi Ansin que po lai lu cane*
Opera spir., 1710, 54: *Sommes-nous pas trop heureux, Chers Bergers que vous ensemble* (als Herkunft des Air wird *Bellérophon* angegeben)
Cant. spir., Lille, 1718, 16: *O jour, ton divin flambeau*

14/3

II. Entrée, deux Alchimistes et six Enfans:

Abschriften:

Qu. 1; US-BE Ms 454

14/4

Les Alchimistes:

Abschriften:

Qu. 1, 3—12, 14, 19, 22, 25, 38; US-BE Ms 454

14/5

les Enfans:

Abschriften:

Qu. 1, 3—12, 14, 22, 25, 38; US-BE Ms 454

14/6   Second Air pour les six Enfans:
Qu. 6, 12: Mercure

Abschriften: Qu. 1, 3—12, 14, 19, 22, 25, 38; US-BE Ms 454

14/7   III. Entrée, deux Maistres à danser s'impatientent en montrant la Courante à des Moscovites:

Abschriften: Qu. 1, 3—12, 14, 19, 22, 25, 38; US-BE Ms 454

14/8   Courante pour les Nations:
Qu. 6, 11, 12, 14: Moscovites

Abschriften: Qu. 1, 3—12, 14, 19, 22, 25, 38; US-BE Ms 454

14/9   IV. Entrée pour les Plaideurs:

Abschrift: Qu. 1

14/10   Seconde Partie, Ritournelle, Récit de l'Impatience:
Qu. 16, 43, 46, 55, 69: Chaconne

Abschriften der Ritournelle: Qu. 1, 3—12, 14, 16, 19, 30, 43, 46, 51, 55, 57, 69; US-BE Ms 454

Transkription: GB-Lbl Add 31425, 12

Druck: Trios de Differents Auteurs, Babel, 1697, I, 23
(Text) Bacilly, Nouv. Recueil, 1666, 94

Abschriften des Récit: Qu. 1, 3—12, 14, 19; US-BE Ms 454

14/11   I. Entrée, six Portefaix et six Nains:

Abschriften: Qu. 1; US-BE Ms 454

14/12   Second Air:

Abschrift: US-BE Ms 454

14/13   II. Entrée, des Oyseleurs à la Choüette:

Abschriften: Qu. 1, 3—12, 14, 19, 25, 38, 43; US-BE Ms 454

14/14   Second Air:

Abschrift: Qu. 1

14/15   Six Oyseleurs:

Abschrift: US-BE Ms 454

14/16   III. Entrée, deux Jeunes Desbauchez:

Abschrift: Qu. 1

14/17   Second Air:

Abschriften: Qu. 1, 3—12, 14, 19, 25, 38

14/18   Bourrée pour le Pere et les Vallets des Desbauchez:
                        Qu. 5—7, 10, 19, 25: Entrée de Diane

Abschriften: Qu. 1, 3—12, 14, 16, 19, 22, 25, 32, 38, 43; US-BE Ms 454

14/19	Deux jeunes Desbauchez:

Abschrift:	US-BE Ms 454
14/20	IV. Entrée, Jupiter:

Abschriften:	Qu. 4—7, 9—12, 16, 19, 22, 25, 30, 32; US-BE Ms 454
14/21	Jupiter: Qu. 4, 5—7, 10—12, 19, 25: Les Paysans

Abschriften:	Qu. 1, 3—12, 14, 19, 25, 30; US-BE Ms 454
14/22	Le Roy représentant Jupiter:

Abschrift:	US-BE Ms 454
14/23	Recit des Preneurs de Tabac:

Abschriften:	Qu. 1, 3—8, 10—12, 19; US-BE Ms 454 (ohne Text)
Bemerkung:	In dem Librettodruck von 1661 fehlt der gesamte italienische Text von 14/19—22
14/24	Choro:

Abschriften:	Qu. 1, 3—8, 10—12, 19; US-BE Ms 454 (ohne Text)
14/25	Ritournelle, Air italien:

Abschriften:	Qu. 1, 3—8, 10—12, 19; US-BE Ms 454 (ohne Text); (nur Ritournelle) Qu. 38

14/26   Choro:

Oh che con=certo har = mo = ni=co s'u = nisce

Abschriften: Qu. 1, 3—8, 10—12, 19; US-BE Ms 454 (ohne Text)

14/27   Air pour les Paysans:

Abschrift: Qu. 1

14/28   Entrée de six Goguenards:

Abschrift: US-BE Ms 454

14/29   Troisième Partie, I. Entrée, les Gourmands:

Abschriften: Qu. 1, 3—12, 14, 19, 25, 38

14/30   Entrée des Gourmands voyant leur soupe:

Abschrift: US-BE Ms 454

14/31   Second Air:

Abschrift: US-BE Ms 454

14/32   II. Entrée, les Creanciers:

Abschriften: Qu. 1, 3—12, 14, 19, 25, 38

14/33   Quatre Créanciers impatients:

Abschrift: US-BE Ms 454

14/34   Bourrée, second Air pour le Debiteur:

Abschriften: Qu. 1, 3—12, 14, 19, 22, 25, 38

14/35   Bourrée pour les Débiteurs:

Abschrift: US-BE Ms 454

14/36   Seconde Bourrée:

Abschrift: US-BE Ms 454

14/37   Air pour les Archers et Sergents:

Abschriften: Qu. 1, 3—12, 14, 19, 25, 38

14/38   III. Entrée, huit Chevaliers:
                                         Qu. 22: Bourrée

Abschriften: Qu. 1, 3—12, 14, 19, 22, 25, 38; US-BE Ms 454

14/39   IV. Entrée, quatre Marchands Mores:

Abschriften: Qu. 1, 3—12, 14, 19, 25, 38

14/40 Quatre Marchands mores impatients de l'arrivée de leur vaisseau:

Abschrift: US-BE Ms 454

14/41 Quatrième Partie, Ritournelle, Récit de la Loterie:

Abschriften: Qu. 1, 3—12, 14, 19; US-BE Ms 454; (nur Ritournelle) Qu. 38
Druck: (Text) Bacilly, Recueil, 1666, 301

14/42 I. Entrée, les Suisses:

Abschriften: Qu. 1, 3—12, 14, 19, 25, 38; US-BE Ms 454

14/43 Les Florentins:

Abschriften: Qu. 1, 3—12, 14, 19, 25, 38

14/44 II. Entrée, les Amoureux:

Abschriften: Qu. 1, 3—12, 14, 19, 25, 38

14/45 Quatre Galants et quatre Maîtresses impatients de voir leurs Amants:

Abschrift: US-BE Ms 454

14/46 Second Air pour les Amoureux et deux Servantes:

Abschriften: Qu. 1, 3—12, 14, 19, 25, 38, 43, 46; US-BE Ms 454

14/47   III. Entrée, dix Aveugles:

Abschriften: Qu. 1, 3—12, 14, 19, 25, 38

14/48   Dix Aveugles impatients de sortir:

Abschrift: US-BE Ms 454

14/49   Recit des Aveugles:

Abschriften: Qu. 1, 3—12, 14, 19; US-BE Ms 454
Druck: (Text) Bacilly, Recueil, 1668, 8 und 1680, 8 (Benserade)

14/50   Second Air pour les Aveugles jouant de la Vielle:

Abschriften: Qu. 1, 3—12, 14, 19, 22, 25, 38; US-BE Ms 454

14/51   Deux Amants qui enlevent leurs Maistresses:

Abschriften: Qu. 1, 3—12, 14, 19, 25, 38; US-BE Ms 454

14/52   Second Air, Sarabande pour les mêmes:

Abschriften: Qu. 1, 3—12, 14, 19, 25, 38; US-BE Ms 454

14/53   Dernier Air pour les Demons et les Vents:

Abschriften: Qu. 1, 3—12, 14, 19, 25, 38

14/54	Menuet et dernier Air:

Abschrift:	US-BE Ms 454
Bemerkung:	Der italienisch gesungene Epilog ist in den musikalischen Quellen nicht erhalten. Er enthielt folgende Nummern:

Amore: *Vi vorrei pure accordare*
L'Impatienza: *Se colei ti guidera*
La Patienza: *In van fia che poi ti lagni*
Amore: *A non gia punto adularni*
L'Impatienza e la Patienza: *E cio credibile Unqua ti fu?*
Amore, la Patienza e l'Impatienza: *Amanti al fin Amor dalle sue scuole*
Amore: *A chi n'intese remirando, e tacque*
Tutti insieme: *E voi Belle che lodate*

LWV 15
BALLET DES SAISONS

Bezeichnung:	Ballet
Text:	Isaac de Benserade
Erste Aufführung:	23. 7. 1661 in Fontainebleau
Librettodruck:	*Ballet / des Saisons / Dansé à Fontainebleau par sa Majesté le 23. juillet 1661. / Paris, Robert Ballard, 1661,* F-Pa 4° B 3771
Abschrift in Partition générale:	F-Pc Rés F 658 (1689 kopiert)
Literatur:	Pruniéres, L'Opéra Italien, 269; Silin, Benserade, 287—295; Christout, Le Ballet de Cour, 104 f.

15/1	Ouverture:

Abschriften:	Qu. 3—10, 11 (Rés F 653 und 658), 12, 14, 16, 19, 22, 25, 30, 32, 36, 43, 46, 55, 58, 60, 69; US-BE Ms 454 (Philidor, Partition réduite)

15/2	Choeur:

Qui dans la nuit ra=mei=ne le so=leil

Abschrift:	Rés F 658

15/3   Ritournelle, Recit de la Nymphe de Fontainebleau:
                       Qu. 7: Descente d'Apollon; Qu. 3: zweiter Teil der Ouverture

Abschriften der Ritournelle:	Qu. 3—12, 14, 16, 19, 22, 30, 32, 36, 40, 43, 46, 47, 58, 60, 69; GB-Lbl Add 31425, 10; US-BE Ms 454
Drucke:	Trios de Differents Auteurs, Babel, 1697, I, 3 P. Collasse, *Ballet des Saisons*, 1695 und 1700 (Text) Bacilly, Recueil, 1668, 72 und 1680, 72
Abschriften des Récit:	Qu. 3—12, 14, 19, 40; F-Pn Rés Vma ms 958, 186; US-BE Ms 454
Druck:	V. Livre d'airs de differents auteurs, Ballard, 1662, 1
Wiederverwendet:	P. Collasse, *Ballet des Saisons*, 1695

15/4   I. Entrée, six Faunes:

Abschriften:	Qu. 3, 4, 6, 7, 9, 10, 11 (Rés F 653), 12, 14, 16, 19, 22, 25, 30, 32, 40, 43, 46, 55, 60 (Suite 10 und 36), 69; US-BE Ms 454 Abschriften in Exzerpten aus *Les Noces de Village:* Qu. 1, 3—12, 19, 25, 38
Wiederverwendet:	*Les Noces de Village,* 1663

15/5   II. Entrée, Diane et ses Nymphes:

Abschriften:	Qu. 3—12, 14, 16, 19, 22, 25, 30, 32, 58; US-BE Ms 454

15/6   Second Air:

Abschriften:	Qu. 3—12, 14, 19, 22, 25, 58; US-BE Ms 454

15/7   Bourrée:

Abschriften:	Qu. 3—12, 14, 19, 22, 25, 58; US-BE Ms 454

15/8   III. Entrée, Flore suivi de quatre Jardiniers:

Abschriften:	Qu. 3—12, 14, 19, 22, 25, 43, 46, 58, 60; US-BE Ms 454

15/9

IV. Entrée, Ceres suivie de huit Moissonneurs:

Abschriften:

Qu. 3—12, 14, 16, 19, 22, 25, 30, 32, 40, 43, 46, 55, 58, 60 (Suite 3 und 36), 69; US-BE Ms 454

15/10

V. Entrée, l'Automne, quatre Vendangeurs et quatre Vendangeuses Qu. 8, 16, 22, 43: Gavotte

Abschriften:

Qu. 3—12, 14, 16, 19, 22, 25, 32, 43, 69; US-BE Ms 454

15/11

l'Automne:

Abschriften:

Qu. 4—7, 9, 10, 11 (Rés F 653), 12, 14, 19, 22, 25

15/12

Second Air:

Abschriften:

Qu. 4—7, 9, 10, 11 (Rés F 653), 12, 14, 19, 22, 25

15/13

VI. Entrée, un Hyver, six Gallands:

Abschriften:

Qu. 3—12, 14, 19, 22, 25, 30, 58; US-BE Ms 454

15/14

Une Bohemienne et six Masques:

Abschriften:

Qu. 3—12, 14, 16, 19, 22, 25, 30, 43, 58; US-BE Ms 454

15/15

Menuet:

Abschrift:

US-BE Ms 454

15/16	VII. Entrée, sept Masques:

Abschriften:	Qu. 4—7, 9, 10, 11 (Rés F 653), 12, 14, 19, 25

15/17	Ritournelle, Recit des Masques :

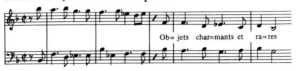

Abschriften:	Qu. 3—12, 14, 19; US-BE Ms 454
Druck:	(Text) Bacilly, Recueil, 1666, 163

15/18	Second Air:

Abschriften:	Qu. 4, 6, 9, 10, 11 (Rés F 653), 12, 14, 25

15/19	Ritournelle pour le Concert du Printemps:

Abschriften:	Qu. 3—12, 14, 19, 43, 46, 58, 60, 66; US-BE Ms 454

15/20	VIII. Entrée, le Printemps suivi du Jeu, du Ris, de la Joye, et de l'Abondance:

Abschriften:	Qu. 3—12, 14, 16, 19, 22, 25, 32, 58

15/21	Bourrée pour le Jeu, le Ris, la Joye et l'Abondance:

Abschriften:	Qu. 3—12, 14, 16, 19, 22, 25, 32, 46, 58

15/22	IX. et dernière Entrée, les neuf Muses guidées par Apollon, et par l'Amour:

Abschriften:	Qu. 3—12, 14, 19, 22, 25

Menuet et dernier Air:

Abschrift: US-BE Ms 454

LWV 16
LES FACHEUX, COMEDIE

Bezeichnung: Comédie

Text: Jean Baptiste Poquelin Molière

Erste Aufführung: 17. 8. 1661 in Vaux-le-Vicomte

Librettodruck: *Les / Facheux / Comedie / De J. B. P. Moliere. / Representée sur le /*
                           Theatre du Palais Royal. / Paris, Guillaume de Luyne 1662, F-Pn Rés
                           Yf 4165
                           Weitere Ausgaben vgl. A.-J. Guibert, Bibliographie, I, 76—87

Bemerkung: Die Musik zu dieser ersten Comédie-ballet Molières schrieb Charles-Louis
                           Beauchamps, jedoch trug Lully auch einen Satz zu diesem Werk bei: Cette
                           Courante a esté fait par Mr. de Lully et chanté au Facheux par Mr. La
                           Grange Comedien:

Abschrift: Qu. 1 (Rés F 530)

Weltl. Parodie: Concerts parodiques, 1732, IV, 50: *Bon jour l'Amy Cheron, Traite nous*
                           sans façon

Literatur: Prunières, L'Opéra Italien, 269—270; Christout, Le Ballet de Cour, 105 f.;
                           Anthony, French Baroque Music, 52

LWV 17
HERCULE AMOUREUX, TRAGEDIE

Bezeichnung: Tragédie

Text: Francesco Buti

Erste Aufführung: 7. 2. 1662 in der Salle des Machines des Tuileries

Librettodruck: *Hercule / amoureux / tragedie / représentée pour les Nopces / de leurs*
                           Majestez tres- / Chrestiennes. / Anvers, Guillaume Colles, 1662, F-Pa
                           Ra 3116
                           Ercole / Amante. / Tragedia. / Rappresentata per le Nozze delle Maestà /
                           Christianissime. / Hercule / Amourèux / Tragedie / Representée pour les
                           Nopces de leurs Majestez Tres Chretiennes / Paris, Robert Ballard, 1662,
                           F-Pa Ra 3115 (2)

Vers / du / Ballet / Royal / Dansé par Leurs Majestez / entre les Actes de la grande Tragedie / de l'Hercule Amoureux. / Avec la Traduction du Prologue, & des / Argumens de chaque Acte. / A Paris, / Par Robert Ballard, seul Imprimeur / du Roy pour la Musique. / M.DC.LXII. / Avec Privilege de Sa Majesté. F-Pn Th ᴮ1852

Bemerkung: Die Angaben zu den Entrées de ballet in dem italienisch-sprachigen Libretto *(Ercole Amante)* und in den *Vers du Ballet* stimmen nicht miteinander überein. Sie werden deshalb beide mit angegeben. Es erscheint möglich, daß in den *Vers du ballet* eine zweite, erweiterte Fassung des Balletts beschrieben ist.

Literatur:	Prunières, L'Opéra Italien, 295—296, 274—306; Christout, Le Ballet de Cour, 106—109; Isherwood, Music in the Service, 132—134

17/1

(Ercole) Dames representant 15 familles Imperiales dont est issuë la Maison de France, Entrée pour la Maison de France:
(Vers du Ballet) I. Entrée, le Roy representant la Maison de France

Abschriften:	Qu. 3—7, 9—12, 14, 16, 18, 19, 22, 25, 30, 32, 40, 42,. 43, 46, 47, 55, 60, 64, 69; F-Pc Rés 1106, 97; US-BE Ms 454 (Philidor, Partition réduite)
Druck:	P. Collasse, *Ballet des Saisons, 1695 und 1700*
Weltl. Parodien, hs.:	Chansonnier Maurepas 12626, 449 (1710, air: Heros pour éterniser votre mémoire; sur Mr. Sublet d'Hendicourt): *Sublet on sçait la noblesse de ta mere, Ses Ayeux qu'on révere;* ebd. 12639, 329 (1672, sur Harlay, arche-vêque de Paris): *Pasteur, tu ne fais pas comme ces Canailles, Qui tondent leurs Ouailles;* ebd. 12641, 441 (1692): *L'on voit dans ces lieux la Reine des Danseuses, L'on dit qu'elle est cagneuse;* ebd. 12642, 71 (1694): *L'on voit dans ces lieux la Motte d'Agripine, le c . . . de Me. Saline* (de Cou-langes); ebd. 412 (1696, raillerie de l'Opera de la naissance de Venus): *Enfin nous verrons ce Ballet qu'on nous vante* F-Pa 4843, n°. 682 *Amis, imitons cet excellent cynique*
Drucke:	de Coulanges, Recueil, 1694, 86: *Non ma Muse, ne sçauroit plus se taire;* ebd. 133 Par. bach., 1696, 295: *Amis, imitons cet excellent cinique qui voyant dans l'attique* Nouv. Par. bach., 1702, III, 136: *C'en est fait, injuste Climene* (M. R.) La Clef des chansonniers, 1717, I, 110: *Amis, imitons cet excellent Cynique* de Coulanges, Recueil, 1694, 131, 1698, 56, Chansons 1754, 186 (pour le Château de Chaulnes): *Ne vous chagrinez pas, magnifique Maison*
Geistl. Parodien:	La Monnoye, Noei, 77: *L'Etai tô couvar de l'or de sé jaivelle* Opera spir., 1710, 1: *Seigneur, vous qui connoissez mon ignorance*
Wiederverwendet:	P. Collasse, *Ballet des Saisons, 1695*

17/2

(Ercole) Second Air pour la Maison d'Autriche:
(Vers du Ballet) II. Entrée, le Roy, la Maison de France, la Reine, la Maison d'Autriche

Abschriften:	Qu. 3—7, 9—12, 14, 16, 19, 22, 25, 30, 32, 42, 43, 46; US-BE Ms 454

17/3
I, 3, II. Entrée, les tempêtes et les foudres:
(Vers du Ballet) III. Entrée Des Foudres et Tempestes

Abschriften: Qu. 3—7, 9—12, 14, 16, 19, 22, 25, 30, 32, 42, 43, 46, 55, 60, 66, 69;
                     US-BE Ms 454

Druck: P. Collasse, *La Naissance de Venus*, 1696, 222

Wiederverwendet: P. Collasse, *La Naissance de Venus*, 1696

17/4
II, 7, III. Entrée, le Sommeil et les Songes:
(Vers du Ballet) IV. Entrée Des Songes

Abschriften: Qu. 3—7, 9—12, 14, 19, 22, 25, 42, 43, 69; US-BE Ms 454

17/5
III, 10, IV. Entrée, les Demons entrent dans les Statues du Jardin:
(Vers du Ballet) V. Entrée des Statues

Abschrift: US-BE Ms 454

17/6
Second Air:

Abschrift: US-BE Ms 454

17/7
Les Statues:

Abschrift: Qu. 22

17/8
IV, 5, V. Entrée, les Zephirs:
(Vers du Ballet) VI. Entrée des Zephirs

Abschriften: Qu. 4—7, 11, 12, 16, 9, 22, 25, 30, 32, 42, 43, 46, 55, 58, 60, 69; US-BE
                     Ms 454

78

17/9   IV, 7, VI. Entrée, les Dames de la Cour d'Yole épouvantées par les Ombres: (Vers du Ballet) VII. Entrée des Fantosmes & Demoiselles

Abschriften: Qu. 3—7, 9—12, 14, 19, 25

17/10   Entrée des Fantosmes et Demoiselles:

Abschrift: US-BE Ms 454

Bemerkung: Dieser Satz ist ein zweites Mal unter dem Titel *Les Influences de la Lune* notiert.

17/11   Les Fantosmes:

Abschrift: Qu. 22

17/12   V. Acte (Vers du Ballet) VIII. Entrée, Pluton & Proserpine, avec douze Furies:

Bemerkung: Dieser Satz ist in keiner der bekannten Abschriften erhalten.

17/13   Les diverses Influances des sept Planettes, descendent les unes apres les autres, & font autant d'Entrées de Ballet, qui finit par un Choeur d'Estoilles. Ouverture:

Abschriften: Qu. 3—12, 14, 16, 19, 22, 25, 30, 32, 38, 43, 46, 64, 66; US-BE Ms 454

Bemerkung: Mit diesem Satz beginnt das *Ballet des Sept Planètes*

17/14   Concert des Trompettes:

Abschriften: Qu. 3—7, 9—12, 14, 16, 19, 25, 32, 38, 43; US-BE Ms 454

17/15   Le Roy representant le Dieu Mars:
(Vers du Ballet) IX. Entrée, Mars suivy d'Alexandre, Jules Cesar, Marc Antoine, Pompée, & autres grands Capitaines de l'antiquité

Abschriften: Qu. 3—12, 14, 16, 19, 22, 25, 32, 38, 58; US-BE Ms 454

17/16　　　　　　　　　　　　Quatre Combattants jouant des Enseignes:

Abschriften:　　　　　　　Qu. 3—12, 14, 16, 19, 22, 25, 30, 32, 38, 43 (D-Dur), 58; US-BE Ms 454

Bemerkung:　　　　　　　Der 2. Teil dieses Air ist in den Qu. 4, 6, 11, 12, 14, 16, 19, 22, 25, 32 als
　　　　　　　　　　　　　Suite de Mars bezeichnet und getrennt notiert

17/17　　　　　　　　　　　Pour les Combattants romains:

Abschriften:　　　　　　　Qu. 3—12, 14, 16, 19, 22, 25, 30, 32, 38, 43

17/18　　　　　　　　　　　Le Combat:

Abschriften:　　　　　　　Qu. 3—12, 14, 16, 19, 22, 25, 30, 32, 38, 43; US-BE Ms 454

17/19　　　　　　　　　　　La Lune. Influence de Pellerins:
　　　　　　　　　　　　　(Vers du Ballet) X. Entrée, Influances de la Lune, & Pellerins

Abschriften:　　　　　　　Qu. 3—12, 14, 19, 25, 30, 38; US-BE Ms 454

17/20　　　　　　　　　　　Saturne, Dieu des enchantements:

Abschriften:　　　　　　　Qu. 3—12, 14, 16, 19, 22, 25, 30, 32, 38, 42, 43, 46; US-BE Ms 454

17/21　　　　　　　　　　　Pour les Pellerins jouant de la vielle:

Abschriften:　　　　　　　Qu. 3—12, 14, 16, 19, 22, 25, 32, 38, 42, 43, 46, 60; US-BE Ms 454

17/22　　　　　　　　　　　Concert de guitares. Pour Mercure Dieu des charlatans:
　　　　　　　　　　　　　(Vers du Ballet) XI. Entrée, Influances de Mercure, & Charlatans

Abschriften:　　　　　　　Qu. 3—12, 14, 16, 19, 22, 25, 32, 38, 42, 43, 46, 69; US-BE Ms 454

17/23	Mercure, Dieu des Charlatans:

Abschrift:	US-BE Ms 454

17/24	Mercure, Dieu des charlatans:

Abschriften:	Qu. 3—12, 14, 19, 25, 38

17/25	Air pour les Charlatans:

Abschriften:	Qu. 3—12, 14, 19, 22, 25, 38; US-BE Ms 454

17/26	Jupiter et les quatre Nations: (Vers du Ballet) XII. Entrée, Influances de Jupiter, accompagné de quatre Monarques & de quatre Nations

Abschriften:	Qu. 3—12, 14, 16, 19, 22, 25, 30, 32, 38, 42; US-BE Ms 454

17/27	Rondeau pour les quatre Nations: Qu. 43, 46, 55, 60, 69: Pauvre Baptiste que le ciel t'assiste

Abschriften:	Qu. 3—12, 14, 16, 19, 22, 26, 30, 32, 38, 42, 43, 46, 55, 60, 69; US-BE Ms 454
Transkription:	B-Bc Ms 27220, 16 (Pauvre Baptiste, d-Moll)
Druck:	P. Collasse, *La Naissance de Venus*, 1696, 108
Weltl. Parodie, hs.:	Chansonnier Maurepas 12640, 86 (1677, sur Mr de Lully, lorsque le Roy le voulut chasser pour ses débauches): *Pauvre Baptiste, Que le Ciel t'assiste, Puisque ton Maître aujourd'huy, N'est plus ton appuy*
Wiederverwendet:	P. Collasse, *La Naissance de Venus*, 1696

17/28	Concert de Venus et des Plaisirs: (Vers du Ballet) XIII. Entrée, Venus & les Plaisirs. Concert de Venus & des Plaisirs Qu. 46, 66: Concert de guitare

Abschriften:	Qu. 3—12, 14, 16, 19, 22, 25, 30, 32, 38, 43, 46, 51, 66, 69; GB-Lbl Add 31425, 7; US-BE Ms 454

17/29   Recit de Venus:

Abschriften:	Qu. 3—12, 14, 19; US-BE Ms 454
Druck:	(Text) Bacilly, Recueil, 1666, 187 (Benserade)
Bemerkung:	In den Librettodrucken fehlt der Text dieses Récit ebenso wie die Angabe der Entrée

17/30   Les Plaisirs et la suite de Venus:

Abschriften:	Qu. 3—12, 14, 16, 19, 25, 30, 32, 38, 43, 46; US-BE Ms 454

17/31   Saturne, Dieu des enchantemens:
(Vers du Ballet) XIV. Entrée, Influances de Saturne, qui produit plusieurs enchantemens

Abschriften:	Qu. 3—12, 14, 19, 25, 38

17/32   Saturne, Dieu des enchantemens:

Abschrift:	US-BE Ms 454

17/33   Second Air avec des échos et des enchantemens:

Abschrift:	US-BE Ms 454

17/34   Second Air:
(Vers du Ballet) Influances du Soleil, accompagné des 24 Heures, de l'Aurore & des Estoilles

Abschriften:	Qu. 3—12, 14, 19, 25, 38

17/35

Air pour les Heures de la Nuit:
(Vers du Ballet) XV. Entrée, les douze Heures de la Nuict

Abschriften: Qu. 3—12, 14, 16, 19, 25, 30, 32, 38; US-BE Ms 454

17/36

Air pour le Soleil et les douze Heures du jour:
(Vers du Ballet) XVI. Entrée, l'Aurore

Abschriften: Qu. 3—12, 14, 19, 25, 38; US-BE Ms 454

17/37

Air pour le Roy, septième Influence:
Qu. 8: Gigue

Abschriften: Qu. 3—12, 14, 19, 25, 38; US-BE Ms 454

17/38

Air pour les Heures du jour:
(Vers du Ballet) XVII. Entrée, le Soleil & les douze Heures du Jour

Abschriften: Qu. 3—12, 14, 16, 19, 25, 32, 38; US-BE Ms 454

17/39

Air pour les Etoiles:
(Vers du Ballet) XVIII. et derniere Entrée, des Estoilles
Qu. 16, 30: Les petites Filles

Abschriften: Qu. 3—12, 14, 16, 19, 25, 30, 32, 38; US-BE Ms 454

17/40

Sarabande pour les mêmes:

Abschriften: Qu. 3—12, 14, 16, 19, 25, 30, 32, 38; US-BE Ms 454

17/41

Gaillarde pour les Etoiles:

Abschriften: Qu. 3—12, 14, 19, 25, 38

LWV 18
BALLET DES ARTS

Bezeichnung:	Ballet
Text:	Isaac de Benserade
Erste Aufführung:	8. 1. 1663 im Palais Royal
Librettodruck:	*Ballet / des Arts, / Dansé par sa Majesté le 8. / Janvier 1663. / Paris, Robert Ballard, 1663*, F-Pa 4° B 3771 (6)
Abschrift in Partition générale:	F-V Ms mus 80 (Philidor, 1690)
Literatur:	Prunières, L'Opéra Italien, 307—308; Christout, Le Ballet de Cour, 109 f.

18/1   Ouverture:

Abschriften:	Qu. 3—12, 14, 16, 19, 20, 22, 25, 27, 30, 32, 38, 41—43, 46
Bemerkung:	In zahlreichen Abschriften ist der zweite Teil der Ouverture als eigenständiges Stück (Ritournelle) behandelt worden. Es handelt sich dabei um folgende Kopien: Qu. 4, 6, 10, 11, 14, 16, 19, 27, 32, 51, 69; GB-Lbl Add 31425, 10

18/2a   Ritournelle:

Abschriften:	Qu. 3—5, 7—9, 19, 38; F-V Ms mus 80

18/2b   Ritournelle, Bergers et Bergeres accompagnés de la Felicité et de la Paix:

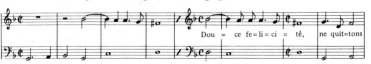

Abschriften der Ritournelle:	Qu. 6, 10, 11, 14, 27
Abschriften des Récit:	Qu, 3—12, 14, 19, 20; F-V Ms mus 80
Druck:	M. Lambert, Airs à une, II, III et IV parties avec la basse continue, Paris, Ballard, 1689
Bemerkung:	Nach Qu. 14 sollten Ritournelle und Récit 18/2b von M. Lambert stammen. Dies wird bestätigt durch die Publikation in dem Druck der Airs von Lambert.

18/3   L'Agriculture, cet Art est representé par des Bergers et des Bergeres, I. Entrée:

Abschriften:	Qu. 3—12, 14, 16, 19, 20, 22, 25, 27, 30, 32, 38, 42

18/4   Second Air:
Qu. 3, 43, 46, 60: Entrée de Madame en Bergere

Abschriften: Qu. 3—12, 14, 16, 19, 20, 22, 25, 27, 30, 38, 41—43, 46, 60

Weltl. Parodie: La Clef des chansonniers, 1717, II, 44: *Pourquoi cacher votre aimable Bergere*

18/5   Troisième Air:

Abschriften: Qu. 3—12, 14, 16, 19, 20, 22, 25, 27, 30, 32, 38

18/6   Quatrième Air, Bourrée:

Abschriften: Qu. 3—12, 14, 16, 19, 20, 22, 25, 27, 30, 32, 38, 41—43, 46

18/7   Seconde Bourrée:

Abschriften: Qu. 3—12, 14, 19, 20, 25, 27, 38

18/8   La Navigation, Ritournelle, Recit de Thetis:

Abschriften: Qu. 3—12, 14, 19, 20, 27; (nur die Ritournelle) Qu. 38, 51, 69; F-Pn Rés Vma 958, 195

Druck des Récit: VII. livre d'airs de differents auteurs, Ballard, 1664

Bemerkung: Bacilly zufolge (Recueil, 3e Partie, 156) komponierte Lambert dieses Récit.

18/9   II. Entrée, un Corsaire et quatre Pirates:

Abschriften: Qu. 3—12, 14, 16, 19, 20, 22, 25, 27, 30, 38, 41, 43

18/10   Second Air:

Abschriften: Qu. 3—12, 14, 16, 19, 20, 22, 25, 27, 32, 38

18/11   L'Orfevrerie, Ritournelle, Recit de Junon sur les Richesses:

Abschriften: 3—12, 14, 19, 20, 27; (nur Ritournelle) Qu. 38, 47, 51, 55, 69

Druck des Récit: VII. livre d'airs de differents auteurs, Ballard, 1664
                             (Text) Bacilly, Recueil, 1666, 111, Nouv. Recueil, 1668, 247

Druck der Ritournelle: Trios de Differents Auteurs, Babel, 1698, II, 96

18/12   III. Entrée, Courtisans chargez d'Orfevrerie:

Abschriften: Qu. 3—12, 14, 16, 19, 20, 22, 25, 27, ·30, 32, 38

18/13   Second Air:

Abschriften: Qu. 3—12, 14, 16, 19, 20, 22, 25, 27, 30, 32, 38

18/14   La Peinture, Ritournelle, Dialogue d' Appelle et de Zeuxis:

Abschriften: Qu. 3—12, 14, 19, 20; (nur Ritournelle) Qu. 38, 69; GB-Lbl Add 31425, 8

18/15   IV. Entrée, Peintres, Dames, Valets:

Abschriften: Qu. 3—8, 10—12, 19, 25, 27, 38

18/16   Second Air, les Peintres:

Abschriften: Qu. 3—12, 14, 16, 19, 20, 25, 30, 32, 38

18/17
Les Peintres et quatre Dames ridicules:

Abschriften: Qu. 3, 4, 6—8, 10, 12, 19, 25, 27, 38

18/18
Ritournelle, Récit de Diane:

Abschriften: Qu. 3—12, 19, 27; (nur Ritournelle) Qu. 38
Druck: (Text) Bacilly, Nouv. Recueil, 1661, 16

18/19
V. Entrée, Chasseurs:

Abschriften: Qu. 3—12, 14, 16, 19, 20, 25, 27, 30, 32, 38

18/20
Cephale et six Chasseurs:

Abschriften: Qu. 3—12, 19, 25, 27, 38

18/21
La Chirurgie, Ritournelle, Recit d'Esculape sur la Medecine:

Abschriften: Qu. 3—12, 14, 18—20, 27, 40; (nur Ritournelle) Qu. 37, 38, 43, 46, 51, 55, 60, 69; F-Pn Rés Vma ms 958, 196 (mit neuem Baß)
Druck des Récit: VII. livre d'airs de differents auteurs, Ballard, 1664
    (Text) Airs at Vaudevilles, 1665, 13 und Bacilly, Recueil, 1666, 73
Wiederverwendet: (Ritournelle): *Trio pour la Chambre du Roi*

18/22
VI. Entrée, un Chirurgien:

Abschriften: Qu. 3—12, 14, 16, 19, 20, 22, 25, 27, 30, 32, 38

18/23   Quatre Docteurs:

          Abschriften: Qu. 3—12, 14, 16, 19, 20, 22, 25, 27, 30, 32

          Bemerkung: In Qu. 8 und 38 ist der Satz im 3/2-Takt notiert.

18/24   Huit Estropiez:

          Abschriften: Qu. 3—12, 14, 19, 20, 22, 25, 27, 38, 42

18/25   La Guerre, Ritournelle, Dialogue de Mars et de Bellone:

          Abschriften: Qu. 3—12, 14, 19, 20, 27; (nur Ritournelle) Qu. 25, 30, 38, 43, 46, 55, 69; GB-Lbl Add 31425, 8

18/26   VII. et dernière Entrée, Vertus, Pallas et Amazones, Concert des Amazones:

          Abschriften: Qu. 3—12, 14, 16, 19, 20, 22, 25, 27, 30, 32, 38, 40, 41—43, 46, 49, 50, 55, 60, 69

          Druck: A. Campra, *Fragments de M. de Lully*, 1702

          Wiederverwendet: A. Campra, *Fragments de M. de Lully*, 1702

18/27   Second Air, Pallas et quatre Amazones:

          Abschriften: Qu. 3—12, 14, 16, 19, 20, 22, 25, 27, 32, 38, 42, 43

18/28   Troisième Air:

          Abschriften: Qu. 3—8, 10—12, 19, 25, 27, 38

18/29   Dernier Air, les Vertus:

          Abschriften: Qu. 3—8, 10—12, 19, 25, 27, 38

LWV 19
LES NOCES DE VILLAGE

Bezeichnung:	Mascarade ridicule
Text:	Isaac de Benserade
Erste Aufführung:	3. 10. 1663 in Vincennes
Librettodruck:	*Les Nopces de Vilage / Mascarade ridicule. / Dansé par sa Majesté à son / Chasteau de Vincennes. / Paris, Robert Ballard, 1663*, F-Pa 4⁰ B 3771 (8), F-Pn Yf 1029

19/1   Ouverture:

    Abschriften: Qu. 1, 3—12, 14, 16, 19, 22, 25, 30, 32, 38, 42, 43, 46

19/2   Ritournelle, Recit de l'Hymen vêtu à la mode de village:

    Abschriften: Qu. 1, 3—8, 10—12, 19; (nur Ritournelle) Qu. 38

    Druck: (Text) Bacilly, Nouv. Recueil, 1666, 7

19/3   I. Entrée, le Marié et la Mariée:
                       Identisch mit 2/4

19/4   II. Entrée, six Vieillards:
                       Identisch mit 15/4

19/5   III. Entrée, le Patissier, sa Servante, et son Garçon:

    Abschriften: Qu. 1, 3—12, 14, 19, 22, 25, 38, 42, 43, 46, 55 (a-Moll), 60

    Druck: P. Collasse, *La Naissance de Venus*, 1696, 275

    Weltl. Parodie: S. Vergier, Oeuvres, 1726, 220: *Au milieu de sa gloire*

    Wiederverwendet: P. Collasse, *La Naissance de Venus*, 1696

19/6   IV. Entrée, quatre Valets de la feste:

    Abschriften: Qu. 1, 3—12, 14, 19, 22, 25, 38, 42

19/7   V. Entrée, le Seigneur du village:

Abschriften: Qu. 1, 3—12, 14, 19, 22, 25, 38, 42

19/8   VI. Entrée, les Importans du village:

Abschriften: Qu. 1, 3—12, 14, 19, 22, 25, 38, 42

19/9   Le Bailly:

Abschriften: Qu. 1, 3—12, 14, 19, 22, 25, 38, 42

19/10   VII. Entrée, les quatre Messieurs:

Abschriften: Qu. 1, 3—12, 14, 19, 22, 25, 38, 42

19/11   Bourrée:

Abschriften: Qu. 1, 3—12, 14, 19, 22, 25, 38, 42

19/12   Deuxième Recit, le Maistre d'Escole un peu Poëte, et Compositeur ordinaire
                              de la Musique du village:

Abschriften: Qu. 1, 3—8, 10—12, 19, 42
                              Abschrift in einem Exzerpt aus *Le Carnaval Mascarade:* Qu. 78

Drucke: Les Airs . . . de la Mascarade, Pointel 1700
                              Le Carnaval Mascarade, 1720

Wiederverwendet: *Le Carnaval Mascarade,* 1675

19/13   Choro:

Bo=na se=ra Bar=ba=co=la Bo=na se=ra

Abschriften: Qu. 1, 3—8, 10—12, 19
                      Abschrift in einem Exzerpt aus *Le Carnaval Mascarade:* Qu. 78

Drucke: Les Airs . . . de la Mascarade, Pointel, 1700
                      Le Carnaval Mascarade, 1720

Wiederverwendet: *Le Carnaval Mascarade,* 1675

19/14   Air pour Barbacola:

Abschriften: Qu. 1, 3—5, 8, 10, 11, 19, 22, 30, 32, 38, 42, 43, 46, 60
                      Abschriften in Exzerpten aus le Carnaval: Qu. 22, 31, 38, 45, 72, 78

Druck: *Le Carnaval Mascarade,* 1720

Wiederverwendet: *Le Carnaval Mascarade,* 1675

19/15   VIII. Entrée, trois Filles de Village

Abschriften: Qu. 1, 3—12, 14, 16, 19, 22, 25, 30, 32, 38, 42

19/16   IX. Entrée, six bons Bourgeois:

Abschriften: Qu. 1, 4—7, 9—12, 14, 19, 25

19/17   X. Entrée, quatre Officiers:

Bemerkung: Dieser Satz ist in keiner Kopie erhalten.

19/18   XI. Entrée, la Sage-Femme:

Abschriften: Qu. 1, 3—12, 14, 16, 19, 22, 25, 30, 32, 38, 42

19/19   XII. Entrée, un Operateur suivy d'un Arracheur de dens et de deux Valets:

Abschriften: Qu. 1, 3—12, 14, 16, 19, 22, 25, 30, 32, 38, 42

19/20   XIII. et dernière Entrée, une troupe de Bohesmiens et de Bohesmiennes:

Abschriften: Qu. 1, 3—12, 14, 16, 19, 22, 25, 30, 32, 38, 42

LWV 20
LE MARIAGE FORCE

Bezeichnung: Ballet

Text: Jean Baptiste Poquelin Molière

Erste Aufführung: 29. 1. 1664 im Louvre

Librettodruck: *Le Mariage / forcé / Ballet / du Roy. / Dansé par sa Majesté, le 29. jour / de Janvier 1664. / Paris, Robert Ballard, 1664,* F-Pa 4⁰ B 3771 (16)
Weitere Ausgaben, vgl. A.-J. Guibert, Bibliographie, I, 230—238

Literatur: Pellisson, Les Comédies-ballets, passim; Prunières, Lully, 91; Christout, Le Ballet de Cour, 110

20/1   Ouverture:

Abschriften: Qu. 1, 3—5, 7, 8, 10, 19

Bemerkung: In allen Kopien ist die Ouverture nur vierstimmig notiert.

20/2   I, 2, Ritournelle, Recit de la Beauté:

Abschriften: Qu. 1, 3—12, 14, 19, 20; F-Pn Rés 584 (Foucault)
Abschriften des Double von Michel Lambert: Qu. 4—7, 9, 11, 12, 14, 19, 20

Druck des Récit: VIII. Livre d'Airs de differents autheurs, Ballard, 1665, 19 f
(Text) Bacilly, Recueil, 1666, 264

Bemerkung: Dieses Récit wird nach Rés 584 M. Lambert zugeschrieben.

20/3   Première Entrée: la Jalousie, les Chagrins et les Soupçons:

Abschriften: Qu. 1, 3—12, 14, 19, 20, 25

20/4   Seconde Entrée, quatre Plaisants, ou Goguenards:

Abschriften: Qu. 1, 3—12, 14, 19, 20, 22, 25, 43

20/5   I, 5, troisième Entrée, deux Egyptiens, & quatre Egyptiennes:

Abschriften: Qu. 1, 3—12, 14, 19, 20, 22, 25

20/6   I, 6, second Air pour les mêmes:

Abschriften: Qu. 1, 3—12, 14, 19, 20, 22, 25

20/7   Récit d'un Magicien:

Abschriften: Qu. 1, 3—12, 14, 19, 20, 22, 25

20/8   Quatrième Entrée, un Magicien qui fait sortir quatre Démons:

Abschriften: Qu. 1, 3—12, 14, 19, 20, 22, 25

20/9   I, 10, cinquième Entrée, un Maître à danser

Abschriften: Qu. 1, 3—12, 14, 19, 20, 22, 25, 43

Literatur: J. Ecorcheville, Vingt Suites, 61

20/10   Second Air, un Maître à danser vient d'enseigner une Courante à Sganarelle:

Abschriften: Qu. 1, 3—12, 14, 19, 20, 22, 25, 43 (nur im Inhaltsverzeichnis angegeben),
                69

Bemerkung: Qu. 1 enthält einen Hinweis auf das Concert espagnol: *Ziego me tienes
                Belisa*. Die dafür vorgesehenen Seiten, fol. 81—83, sind unbeschrieben,
                die Musik ist verloren.

20/11   Sixième Entrée, Ritournelle:

Abschriften: Qu. 4—7, 9—12, 14, 19, 20, 25

20/12   Deux Espagnols et deux Espagnoles:
         Qu. 1 etc. Menuet

Abschriften: Qu. 1, 3—12, 14, 19, 20, 25, 43

Transkription: Qu. 39 (drei Trompeten)

20/13   Septième Entrée, Rondeau pour le Charivary crotesque:

Abschriften: Qu. 1, 3—12, 14, 19, 20, 22, 25, 43, 46, 55, 60 (Suite II und X)

Druck: P. Collasse, *Ballet des Saisons*, 1695 und 1700: Gigue

Wiederverwendet: P. Collasse, *Ballet des Saisons*, 1695

20/14   Second Air pour les mesmes:

Abschriften: Qu. 1, 3—12, 14, 19, 20, 22, 25, 69

20/15   Huitième et dernière Entrée, Gavotte pour quatre Galants cajolant la
         femme de Sganarelle:

Abschriften: Qu. 1, 3—12, 14, 19, 20, 25, 43

20/16   Bourrée pour les mesmes:

Abschriften: Qu. 1, 3—12, 14, 19, 20, 25

LWV 21
LES AMOURS DEGUISES

Bezeichnung:	Ballet
Text:	Président de Périgny
Erste Aufführung:	13. 2. 1664 im Palais Royal
Librettodruck:	*Les Amours / deguisez, / Ballet / du Roy / Dansé par sa Majesté, au mois / de febvrier 1664. / Paris, Robert Ballard, 1664,* F-Pa 4⁰ B 3771 (7)
Literatur:	La Laurencie, Lully, 114 f.; Christout, Le Ballet de Cour, 110 f.

21/1   Ouverture:

Abschriften: Qu. 1, 3—12, 14, 16, 19, 20, 22, 25, 27, 30, 32, 38, 40, 42, 43, 46, 64

21/2   Concertans des Arts et Vertus, qui suivent Pallas. Concertans des Graces
              et des Plaisirs qui accompagnent Venus:
              Qu. 8: Seconde Ouverture ou Symphonie

Abschriften: Qu. 1, 3—12, 14, 19, 20, 25, 27, 38

21/3   I. Entrée, Amours déguisés en Forgerons:

Abschriften: Qu. 1, 3—12, 14, 19, 20, 25, 27, 38

21/4   Second Air pour les Forgerons forgeant sur l'enclume:

Abschriften: Qu. 1, 3—12, 14, 19, 20, 25, 27, 38

21/5   II. Entrée, le Gouverneur d'Egypte:

Abschriften: Qu. 1, 3—12, 14, 19, 20, 27, 38

21/6   Second Air:

Abschriften: Qu. 1, 3—12, 14, 19, 20, 25, 27, 38

21/7   Ritournelle, Dialogue de Marc-Antoine et de Cleopatre:

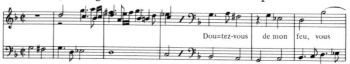

Abschriften: Qu. 1, 3—12, 14, 19, 20, 27; 38 (nur Ritournelle)

Druck: M. Lambert, Airs à une, II, III et IV parties avec la basse continue, Paris 1689, 206—211

Bemerkung: Komponist dieses Dialogue ist M. Lambert.

21/8   III. Entrée, Amours déguisés en Rameurs:

Abschriften: Qu. 1, 3—12, 14, 19, 20, 25, 27, 38

21/9   IV. Entrée, Proserpine (la Reine):
         Qu. 46: Entrée de Baptiste

Abschriften: Qu. 1, 3—12, 14, 16, 19, 20, 22, 25, 27, 30, 32, 38, 41, 43, 46, 60, 69

21/10   Second Air, Sarabande:

Abschriften: Qu. 1, 3—12, 14, 16, 19, 20, 22, 25, 27, 30, 32, 38, 41—43, 46, 60, 69

21/11   Troisième Air, Bourrée:

Abschriften: Qu. 1, 3—12, 14, 16, 19, 20, 22, 25, 27, 32, 38, 41—43, 46, 60

Druck: P. Collasse, *Ballet des Saisons*, 1695 und 1700 (a-Moll)

Wiederverwendet: P. Collasse, *Ballet des Saisons*, 1695

21/12   V. Entrée, Amours déguisés en Jardiniers de Cerés:

Abschriften: Qu. 1, 3—12, 14, 19, 20, 25, 27, 38

21/13   Pluton enlevant Proserpine:

Abschriften: Qu. 1, 3, 8, 38

21/14   Les Demons:

Abschriften: Qu. 1, 3, 8, 38

21/15   Concert de Bergers, Recit Champestre:
                        Qu. 7: Concert de la Gloire

Abschriften: Qu. 1, 3—12, 14, 16, 19, 20, 25, 27, 30, 32, 38

Druck des Récit: VIII. livre d'airs de differents auteurs, Ballard 1665, 21—22
                        (Text) Bacilly, Recueil, 1666, 63 und Nouv. Recueil, 1666, 176

21/16   VII. Entrée, le Roy representant Regnaut:
                        Qu. 5, 10, 19: les Sauvages; Qu. 46: Gigue

Abschriften: Qu. 1, 3—12, 14, 16, 19, 20, 22, 25, 27, 30, 32, 38, 40, 41, 43, 46, 55,
                        60, 69

21/17   Second Air pour la Gloire et la Renommée:

Abschriften: Qu. 1, 3, 8, 38

21/18   VIII. Entrée, Flore et ses Nymphes:

Abschriften: Qu. 1, 3, 8, 38

21/19   Second Air, Menuet:

Abschriften: Qu. 1, 3, 4; 5, 6 (je zweimal), 7—10; 11 (zweimal), 12, 14, 19, 20, 22, 25,
                      27, 30, 32, 38, 43, 46, 66

21/20   Ritournelle, Recit d'Armide:

Abschriften: Qu. 1, 3—12, 14, 18—20, 27, 38, 40, 49; GB-Lbl Add 31425, 10 (Trio)
Druck des Récit: A. Campra, *Fragments de M. de Lully,* 1702
Wiederverwendet: A. Campra, *Fragments de M. de Lully,* 1702

21/21   Ritournelle, Armide:

Abschriften: 1, 3—12, 14, 18—20, 27, 40, 63; GB-Lbl Add 31425, 9
Druck: A. Campra, *Fragments de M. de Lully,* 1702
Wiederverwendet: A. Campra, *Fragments de M. de Lully,* 1702

21/22   Ritournelle, Armide:

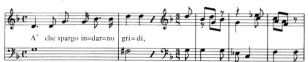

Abschriften: Qu. 1, 3—12, 14, 18—20, 27, 38, 40; GB-Lbl Add 31425, 9 (Ritournelle,
                      lentement)
Druck: A. Campra, *Fragments de M. de Lully,* 1702
Wiederverwendet: A. Campra, *Fragments de M. de Lully,* 1702

21/23   IX. Entrée, Troupe de petits Amours:

Abschriften: Qu. 1, 3, 8, 38
Bemerkung: In Qu. 8 sind die in den übrigen Abschriften fehlenden Mittelstimmen
                      von einem anderen Schreiber ergänzt worden.

21/24   Second Air, Concert de flûtes pour les Amours:

Abschriften: Qu. 1, 3, 8, 38
Bemerkung: In Qu. 8 sind wiederum die sonst fehlenden Mittelstimmen im Nachhinein
                      ergänzt worden.

21/25 Troisième Air, Sarabande pour les mêmes:

Abschriften: Qu. 1, 3, 8, 38

21/26 X. Entrée des Sauvages de la Colchide:

Abschriften: Qu. 1, 3—12, 14, 16, 19, 20, 25, 27, 30, 32, 38, 42, 43

21/27 Second Air:

Abschriften: Qu. 1, 3—12, 14, 16, 20, 25, 27, 30, 32, 38, 42, 43

21/28 Amours deguisés en Dieux Marins et Nymphes Maritimes:

Abschriften: Qu. 1, 3—12, 14, 16, 19, 20, 22, 25, 27, 30, 32, 38, 42

21/29 Second Air, Nymphes Maritimes:

Abschriften: Qu. 1, 3—12, 14, 16, 19, 20, 22, 25, 27, 30, 32, 38, 41, 43, 60

21/30 Troisième Air:

Abschriften: Qu. 1, 3—12, 14, 16, 19, 20, 25, 27, 30, 32, 38, 41, 43

21/31 Quatrième Air, Bourrée:

Abschriften: Qu. 1, 3—12, 14, 16, 19, 20, 25, 27, 30, 32, 38, 41—43, 46, 69

21/32

XII. Entrée, Combat des Grecs et des Troyens:

Abschriften: Qu. 1, 3, 8, 38

Bemerkung: In Qu. 8 sind in den Stücken 21/32—35 die in den anderen Abschriften
fehlenden Mittelstimmen von fremder Hand ergänzt.

21/33

Combat des Grecs et Troyens:

Abschriften: Qu. 1, 3, 8, 38

21/34

Troisième Air, les Grecs vainqueurs des Troyens:

Abschriften: Qu. 1, 3, 8, 38

21/35

Quatrième Air:

Abschriften: Qu. 1, 3, 8, 38

21/36

Ritournelle, Junon:

Abschriften: Qu. 1, 3 (Ritournelle)

Druck des Air: VIII. Livre d'airs, Ballard, 1665, 23 v°—24 r°
(Text) Bacilly, Nouv. Recueil, 1666, 8

21/37

XIII. Entrée, Goujats, Soldats:

Abschriften: Qu. 1, 3—12, 14, 16, 19, 20, 22, 25, 27, 30, 32, 38, 43, 46, 66

21/38

XIV. Entrée, les Amours déguisés en Grecs apres avoir exterminé les restes
des Troyens:

Abschriften: Qu. 1, 3—12, 14, 16, 19, 20, 22, 25, 27, 30, 32, 38, 42, 43, 46, 66

Druck: Trios de Differents Auteurs, Babel, 1697, I, n°. 60

LWV 22
LES PLAISIRS DE L'ILE ENCHANTEE

Bezeichnung:	Course de bague; Collation ornée de machines; Comédie mêlée de danse et de musique; Ballet du Palais d'Alcine
Text:	Jean Baptiste Poquelin Molière
Erste Aufführung:	7. bis 12. 5. 1664
Librettodruck:	*Les / Plaisirs / de L'Isle / enchantée. / Course de Bague / Collation ornée de Machines, Comedie / meslée de Danse & de Musique, Ballet du / Palais d'Alcine, Feu d'Artifice: Et autres / Festes galantes & magnifiques; faites par le / Roy à Versailles, le 7. May 1664. Et / continuées plusieurs autres Jours. / Paris, Robert Ballard, 1664,* F-Pn Yf 141

Les / Plaisirs /de l'Isle / enchantée. / Course de Bague, / Collation ornée de Machines, Comedie de Moliere de la Princesse d'Elide, meslée de Danse & de Mu- / sique, Ballet du Palais d'Alcine, Feu d'Artifice: Et autres Festes galantes / & magnifiques; faites par le Roy à / Versailles, le 7. May 1664. Et / continuées plusieurs autres Jours. / Paris, Robert Ballard, Thomas Jolly 1665, F-P Rés Yf 4191

La / Princesse / d'Elide / Comedie / du sieur Molliere. / Ensemble / Les Plaisirs de l'Isle enchantée. / Course de Bague, / . . . Paris, Estienne Loyson, 1665, F-Pn Rés Yf 4191

Weitere Ausgaben, vgl. A.-J. Guibert, Bibliographie, II, 454—463.

hs. Libretto: F-Pn Rés F 531 (Collection Philidor)

Abschrift in Partition générale:	F-V Ms mus 78
Literatur:	Prunières, Lully, 93; Silin, Benserade, 336—342; Christout, Le Ballet de Cour, 111 f.; Isherwood, Music in the Service, 265—270; Anthony, French Baroque Music, 92

22/1	Ouverture:

Abschriften:	Qu. 1, 4—12, 14, 16, 19—22, 25, 30, 32, 38, 41—43, 46, 49, 51, 60, 62, 64; F-Pc X 108 (Dessus)

22/2	Première Journée, les quatre Saisons, les douze signes de Zodiaque et les douze Heures:

Abschriften:	Qu. 1, 4—12, 14, 16, 19—22, 25, 32, 38, 41—43; F-Pc X 108

22/3	Marche de hautbois pour le Dieu Pan et sa suite: Qu. 4, 5, 7, 16, 19: Concert de Pan

Abschriften:	Qu. 1, 4—12, 14, 16, 19—22, 25, 30, 32, 38, 41, 43; F-Pc X 108

22/4   Rondeau pour les flûtes et les violons allant à la table du Roi:
                                  Par. bach., 1696: Menuet

Abschriften: Qu. 1, 4—12, 14, 16, 19—22, 25, 30, 32, 38, 40—43, 46, 55, 60, 69; F-Pc
                                  X 108

Transkription: Duo choisis, 1728, 4 f.

Weltl. Parodien, hs.:   GB-Lbl Egerton 1519, 129: *Accorde ta musette, Mon aimable Berger*

Drucke: Par. bach., 1695, 166, 1696, 199, du Fresne, 1696, 98, Nouv. par bach.,
                                  1700, II, 152: *Accorde ta musette, Mon aimable Berger* (M. R.)
                                  Concerts parodiques, 1725, II, 76: *Trois choses dans la vie*
                                  Les Par. nouv., 1730, 62: *Jeune Iris, prends un verre, Bois de ce jus divin*

Geistl. Parodien: Opera spir., 1710, 58: *Puisqu'il est notre Maître Et vient de nous délivrer*
                                  Pellegrin, les Proverbes, 1725, 164: *Voilà les Paraboles Que Salomon laissa*
                                  Desessartz, Nouv. poésies spir., 1733, III, 36: *Ce superbe étalage Que le
                                  monde applaudit*

Bemerkung: Dieses Menuett wurde vor 1695 im 4. Akt, 3. Szene der Tragédie en Musi-
                                  que *Roland* eingeschoben. Alle Parodiesammlungen seit 1695 geben die
                                  Oper als Quelle dieses Stückes an.

22/5   Seconde Journée. La Princesse d'Elide. Comédie galante mêlée de musique
                                  et d'entrées de ballet
                                  Premier Intermede, Scene I, Ritournelle, Recit de l'Aurore:

Abschriften: Qu. 1, 4—12, 14, 19—21, 50

Transkription: Duo choisis, 1728, 69 (F-Dur)

Drucke: VIII. livre d'airs de differents auteurs, Ballard 1665, 1—2 (mit Varianten)
                                  A. Campra, *Fragments de M. de Lully*, 1702
                                  Recueil Complet De Vaudevilles, 1753 (A-Dur)
                                  (Text) Bacilly, Recueil, 1666, 241

Wiederverwendet: A. Campra, *Fragments de M. de Lully*, 1702

22/6   Scène II, Valets de chiens et Musiciens:

Abschriften: Qu. 1, 4—12, 14, 19—21

22/7   Premier Air pour les Valets de chiens endormis:

Abschriften: Qu. 1, 4—12, 14, 16, 19—22, 25, 30, 32, 38, 41—43, 46, 55, 60, 69;
                                  F-Pc X 108

22/8   Second Air des Valets de chiens et des Chasseurs avec des cors de chasse:

Abschriften: Qu. 1, 4—12, 14, 16, 19—22, 25, 30, 32, 38, 41—43, 46, 55, 60, 69;
                             F-Pc X 108

22/9   Troisième Air pour les Valets de chiens éveillés:
                  Qu. 22: Gavotte

Abschriften: Qu. 1, 4—12, 14, 16, 19—22, 25, 30, 32, 38, 41—43, 46, 60; F-Pc X 108

22/10   I, 4, Deuxième Intermede, premier Air des chasseurs et paysans avec des
                  bâtons:

Abschriften: Qu. 1, 4—12, 14, 16, 19—22, 25, 30, 32, 38, 41—43, 46; F-Pc X 108

Bemerkung: Qu. 16 und 32 weichen in der Notierung des Rhythmus von den übrigen
                  Kopien ab (Aufteilung eines Taktes auf zwei Takte mit entsprechender
                  Änderung der Notenwerte). In den Qu. 4—6, 19 und 20 sind die Achtel
                  der Oberstimme nicht punktiert.

22/11   Second Air pour les Chasseurs et Paysans:
                  Qu. 42: Gavotte

Abschriften: Qu. 1, 4—12, 14, 16, 19—22, 25, 30, 32, 38, 41—43, 46, 60; F-Pc X 108

22/12   II, 4, troisième Intermède, Scène II, Satyre:

Abschriften: Qu. 1, 4—12, 14, 19—21

Druck des Air: VIII. livre d'airs de differents auteurs, Ballard, 1665, 2—3 (F-Dur)
                  (Text) Bacilly, Recueil, 1666, 107 und Nouv. Recueil, 1668, 244

22/13   Seconde Chanson de Satyre:

Abschriften: Qu. 1, 4—12, 14, 19—21

Druck: VIII. livre d'airs de differents auteurs, Ballard, 1665, 3—4
                  (Text) Bacilly, Nouv. Recueil, 1666, 120

22/14   F-V Ms mus 78, Qu. 1: Ritournelle et Entrée pour les postures des Satyres; Qu. 4: Les Gestes des Satyres; Qu. 4—7, 14: Les Gestes de Molière et du Satyre, Symphonie:

Abschriften: Qu. 1, 4—12, 14, 19—21, 38

22/15a   Loure ensuitte:

Abschrift: Qu. 1 (einstimmig notiert)

22/15b   Gigue en suitte:

Abschrift: Qu. 1 (einstimmig notiert)

22/16   III, 5, quatrième Intermede, Scene I, Tircis:

Abschriften: Qu. 1, 4—12, 14, 19—21

Druck: (Text) Bacilly, Recueil, 1668, 439, 1680, 439

22/17   Scene II, Tircis:

Abschriften: Qu. 1, 4—12, 14, 19—21

22/18   Moron:

Abschriften: Qu. 1, 4—12, 14, 19—21

Druck: Recueil Complet De Vaudevilles, 1753
                       (Text) Bacilly, Recueil, 1680, 443

Bemerkung: F-V Ms mus 78 und Qu. 1 überliefern die Variante, die nur die Silbe „ton" als Auftakt hat, eine Lesart, die offenbar wegen der daraus folgenden fehlerhaften Betonung korrigiert wurde.

22/19   Tircis:

Abschriften: Qu. 1, 4—12, 14, 19—21

Bemerkung: Die in F-V Ms mus 78 überlieferte Lesart ist in der Gesamtausgabe Prunières nicht mitgeteilt.

22/20   IV, 6, cinquième Intermede, Ritournelle, Clymene:

Abschriften: Qu. 1, 4—12, 14, 19—21

Bemerkung: Die Varianten in dem Duett „A qui des deux" der Abschriften F-V Ms
                        mus 78 und Qu. 1 sind in der Gesamtausgabe Prunières nicht erwähnt.

22/21   V, 4, sixième Intermede, Choeur de Pasteurs et de Bergers qui dansent,
                        Chanson:
                        Qu. 10, 11: Gavotte

Abschriften: Qu. 1, 4—12, 14, 19—21, 40, 41, 43, 46, 50, 60

Drucke: VIII. Livre d'airs de differents autheurs, Paris, Ballard, 1665
                        A. Campra, *Fragments de M. de Lully*, 1702
                        Recueil Complet De Vaudevilles, 1753, 169
                        (Text) Bacilly, Recueil, 1666, 291

Weltl. Parodie: Airs et Vaudevilles, 1665, 191: *Toute seule en ce bocage*

Geistl. Parodien: L. Chassain, Cant. sacrez, 1684, 157: *Dans un sejour de délices;* ebd. 300;
                        ders. Les Hymnes, 1705, 62: *Chantons l'auguste mystere Du corps et du
                        sang divin*

Wiederverwendet: A. Campra, *Fragments de M. de Lully*, 1702

22/22   Les Bergers et les Faunes:
                        Qu. 36, 43, 46: Rondeau

Abschriften: Qu. 1, 4—12, 14, 16, 19—22, 25, 30, 32, 36, 38, 40—43, 46; F-Pc X 108

22/23   Troisième Journée, Ballet du Palais d'Alcine, I. Entrée, quatre Geants et
                        quatre Nains:

Abschriften: Qu. 1, 4—12, 14, 16, 19—22, 25, 30, 32, 38, 41—43

22/24   II. Entrée, les Maures:

Abschriften: Qu. 1, 4—12, 14, 16, 19—22, 25, 30, 32, 38, 41—43

Bemerkung: Qu. 8 beginnt mit h' in der Oberstimme; im übrigen gibt es zwei Lesarten,
                        die ältere endet im ersten Takt auf h', die jüngere auf d".

22/25

III. Entrée, six Chevaliers et six Monstres:
Qu. 4, 5, 7, 19: Les Chasseurs

Abschriften: Qu. 1, 4—12, 14, 16, 19—22, 25, 30, 32, 38, 41—43

22/26

IV. Entrée, Demons agiles:
Qu. 16, 32: Les Danceurs de corde

Abschriften: Qu. 1, 4—12, 14, 16, 19—22, 25, 30, 32, 38, 42, 43

22/27

V. Entrée, Demons sauteurs:
Qu. 22: Gavotte

Abschriften: Qu. 1, 4—12, 14, 16, 19—22, 25, 30, 32, 38, 41—43, 63

Druck: A. Campra, *Fragments de M. de Lully*, 1702 (Trio de Cariselli)

Wiederverwendet: A. Campra, *Fragments de M. de Lully*, 1702 (Trio de Cariselli)

22/28

F-V Ms mus 78, Qu. 1 und 43: VI. et dernière Entrée, Alcine, Melisse,
Roger et des Chevaliers:
Qu. 4—12, 14, 19—21, 25, 32: les Monstres; Qu. 16: les Cordelins;
Qu. 22: Renault

Abschriften: Qu. 1, 4—12, 14, 16, 19—22, 25, 30, 32, 38, 41—43

Bemerkung: In der Gesamtausgabe wurden die Sätze 22/28 und 29 zur III. Entrée
gerechnet, wodurch die im Libretto ausgewiesene VI. Entrée ganz entfällt.

22/29

Bourrée:

Abschriften: Qu. 1, 4—12, 14, 16, 19—22, 25, 30, 32, 38, 41—43

LWV 23
ENTR'ACTES D'OEDIPE

Bezeichnung:	Entr'actes
Text:	Pierre Corneille
Erste Aufführung:	3. 8. 1664 in Fontainebleau zu Ehren des Kardinals Chigi
Literatur:	Gazette de France, 1664, 786; Beauchamps, III, 71
	Für diese Aufführung wurde das Werk Corneilles, das bereits 1659 erschienen war, nicht neu gedruckt.

23/1   Ouverture:

Abschriften: Qu. 4, 5, 7, 16, 19, 22, 30, 32, 43, 55, 58, 60, 64

Wiederverwendet: *Ballet des Ballets,* 1761

23/2   Premier Air, les Cavaliers:

Abschriften: Qu. 4, 5, 7, 16, 19, 22, 30, 32, 43, 55, 58, 60

Wiederverwendet: *Ballet des Ballets,* 1671

23/3   Second Air:
           Qu. 22: Vallets de pied et Ecuyers: Qu. 43, 58, 60: Les Ecuyers

Abschriften: Qu. 4, 5, 7, 16, 19, 22, 30, 32, 43, 46, 55, 58, 60
                        Abschriften in Exzerpten aus *la Naissance de Venus:* Qu. 4 (Capitaines de Vaisseaux), 5 (les Bergers), 7

Wiederverwendet: *La Naissance de Vénus,* vgl. 27/19 (1665)

23/4   Troisième Air:
           Qu. 22, 43, 58: les Médecins

Abschriften: Qu. 4, 5, 7, 16, 19, 22, 30, 32, 43, 55

23/5   Quatrième Air:
           Qu. 22, 25: les Thebains

Abschriften: Qu. 4, 5, 7, 16, 19, 22, 30, 32, 58

23/6   Cinquième Air:
                              Qu. 22, 43, 58, 60: Menuet

Abschriften:	Qu. 4, 5, 7, 16, 19, 22, 30, 32, 40, 43, 58, 60
Druck:	P. Collasse, *La Naissance de Venus*, 1696, 175
Weltl. Parodien, hs.:	Chansonnier Maurepas 12640, 35 (1677): *Hotman n'est point Culiste, Mais bon Coniste*
	F-Pa 4843, n° 86: *Dieux! que d'amans dans Vincennes;* dass. F-LYm Ms 1545, 6 (1664)
Druck:	Nouv. Recueil, Raflé, 1695, 6e partie: *Que l'amour est à la mode*
	Airs et Vaudevilles, 1665, 142, *Un seul soûpir interprete*
	Bacilly, Recueil, 1666, 76: *Loin de brusler et se taire* (M. le chevalier de Buisson); ebd. 77: *C'est ce que dit La Linotte* (P. Perrin)
	ders. Recueil, 1666, 76, Nouv. Recueil, 1668, 212 und
	La Clef des chansonniers, 1717, I, 158: *Iris étoit tendre et belle, Je n'aimois qu'elle* (P. Perrin)
Geistl. Parodie:	N. Saboly, Recueil de Noëls, 1699, 1 (Noé composa l'An 1660, apré lou Mariage de Louis XIV): *Lou ay vis lou Piemon, l'Italie et l'Arragon*
Wiederverwendet:	P. Collasse, *La Naissance de Venus*, 1696
Timbre:	Menuet de Vincennes

LWV 24
MASCARADE DU CAPITAINE OU L'IMPROMPTU DE VERSAILLES

Bezeichnung:	Mascarade
Text:	anonym
Erste Aufführung:	1664 oder Février 1665 im Palais Royal
Bemerkung:	In der Abschrift des Librettos von La Vallière (F-Pn Ms fr 24376) wird zunächst 1664 als Aufführungsjahr genannt, ein Datum, das auch Beauchamps (II, 155) angibt, später nennt er aber den Monat Februar 1665. Dem Libretto zufolge bestand das Ballett aus folgenden Tänzen und Vokalsätzen:

Recit du Seigneur de Province: *Sur mon Pallier de Province Nul n'est plus heureux que moy*

I. Entrée, le Capitaine d'un Chateau voisin arrive avec sa femme, le Seigneur leur fait en chantant le Compliment qui suit, et eux luy repondent par signes, et dansent:

Ah! M. le Capitaine, Vous soyez le bienvenu (Lully als Capitaine)

II. Entrée, quatre Escuyers amenant par la main quatre vieilles Demoiselles

III. Entrée, les Vieilles

IV. Entrée, deux Fils du Seigneur, suivi de leur Precepteur

V. Entrée, un Bourgeois, la Mere, sa Fille

VI. Entrée, deux Sergents

Recit du Sergent: *Moy qui suis un Sergent à verge*

Le Seigneur: *Lubin, prenez mes deux Garçons*

VII. Entrée, quatre Servantes

Première Servante:

Quel de = sor = dre,   quel tin= ta = mar = re

Abschrift:	Qu. 43 Le Seigneur: *Paix là, Taisez-vous Donzelles* Les deux Servantes: *Tous les gens, beau Monsieur de balle* VIII. Entrée, une Troupe de Comediens de Campagne (gesprochene Comédie) IX. Entrée, un Maître à danser . . . avec le Magister du village, l'Organiste, le Souffleur d'Orgue et le Bouffon du Seigneur Derniere Entrée, trois Paysans et trois Paysannes, accompagnez de quelques flûtes
Bemerkung:	Möglicherweise sind in Qu. 43 unter den Tänzen einzelne Sätze aus diesem Ballett überliefert, aber die Titel (Sarabande, Gigue etc.) geben keinen Aufschluß über ihre Herkunft. In den Qu. 8, 9, 19, 25, 25, 38 sind die ersten beiden Sätze des *Ballet des Gardes* unter dem Titel *l'Impromptu de Versailles ou Mascarade* 1665 kopiert.

LWV 25
MISERERE

Bezeichnung:	Motet
Erste Aufführung:	Winter 1664

Abschriften:	F-Pc Rés F 663; Rés F 989; Rés F 1110; D 7218; F-Pn Vm¹ 1040; Rés 697 (Basse continue); Rés F 1714; Vm¹ 1044; F-Pc D 7219; F-LYm 133.719, 133. 721 D-B Mus ms 13260; B-BR Ms II 3847; F-Pn Vm¹ 1045 (Stimmen) Qu. 46 (Ritournelle du Miserere); Qu. 69 (Symphonie du Miserere); DDR-Dl (b) Mus 1827-D-1 D-B Mus ms 30250, 13 (Teilabschrift beginnend mit: Sacrificium Deo)
Stimmendruck:	*Motets / à deux choeurs / Pour la Chapelle du Roy. / Mis en Musique / Par Monsieur De Lully Escuyer, Conseiller Secretaire du Roy, / Maison, Couronne de France & de ses Finances, & Sur-Intendant / de la Musique de Sa Majesté / [Stimmenbezeichnung] / A Paris / Par Christophe Ballard . . . 1684*
Druck des Textes:	*Motets et Elévations Pour la Chapelle Du Roy, Ballard, 1703*
Literatur:	Mme de Sévigné, Correspondance, hrsg. R. Duchêne, Paris 1972, I, 504; La Laurencie, Lully, 127 f.; Prunières, Lully, 86

LWV 26
O LACRYMAE

Bezeichnung:	Motet
Text:	Pierre Perrin
Erste Aufführung:	Winter 1664 in Versailles

Abschriften:	F-Pc Rés F 1110; Rés F 989; F-Pn Rés Vma ms 574, Vm¹ 1042 (Stimmen); D-B Mus ms 13260

LWV 27
BALLET DE LA NAISSANCE DE VENUS

Bezeichnung:	Ballet
Text:	Isaac de Benserade
Erste Aufführung:	26. 1. 1665 im Palais Royal
Librettodruck:	*Ballet / Royal / de la Naissance de Venus / Dansé per sa Majesté, le 26. / de janvier 1665. / Paris, Robert Ballard, 1665,* F-Pa 4⁰ B 3771 (17)
Bemerkung:	Bacilly zufolge (Recueil, 3e Partie, 125 und 182) soll Louis Mollier eine Bourrée und ein Air zu diesem Ballet beigetragen haben. Es ist nicht mit Sicherheit zu eruieren, um welche Sätze es sich handelt.
Literatur:	Christout, Le Ballet de Cour, 112 f.

27/1	Ouverture:

Abschriften:	Qu. 1, 4—12, 14, 19—22, 25, 30, 32, 38, 41—43, 46, 51, 60, 64
Druck:	P. Collasse, *La Naissance de Venus,* 1696, 1
Wiederverwendet:	P. Collasse, *La Naissance de Venus,* 1696

27/2	Première Partie, Ritournelle, Recit de Neptune, de Thetis et des Tritons:

Abschriften:	Qu. 1, 4—12, 14, 19—21, 42
Druck:	(Text) Bacilly, Recueil, 1668, 448; Recueil, 1680, 448

27/3   Choeur:

Abschriften: Qu. 1, 4—12, 14, 19—21, 42

27/4   I. Entrée, Venus et ses Nereïdes:

Abschriften: Qu. 1, 4—12, 14, 16, 19—22, 25, 30, 32, 38, 41—43

27/5   Estoille du point du jour:
                   Qu. 22: Bourrée

Abschriften: Qu. 1, 4—12, 14, 19—22, 25, 32, 38, 41—43, 46, 50, 63
Druck: A. Campra, *Fragments de M. de Lully,* 1702
Wiederverwendet: A. Campra, *Fragments de M. de Lully,* 1702

27/6   Les Heures:

Abschriften: Qu. 1, 4—12, 14, 19—22, 25, 32, 38, 41—43

27/7   Menuet pour les mêmes:

Abschriften: Qu. 1, 4—12, 14, 16, 19—22, 25, 32, 38, 41—43
Weltl. Parodien: Bacilly, Recueil, 1666, 128 (Pour Mme la Comtesse de Guiche): *Les beaux*
                             yeux de l'aimable comtesse (B.D.B.); ebd. 178: *Peut-on m'estre toûjours*
                             severe? (B.D.B.); Nouv. Recueil, 1668, 253 (Pour Melle de Brancas): *Jeune*
                             et rare merveille (M. le duc de S. A.).

27/8   II. Entrée, Dieux et Déesses Maritimes:

Abschriften: Qu. 1, 4—12, 14, 16, 19—22, 25, 32, 38, 40, 41, 43, 46, 55, 60

27/9 Petite Bourrée pour les Dieux:

Abschriften: Qu. 1, 4—12, 14, 16, 19—22, 25, 32, 38, 42, 43

27/10 III. Entrée, Eole et les quatre Vents:

Abschriften: Qu. 1, 4—12, 14, 16, 19—22, 25, 32, 38, 43

27/11 Second Air des Vents:

Abschriften: Qu. 4, 5, 7, 19, 40

27/12 Troisième Air pour Eole, Dieu des Vents:
Qu. 4, 6, 7, 10, 19, 21, 25: Castor et Pollux

Abschriften: Qu. 1, 4—12, 14, 16, 19—22, 25, 32, 38, 42, 43, 60

27/13 IV. Entrée, Castor et Pollux:

Abschriften: Qu. 1, 4, 5, 7—10, 14 (VII), 19, 21, 38

27/14 Bourrée pour les mêmes:

Abschriften: Qu. 1, 4—12, 14, 16, 19—21, 25, 32, 38

27/15 IV. Entrée, Castor et Pollux, Capitaines des Vaisseaux, deux Marchands et
deux Mariniers:

Abschriften: Qu. 1, 4, 5, 7—10, 14 (VII), 19, 21, 38

Bemerkung: Die Mittelstimmen fehlen in den meisten Abschriften.

27/16	Second Air pour les mêmes:

Abschriften:	Qu. 1, 4, 5, 7—10, 14, 19, 21, 38

27/17	V. Entrée, les Ris, Les Jeux et les Zephirs:

Abschriften:	Qu. 1, 4—12, 14, 16, 19—22, 25, 32, 38, 41, 43

27/18	VI. Entrée, Flore, Pales, trois Bergers et trois Bergeres:

Abschriften:	Qu. 1, 5, 7, 8, 9 (nur Dessus), 14 (VII), 19, 21, 38

27/19	Second Air pour Flore et Pales:

Abschriften:	Qu. 5, 7, 19
Bemerkung:	In den Qu. 4, 5, 7 folgt 23/3

27/20	Air pour les Bergers et Bergeres:

Abschriften:	Qu. 1, 4—12, 14, 16, 19—21, 25, 30, 32, 38, 49, 51, 63
Druck:	A. Campra, *Fragments de M. de Lully,* 1702
Wiederverwendet:	A. Campra, *Fragments de M. de Lully,* 1702

27/21	Menuet des Bergers:

Abschriften:	Qu. 1, 4, 5, 7—10, 14 (VII), 21, 25, 30, 38
Bemerkung:	In Qu. 1 ist das Menuet im 3/8-Takt notiert.

27/22	Seconde Partie, Ritournelle, Recit des trois Graces:

Abschriften:	Qu. 1, 4—12, 14, 19—21; (nur Ritournelle) Qu. 38
Druck:	M. Lambert, Airs à une, II, III et IV Parties, Paris, Ballard, 1689 (Text) Bacilly, Nouv. Recueil, 1666, 19
Bemerkung:	Der Komponist dieses Air ist M. Lambert.

27/23   I. Entrée, Europe et six Nymphes:

Abschriften: Qu. 1, 4, 7—10, 14 (VII), 19, 21, 38

27/24   Second Air:

Abschriften: Qu. 4, 5, 7, 19

27/25   Menuet pour les mêmes:

Abschriften: Qu. 1, 4—12, 14, 19—21, 32, 38

27/26   II. Entrée, Apollon, Daphne et Cupidon:

Abschriften: Qu. 1, 4, 5, 7—10, 14 (VII), 19, 21, 38

Bemerkung: Die Mittelstimmen fehlen in allen Abschriften; in Qu. 8 wurden sie von anderer Hand ergänzt.

27/27   Entrée de Cupidon:

Abschriften: Qu. 1, 4, 7—10, 14 (VII), 19, 38

27/28   Troisième Air pour Apollon, Daphne et Cupidon:

Abschrift: Qu. 1

27/29   III. Entrée, Bacchus, Ariadne, deux Indiens, deux Indiennes et quatre Faunes:

Abschriften: Qu. 1, 4—12, 14, 16, 19—22, 25, 30, 32, 38, 42

27/30   Second Air, les Faunes, Indiens et Indiennes:

Abschriften: Qu. 1, 4—12, 14, 16, 19—22, 25, 32, 38, 43

27/31   Sarabande pour les mêmes:
                             Qu. 22: Menuet

Abschriften: Qu. 1, 4—12, 14, 16, 19—22, 25, 30, 32, 38, 42, 43

Weltl. Parodie: Bacilly, Recueil, 1666, 9; Nouv. Recueil, 1666, 33: *Ah! pourquoy faire tant la tigresse* (B.D.B.)

27/32   Ritournelle, Plainte d'Ariadne:

Abschriften der Ritournelle: Qu. 1, 4, 5, 7, 8, 14, 19, 30, 38, 43, 60, 69

Druck: Trios de Differents Auteurs, Babel, 1698, II, 84

Wiederverwendet: Trio pour la Chambre du Roi

Abschriften der Plainte: Qu. 1, 4—12, 14, 19—21;F-Pn Rés Vma ms 958 (d-Moll); F-Pn Rés 584 (Foucault)

Drucke: IX. Livre d'airs de differents auteurs, Ballard, 1666
                             A. Campra, *Fragments de M. de Lully,* 1702

Weltl. Parodien, hs.:   Chansonnier Maurepas, 12619, 317 (1676, sur les Carmes Dechaussées) *Mes peres qu'il fait chaud sous le manteau d'Helie;* ebd. 469 (1678, à Bonne de Pons, femme de Michel Soublet, marquis d'Hendicourt, Grand Louvetier de France): *Madame d'Hendicourt que vous êtes aimable;* ebd. 12620, 205 (1682, à Uranie de la Crotte, son mariage avec Louis Thomas de Savoye): *Pauvre Uranie, hélas! tu n'es pas assés sotte;* ebd. 12623, 251 (1695, sur François de Neufville de Villeroy): *Dormez, cher Général la grasse matinée;* ebd. 12625, 210 (1703, Complainte de quelques docteurs en Sorbonne): *Noailles, grand Prélat, vôtre perte est certaine;* ebd. 12639, 263 (1670): *Milord, vous êtes sourd, vous avez le coeur tendre* (Comte de Gramont): ebd. 12642, 40 (1693, sur l'Affaire des Jésuites): *Je ne m'estonne plus que les Enfans d'Ignace;* ebd. 154 (1694, pour les moines de tous Ordres): *Mes Peres, croyez-moy, les Sts. Anachoretes*

Drucke: Bacilly, Recueil, 1666, 250: *Ces voeux que tu faisois* (M. de la Thuilliere) de Coulanges, Recueil, 1698, II, 18: *Marguerite Brossard vous trottez par la foire;* ebd. 45: *Mes Peres qu'il fait froid;* ebd. 184: *Ce joli petit Bois;* ebd. 230: *Quand vous voulez pisser*
                             ders. Chansons, 1754, 180: *Mes Peres, qu'il fait froid sous le manteau d'Elie*

Geistl. Parodien:
L. Chassain, Cant. sacrez, 1684, 103: *Temeraires desseins, trop aveugle foiblesse;* ebd. 128: *Le desir d'être heureux est naturel aux hommes;* ebd. 148: *Que jusqu'à ce point vôtre amour me consomme;* ebd. 168, 204, 255, 263, 285, 326

Cantiques de l'ame dévote, Marseille, 1688, 26: *De tous nos sacremens, pecheur, voicy la porte Que nous ouvrit le Ciel;* ebd. 45: *Chrêtiens jusqu'à la fin nous avons à combattre;* ebd. 51: *Voicy le noeud sacré, le noeud indivisible;* ebd. 90, 222, 432

Cant. spir., Lille, 1718, 101: *Pecheurs, approchez-vous, prenez un coeur plus tendre;* ebd. 107: *Rochers quand Jesus meurt, vous voulez bien vous fendre;* ebd. 80 (Air: Rocher quand Jesus meurt): *Quand par l'ordre du Ciel dans la triste vallée;* ebd. 149: *Marie ayant appris que Jesus son bon Maître;* ebd. 190: *De vos Roses, ô mortels, couronnez vôtre tête*

Nouv. cant. spir., Limoges, 1728, 45: *Du Saint Nom Jesus je veux chanter la gloire*

Bemerkung:
Der Foucault-Kopie zufolge, Rés 584, soll diese Plainte von M. Lambert stammen.

27/33
IV. Entrée, Sacrificateurs et Philosophes:

Abschriften:
Qu. 1; 9 und 10 enthalten lediglich einen Hinweis auf das Stück.

27/34
Les Philosophes:

Abschriften:
Qu. 4, 5, 7, 9, 19

27/35
Second Air:

Abschrift:
Qu. 1

27/36
V. Entrée, six Poëtes:

Abschriften:
Qu. 1, 4, 5, 7, 8; 9, 10 (nur Baßstimme); 19, 22, 38, 43

27/37
Dernière Entrée, Alexandre, Achille, Hercule, Jason, Roxane, Briseis, Omphale, Medée, Orphée, Pluton, Proserpine, Euridice et huit Ombres:

Abschriften:
Qu. 1, 4—12, 14, 16, 19—22, 25, 30, 32, 38

27/38   Bourrée pour les heros et heroïnes:

Abschriften: Qu. 1, 4—12, 14, 16, 19—22, 25, 30, 32, 38, 42, 43

27/39   Les Sacrificateurs:

Abschriften: Qu. 4, 5, 7, 19

27/40   Menuet pour les mêmes:

Abschriften: Qu. 1, 4—12, 14, 16, 19—22, 25, 30, 32, 38, 43, 60

Weltl. Parodie: Bacilly, Recueil, 1666, 66: *Jeune et rare merveille* (M. le duc de S. A.)
La Clef des chansonniers, 1717, II, 248: *Peux-tu m'être toujours contraire, Puis-je toûjours souffrir ta loy;* (second couplet) *A la Cour chacun fait fortune, A la Cour chacun fait l'amour*

27/41   Concert pour Orphée, Recit d'Orphée:
                           Qu. 40 etc.: Sarabande

Dieu des En = fers, he=las, vo=yez mes pei = nes

Abschriften: Qu. 1, 4—12, 14, 16, 19—21, 30, 32, 36, 38, 40, 42, 43, 46, 47, 55, 60, 69, 70; F-Pn Vm⁷ 3555

Transkription: D'Anglebert, Pieces de clavecin, 1689

Drucke: IX. Livre d'airs de differents autheurs, Paris, Ballard, 1666
P. Collasse, *Ballet des Saisons,* 1695 und 1700
Gaudran, Recueil de danse de bal, s. d., I
La Clef des chansonniers, 1717, I, 250 (d-Moll)

Weltl. Parodien: Bacilly, Recueil, 1666, 45: *Vous dont la loix* (M. le duc de S. A.); *Beaucoup d'Amans* (Quinault); ders. Nouv. Recueil, 1666, 115, *Je viens sans horreur*

Wiederverwendet: P. Collasse, *Ballet des Saisons,* 1695

27/42   Pluton et Proserpine:

Abschriften: Qu. 1, 4—12, 14, 16, 19—22, 25, 30, 32, 38, 42, 43

27/43   Bourrée pour Orphée et Euridice:

Abschriften: Qu. 1, 4—12, 14, 16, 19—22, 25, 30, 32, 38; 42, 43 (nur im Inhaltsverzeichnis erwähnt, kein Notentext); F-Pn Vm⁷ 3555

27/44   Huit Ombres enlevant Euridice:

Abschriften: Qu. 1, 4—12, 14, 16, 19—22, 25, 30, 32, 38

27/45   Les mêmes:

Abschriften: Qu. 9, 21

Druck: P. Collasse, *Ballet des Saisons,* 1695 und 1700 (a-Moll)

Wiederverwendet: P. Collasse, *Ballet de Saisons,* 1695

LWV 28
BALLET DES GARDES OU LES DELICES DE LA CAMPAGNE

Bezeichnung: Ballet

Text: anonym

Erste Aufführung: Juni 1665

28/1   Premier Air pour les Exempts et Gardes:

Abschriften: Qu. 4—9, 10 (Ms 13737 und 13743), 11—14, 16, 19—22, 25, 30, 32, 40,
42, 43, 46, 58

Bemerkung: In den Qu. 6, 10 und 19 sind die ersten beiden Sätze des Balletts in dem
Ballet des Gardes und in dem *Impromptu de Versailles ou Mascarade*
(1665) überliefert, in Qu. 16 in *le Mariage forcé*

28/2   Second Air, Gavotte pour les Pages:

Abschriften: Qu. 4—9, 10 (Ms 13737 und 13743), 11—14, 16, 19—21, 25, 30, 32, 42

| 28/3 | Troisième Air, Canaries: |
| | Qu. 22: Sarabande en Canarie |

| Abschriften: | Qu. 4—14, 16, 19—22, 25, 30, 32, 42 |

| 28/4 | Quatrième Air, Rondeau pour les Paysans: |
| | Qu. 43, 46, 60: Parle icy sans crainte |

Abschriften:	Qu. 4—14, 16, 19, 20, 22, 25, 30, 32, 40, 42, 43, 46, 47, 58, 60, 71
Druck:	P. Collasse, *Ballet des Saisons,* 1695 und 1700
Weltl. Parodien:	Par. bach., 1696, 300, Nouv. Par. bach., 1702, III, 132: *Parle icy sans crainte, Bois-y sans contrainte* (M. V.); dass. S. Vergier, Oeuvres, 1726, 230
Wiederverwendet:	P. Collasse, *Ballet des Saisons,* 1695

| 28/5 | Courante de Jean le Blanc: |
| | Qu. 22: Courante crotesque |

| Abschriften: | Qu. 4—14, 16, 19, 20, 21, 22, 25, 30, 32, 42, 43, 58 |

LWV 29
L'AMOUR MEDECIN

Bezeichnung:	Comédie
Text:	Jean Baptiste Poquelin Molière
Erste Aufführung:	14. 9. 1665 in Versailles
Librettodrucke:	*L'Amour / medecin. / Comedie. / Par J. B. P. Moliere. / Paris, Theodore Girard, 1666,* F-Pn Rés Yf 4145
Weitere Ausgaben:	vgl. A.-J. Guibert, Bibliographie, I, 156—167
Literatur:	Pellisson, Comédies-ballets, passim.

| 29/1 | Ouverture, Chaconne: |

Abschriften:	Qu. 1, 3—6, 8—14, 19, 25, 38, 41, 42, 46, 49—51, 55
Druck:	A. Campra, *Fragments de M. de Lully,* 1702
Wiederverwendet:	A. Campra, *Fragments de M. de Lully,* 1702 (Trio de Cariselli)

29/2   Prologue, Ritournelle pour le Recit de la Musique, le Ballet et la Comédie, la Comédie:

Abschriften der Ritournelle: Qu. 1, 3—6, 8—14, 19, 25, 38 (Suite aus *les Plaisirs de l'Isle enchantée*)

Abschriften des Récit: Qu. 1, 3, 8

29/3   Ritournelle pour donner du plaisir:

Abschriften: Qu. 1, 3

29/4   Premier Entr'acte, première Entrée, Champagne heurtant aux portes de quatre Médecins:

Abschriften: Qu. 1, 3—6, 8—14, 19, 25, 38

Literatur: F. Böttger, Die Comédie-ballet, 1931, 173

29/5   Seconde Entrée, pour les quatre Médecins:
Qu. 5: Les Demons

Abschriften: Qu. 1, 3—6, 8—14, 19, 25, 38

29/6   II, 7, l'Opérateur chantant:

Abschriften: Qu. 1, 3, 8

29/7   Deuxieme Entr'acte, Entrée pour les Trivelins et Scaramouches:

Abschriften: Qu. 1, 3—6, 8—14, 19, 25, 38

29/8   III, 8, La Comédie, la Musique, le Ballet:

Abschriften: Qu. 1, 3, 8

29/9   Bourrée:

Abschriften: Qu. 8, 38

LWV 30
LE TRIOMPHE DE BACCHUS DANS LES INDES

Bezeichnung: Mascarade

Text: anonym

Erste Aufführung: 9. 1. 1666

Librettodruck: *Le Triomphe / de / Bacchus / dans les Indes. / Mascarade. / Dansée devant sa Majesté le 9. / Janvier 1666. / Paris, Robert Ballard, 1666*, F-Pn Yf 1354

Bemerkung: Nach einer handschriftlichen Bemerkung am Ende des Druckes (F-Pn Yf 1354) fand die erste Aufführung aus Anlaß der Hochzeit des Marquis du Roure mit Melle d'Artigny in der Residenz des duc de Crequy, einem Verwandten des Bräutigams statt. Der Erzbischof von Valence vollzog die Trauung. An der Hochzeit nahm auch der König teil. Molières Truppe führte aus diesem Anlaß auch zum ersten Mal den „Antiochus" von Thomas Corneille auf.
Der Duc de Crequy wurde bereits im Libretto des Ballet des Bienvenus von 1655 als Tänzer erwähnt, wo er in der IV. Entrée als einer der Héros de l'histoire auftrat.

30/1   Ouverture:

Abschriften: Qu. 1, 4—6, 8—14, 16, 19—22, 25, 30, 32, 41—43, 46, 47, 51, 55, 58, 60, 64, 69; F-Pc X 108

30/2   Recit de Silene:

Abschriften: Qu. 1, 4—6, 8—14, 19—21

30/3   I. Entrée, les Cobales ou Esprits folets:

Abschriften: Qu. 1, 4—6, 8—14, 16, 19—22, 25, 30, 32, 40—43, 46, 47, 49, 55, 58, 60, 63, 69, 70; F-Pc X 108

Druck: A. Campra, *Fragments de M. de Lully*, 1702

Wiederverwendet: A. Campra, *Fragments de M. de Lully*, 1702

121

30/4   Recit de Silene:

In=ter=rom=pez vos ba=di = na=ges

Abschriften: Qu. 1, 4—6, 8—14, 19—21

30/5   II. Entrée, Bacchus couronné de Pampre:

Abschriften: Qu. 1, 4—6, 8—14, 16, 19—22, 25, 30, 32, 41—43, 46, 58, 60, 69; F-Pc
                X 108

Bemerkung: In dem Libretto folgt, Recit de la Nymphe, *Voicy l'heureux sejour des
               innocents plaisirs* (Musik ist verloren)

30/6   III. Entrée, Indiens et Indiennes:

Abschriften: Qu. 1, 4—6, 8—14, 16, 19—22, 25, 30, 32; F-Pc X 108

Bemerkung: In dem Libretto folgt: Recit de Silene: *Quittez ces demarches lentes Et
               vos postures languissantes* (Musik ist verloren)

30/7   IV. Entrée, les Silvains et Bacchantes:

Abschriften: Qu. 1, 4—6, 8—14, 16, 19—22, 25, 30, 32, 42, 43, 46, 58, 60, 69; F-Pc
                X 108

Druck: P. Collasse, *La Naissance de Venus*, 1696, 273

Wiederverwendet: P. Collasse, *La Naissance de Venus*, 1696

30/8   V. Entrée, les Indiens avec des Bacchantes et Silvains:
        Qu. 1, 4—6, 8—14, 19, 20: Les Faunes; Qu. 21: Les Silvains; Qu. 22, 46,
        60, 69: Menuet

Abschriften: Qu. 1, 4—6, 8—14, 16, 19—22, 25, 30, 32, 41—43, 46, 58, 60, 69; F-Pc
                X 108

Weltl. Parodie: S. Vergier, Oeuvres, 1726, 232: *l'Amour plus craint que le Tonnerre*

Geistl. Parodie: Noëls nouveaux, Troyes s. d.: *Bel enfant que chacun admire*

Bemerkung: In dem Libretto folgen: VI. et dernière Entrée, Bacchus suivy des Esprits
               folets, Danse generale
               Chanson de la Nymphe de l'Inde et de Silene: *Que ce Dieu merite qu'on
               l'ayme! Qu'il sçait bien enchanter nos sens!* (Parodietext von 30/8)

122

LWV 31
BRANLES DE 1665

Bemerkung:

Unter dem Titel „*Bransles de 1665*" oder „*Bransles de M. de Lully*" sind in verschiedenen Quellen frühe Tanzsätze Lullys überliefert, die teilweise auch in Drucken erschienen sind. Keine der Abschriften enthält die Bransles vollständig oder annähernd vollständig. Die Bransles sind ohne Zweifel in dem verlorenen Band 26 der Collection Philidor enthalten gewesen, der den Titel trug: Bransles et autres Danses. Unter den Autoren waren u. a. Lully und Chancy. Die vorliegende Aufstellung der Branles ist der erste Versuch, eine Übersicht über diese frühen Tanzsätze Lullys aus den erhaltenen Abschriften zu geben. Teilweise ist von den Kompositionen nur der Dessus de violon überliefert.

31/1

Branle:

Abschriften:

Qu. 22, F-Pn Vm⁷ 3555, 3; F-Pc X 108 (Dessus)

Drucke:

Airs de danses angloises, Amsterdam, Pointel, s. d., 30, Nº. 87
A. Danican Philidor, Suite de Danses Pour le Violon et hautbois, Paris, Ballard, 1699, 2
Ecorcheville, Vingt Suites d'Orchestre, II, 125 (aus dem Manuscrit de Cassel)

Bemerkung:

Die Abschriften weichen in der Baßführung weitgehend voneinander ab.

Literatur:

Ecorcheville, Vingt Suites d'Orchestre, I, 2

31/2

Branle gay:

Abschriften:

Qu. 22; F-Pn Vm⁷ 3555, 3; F-Pc X 108

Drucke:

Airs de danses angloises, Pointel, 30, Nº. 89
Philidor, Suite de Danses Pour le Violon et hautbois, 1699, 4
Ecorcheville, Vingt Suites d'Orchestre, II, 127

Bemerkung:

In den Drucken und Abschriften weicht die Baßführung häufig voneinander ab.

31/3

Branle à mener:

Abschriften:

Qu. 22; F-Pn Vm⁷ 3555; F-Pc X 108

Drucke:

Airs de danses angloises, Pointel, 30, Nº. 89
Philidor, Suite de Danses Pour le Violon, 1699, 5
Ecorcheville, Vingt Suites d'Orchestre, II, 128

31/4   Gavotte:

Abschriften: Qu. 22; F-Pn Vm⁷ 3555; F-Pc X 108
Drucke: Airs de danses angloises, Pointel, 31, N⁰. 89
                Philidor, Suite de Danses Pour le Violon, 1699, 6
                Ecorcheville, Vingt Suites d'Orchestre, II, 129

31/5   Branle double:

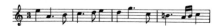

Abschriften: Qu. 22; F-Pc X 108

31/6   Passacaille:
                        Qu. 55: la vieille Passacaille

Abschriften: Qu. 22, 55; F-Pn Rés 1397 (mit abweichender Baßführung), Rés F 1091

31/7   Branle de Montirande:

Abschriften: Qu. 22; F-Pc X 108

31/8   Courante:

Abschriften: Qu. 22; F-Pn Vm⁷ 3555; F-Pc X 108
Drucke: Philidor, Suite de Danses Pour le Violon, 1699, 7
                Ecorcheville, Vingt Suites d'Orchestre, II, 130

31/9   Courante:

Abschriften: Qu. 22; F-Pn Vm⁷ 3555; F-Pc X 108
Druck: Philidor, Suite de Danses Pour le Violon, 1699, 8

31/10   Courante:

Abschriften: Qu. 22; F-Pn Vm⁷ 3555, 7; F-Pc X 108
Drucke: Philidor, Suite de Danses Pour le Violon, 1699, 9
                Ecorcheville, Vingt Suites d'Orchestre, II, 131

| 31/11 | Bourrée: |

Abschriften:	Qu. 22, 36, 43, 55, 58; F-Pn Vm⁷ 3555, 10
Drucke:	Philidor, Suite de Danses Pour le Violon, 1699, 12
	P. Collasse, *Ballet des Saisons,* 1695 und 1700
Wiederverwendet:	P. Collasse, *Ballet des Saisons,* 1695
Bemerkung:	Nach Qu. 22 gehört diese Bourrée zu den Trio pour la Chambre du Roi.

| 31/12 | Allemande: |

| Abschrift: | Qu. 22 |

| 31/13 | Branle: |

| Abschrift: | Qu. 22 |

| 31/14 | Boutade: |
| | Qu. 43: la grande Boutade de M. de Lully |

| Abschriften: | F-Pn Rés 1397, Rés F 1091; Qu. 22, 43 |
| Bemerkung: | Band 55 der Collection Philidor, der leider verloren ist, enthielt *Airs de danse en partition à six parties et des boutades de Lulli.* Möglicherweise stammte diese Boutade aus dem Band der Collection Philidor. Bei den Boutades handelt es sich um improvisierte, kurze Ballette, die häufig durch den König selbst ausgeführt wurden. In Qu. 22 ist die vorliegende Boutade innerhalb der Branles von 1665 notiert; daher scheint ihre Einordnung unter die Branles von 1665 gerechtfertigt. |

| 31/15 | Gaillarde: |
| | Qu. 17: La grande Gaillarde |

| Abschriften: | Qu. 17, 22, 43 |

| 31/16 | Sarabande des branles: |

| Abschrift: | Qu. 69 |

| 31/17 | Bourrée: |
| |  |

Abschriften: Qu. 43, 46, 58, 60, 69

Transkription: Charles Mouton, F-Pn Rés 823 (Laute)

| 31/18 | Gavotte: |
| |  |

Abschriften: Qu. 43, 69

| 31/19 | Branle: |
| |  |

Abschrift: Qu. 17

| 31/20 | Branle gay: |
| |  |

Abschrift: Qu. 17

| 31/21 | Branle à mener: |
| |  |

Abschrift: Qu. 17

| 31/22 | Gavotte: |
| |  |

Abschrift: Qu. 17

31/23   Sarabande:
                   Qu. 43: Sarabande des branles

Abschriften: Qu. 43, 55, 58; F-Pn Vm⁷ 3555

Druck: Philidor, Suite des Danses Pour le Violon, 1699, 11

31/24	Sarabande:

Abschriften:	Qu. 46, 51, 55, 60
Druck:	Philidor, Suite des Danses Pour le Violon, 1699, 2

31/25	Courante en trio:

Abschriften:	Qu. 46, 55, 60, 69
Druck:	Philidor, Suite des Danses Pour le Violon, 1699, 1

31/26	Bourrée:

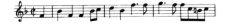

Druck:	Ecorcheville, Vingt Suites d'Orchestre, I, 57
Bemerkung:	Nach Ecorcheville soll diese Bourrée bereits 1665 in Playfords *Dancing Master*, II, 51, gedruckt worden sein. Diese Ausgabe blieb jedoch unauffindbar.

31/27	Branle:

Abschriften:	Qu. 21 (innerhalb des *Ballet de la Naissance de Vénus*); identisch mit 11/18
Druck:	P. Collasse, *Ballet des Saisons*, 1695 und 1700: Branle
Weltl. Parodien:	Par. bach., 1696, 299, Nouv. Par. bach., 1702, III, 130: *Piarrot, si tu sçavois A quel prix je le pray* (MLB)
Wiederverwendet:	P. Collasse, *Ballet des Saisons*, 1695

LWV 32
BALLET DES MUSES

Bezeichnung:	Ballet
Text:	Isaac de Benserade
Erste Aufführung:	2. 12. 1666 in Saint-Germain-en-Laye

Librettodrucke:	*Ballet / Des Muses. / Dansé par sa Majesté à son Cha- / steau de S. Germain en Laye / le 2. Decembre 1666. / Paris, Robert Ballard, 1666.* F-Pn Rés Yf 1559. Diese Ausgabe enthält nur die Verse Benserades, die nach der IIIe Entrée gespielte Komödie Molières, Mélicerte, fehlt.

2. Edition mit dem gleichen Titelblatt: zwischen Seite 7 und 18 sind Auszüge und eine Analyse der die Komödie Mélicerte ersetzende *Pastorale comique* eingeschoben. Diese Ausgabe wurde für die Aufführung am 5. 1. 1667 gedruckt. F-Pn Rés Yf 1560. Die 3. Auflage unterscheidet sich von jener nur durch die durchgehende Numerierung der Seiten. F-Pn Rés Yf 1561.

4. Edition: nach der VIe Entrée folgt anläßlich der Aufführung am 25. 1. 1667 die Komödie *Les Poètes* von Ph. Quinault und die vermutlich von Molière stammende *Mascarade Espagnole*. Nach der XIIIe Entrée sind ohne Zählung eine *Entrée des Espagnols et des Espagnoles* und eine *Entrée des Maures* ergänzt worden. F-Pn Yf 860.

5. Edition: gegenüber der 4. wurde für die Aufführung am 14. 2. 1667 als XIVe Entrée Molières *Sicilien ou l'Amour peintre* ergänzt. F-Pn Rés Yf 1225.

Vgl. A.-J. Guibert, Bibliographie, II, S. 496—502.

Abschriften in Partition générale:	F-V Ms mus 86 (1712); F-Pa M 883; F-B 13744 (einschließlich der *Pastorale comique* und des *Sicilien*)
Literatur:	Christout, Le Ballet de Cour, 113 f.; Anthony, French baroque music, 40 f.

32/1	Ouverture:

Abschriften:	Qu. 1, 4—6, 9—15, 18—20, 22, 25, 30, 32, 38, 40, 41—43, 46, 47, 51, 58, 60, 64, 69
Druck:	P. Collasse, *Ballet des Saisons*, 1695 und 1700
Wiederverwendet:	P. Collasse, *Divertissement ou Impromptu de Livry*, 1688 ders. *Ballet des Saisons*, 1695

32/2	Dialogue, Mnémosine:

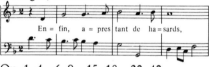

Abschriften:	Qu. 1, 4—6, 9—15, 18—20, 40

32/3	Choeur:

Abschriften:	Qu. 1, 4—6, 9—15, 18—20, 40, 41—43

32/4	Mnémosine:

Abschriften:	Qu. 1, 4—6, 9—15, 18—20, 40
Druck:	P. Collasse, *Ballet des Saisons*, 1695 und 1700
Wiederverwendet:	P. Collasse, *Ballet des Saisons*, 1695

32/5   Première Entrée pour les Astres et les Planettes:

Abschriften: Qu. 1, 4—6, 9—15, 18—20, 22, 25, 30, 32, 38, 40, 41, 43, 46, 58, 60, 69

32/6   II. Entrée, Pirasme et Thisbé:

Abschriften: Qu. 1, 4—6, 9—15, 18—20, 22, 25, 30, 32, 38, 40, 41—43, 58, 60, 63

Druck: A. Campra, *Fragments de M. de Lully*, 1702

Wiederverwendet: A. Campra, *Fragments de M. de Lully*, 1702

Bemerkung: Als III. Entrée wurde am 5. 1. 1667 die *Pastorale comique* aufgeführt, vgl. LWV 33

32/7   IV. Entrée, Chanson sur un Air de Gavotte, un Berger, Choeur:
        Qu. 22: Gavotte

Abschriften: Qu. 1, 4—6, 9—15, 18—20, 30, 32, 38, 40, 42, 43, 46, 58, 60

Transkription: F-Pn Rés 823 (Laute)

Druck: P. Collasse, *Ballet des Saisons*, 1695 und 1700

Weltl. Parodien, hs.:   Chansonnier Maurepas 12618, 129 (1667, sur l'exacte discipline que Louis XIV. . . faisoit observer à son armée): *Nous allons pour la Campagne Plus fiers que des Amadis* (un mousquetaire)
F-Pa 4843, I, n°. 12: *Pour un galand de campagne Nous n'avons que trop d'appas*

Druck: La Clef des chansonniers, 1717, I, 176: *Vous sçavez l'amour extrême*

Wiederverwendet: P. Collasse, *Ballet des Saisons*, 1695

32/8   Chanson sur un Air de Menuet, un Berger, Choeur:
        Qu. 32, 40 etc. Rondeau

Abschriften: Qu. 1, 4—6, 9—15, 18—20, 30, 32, 38, 40, 42, 43, 46, 55, 60

Druck: P. Collasse, *Ballet des Saisons*, 1695 und 1700

Weltl. Parodien, hs.:   Chansonnier Maurepas 12624, 1 (1696, à Marie-Anne de Bourbon): *Pourquoy vous en prendre à moy, Princesse*
ebd. 12639, 91 (1667): *Vivez heureux sans Argent Gendarmes*
F-Pa 4843, I, n°. 13: *Vivons heureux, aimons-nous bergere*

Druck: La Clef des chansonniers, 1717, I, 178: *Tout cede à vos appas, Déesse*

Geistl. Parodien:	F. Pascal, Cant. spir., ou Noëls, 1672, 56: *Bergers approchons-nous tous sans crainte* Pellegrin, Cant. spir., 1701, 152: *C'est le Dieu que tu dois aimer, mon ame;* dass. Noëls nouveaux, Troyes s. d.: *Allons chercher le saint lieu, mon Ame* Cant. spir., Lille, 1718, 233
Wiederverwendet:	P. Collasse, *Ballet des Saisons*, 1695

32/9

V. Entrée, Alexandre et Porus, cinq Grecs, cinq Indiens:
F-V Ms mus 86: Rondeau pour les mêmes; Qu. 1: Marche des Grecs;
Qu. 15: Rondeau; Qu. 22: Menuet, Recit, Rondeau

Abschriften:	Qu. 1, 15, 22, 58

32/10

Marche des Grecs:
F-V Ms mus 86: Marche d'Alexandre et Porus; Qu. 15: Marche pour les
Bergers; Qu. 32, 36: Les Combattants

Abschriften:	Qu. 1, 4—6, 9—15, 19, 20, 22, 25, 30, 32, 36, 38, 42, 43, 46, 55, 58, 60 Abschriften in Exzerpten aus den Partitions de plusieurs marches: F-V Ms mus 168; F-Pc Rés F 671
Wiederverwendet:	Partitions de plusieurs marches (mit batterie de tambour von Lully)

32/11

Marche des Indiens:

Abschriften:	Qu. 1, 4—6, 9—15, 19, 20, 22, 25, 30, 32, 36, 38, 42, 43, 46, 55, 58, 60; F-V Ms mus 168 (Partition de plusieurs marches)
Druck:	P. Collasse, *Ballet des Saisons*, 1695 und 1700
Wiederverwendet:	Partitions de plusieurs marches (mit batterie de tambour, die auch in F-V Ms mus 86, F-Pa M 883 und Qu. 4 überliefert ist) P. Collasse, *Ballet des Saisons*, 1695

32/12

Le Combat:

Abschriften:	Qu. 1, 4—6, 9—15, 19, 20, 22, 25, 30, 32, 36, 38, 42, 43, 46, 55, 58, 60

32/13

VI. Entrée, cinq Poëtes:

Abschriften:	Qu. 1, 4—6, 9—15, 19, 20, 22, 25, 38, 63

32/14   Mascarade Espagnole, les Espagnols:

Abschriften: Qu. 1, 4—6, 9—15, 18—20, 22, 25, 30, 36, 38, 40, 42, 43, 46, 51, 55, 58, 60, 63

Druck: A. Campra, *Fragments de M. de Lully,* 1702: Marche des Dieux

Wiederverwendet: A. Campra, *Fragments de M. de Lully,* 1702

Bemerkung: Diese Mascarade Espagnole erscheint zum ersten Mal in der 4. Edition des Librettos für die Aufführung am 25. 1. 1667.

32/15   Première Femme:
                         F-V Ms mus 86 und F-Pa M 883: Concert espagnol avec des harpes et guitares

Abschriften: Qu. 1, 4—6, 10—15, 19, 20

Bemerkung: Nur die Kopien F-V Ms mus 86, F-Pa M 883 enthalten auch die Baßstimme.

32/16   Second Air:

Abschriften: Qu. 1, 4—6, 9—15, 18—20, 22, 32, 36, 38, 40, 42, 43, 46, 49, 51, 55, 58, 60, 63

Drucke: P. Collasse, *La Naissance de Venus,* 1696: Rondeau
                         A. Campra, *Fragments de M. de Lully,* 1702

Wiederverwendet: P. Collasse, *La Naissance de Venus,* 1696
                         A. Campra, *Fragments de M. de Lully,* 1702

32/17   Les Basques:
                         Qu. 22, 58: Bourrée

Abschriften: Qu. 1, 4—6, 9—15, 19, 20, 22, 25, 30, 32, 38, 41—43, 58, 60, 69

Weltl. Parodie: Bacilly, Recueil, 1668, 482, Recueil, 1680, 481: *Ce n'est qu'un Esclavage* (Quinault)

32/18   Canaries:
                         Qu. 22: Canaries. Rondeau; Qu. 58: Rondeau pour les Basques

Abschriften: Qu. 1, 4—6, 9—15, 19, 20, 22, 25, 30, 32, 38, 41—43, 49, 50, 55, 58, 63

Druck: A. Campra, *Fragments de M. de Lully,* 1702

Wiederverwendet: A. Campra, *Fragments de M. de Lully,* 1702 (Trio de Cariselli)

32/19   VII. Entrée, Concert et Recit d'Orphée:
Qu. 46, 55, 60, 69: Symphonie d'Orphée; Qu. 15: Prelude; Qu. 9: Ritournelle; Libretto I: Chanson

Abschriften:	Qu. 1, 4—6, 9—15, 19, 20, 40—43, 46, 47, 49, 50, 55, 60
Druck:	A. Campra, *Fragments de M. de Lully,* 1702
Wiederverwendet:	A. Campra, *Fragments de M. de Lully,* 1702
Bemerkung:	Die Abschriften F-V Ms mus 86, F-Pa M 883 und Qu. 40 enthalten ein Double mit folgendem Text: *Le plus heureux amant ressent mille douceurs*

32/20   Orphée:

Abschriften:	Qu. 1, 4—6, 9—15, 19, 20, 22, 25, 32, 36, 38, 40—43, 46, 47, 49, 51, 55, 60, 69
Bemerkung:	Ein Double, das nach F-V Ms mus 86 Lully selbst komponiert hat, ent-halten folgende Abschriften: F-V Ms mus 86, F-Pa M 883

32/21   VIII. Entrée, trois Amants et trois Amantes:
F-B 13744 und Qu. 1, 4—6, 9—14, 19, 20, 25: Cyrus; Qu. 15: Cyrus et
Mandane; Qu. 22: Tisbée Sarabande

Abschriften:	Qu. 1, 4—6, 9—15, 19, 20, 22, 25, 30, 32, 38, 40—43, 46, 55, 60

32/22   Qu. 1: Rondeau pour le Roy; Qu. 4—6, 9—15, 19, 20: Les Amants; F-V
Ms mus 86, F-Pa M 883: Entree du Roy représentant Cyrus; Qu. 32:
Mandane et Cyrus; Qu. 22: Mandane et Cyrus, Rondeau

Abschriften:	Qu. 1, 4—6, 9—15, 19, 20, 22, 25, 30, 32, 38, 41—43, 46, 55
Bemerkung:	Die IX. Entrée, Orateurs latins et Philosophes grecs betitelt, enthielt mög-licherweise keine Musik. In den überlieferten Abschriften ist kein Satz, der diese oder eine ähnliche Bezeichnung trägt, enthalten.

32/23   X. Entrée, Les Faunes et Femmes rustiques:
F-V Ms mus 86, F-Pa M 883, Qu. 22, 30, 32, 43, 46, 58: Les Faunes et
Femmes rustiques; Qu. 15, 60: Les Hommes et Femmes rustiques; Qu. 4—6,
9—14: Mandane (diese Bezeichnung wurde offenbar irrtümlich in die Fou-
cault-Abschriften übernommen)

Abschriften:	Qu. 1, 4—6, 9—15, 19, 20, 22, 25, 30, 32, 38, 42, 43, 46, 58, 60

| 32/24 | Recit du Satyre, Les Faunes et Sauvages: |
| | Qu. 4, 22: Menuet |

Abschriften:	Qu. 1, 4—6, 9—15, 19, 20, 22, 25, 32, 38, 43, 46, 50, 58, 60
Druck:	A. Campra, *Fragments de M. de Lully*, 1702
Wiederverwendet:	A. Campra, *Fragments de M. de Lully*, 1702

| 32/25 | XI. Entrée, Les Muses et Pierides: |

| Abschriften: | Qu. 1, 4—6, 9—15, 19, 20, 22, 25, 30, 32, 38, 41—43 |

| 32/26 | XII. Entrée, trois Nymphes juges de combat: |

| Abschriften: | Qu. 1, 4—6, 9—15, 19, 20, 22, 25, 30, 32, 38, 42, 43, 46, 58 |

| 32/27 | Les mêmes: |
| | Qu. 22, 43, Druck 1702: Menuet |

Abschriften:	Qu. 1, 4—6, 9—15, 19, 20, 22, 30, 32, 38, 42, 43, 49, 50, 58, 63
Transkription:	B-Bc 27220: Menuet (Cembalo)
Druck:	A. Campra, *Fragments de M. de Lully*, 1702
Wiederverwendet:	A. Campra, *Fragments de M. de Lully*, 1702

| 32/28 | XIII. Entrée, Jupiter: |

| Abschriften: | Qu. 1, 4—6, 9—15, 19, 20, 22, 25, 30, 32, 38, 41—43 |
| Bemerkung: | Für die Aufführung am 14. 2. 1667 schrieben Molière und Lully *Le Sicilien ou l'Amour peintre*, die in der 5. Edition des Librettos die XIV. Entrée bildete, vgl. LWV 34 |

LWV 33
LA PASTORALE COMIQUE

Bezeichnung:	Pastorale
Text:	Jean Baptiste Poquelin Molière
Erste Aufführung:	5. 1. 1667 in Saint-Germain-en-Laye

Librettodruck:	S. *Ballet des Muses.* Überliefert sind nur Auszüge und eine Analyse der *Pastorale comique.* Nach Taschereau soll Molière das Stück verbrannt haben, vgl. A.-J. Guibert, Bibliographie, II, 496.
Abschriften in Partition générale:	F-V Ms mus 86; F-Pa M 883; F-B 13744
Literatur:	Christout, Le Ballet de Cour, 113 f.; Anthony, French baroque music, 40 f.

33/1 Première Entrée, les Magiciens:

Abschriften:	Qu. 1, 4, 19, 22, 30—32, 35, 36, 38, 40, 42, 43, 46, 55, 58, 60, 68, 69 Abschriften in Exzerpten aus les Fêtes de l'Amour: Qu. 22, 31, 38, 45, 48—50, 52, 72, 78
Drucke:	Les Simphonies à 4 . . . Des Festes de l'Amour, Pointel *Les Festes de l'Amour et de Bacchus,* 1717
Wiederverwendet:	*Ballet des Ballets,* 1671 *Les Fêtes de l'Amour et de Bacchus,* 1672

33/2 Trois Magiciens:

Abschriften:	Qu. 1, 4, 19, 42 Abschriften in Exzerpten aus les Fêtes de l'Amour: Qu. 35, 79
Drucke:	Les Trio, Blaeu, 1691, II, 84 *Les Festes de l'Amour et de Bacchus,* 1717
Wiederverwendet:	*Ballet des Ballets,* 1671 *Les Fêtes de l'Amour et de Bacchus,* 1672

33/3 Seconde Entrée, la Chaconne des Magiciens:

Abschriften:	Qu. 1, 4, 19, 22, 30—32, 35—38, 40, 42, 43, 46, 47, 51, 55, 58, 60, 62, 69 Abschriften in Exzerpten aus *Les Fêtes de l'Amour:* Qu. 22, 38, 45, 48—50, 52, 64, 71, 72, 78
Drucke:	Les Simphonies à 4 . . . Des Festes de l'Amour, Pointel *Les Festes de l'Amour et de Bacchus,* 1717
Weltl. Parodien, hs.:	F-Pa 4842, 289: *Mon aimable Isabeau;* GB-Lbl Egerton 1529, III, 66: *Tu vois dedans mes yeux*
Drucke:	Par. bach., 1695, 3, 1696, 8, du Fresne, 1696, 2, Nouv. Rec., Raflé, 1697, 2, Nouv. Par. bach., 1700, I, 3: *Ma charmante Isabeau, Sains faire la cruelle* (M. D. L. F.) Pannard, Théâtre, 1763, II, 116: *Ah qu'il est beau, l'oiseau*
Wiederverwendet:	*Ballet des Ballets, 1671* *Les Fêtes de l'Amour et de Bacchus,* 1672

33/4   Trois Magiciens:

Abschriften: Qu. 1, 19, 42
                      Abschriften in Exzerpten aus *Les Fêtes de l'Amour:* Qu. 50, 79

Drucke: Les Trio, Blaeu, 1690, I, 56; ebd. 1691, II, 86
                      Les Festes de l'Amour et de Bacchus, 1717

Weltl. Parodien: Par. bach., 1695, 4, 1696, 9, du Fresne, 1696, 3, Nouv. Rec., Raflé, 1697, 3:
                      Ah qu'il est beau Le vin nouveau (M. D. L. F.)

Wiederverwendet: *Ballet des Ballets,* 1671
                      Les Fêtes de l'Amour et de Bacchus, 1672

33/5   Scène III., Ritournelle, Filene:

Abschriften: Qu. 1, 4—6, 9—15, 19, 20, 38, 46, 49, 51, 60, 63

Druck: A. Campra, *Fragments de M. de Lully,* 1702

Wiederverwendet: A. Campra, *Fragments de M. de Lully,* 1702

33/6   Filene:

Abschriften: Qu. 1, 4—6, 9—15, 19, 20, 35, 46 (nur Textincipit)

Druck: A. Campra, *Fragments de M. de Lully,* 1702

Wiederverwendet: A. Campra, *Fragments de M. de Lully,* 1702

33/7   Scène VIII., les Paysans combattent avec les bâtons:

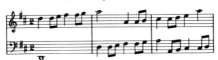

Abschriften: Qu. 1, 4—6, 9—15, 19, 20, 22, 25, 30—32, 38, 43, 58

33/8   Scène IX., quatrième Entrée, les Paysans reconciliés:

Abschriften: Qu. 1, 4—6, 9—14, 19, 20, 22, 25, 31, 32, 37, 38, 43, 46, 55, 58
                      Abschriften in Exzerpten aus *Le Carnaval Mascarade:* Qu. 19, 31, 38,
                      48, 72

Druck: *Le Carnaval Mascarade,* 1720

Wiederverwendet: *Le Carnaval Mascarade,* 1675

33/9   Scène XI., Filene:

Abschriften: Qu. 1, 5, 6, 9—15, 19, 20

Druck: A. Campra, *Fragments de M. de Lully*, 1702

Wiederverwendet: A. Campra, *Fragments de M. de Lully*, 1702

33/10   Scène XIII., Filene:

Abschriften: Qu. 1, 5, 6, 9—15, 19, 20

Druck: A. Campra, *Fragments de M. de Lully*, 1702

Wiederverwendet: A. Campra, *Fragments de M. de Lully*, 1702

33/11   Scène XIV., Ritournelle, un Berger enjoué:

Abschriften: Qu. 1, 5, 6, 9—15, 19, 20, 38; 43, 46, 55 (D-Dur); 60, 63

Druck: A. Campra, *Fragments de M. de Lully*, 1702

Weltl. Parodie: de Coulanges, Recueil, 1698, 166: *Ah quelle folie D'exposer la vie*

Wiederverwendet: A. Campra, *Fragments de M. de Lully*, 1702

33/12   Scène XV., une Egyptienne, Air pour les Egyptiens et Egyptiennes:

Abschriften: Qu. 1, 5, 6, 9—15, 19, 20, 22, 25, 30—32, 38, 43, 46, 49, 51, 55, 58, 60,
                            63, 69

Drucke: A. Campra, *Fragments de M. de Lully*, 1702
                            Le Carnaval Mascarade, 1720

Weltl. Parodien, hs.:   Chansonnier Maurepas 12618, 131 (1667, über den Flandernfeldzug):
                            Delivrez-moy Seigneur de longuemarche; ebd. 447 (1671, sur A. Tom-
                            bonneau): *Pauvre Michaut, Ton destin est estrange*; ebd. 545 (1672, sur
                            Louis de Bourbon, prince de Condé): *Retirez-moy Des places de l'Alsace*
                            (dass. Chansonnier Clairambault 12687, V, 79); ebd. 12639, 141 (1668):
                            Si le Roy te prefere à Turenne, Grand Condé, ne t'en étonne pas
                            F-LYm 1545, 24: *Retirez-moi De place d'Alsace*

Wiederverwendet: *Ballet des Ballets*, 1671
                            A. Campra, *Fragments de M. de Lully*, 1702

Bemerkung: Dieser Satz wurde erst in den Druck von *Le Carnaval Mascarade* aufge-
                            nommen.

136

Sixième et dernière Entrée, une Egyptienne, second Air:
Ballet des Ballets: Gigue

Abschriften:	Qu. 1, 5, 6, 9—15, 19 (auch im *Ballet de Flore*), 20, 22, 25, 30—32, 38, 43, 46, 50, 55, 60, 63, 69
Drucke:	A. Campra, *Fragments de M. de Lully*, 1702 *Le Carnaval Mascarade*, 1720
Weltl. Parodien, hs.:	Chansonnier Maurepas 12619, 549 (1679, sur les dames de Nantes): *Que vous semble des Dames de Nantes;* ebd. 12620, 295 (1683): *Je fais cas de Genealogie* (de Coulanges); ebd. 12618, 137 (1667): *Je ne veux plus songer à vous plaire* (Henry de Senecterre, duc de la Ferté); ebd. 227 (1669, sur le mariage de Fr.-Marguerite de Sevigné): *Je fais cas de Genealogie* (de Coulanges); ebd. 12639, 143 (1668): *D'un amant la plus grande furie*
Drucke:	La Clef des chansonniers, 1717, II, 268: *Mon cocher, le diable vous emporte* de Coulanges, Recueil, 1698, 251, Chansons, 1754, 122 (Pour Mme de Mongeron): *Croyez moi, ma charmante Duchesse;* Recueil, 1694, 99, 1698, 265, 1754, 130 (sur l'église de Saint Pierre à Rome): *Aprenez qu'à Saint Pierre sans peine*
Geistl. Parodien:	F. Pascal, Cant. spir. ou Noëls, 1672, 47: *Vous voicy pour finir nos allarmes* L. Chassain, Cant. sacrez, 1684, 336: *Recourés à Marie, Meres dans vos douleurs*
Wiederverwendet:	*Ballet des Ballets*, 1671 A. Campra, *Fragments de M. de Lully*, 1702
Bemerkung:	Dieser Satz wurde erst in den Druck von *Le Carnaval Mascarade* aufgenommen.

LWV 34
LE SICILIEN

Bezeichnung:	Comédie
Text:	Jean Baptiste Poquelin Molière
Erste Aufführung:	14. 2. 1667 in Saint-Germain-en-Laye
Librettodruck:	S. *Ballet des Muses*, 5. Edition. Die erste Ausgabe des vollständigen Textes erschien 1668, vgl. A.-J. Guibert, Bibliographie, I, 202—209
Abschriften in Partition générale:	F-V Ms mus 86; F-Pa M 883; F-B 13744
Literatur:	Christout, Le Ballet de Cour, 113 f.; Anthony, French baroque music, 40 f.

34/1
Scène III., Ritournelle, premier Musicien, représentant Philene:

Abschriften:
Qu. 1, 18, 19, 22, 40
Abschriften in Exzerpten aus *Le Carnaval Mascarade:* Qu. 38, 79, 85

Drucke:
Les Airs . . . de la Mascarade, Pointel, 1700 (Air)
Le Carnaval Mascarade, 1720

Wiederverwendet:
Le Carnaval Mascarade, 1675

34/2
Ritournelle, second Musicien, représentant Tircis:

Abschriften:
Qu. 1, 19, 20; F-Pn Rés Vma ms 958, 224
Abschriften in Exzerpten aus *Le Carnaval Mascarade:* Qu. 38, 48, 59, 79, 85

Drucke:
Les Airs . . . de la Mascarade, Pointel, 1700 (Air)
Le Carnaval Mascarade, 1720

Wiederverwendet:
Le Carnaval Mascarade, 1675

34/3
Troisième Musicien, représentant un pâtre:

Abschriften:
Qu. 1, 19, 85

Druck:
Le Carnaval Mascarade, 1720

Wiederverwendet:
Le Carnaval Mascarade, 1675

Bemerkung:
Das Double ist in vielen verschiedenen Varianten überliefert.

34/4
Scène VIII., Les Esclaves:

Abschriften:
Qu. 1, 4—6, 9—15, 19, 20, 22, 25, 30, 32, 38, 43, 46, 55, 58, 60

34/5
Hali:

Abschriften:
Qu. 1, 4—6, 9—15, 19, 20

Druck:
Recueil Complet De Vaudevilles, 1753, 3

34/6   Dom Pèdre:

Abschriften: Qu. 1, 4—6, 9—15, 19, 20

34/7   Scène XX., Les Maures:

Abschriften: Qu. 1, 4—6, 9—15, 19, 20, 22, 25, 30, 32, 36, 38, 40—42, 43, 46, 47,
                        55, 60, 69

Druck: P. Collasse, *Ballet des Saisons,* 1695 und 1700

Weltl. Parodien, hs.:   GB-Lbl Egerton 1519, 256: *Je mets toute ma gloire à boire* (La Fond)

Drucke: Par. bach., 1696, 298, Nouv. Par. bach., 1702, III, 129: *Je mets toute ma
                        gloire A boire* (M. D. L. F.)

Wiederverwendet: P. Collasse, *Ballet des Saisons,* 1695

34/8   Second Air:

Abschriften: Qu. 1, 4—6, 9—15, 19, 20, 22, 30, 32, 36, 38, 40—42, 46, 47, 50, 51, 55,
                        60, 63, 69; F-V Ms mus 137

Druck: A. Campra, *Fragments de M. de Lully,* 1702

Wiederverwendet: A. Campra, *Fragments de M. de Lully,* 1702

LWV 35
TRIOS DE LA CHAMBRE DU ROI

Bezeichnung: Trios de la Chambre oder Trios pour le coucher du Roi

Bemerkung: In Qu. 60 wird festgestellt, das erste Stück der Trios sei 1667 in Fontaine-
                        bleau komponiert worden. Nach Le Cerf de la Viéville (Comparaison, II,
                        133) gehören die Trios zu den „premiers Ouvrages" Lullys. Nach Abschluß
                        der Fahnenkorrektur des vorliegenden Verzeichnisses wurde im Magazin
                        der Bibliothèque Nationale in Paris ein bis dahin unbekanntes Manuskript
                        von Catherine Massip gefunden, das über die in zahlreichen Handschrif-
                        ten und einzelnen Drucken überlieferten Stücke hinaus eine weitaus größere
                        Zahl von Trios enthält. Der Kopist ist von vielen Abschriften bekannt,
                        die er für Philidor anfertigte. Diese Handschrift erhielt die Signatur Rés
                        1397. Sie bildet nunmehr die Hauptquelle für die Trios de la Chambre du
                        Roi. Zu ergänzen ist sie jedoch durch einige Stücke, die in anderen Kopien
                        zu den Trios gerechnet werden und teilweise aus Bühnenwerken stam-
                        men.

35/1   Allemande:

Abschriften: F-Pn Rés 1397, Rés F 1091, Qu. 19, 22, 37, 43, 46, 47, 51, 55, 57, 60, 69
Druck: Trios de Differents Auteurs, Babel, 1698, II, 67
Bemerkung: In zahlreichen Abschriften sind jeweils zwei Takte bei Halbierung der
                    Notenwerte zusammengezogen.

35/2   Sarabande:

Abschriften: F-Pn Rés 1397, Rés F 1091, Qu. 19, 43, 46, 51, 55, 57, 60, 69
Druck: Trios de Differents Auteurs, Babel, 1698, II, 71

35/3   Menuet:

Abschriften: F-Pn Rés 1397, Rés F 1091, Qu. 19, 43, 46, 51, 55, 57, 60, 69
Druck: Trios de Differents Auteurs, Babel, 1698, II, 69

35/4   Dans nos bois Silvandre s'ecrie:

Abschriften: F-Pn Rés 1397, Rés F 1091, Qu. 19, 22, 35, 37, 39, 40, 43, 46, 47, 50
                    (zweimal), 55—57, 60, 63, 68—71; S-Uu Vok mus ihs 29:19; ebd. 146:2;
                    S-Sk S 175
Transkriptionen: d'Anglebert, Pieces de clavecin, 1689 (Cembalo); F-Pc Rés F 844, 77
                    (Gitarre)
                    Gresse Manuskript, in: MMN III, Nederlandse Klaviermuziek uit de 16e
                    en 17e Eemo, hrsg. von A. Curtis, Amsterdam 1961, 108 (Cembalo); F-Pn
                    Rés F 1091, 17 (Cembalo, G-Dur)
Drucke: Trios de Differents Auteurs, Babel, 1698, II, 73
                    A. Campra, *Fragments de M. de Lully*, 1702
                    Duo choisis, 1728, 42
Weltl. Parodie: Brunettes, Ballard, 1712, I, 168 (A-Dur): *Gardez-vous des yeux de Silvie;
                    Mon ardeur l'irrite et l'ennuie*
Geistl. Parodien: L. Chassain, Cant. sacrez, 1684, 70: *Comme on voit également prendre*
                    A.H.P.E.L.D.L., Cant. spir., 1692, 45: *Pere Adam que tu fus infame*
                    Pellegrin, Noëls, 1702, 99: *Dans nos bois, vivons sans allarmes*
                    Les Parodies spir., 1717, 44: *Cherchons-tous qui peut vous plaire*
                    Pellegrin, Cant. spir., 1728, 17: *Dans nos bois, vivons sans allarmes*
                    Cant. spir. sur divers sujets, 1736, III, 53: *Dans nos bois vivons sans
                    allarmes; Aimons-nous*
                    Desessartz, Nouv. poésies spir., 1737, VIII, 47: *Ici bas notre ame s'ennuie*
Wiederverwendet: A. Campra, *Fragments de M. de Lully*, 1702
Literatur: Le Cerf de la Viéville, Comparaison, II, 140

35/5   Menuet:

Abschriften: F-Pn Rés 1397, Rés F 1091, Qu. 19, 43, 46, 51, 55, 57, 60, 69

35/6   Symphonie:
                           Qu. 19, 43 etc. Menuet

Abschriften: F-Pn Rés 1397, Rés F 1091, Qu. 19, 43, 46, 51, 57, 60, 69

Druck: Trios de Differents Auteurs, Babel, 1698, II, 74

35/7   Symphonie:
                           Qu. 19, 46 etc. Trio; Qu. 43: Sarabande

Abschriften: F-Pn Rés 1397, Rés F 1091, Qu. 19, 43, 46, 51, 55, 57, 60, 69

Druck: Trios de Differents Auteurs, Babel, 1698, II, 68

35/8   Symphonie:
                           Qu. 19, 46 etc. Trio; Qu. 69: Trio, Menuet

Abschriften: F-Pn Rés 1397, Rés F 1091, Qu. 19, 43, 46, 51, 55, 57, 60, 69

Bemerkung: In Qu. 46 und 69 ist das Trio im 6/4-Takt notiert.

35/9   Chaconne:

Abschriften: F-Pn Rés 1397, Qu. 19, 37, 43, 46, 47, 51, 55, 69

Druck: Trios de Differents Auteurs, Babel, 1698, II, 66

35/10   La jeune Iris me fait aimer cette chaîne:

Abschriften: F-Pn Rés 1397, Rés F 1091, Qu. 19, 37, 43, 46, 55, 57, 60, 69; GB-Lbl
                           Add 31425, 14

Transkription: d'Anglebert, Pieces de clavecin, 1689

Geistl. Parodie: Chassain, Cantiques, 1684, 73: *Chantons Chrétiens, des Hymnes de loüange*

Druck: Trios de Differents Auteurs, Babel, 1698, II, 90

35/11   Où estes-vous allé:

Abschrift: F-Pn Rés 1397

Druck: Trios de Differents Auteurs, Babel, II, 87 (zwei Takte unter Halbierung
        der Notenwerte in einem Takt notiert)

35/12   Ah ne reviendra-t-il pas:

Abschrift: F-Pn Rés 1397

Druck: Trios de Differents Auteurs, Babel, II, 88 (zwei Takte unter Halbierung
        der Taktwerte in einem Takt notiert)

35/13   Symphonie:
        Qu. 19, 37 etc. Ritournelle de Junon

Abschriften: F-Pn Rés 1397, Qu. 19, 37, 43, 46, 60

35/14   Sarabande:

Abschrift: F-Pn Rés 1397

35/15   Symphonie:

Abschrift: F-Pn Rés 1397

35/16   Symphonie:

Abschrift: F-Pn Rés 1397

35/17   Gavotte:

Abschrift: F-Pn Rés 1397

35/18   Menuet:

Abschrift: F-Pn Rés 1397

35/19   Menuet:

Abschrift: F-Pn Rés 1397

35/20   Menuet:

Abschrift: F-Pn Rés 1397

35/21   Symphonie:

Abschrift: F-Pn Rés 1397

35/22   Gavotte:

Abschrift: F-Pn Rés 1397

35/23   Menuet:

Abschrift: F-Pn Rés 1397

35/24   Contrefaiseur:

Abschrift: F-Pn Rés 1397

35/25   Symphonie:

Abschrift: F-Pn Rés 1397

35/26   Gavotte:

Abschrift: F-Pn Rés 1397

35/27   Chaconne:

Abschrift: F-Pn Rés 1397

35/28   Symphonie:

Abschrift: F-Pn Rés 1397

35/29   Symphonie:

Abschrift: F-Pn Rés 1397

35/30   Gavotte:

Abschrift: F-Pn Rés 1397

35/31   Menuet:

Abschrift: F-Pn Rés 1397

35/32   Symphonie:

Abschrift: F-Pn Rés 1397

35/33   Symphonie:

Abschrift: F-Pn Rés 1397

144

35/34 Menuet:

Abschrift: F-Pn Rés 1397

35/35 Sarabande:

Abschrift: F-Pn Rés 1397

35/36 Menuet:

Abschrift: F-Pn Rés 1397

35/37 Rondeau:

Abschrift: F-Pn Rés 1397

35/38 Symphonie:

Abschrift: F-Pn Rés 1397

35/39 Passacaille:

Identisch mit 31/6

35/40 Allemande:

Identisch mit 75/19

35/41 Chaconne:

Abschrift: F-Pn Rés 1397

35/42 Gavotte:

Abschrift: F-Pn Rés 1397

35/43   Sarabande:

Abschrift: F-Pn Rés 1397

35/44   Symphonie:

Abschrift: F-Pn Rés 1397

35/45   Gaillarde:

Abschrift: F-Pn Rés 1397

35/46   La Boutade:

Identisch mit 31/14

35/47   Chaconne:

Identisch mit 75/42

35/48   Mon coeur:

Abschrift: Qu. 19

35/49   L'autre jour:

Identisch mit 38/3

35/50   Voy ma Climene:

Identisch mit 43/38

35/51   Ritournelle des Rochers:

Identisch mit 27/32

35/52   Ritournelle d'Esculape:

Identisch mit 18/21

35/53   Jouissons:

Identisch mit 42/21

35/54   Ritournelle de Scocapur:

Identisch mit 76/3

LWV 36
LE CARNAVAL, MASCARADE

Bezeichnung:	Mascarade
Text:	Isaac de Benserade
Erste Aufführung:	18. 1. 1668 im Louvre
Librettodruck:	*Le Carnaval / Mascarade / royale / Dansée par sa Majesté le dix-huitieme / Janvier 1668. / s. l. s. d.* F-Pa 4º B 3771 (18)
Literatur:	Christout, Le Ballet de Cour, 114 f.

36/1   Ouverture:

Abschriften:	Qu. 3—6, 8—10, 11 (Rés F 656), 12, 13, 19, 21, 22, 25, 30, 31, 37, 38, 40, 41—43, 45—49, 51, 55, 58, 60, 62, 64, 68, 69, 72, 78, 79; F-V Ms mus 165; F-Pc X 108 (Dessus)
Transkriptionen:	d'Anglebert, Pieces de clavecin, 1689 Ouvertures des opera, 1725
Druck:	*Le Carnaval Mascarade,* 1720
Weltl. Parodie:	Ouvertures des opera, 1725: *Le gros Piare et moy, Un jour j'avons vu le Roy*
Wiederverwendet:	*Le Carnaval Mascarade,* 1675
Bemerkung:	Qu. 3 beginnt mit zwei Sätzen aus dem *Ballet des Gardes.* Auch Qu. 14 (Vol. IV) beginnt mit dem gleichen Satz aus dem *Ballet des Gardes*

36/2   Recit du Carnaval:

Abschriften:	Qu. 4—6, 8—13, 19, 21, 40, 78, 85
Drucke:	Les Airs . . . de la Mascarade, Pointel, 1700 *Le Carnaval Mascarade,* 1720 (Text) Bacilly, Recueil, 1668, 491; Recueil, 1680, 491
Wiederverwendet:	*Le Carnaval Mascarade,* 1675

36/3   Choeur des Jeux et des Plaisirs:

Abschriften:	Qu. 4—6, 8—13, 19, 21, 22, 40, 46, 51, 59, 60, 69, 79
Druck:	*Le Carnaval Mascarade,* 1720
Wiederverwendet:	*Le Carnaval Mascarade,* 1675

36/4

I. Entrée, les Plaisirs:

Abschriften: Qu. 4—6, 8—14, 16, 19, 21, 22, 25, 30, 32, 40, 41, 43, 46, 49, 58, 60, 63; F-Pc X 108

Druck: A. Campra, *Fragments de M. de Lully*, 1702

Wiederverwendet: A. Campra, *Fragments de M. de Lully*, 1702

36/5

Chanson des Plaisirs, second Air des Plaisirs:

Ai= mez, cher=chez   à   plaire

Abschriften: Qu. 4—6, 8—14, 16, 19, 21, 22, 25, 30, 32, 40, 41, 43, 46, 47, 55, 58, 60, 69; F-Pc X 108

Druck: (Text) Bacilly, Recueil, 1668, 488 (Quinault); Recueil, 1680, 488

36/6

II. Entrée, les Joueurs:

Abschriften: Qu. 4—6, 8—14, 16, 19, 21, 22, 25, 30, 32, 38 (Suite aus dem *Ballet de Flore*), 43, 58; F-Pc X 108

36/7

III. Entrée, les Gens de bonne chere:

Abschriften: Qu. 4—6, 8—14, 16, 19, 21, 22, 25, 30, 32, 38, 43, 58; F-Pc X 108

36/8

Chanson à boire:

Nous n'a = vons   ja = mais de   cha = grin

Abschriften: Qu. 4—6, 8—14, 16, 19, 21

36/9

IV. Entrée, les Maîtres à dancer:

Abschriften: Qu. 4—6, 8—14, 16, 19, 21, 22, 25, 30, 32, 38, 43, 58; F-Pc X 108

36/10

Canaries:

Abschriften: Qu. 4—6, 8—14, 16, 19, 21, 22, 25, 30, 32, 38, 43, 58; F-Pc X 108

36/11   V. Entrée, Masques ridicules:

Abschriften: Qu. 4—6, 8—14, 16, 19, 21, 22, 25, 30, 32, 38, 41, 43, 58, 60

36/12   VI. Entrée, Masques serieux:
                 Qu. 5: Symphonie; Qu. 19, 21, 43, 60, 78: Sarabande

Abschriften: Qu. 4—6, 8—13, 16, 19, 22, 25, 30, 32, 40, 41, 43, 58, 60, 78; F-Pc X 108
                        Abschriften in Exzerpten des *Carnaval* von 1675: Qu. 38, 45, 48, 72, 85

Druck: *Le Carnaval Mascarade,* 1720

Wiederverwendet: *Le Carnaval Mascarade,* 1675

36/13   Chanson de la Galanterie:

Abschriften: Qu. 4—6, 8—13, 19, 21, 40; (*Carnaval* von 1675) Qu. 85

Druck: *Le Carnaval Mascarade,* 1720
                        (Text) Bacilly, Recueil, 1668, 493 (Quinault); Recueil, 1680, 493

Wiederverwendet: *Le Carnaval Mascarade,* 1675

36/14   VII. Entrée, le Carnaval:
                 Qu. 78: Sarabande; Carnaval (1675): Les Polichinels

Abschriften: Qu. 4—6, 8, 9, 10 (in *Carnaval-* und *Pourceaugnac*-Suite), 12, 13, 19, 30
                        (in *Pourceaugnac*-Suite und jener aus dem *Ballet des Muses*), 21, 22, 25,
                        32, 40, 41, 43, 58, 60, 78; F-V Ms mus 137, F-Pc X 108
                        Abschriften in Exzerpten aus *Le Carnaval* von 1675: Qu. 31, 38, 45, 48, 72

Druck: *Le Carnaval Mascarade,* 1720 (im 6/4-Takt notiert)

Wiederverwendet: *Le Carnaval Mascarade,* 1675

36/15   Dialogue du Carnaval et de la Galanterie:

Abschriften: Qu. 4—6, 8—13, 19, 21, 40; (*Carnaval,* 1675) Qu. 78

Druck: *Le Carnaval Mascarade,* 1720

Wiederverwendet: *Le Carnaval Mascarade,* 1675

36/16   Choeur:

Chan=tons et dan=sons et dan=sons

Abschriften: Qu. 4—6, 8—13, 19, 21, 40; (*Carnaval*, 1675) Qu. 78

Druck: *Le Carnaval Mascarade*, 1720

Wiederverwendet: *Le Carnaval Mascarade*, 1675

36/17   Gavotte pour les mêmes:

Abschriften: Qu. 16, 22, 30, 32, 41, 43, 58 (dreimal), 60

LWV 37
PLAUDE LAETARE

Bezeichnung: Motet

Text: Pierre Perrin

Erste Aufführung: 7. 4. 1668. Der Text wurde gedichtet 1661 anläßlich der Geburt des
                    Dauphin

Plau=de, plau=de, lae=ta=re   Gal=li=a

Abschriften: F-Pc Rés F 1110; F-Pn Vm¹ 1040; D-B Mus ms 13260; B-BR Ms II 3847;
                    F-Pn Rés F 1714; Rés 697 (basse continue); DDR-Dl(b) Mus 1827-D-1 und D-2
                    F-LYm 133719

Stimmendruck: *Motets / à deux choeurs / Pour la Chapelle du Roy. / Mis en Musique /
                    Par Monsieur De Lully Escuyer, Conseiller Secretaire du Roy, / Maison,
                    Couronne de France & de ses Finances, & Sur-Intendant / de la Musique
                    de Sa Majesté / [Stimmbezeichnung] / A Paris / Par Christophe Ballard . . .
                    1684*

Druck des Textes: *Motets et Elévations Pour la Chapelle Du Roy, Ballard, 1703*

Literatur: Prunières, Lully, 87

LWV 38
LE GRAND DIVERTISSEMENT ROYAL DE VERSAILLES
(GEORGE DANDIN)

Bezeichnung: Divertissement, Comédie

Text: Jean Baptiste Poquelin Molière

Erste Aufführung: 18. 8. 1668 in Versailles

Librettodrucke:	*Le Grand / Divertissement / Royal / De / Versailles. / Paris, Robert Ballard, 1668,* F-Pn Yf 1393 *Relation / de la Feste / de Versailles. / Du dix-huitiéme Juillet mil six cens soixante-huit. / Paris, Pierre Le Petit, 1668,* F-Pn Rés Yf 1227 Weitere Ausgaben, vgl. A.-L. Guibert, Bibliographie, I, 282—292, II, 512.
Literatur:	Prunières, L'Opéra Italien, 350—351; Pellisson, Comédies-ballets, passim; Christout, Le Ballet de Cour, 115 f.

38/1	Ouverture: Qu. 4, 11, 12, etc.: Ouverture de la Feste de Versailles; Qu. 22: Ouverture du petit Regal de Versailles

Abschriften:	Qu. 1, 4—6, 8—14, 16, 19, 22, 25, 30, 32, 38, 40, 41—43, 46, 51, 55, 58, 60, 64, 66, 69; F-Pc X 108 (Dessus)

38/2	Air pour les Bergers: Qu. 22: Menuet, flustes; 40, 55 etc.: Les contre-veritez; Ballet des Saisons: Marche

Abschriften:	Qu. 1, 4—6, 8—14, 16, 19, 22, 25, 30, 32, 38, 40, 41—43, 46, 51, 55, 57, 58, 60, 63, 66, 69; F-Pc X 108
Drucke:	Trios de Differents Auteurs, Babel, II, 124 P. Collasse, *Ballet des Saisons,* 1695 und 1700
Weltl. Parodien, hs.:	Chansonnier Maurepas 12622, 153 (1691, adressée à Philippes Emanuel de Coulanges, par Philippe de Mancini, duc de Nevers): *Croyez, cher Coulanges, Que tout l'or du Gange;* ebd. 12618, 245 (1669, sur Anne-Lucie de la Motte Houdancourt): *Climene soupire Plus elle entend rire Que le Roy n'est pas impuissant;* ebd. 247 (1669, sur Julie-Marie de Ste Maure): *D'une douce haleine Zephir dans la pleine;* ebd. 251: *Crussol est alerte Crequy pour la perte;* ebd. 275: *Le Roy est affable, La Reyne est aimable;* ebd. 12639, 161 (1669): *Crequy est coquette, De Luyne est folette;* ebd. 194 (1669): *De Sault n'est pas brave, Roannes est trop grave;* ebd. 196 (1669, sur M. de Nogent): *Que j'aime ce page Fait au badinage;* ebd. 12640, 184 (1680): *Le Dreux n'est pas peste, Son trein est modeste;* ebd. 12641, 247 (1691, à M. le duc de Nevers): *Rome etoit aimable, Plaisant agreable* (de Coulanges); ebd. 249 (1691): *Rien ne me contente*
Drucke:	Nouv. Par. bach., 1702, III, 135: *Lucas est aymable, Quand il est à table* La Clef des chansonniers, 1717, I, 10: *Lucas est aimable* de Coulanges, Recueil, 1698, 267, Chansons, 1754, 130: *C*** est aimable, Quand il est à table*
Wiederverwendet:	P. Collasse, *Ballet des Saisons,* 1695
Timbre:	Les Contre-verités (Maurepas) Marsan est aimable (Maurepas)

38/3   Climene et Cloris, les flûtes et les violons:

L'au=tre jour d'An=net=te j'en = ten=dis

Abschriften: Qu. 1, 4—6, 8—14, 19, 39, 40, 42, 43, 51, 55, 57, 69

Transkription: Duo choisis, 1728, 70

Drucke: Trios de Differents Auteurs, Babel, I, 58
                      Airs du grand divertissement royal, s.l.s.d. F-Pn Rés Vmc 173(3)
                      A. Campra, *Fragments de M. de Lully*, 1702
                      (Text) Bacilly, Recueil, 1668, 503

Geistl. Parodie: F. Pascal, Cant. spir. ou Noëls, 1672, 53:
                      Depéche Nannette d'éveiller Margot, Et dit à Perrette d'appeller Guillot

Wiederverwendet: Trio pour la Chambre du Roi
                      A. Campra, *Fragments de M. de Lully*, 1702

Bemerkung: Das Double ist nur in Qu. 14 überliefert

38/4   Dialogue, Cloris, Climene:

Lais = sez-nous en re = pos Phi=le = ne   Ah! belle in=hu = mai=ne

Abschriften: Qu. 1, 4—6, 8—14, 19

38/5   Premier acte, Ritournelle, Cloris:
                      Qu. 4 etc.: Plainte de Cloris

Ah! mor = tel=les   dou=leurs!

Abschriften: Qu. 1, 4—6, 8—14, 19, 40, 83; F-Pn Vm² 21 (am Ende des *Atys*)

Druck: Airs du grand divertissement royal, s.l.s.d. 1—4
                      (Text) Bacilly, Recueil, 1668, 502; Recueil, 1680, 501

Geistl. Parodie: F. Pascal, Cant. spir. ou Noëls, 1672, 52:
                      Ha! Seigneur, vos bontez Ne se peuvent comprendre

38/6   Second acte, Entrée de Bateliers:
                      Qu. 4 etc. Les Mariniers

Abschriften: Qu. 1, 4—6, 8—14, 16, 19, 22, 25, 30, 32, 38, 41—43, 46, 55, 58, 60,
                      66; F-Pc X 108

38/7   Troisième acte, Rondeau pour les Bergers:

Abschriften: Qu. 1, 22, 30, 32, 38, 40, 41—43, 46, 47, 55, 58
                      Abschriften in Exzerpten aus *Les Fêtes de l'Amour:* Qu. 22, 31, 45, 58—50,
                      52, 60, 69, 72; F-V Ms mus 137

Drucke:	Les Simphonies à 4 ... Des Festes de l'Amour, Pointel *Les Festes de l'Amour et de Bacchus*, 1717
Weltl. Parodie:	Nouv. Par. bach., 1700, I, 6: *Je possede un grand Empire, cet Empire est la tranquillité* (M. V.); dass. S. Vergier, Oeuvres, 1726, 246
Wiederverwendet:	*Le Ballet des Ballets*, 1671 *Les Fêtes de l'Amour et de Bacchus*, 1672

38/8 Tircis:

Abschriften:	Qu. 1, 11, 40 Abschriften in Exzerpten aus *Les Fêtes de l'Amour:* Qu. 75, 78, 85
Drucke:	Airs du grand divertissement royal, s.l.s.d. 4—5 *Les Festes de l'Amour et de Bacchus*, 1717 Petite Bibliothèque des Théâtres, 1784, 6 (Noten) (Text) Bacilly, Recueil, 1668, 509; Recueil, 1680, 509
Weltl. Parodien, hs.:	F-Pa 4842, 214: *La disette des chapeaux donne un teint pâle aux coquettes,* dass. GB-Lbl Egerton 1520, IV, 122
Geistl. Parodie:	F. Pascal, Cant. spir. ou Noëls, 1672, 41: *Avant que l'Astre du jour fut sorty du sein de l'Onde*
Wiederverwendet:	*Le Ballet des Ballets*, 1671 *Les Fêtes de l'Amour et de Bacchus*, 1672
Bemerkung:	Das Double stammt vermutlich von Michel Lambert.

38/9 Ritournelle, Climene:

Abschriften:	Qu. 1, 11, 40, 58 Abschriften in Exzerpten aus *Les Fêtes de l'Amour:* Qu. 22, 75, 78, 85; F-V Ms mus 137
Drucke:	Airs du grand divertissement royal, s.l.s.d. 6—7 *Les Festes de l'Amour et de Bacchus*, 1717 Petite Bibliothèque des Théâtres, 1784, 10 (Noten) (Text) Bacilly, Recueil, 1668, 504; Recueil, 1680, 503
Wiederverwendet:	*Ballet des Ballets*, 1671 *Les Fêtes de l'Amour et de Bacchus*, 1672
Bemerkung:	Das Double in ehemals GB-T Ms 267 ist verschieden von jenem des Druckes von 1717.

38/10 Choeur:

Abschriften:	Qu. 1, 22, 40, 58 Abschriften in Exzerpten aus *Les Fêtes de l'Amour:* Qu. 22, 50, 85

Drucke:	*Les Festes de l'Amour et de Bacchus*, 1717 (Text) Bacilly, Recueil, 1668, 508; Recueil, 1680, 508
Wiederverwendet:	*Ballet des Ballets*, 1671 *Les Fêtes de l'Amour et de Bacchus*, 1672

38/11   Choeur de Bacchus:

Abschriften:	Qu. 1, 22, 32, 40, 58 Abschriften in Exzerpten aus *Les Fêtes de l'Amour:* Qu. 22, 35, 50
Drucke:	Les Simphonies à 4 . . . Des Festes de l'Amour, Pointel *Les Festes de l'Amour et de Bacchus*, 1717
Wiederverwendet:	*Ballet des Ballets*, 1671 *Les Fêtes de l'Amour et de Bacchus*, 1672

38/12   Un Suivant de Bacchus:

Abschriften:	Qu. 1, 40 Abschriften in Exzerpten aus *Les Fêtes de l'Amour:* Qu. 17, 22, 35, 49, 59, 78
Drucke:	Les Trio, Blaeu, 1690, I, 60 Les Simphonies à 4 . . . Des Festes de l'Amour, Pointel (Text) Bacilly, Recueil, 1668, 506; Recueil, 1680, 506
Wiederverwendet:	*Ballet des Ballets*, 1671 *Les Fêtes de l'Amour et de Bacchus*, 1672

38/13   Choeur de Bacchus, les deux Choeurs:

Abschriften:	Qu. 1, 22, 40; (Les Festes) Qu. 35
Wiederverwendet:	*Ballet des Ballets*, 1671 *Les Fêtes de l'Amour et de Bacchus*, 1672

38/14   Entrée:
                         Qu. 22, 32, etc. Menuet

Abschriften:	Qu. 1, 11, 22, 30—32, 38, 41, 43, 46, 58 Abschriften in Exzerpten aus *Les Fêtes de l'Amour:* Qu. 22, 38, 45, 48, 49, 52, 60; F-V Ms mus 137
Druck:	Les Simphonies à 4 . . . Des Festes de l'Amour, Pointel
Wiederverwendet:	*Ballet des Ballets*, 1671 *Les Fêtes de l'Amour et de Bacchus*, 1672

LWV 39
LA GROTTE DE VERSAILLES

Bezeichnung:	Eglogue en musique
Text:	Philippe Quinault
Erste Aufführung:	April (?) 1668
Librettodruck:	*La Grotte de Versailles, éclogue en musique, Paris, Ballard, 1668,* F-Pn Rés Yf 2145
Abschriften in Partition générale:	F-Pn Rés F 661, Rés F 532 (Vignol scripsit), F-V Ms mus 103 und 104, F-Pn Rés F 595, F-Pa M 880², F-B Ms 13745, F-Pn Vm⁷ 501, Vm⁶ 6, F-B Ms Z 505, F-A Ms 1202, S-Uu Vok mus ihs 59 F-LYm Ms 133631, F-PMeyer, F-LYm Ms 27267
Druck in Partition générale:	*Idylle / sur la Paix, /Avec l'Eglogue / de Versailles, / et plusieurs Pieces de Symphonie, / Mises en Musique / Par Monsieur De Lully, Escuyer, Conseiller / Secretaire du Roy, Maison, Couronne de France & de ses Finances, / & Sur-Intendant de la Musique de Sa Majesté. / [Druckerzeichen Ballards] A Paris, / Par Christophe Ballard, seul Imprimeur du Roy pour la Musique, / ruë Saint Jean de Beauvais, au Mont-Parnasse. / Et se vend / A la Porte de l'Academie Royalle de Musique ruë Saint Honoré. / M.DC.LXXXV. / Avec Privilege de Sa Majesté*
Stimmen:	Qu. 21, 22, 29; ehemals GB-T Ms 19—22, jetzt F-Pn Rés F 1707 (1703, Philidor, Vokalstimmen), Ms 148—151 (Instrumentalstimmen), S-Uu Vok mus ihs 61:2 (basse vocale, dessus de violon I, II, taille, basse) F-Mc (basse continue)
Ariendruck:	Les Airs / De la Grotte / De Versailles, / et / de la Mascarade. / Propres à Chanter & à Joüer sur toutes / sortes d'Instruments. / Par Monsieur De Lully, Sur-Intendant de la / Musique du Roy. The Airs / of the Grotti / of Versailles, / . . . Amsterdam, / By Anthony Pointel, in die Kalverstraat . . . 1700 In einer kleinen Annonce der „Fragmens d'Opera: ou Choix de Recits . . . . extraits de Roland, d'Armide . . ." von 1742 werden „d'autres Fragments d'Opera, in-12. sous le titre d'Airs détachés de . . . la Grotte ou de l'Eglogue de Versailles" erwähnt.
Literatur:	Prunières, L'Opéra Italien, 351; Isherwood, Music in the service, 276 f.
Bemerkung:	Nach Le Cerf de la Viéville, Comparaison, II, 123, ist der Text von Pellisson.

39/1	Ouverture:

Abschriften:	Qu. 22, 30, 32, 36—38, 41, 42, 44—52, 55, 56, 58, 60, 62, 64, 68, 69, 72, 78, 79; F-V Ms mus 165; F-Pc X 108 (Dessus)
Transkriptionen:	F-Pn Rés 1106, 77 (Laute) F-Pc Rés F 933 (Cembalo) F-Pc Rés F 844, 72, 258 (zwei verschiedene Fassungen, Gitarre) A-Wm Ms 743, 44 (Cembalo); F-B Ms 279.152 (Laute) Ouvertures des opera, 1725, 36
Weltl. Parodie:	Ouvertures des opera, 1725, 36: *Non, trop aimable Isis, Ny vos mépris Ny vos rigueurs*

39/2   Silvandre:

Druck: Les Airs de la Grotte de Versailles, Pointel, 1700

39/3   Choeurs:

Abschriften: Qu. 22, 30, 38, 42, 50, 60

39/4   Choeurs:

Abschriften: Qu. 22, 30, 32, 36, 38, 41, 42, 45, 46, 48, 50, 52, 55, 58, 60, 66, 69,
                             72, 78; F-Pc X 108

Druck: Les Airs de la Grotte de Versailles, Pointel 1700
                             (Text) Bacilly, Recueil, 1668, 465; Recueil, 1680, 465

Weltl. Parodien: Par. bach., 1696, 50, Nouv. Par. bach., 1700, I, 86: *Dans ces charmantes
                             retraittes N'imitons point tous ces sots* (M.D.L.F.)

39/5   Ritournelle, Iris, Caliste:

Abschriften: Qu. 22, 30, 32, 36—38, 41, 42, 44—52, 55, 57, 60, 66, 69, 70, 72, 78,
                             79; S-Sk 5173; F-Pn Rés Vma ms 958, 104; F-Pc X 108

Transkription: Duo choisis, 1728, 51

Drucke: Trios de Differents Auteurs, Babel, I
                             Les Airs de la Grotte de Versailles, Pointel, 1700
                             (Text) Bacilly, Recueil, 1668, 462; Recueil, 1680, 462

Weltl. Parodien, hs.:   F-Pa 4843, 200: *L'éclat des yeux d'Isis m'enchante, Cette liqueur me rend
                             content*

Drucke: Nouv. Par. bach., 1700, I, 89: *Faux Ratafia boisson mortelle, Tous les
                             piquants sont superflus*
                             Théâtre de la Foire, 1721, III, 131 (Air 155)
                             J. Lebas, Festin Joyeux, 1738, II, 93: *Une épaule de bonne mine*

Geistl. Parodien: A.H.P.E.L.D.L., Cant. spir., Lyon, 1692, 13: *Accourons vite, Bergere,
                             Pour adorer le Fils de Dieu*
                             Pellegrin, Cant. spir., 1701, 156: *Ah! que j'aime la solitude! Qu'elle a de
                             charmes à mes yeux;* ebd. 1706, 335: *Vous qui vivez dans la misere, Partez
                             au ciel*
                             ders., Noëls, 1702, 16: *Apres un sort si plein de charmes;* ebd. 1709, Rec.
                             V, 363: *Ce cher Enfant qui vient de naître*
                             ders., Histoire, 1702, 86: *Les plaisirs ne sont pleins de charmes / Que pour
                             causer des maux affreux*

ders., Les Pseaumes, 1705, 69: *C'est jusqu'à toi, Maître suprème;* ebd. 198: *Que dans Sion chacun s'unisse Pour vous chanter, Dieu plein d'appas*

Cant. spir., Lille, 1718, 222: *Pensons à la vie éternelle / Le Temps ne dure pas toûjours*

Pellegrin, L'Imitation, 1727: *Apres un sort si plein de charmes*

Desessartz, Nouv. poésies spir., 1730, I, 44: *Dans les cieux est un Dieu qui m'aime*

Pellegrin, Cant. spir., Reims, 1811, 69: *Ah que j'aime la solitude*

39/6	Menalque:

Druck:	Les Airs de la Grotte de Versailles, Pointel, 1700

39/7	Menalque et Corridon:

Abschriften:	Qu. 22, 42, 46, 49, 51, 55, 57, 66, 69, 79
Druck:	Les Airs de la Grotte de Versailles, Pointel, 1700
Weltl. Parodie:	Nouv. Par. bach. I, 92: *Tu veux donc voir en buvant* (M. Vault)

39/8	Daphnis, Choeur:
	Qu. 36: Ritournelle des rossignols; Qu. 22: Chantez rossignols; Qu. 41, 46, 55, 60 etc.: Chantez dans ces lieux sauvages; Qu. 72, 78: le rossignol; S-Uu Vok mus ihs 59: Menuet

Abschriften:	Qu. 1, 22, 27, 30, 32, 36—38, 41, 43, 45, 46, 48, 52, 55, 58, 60, 67, 69, 72, 78; F-Pc X 108
Druck:	Les Airs de la Grotte de Versailles, Pointel 1700
Weltl. Parodien, hs.:	F-Pa 4843, 265: *Chantez, chantez, chers yvrognes*
Druck:	Par. bach., 1696, 51: *Chantez, chantez, chers yvrognes* (M.D.L.F.)
Geistl. Parodie:	F. Pascal, Cant. spir., ou Noëls, 1672, 66: *Chantons Bergers & Bergeres, Chantons à ce Roy des Roys*

39/9	Menuet:
	F-Pc Rés F 532; Qu. 41, 46, 60, 69: Loure

Abschriften:	Qu. 22, 30, 32, 36, 38, 41, 42, 44—46, 48, 50, 52, 55, 58, 60, 64, 69, 72, 78; F-Pc X 108
Weltl. Parodien:	Par. bach., 1696, 52, Nouv. Par. bach., 1700, I, 95: *Amis, n'ayons plus de tendresse, Ne soûpirons que pour le vin* (M.D.L.F.)

157

39/10   Ritournelle, Iris et Caliste:
                                 Qu. 71: Trio; Duo choisis: Loure

Abschriften:	Qu. 22, 30, 38, 41, 42, 44—47, 49—52, 55, 57, 60, 69, 71, 72, 79
Transkriptionen:	Qu. 39: (drei Trompeten, C-Dur) Duo choisis, 1728, 7
Drucke:	Airs de la Grotte de Versailles, Pointel, 1700 Trios de Differents Auteurs, Babel, II, 80 (C-Dur) (Text) Bacilly, Recueil, 1668, 484; Recueil, 1680, 484
Weltl. Parodien, hs.:	Chansonnier Maurepas 12618, 221 (1668, sur St. Pavin Prieur de St. Cosme): *Saint Pavin Bourgeois de Sodome Voyant Dom Cosme;* ebd. 12641, 437 (1692, sur la comtesse de Vienne): *Chez la Vienne on vit sans contrainte, On y f . . . sans crainte* F-Pa 4842, 218: *Saint Pavin ce roy de Sodome A dit à Dom Sosme;* dass. GB-Lbl Egerton 1519, 21 GB-Lbl Egerton 1521, 94: *Chez la Vienne . . .*
Drucke:	Nouv. Par. bach., 1700, I, 97: *Croyez-vous pour vous, Aminte, Je quitte la pinte?* (M. Vault)
Geistl. Parodien:	F. Pascal, Cant. spir., ou Noëls, 1672, 40: *Ha! que d'Adam le premier homme, Le morceau de pomme Nous fit grand tort* Pellegrin, Histoire, 1702, 435: *Que la foy brille dans nos ames* ders. Les Pseaumes, 1705, N°. 22 ders. L'Imitation, 1727: *Que la foy brille dans nos ames*

39/11   Ritournelle, Iris:

Abschriften:	Qu. 22, 30, 38, 42, 44, 45, 49—52, 55, 57, 69, 79, 81
Druck:	Les Airs de la Grotte de Versailles, Pointel, 1700 (Text) Bacilly, Recueil, 1668, 471; Recueil, 1680, 471
Weltl. Parodie:	Nouv. Par. bach., 1700, I, 100: *Dans une cave pleine, Buveurs, que votre sort est doux* (M. Vault); Text des Double: *Par un malheur extreme* (M. Vault)
Geistl. Parodien:	Par. spir. en forme de cantates, 1717, 50: *Dans ma misere extrême, Seigneur, je n'ay recours qu'à vous* Desessartz, Nouv. poésies spir., 1731, II, 26: *Splendeur, beauté suprême* (a-Moll)
Bemerkung:	Nach Le Cerf de la Viéville, Comparaison, I, 24 und II, 185, stammt das Double von Michel Lambert

39/12   Choeurs:

Abschriften:	Qu. 22, 30, 38, 42, 50

39/13   Air des echos:

Abschriften:	Qu. 22, 30, 32, 36—38, 41, 42, 44—46, 48—52, 55, 58, 60, 62, 64, 69, 71, 72, 78; F-Pc X 108
Transkription:	F-Pn Rés 1106, 79 (Laute)
Weltl. Parodien, hs.:	F-Pa 4843, 265: *Mon Iris, croy-moy, Viens t'en boire avec moy;* dass. GB-Lbl Egerton 1520, III, 59
Druck:	Par. bach., 1696, 53: *Mon Iris, croy-moy*

LWV 40
BALLET DE FLORE

Bezeichnung:	Ballet
Text:	Isaac de Benserade
Erste Aufführung:	13. 2. 1669 in den Tuileries (Grand Salon)
Librettodruck:	*Ballet / royal / de Flore / Dansé par sa Majesté, le mois / de Febvrier 1669. / Paris, Robert Ballard, 1669,* F-Pa 4⁰ B 3771 (19). F-Pn
Literatur:	La Laurencie, Lully, 115 f.; Silin, Benserade, 384—391; Christout, Le Ballet de Cour, 116 f.

40/1   Ouverture:

Abschriften:	Qu. 1, 4—6, 8—14, 16, 19, 20, 22, 25, 30, 32, 37 (zweimal), 38, 40—43, 46, 47, 51, 55, 58, 60, 64, 69, 71; GB-Lbl Add 24889, 28; S-Uu instr Mus ihs 10:9; F-Pc X 108 (Dessus)
Transkription:	GB-Lbl Add 39569, 104 (Cembalo)

40/2   Recit de l'Hyver:

Abschriften:	Qu. 1, 4—6, 8—14, 19, 40
Drucke:	Airs / du ballet royal / de Flore, s. d. [ohne Titelblatt], F-Pn Rés Vmc 173 (2) (Text) Bacilly, Recueil, 1680, 525

40/3   Choeur des glaçons:

Abschriften: Qu. 1, 35, 40, 42

40/4   I. Entrée, Sa Majesté representant le Soleil:

Abschriften: Qu. 1, 4—6, 8—14, 16, 22, 25, 30, 32, 38, 40—43, 46, 47, 55, 58, 60, 69;
GB-Lbl Add 24889, 28; S-Uu instr Mus ihs 10:9; F-Pc X 108

40/5   II. Entrée, Flore:

Abschriften: Qu. 22: Menuet; S-Uu instr Mus ihs 10:9: Sarabande
Qu. 1, 4—6, 8—14, 16, 19, 22, 25, 30, 32, 38, 40—43, 46, 47, 55, 58, 60, ·
69; GB-Lbl Add 24889, 28; S-Uu instr Mus ihs 10:9; F-Pc X 108

Weltl. Parodien, hs.:   F-Pa 4843, I, n° 144: *Pauvre Grisel Quand ton mal seroit sel*

Druck: La Clef des chansonniers, 1717, I, 188: *Je ne bois plus, Je vis comme un reclus*

40/6   III. Entrée, les Nymphes:
Qu. 1 etc. les Nayades et les Driades: Qu. 16, 22, 69: Gavotte

Abschriften: Qu. 1, 4—6, 8—14, 16, 20, 22, 25, 30, 32, 38, 41—43, 46, 58, 60, 69;
S-Uu instr Mus ihs 10:9; F-Pc X 108

40/7   Bourrée pour les mêmes:

Abschriften: Qu. 1, 4—6, 8—14, 16, 20, 22, 25, 30, 32, 38, 41—43, 46, 58, 60, 69;
GB-Lbl Add 24889, 29; S-Uu instr Mus ihs 10:9; F-Pc X 108

Transkription: B-Bc 27220 (Cembalo)

Weltl. Parodie: La Clef des chansonniers, 1717, I, 212: *Vos yeux remplis d'appas, Ne peuvent pas charmer mon âme*

40/8

IV. Entrée, le Printemps:

Abschriften: Qu. 1, 4—6, 8—14, 16, 20, 22, 25, 30, 32, 38, 41—43, 58, 60; GB-Lbl
Add 24889, 30; F-Pc X 108

40/9

V. Entrée, les Jardiniers:

Abschriften: Qu. 1, 4—6, 8—14, 16, 20, 22, 25, 30, 32, 38, 41—43, 58, 60; GB-Lbl
Add 24889; S-Uu instr Mus ihs 10:9; F-Pc X 108

40/10

VI. Entrée, les Galants, les Galantes:

Abschriften: Qu. 1, 4—6, 8—14, 16, 20, 22, 25, 30, 32, 38, 41—43, 58; S-Uu instr
Mus ihs 10:9; F-Pc X 108

40/11

Menuet pour les mêmes:

Abschriften: Qu. 1, 4—6, 8—14, 16, 20, 22, 25, 30, 32, 38, 41—43, 58, 60; GB-Lbl
Add 24889, 30; F-Pc X 108

40/12

VII. Entrée, quatre Esclaves:

Abschriften: Qu. 1, 4—6, 8—14, 16, 20, 22, 25, 30, 32, 38, 42, 43, 58; GB-Lbl Add
24889, 32; F-Pc X 108

40/13

VIII. Entrée, les Debauchez:

Abschriften: Qu. 1, 4—6, 8—14, 16, 20, 22, 25, 30, 32, 38, 42, 43, 58; GB-Lbl Add
24889, 32; F-Pc X 108

40/14   Menuet pour les mêmes:

Abschriften: Qu. 1, 4—6, 8—14, 20, 22, 25, 30—32, 38, 42, 43, 55, 58, 60; GB-Lbl
                         Add 24889, 32; F-Pc X 108
                         Abschriften in Exzerpten aus *Les Fêtes de l'Amour et de Bacchus:* Qu. 22,
                         38, 45, 48—50, 52, 60, 78

Drucke: Les Simphonies à 4 . . . Des Festes de l'Amour, Pointel
                         Les Festes de l'Amour et de Bacchus, 1717

Weltl. Parodie: Concerts parodiques, 1725, II, 16: *Si j'ay le coeur fidelle et sincere*

Wiederverwendet: *Les Fêtes de l'Amour et de Bacchus,* 1672

40/15   Serenade pour les nouveaux Mariez:
                         Qu. 1: Ritournelle pour la Serenade; Qu. 55: Symphonie pour les nou-
                         veaux mariés; Qu. 38, 72: Sarabande

Abschriften: Qu. 1, 4, 20, 40, 42, 49, 51, 55
                         Abschriften in Exzerpten aus *Le Carnaval:* Qu. 22, 31, 38, 45, 48, 59,
                         69, 72, 85

Druck: *Le Carnaval Mascarade, 1720*

Wiederverwendet: *Le Carnaval Mascarade, 1675*

Bemerkung: In dem Librettodruck F-Pa 4º B 3771 fehlt ein Hinweis auf die Serenade
                         wie auch die Texte von 40/16 und 17

40/16   Un Musicien:

Abschriften: Qu. 1, 4, 20, 40, 42; (Carnaval) Qu. 79

Drucke: Airs du ballet royal de Flore, s. d., 2
                         Le Carnaval Mascaraäde, 1720
                         (Text) Bacilly, Recueil, 1680, 527

Wiederverwendet: *Le Carnaval Mascarade, 1675*

40/17   Première Musicienne:

Abschriften: Qu. 1, 4, 20, 40; (Carnaval) Qu. 85

Drucke: Airs du ballet royal de Flore, s. d., 2vº
                         Le Carnaval Mascarade, 1720
                         (Text) Bacilly, Recueil, 1680, 527

Wiederverwendet: *Le Carnaval Mascarade, 1675*

Bemerkung: Das Double erscheint in den verschiedenen Abschriften sowie jenen von
                         Le Carnaval Mascarade mit zahlreichen Varianten.

40/18   IX. Entrée, le Marié et la Mariée:

Abschriften:	Qu. 1, 4, 11, 20, 22, 30, 32, 37, 42, 43, 44, 46, 47, 51, 55, 58, 64, 71; F-V Ms mus 137; GB-Lbl Add 24889; F-Pn Vm⁷ 3555; F-Pc X 108 Abschriften in Exzerpten aus *Les Fêtes de l'Amour et de Bacchus* und *Le Carnaval Mascarade:* Qu. 22, 31, 38, 45, 46, 48—50, 52, 60, 66, 69, 72, 78
Drucke:	Les Simphonies à 4 . . . Des Festes de l'Amour, Pointel *Les Festes de l'Amour et de Bacchus,* 1717 *Le Carnaval Mascarade,* 1720
Weltl. Parodien, hs.:	GB-Lbl Egerton 1519, 109: *Quoy chaque coup que je bois, Cruelle Iris, tu me blasmes*
Drucke:	Par. bach., 1695, 1, 1696, 6, du Fresne, 1696, 1, Nouv. Par. bach., 1700, I, 1: *Quoy chaque fois que je bois, Cruelle Iris, tu me blâmes?* (M. V.); dassⅼ S. Vergier, Oeuvres, 1726, 217
Wiederverwendet:	*Les Fêtes de l'Amour et de Bacchus,* 1672 *Le Carnaval Mascarade,* 1675

40/19   Une Musicienne:

Abschrift:	Qu. 1

40/20   X. Entrée, l'Aurore:

Abschriften:	Qu. 1, 4—6, 8—14, 16, 20, 22, 25, 30, 32, 38, 41—43; F-Pc X 108

40/21   XI. Entrée, les Heures:

Abschriften:	Qu. 1, 4—6, 8—14, 16, 20, 22, 25, 30, 32, 38, 41—43; F-Pc X 108

40/22   XII. Entrée, Vertumne:
                                  Qu. 30: Les Traciens

Abschriften:	Qu. 1, 4—6, 8—14, 16, 20, 22, 25, 30, 32, 38, 41—43; F-Pc X 108

40/23   Ritournelle, Plainte de Venus sur la mort d'Adonis:

Abschriften: (Ritournelle) Qu. 4; 5 (C-Dur); (Air) Qu. 1, 4, 5, 20, 40; (Double) Qu. 1, 4, 5, 40

Drucke: Airs du ballet royal de Flore, s. d., 3
       (Text) Bacilly, Recueil, 1680, 526

40/24   Ritournelle, Venus:

Abschriften: (Ritournelle) Qu. 1, 40; (Air) Qu. 1, 40

40/25   XIII. Entrée, Proserpine avec deux Compagnes:

Abschriften: Qu. 1, 4—6, 8—14, 16, 20, 22, 25, 30, 32, 38, 41—43, 60; F-Pc X 108

40/26   Pluton:

Abschriften: Qu. 1, 4—6, 8—14, 16, 20, 22, 25, 30, 32, 38, 41—43; GB-Lbl Add 24889, 30; F-Pc X 108

40/27   Douze Démons:

Abschriften: Qu. 1, 4—6, 8—14, 16, 20, 22, 25, 30, 32, 38, 41—43; GB-Lbl Add 24889, 30; F-Pc X 108

40/28   XIV. Entrée, six Héros:

Abschriften: Qu. 1, 4—6, 8—14, 16, 20, 22, 25, 30, 32, 38, 41—43; GB-Lbl Add 24889, 31; F-Pc X 108

40/29   Second Air:

Abschriften: Qu. 1, 43: Bourrée
                       Qu. 1, 4—6, 8—14, 16, 20, 22, 25, 30, 32, 38, 41—43, 60; GB-Lbl Add
                       24889, 31; F-Pc X 108

40/30   Jupiter:

Abschrift: Qu. 1

40/31   Le Destin:

Abschriften: Qu. 1; 4, 5, 20 (C-Dur)
Druck: Airs du ballet royal de Flore, s. d., 4v⁰

40/32   Jupiter et le Destin:

Abschriften: Qu. 1; 4, 5, 20 (C-Dur)
Druck: Airs du ballet royal de Flore, s. d., 5

40/33   XV. Entrée, deux Trompettes, Marche à la tête de quatre Quadrilles:

Abschriften: Qu. 1, 4—6, 9—14, 16, 20, 22, 24, 25, 30, 32, 38, 39,. 42, 43, 46, 58,
                       60; F-Pc X 108

40/34   Prelude, les quatre Parties du Monde:
                 Qu. 32, 43, 46: Prelude des quatre Nations

Abschriften: Qu. 1, 4—6, 8—14, 16, 20, 22, 25, 30, 32, 38, 40, 42, 43, 46, 49, 50, 60;
                       GB-Lbl Add 24889, 33; F-Pc X 108
                       Abschriften des Air: Qu. 1, 4, 5, 20, 40

Drucke: Airs du ballet royal de Flore, s. d., 5v⁰
                       A. Campra, *Fragments de M. de Lully*, 1702
                       (Text) Bacilly, Recueil, 1680, 525

Wiederverwendet: A. Campra, *Fragments de M. de Lully*, 1702

40/35

Pour le Roy Européen:
Qu. 1: Pour les quatre Parties du Monde; Qu. 43, 46: Entrée du Roy representant les quatre Parties du Monde; Qu. 60: Entrée du Roy représentant les quatre Nations; Qu. 22: Roys Indiens

Abschriften:

Qu. 1, 4—6, 9—14, 16, 20, 22, 25, 30, 32, 38, 40, 42, 43, 46, 58, 60, 63; F-Pc X 108

40/36

Choeur des quatre Parties du Monde (Grande Musique):

Ve=nez, ve=nez, peup=les   Peup=les   et   roys, tout gé=mit

Abschriften:

Qu. 1, 24, 40

40/37

Second Choeur des quatre Parties du Monde (Grande Musique):

Char=mons i = cy tou=te la Ter = re

Abschriften:

Qu. 1, 24, 40

40/38

Canaries:

Abschriften:

Qu. 1, 4—6, 9—14, 16, 20, 22, 25, 30, 32, 38, 42, 43, 46, 58, 60; F-Pc X 108

40/39

Menuet:

Abschriften:

Qu. 1, 4—6, 9—14, 16, 22, 24, 25, 30, 32, 38—40, 42, 43, 46, 49, 50, 58, 60, 63; F-Pc X 108

Transkription:

B-Bc 27220 (Cembalo)

Druck:

A. Campra, *Fragments de M. de Lully,* 1702

Weltl. Parodien:

La Clef des chansonniers, 1717, I, 66: *Verse du vin, mon cher camarade*
Les Par. nouv., 1731, II, 18: *Que tes gloux-gloux, Charmante Bouteille*

Geistl. Parodie:

Desessartz, Nouv. poésies spir., 1733, V, 7: *Que l'univers partout retentisse*

Wiederverwendet:

A. Campra, *Fragments de M. de Lully,* 1702

Timbre:

A petits coups, mon cher camarade (La Clef)
Les gloux-gloux (Les Par. nouv.)

LWV 41
LE DIVERTISSEMENT DE CHAMBORD

(M. DE POURCEAUGNAC, COMÉDIE)

Bezeichnung:	Divertissement, Comédie
Text:	Jean Baptiste Poquelin Molière; ital. Texte von Lully (nach Le Cerf de la Viéville, Comparaison II, 180)
Erste Aufführung:	6. 10. 1669 in Chambord
Librettodrucke:	*Le / Divertissement / de / Chambord / Meslé de Comedie, de / Musique & d'Entrées / de Balet.* / Blois, Jules Hotot, F-Pa 4⁰ B 3769 (14) *Le / Divertissement / de / Chambord. / Meslé de Comedie, de / Musique & d'Entrées / de Balet.* / Paris, Robert Ballard, 1659 [für 1669] Weitere Ausgaben vgl. A.-J. Guibert, Bibliographie, I, 296—306, II, 518 bis 520
Abschrift in Partition générale:	F-TLm Cons 2 (mit Exlibris Philidors)
Druck:	*Pourceaugnac, / Divertissement comique, / Par Monsieur De Lully, Ecuyer-Conseiller-Secretaire / du Roy, Maison, Couronne de France & de ses Finances, / & Sur-Intendant de la Musique de Sa Majesté / [Vignette] A Paris, / Chez Christophe Ballard, seul Imprimeur du Roy pour la Musique, / ruë Saint Jean de Beauvais, au Mont-Parnasse. / MDCCXV. / Avec Privilege de Sa Majesté*
Bemerkung:	Der Druck von 1715 enthält nicht die Fassung des *M. de Pourceaugnac* Lullys, sondern besteht, wie der Titel bereits andeutet, aus einem Konglomerat aus Teilen des *Carnaval* von 1675 und des *M. de Pourceaugnac*. In dieser Zusammenstellung wurde der *Pourceaugnac* im frühen 18. Jahrhundert gespielt.
Literatur:	Le Cerf de la Viéville, Comparaison, II, 180; La Laurencie, Lully, 117 f.; Pellisson, Comédies-ballets, passim; Prunières, Lully, 92; Böttger, Die Comédies-ballets, 202 f.; Borrel, Lully, 47 f.; Christout, Le Ballet de Cour, 117

41/1	Ouverture:

Abschriften:	Qu. 4—6, 8—14, 18, 20, 22, 25, 30, 32, 36, 40—43, 46, 47, 49, 51, 55, 58, 60, 64; F-Pc X 108 (Dessus)
Transkription:	Ouvertures des operas, 1725
Druck:	*Pourceaugnac, Divertissement comique,* 1715
Weltl. Parodien, hs.:	F-Pa 4843, 253: *Le plaisir de boire ensemble Est ce me semble;* dass. GB-Lbl Egerton 1520, III, 31 (1675, par la princesse de Bligny pour se venger de M. de Niert)
Drucke:	Par. bach., 1696 (A la memoire de M. de Lully): *Lully, vous estes incomparable, Vous estes inépuisable;* dass. Ouvertures des opera, 1725 (l'apotéose de M. de Lully)

41/2   Serenade, Ritournelle, première Voix:

Abschriften: Qu. 4, 5, 8, 10, 18, 40, 42
                  Abschriften in Exzerpten aus *Le Carnaval Mascarade:* Qu. 22, 38, 48, 59, 79, 85

Drucke: Recueil d'airs de differents autheurs, Ballard, 1670, 1
                  Les Airs . . . de la Mascarade, Pointel, 1700
                  Le Carnaval Mascarade, 1720
                  (Text) Bacilly, Recueil, 1680, 540

Wiederverwendet: *Le Carnaval Mascarade,* 1675

41/3   Deuxième Voix:

Abschriften: Qu. 4, 5, 8, 10, 18, 40, 42; (Mascarade) Qu. 85

Drucke: Recueil d'airs de differents autheurs, Ballard, 1670, 3
                  Les Airs . . . de la Mascarade, Pointel, 1700
                  Le Carnaval Mascarade, 1720
                  (Text) Bacilly, Recueil, 1680, 540

Wiederverwendet: *Le Carnaval Mascarade,* 1675

41/4   Troisième Voix:

Abschriften: Qu. 4, 5, 8, 10, 18, 40; (Mascarade) Qu. 85

Drucke: Recueil d'airs de differents autheurs, Ballard, 1670, 4
                  Le Carnaval Mascarade, 1720

Wiederverwendet: *Le Carnaval Mascarade,* 1675

41/5   Les trois Voix:

Abschriften: Qu. 4, 5, 8, 10, 18, 40, 42; (Mascarade) Qu. 85

Druck: *Le Carnaval Mascarade,* 1720

Wiederverwendet: *Le Carnaval Mascarade,* 1675

41/6   Les Maîtres à danser (deux Pages):

Abschriften: Qu. 4—6, 8—14, 18, 22, 25, 30, 32, 36, 40—43, 46, 55, 58; F-Pc X 108
                        Abschriften in Exzerpten aus *Le Carnaval Mascarade:* Qu. 31, 38, 45, 48,
                        72, 78

Transkription: B-Bc 27220 (Cembalo, d-Moll)

Druck: *Le Carnaval Mascarade,* 1720

Wiederverwendet: *Le Carnaval Mascarade,* 1675

41/7   Les Combattants:
                        Qu. 40, 60: les Curieux combattants

Abschriften: Qu. 4—6, 8—14, 18, 19, 22, 25, 30, 32, 36, 40—43, 46, 55, 58; F-Pc X 108
                        Abschriften in Exzerpten aus *Le Carnaval Mascarade:* Qu. 31, 38, 45,
                        48, 72, 78

Transkription: B-Bc 27220, 104 (Cembalo, F-Dur)

Druck: *Le Carnaval Mascarade,* 1720

Wiederverwendet: *Le Carnaval Mascarade,* 1675

41/8   Les Combattants reconciliés:

Abschriften: Qu. 4—6, 8—14, 19, 22, 25, 30, 32, 36, 40—43, 46, 55, 58, 60, 70;
                        F-V Ms mus 137; F-Pc X 108
                        Abschriften in Exzerpten aus *Le Carnaval Mascarade:* Qu. 31, 38, 45, 48,
                        62, 72, 78

Druck: *Le Carnaval Mascarade,* 1720

Wiederverwendet: *Le Carnaval Mascarade,* 1675

41/9   I, 10, deux Musiciens italiens:

Abschriften: Qu. 4, 5, 8, 10, 42; (Carnaval) Qu. 78

Drucke: *Pourceaugnac, Divertissement comique,* 1715
                        Le Carnaval Mascarade, 1720

Wiederverwendet: *Le Carnaval Mascarade,* 1675

41/10   Premier Musicien, les deux:

Abschriften: Qu. 4, 5, 8, 10, 42; (Carnaval) Qu. 78

Drucke: *Pourceaugnac, Divertissement comique,* 1715
                          Le Carnaval Mascarade, 1720

Wiederverwendet: *Le Carnaval Mascarade,* 1675

41/11   I, 11, les Matassins:

Abschriften: Qu. 4—6, 8—14, 19, 22, 25, 30, 32, 36, 37, 41—46, 55, 58, 60; F-Pc X 108
                          Abschriften in Exzerpten aus *Le Carnaval Mascarade:* Qu. 31, 38, 45,
                          48, 72, 78

Drucke: *Pourceaugnac, Divertissement comique,* 1715
                          Le Carnaval Mascarade, 1720

Wiederverwendet: *Le Carnaval Mascarade,* 1675

Bemerkung: Das Air wird wechselweise im 3/8- oder 6/8-Takt notiert.

41/12   Les deux Musiciens:

Abschriften: Qu. 4, 5, 8, 42; (Carnaval) Qu. 78

Drucke: *Pourceaugnac, Divertissement comique,* 1715
                          Le Carnaval Mascarade, 1720

Wiederverwendet: *Le Carnaval Mascarade,* 1675

41/13   II, 11, deux Avocats musiciens, deux Procureurs et deux Sergents:

Abschriften: Qu. 4—6, 8—14, 19, 22, 25, 32, 36, 41, 43, 58; F-Pc X 108

41/14   L'Avocat, traînant ses paroles, l'Avocat, bredouilleur:

Abschriften: Qu. 4, 5, 8, 10, 42; (Carnaval) Qu. 78

Drucke: (nur ab *Votre fait est clair*) *Pourceaugnac, Divertissement comique,*
                          1715
                          Le Carnaval Mascarade, 1720

Bemerkung:	Die meisten Abschriften enthalten die Neufassung von 1675 aus *Le Carnaval Mascarade* mit der italienischen Szene, die vor *Votre fait est clair* eingeschoben ist, vgl. 52/12—13. Manche Fassungen des *Carnaval Mascarade* (F-Po A 3b II) enthalten eine Violinbegleitung dieser Szene.
Wiederverwendet:	*Le Carnaval Mascarade,* 1675

41/15   Les deux Avocats:

Abschriften:	Qu. 4, 5, 8, 10; (Carnaval) Qu. 78
Drucke:	*Pourceaugnac, Divertissement comique,* 1715 *Le Carnaval Mascarade,* 1720
Wiederverwendet:	*Le Carnaval Mascarade,* 1675

41/16   III, 8, une Egyptienne:

Abschriften:	Qu. 4, 5, 8 (D-Dur), 10, 18, 40 (D-Dur), 42; (Carnaval) Qu. 78 (D-Dur)
Drucke:	Recueil d'airs de differents autheurs, Ballard, 1670 Les Airs . . . de la Mascarade, Pointel, 1700 *Le Carnaval Mascarade,* 1720
Wiederverwendet:	*Le Carnaval Mascarade,* 1675

41/17   Choeur des Musiciens:

Abschriften:	Qu. 4, 5, 8, 10, 18; 22, 40 (D-Dur), 42; (Carnaval) Qu. 38, 78
Druck:	*Le Carnaval Mascarade,* 1720
Wiederverwendet:	*Le Carnaval Mascarade,* 1675

41/18   L'Egyptienne, (L'Egyptien, Double):

Abschriften:	Qu. 4, 5, 8, 10, 18; 40 (D-Dur), 42; (Carnaval) Qu. 78 (D-Dur)
Drucke:	Recueil d'airs de differents autheurs, Ballard, 1670 Les Airs . . . de la Mascarade, Pointel, 1700 (mit Double) *Le Carnaval Mascarade,* 1720 (Text) Bacilly, Recueil, 1680, 541
Wiederverwendet:	*Le Carnaval Mascarade,* 1675
Bemerkung:	Die handschriftlichen Partituren von *M. de Pourceaugnac* und *Le Carnaval Mascarade* enthalten das Double in zahlreichen verschiedenen Fassungen.

41/19

Choeur:

Abschriften:	Qu. 4, 5, 8, 10, 18; 22, 40 (D-Dur), 42
Druck:	*Le Carnaval Mascarade,* 1720
Wiederverwendet:	*Le Carnaval Mascarade,* 1675

41/20

Qu. 37, 40, 43, 46, 47, 60: Les Sauvages et les Biscayens; Qu. 4, 5: Les Matassins; Qu. 10: Symphonie; Qu. 22, 36: Les Bâtons; Qu. 19, 32: Les Combattants reconciliés; Qu. 6, 11, 12, 14, 25: Les Avocats
Druck 1720: Air pour les Egyptiens

Abschriften:	(C-Dur) Qu. 4, 5, 19, 22; (D-Dur) Qu. 6, 8—14, 18, 22, 25, 30, 32, 36, 37, 40—43, 46, 47, 55, 58, 60, 64, 71; F-V Ms mus 137; F- Pc X 108
	Abschriften in Exzerpten aus *Le Carnaval Mascarade:* Qu. 19, 31, 38, 45, 72, 78 (nur 45 in C-Dur)
Transkription:	Duo choisis, 1730, 153
Druck:	*Le Carnaval Mascarade,* 1720 (C-Dur)
Weltl. Parodien:	Par. bach., 1696, 40: *Amour a payé ma tendresse, J'ay sçû charmer le coeur de ma maîtresse* (M.D.L.F.)
	Nouv. Par. bach., 1700, I, 61: *Quel feu, quel ardeur me dévore;* dass. S. Vergier, Oeuvres, 1726, 247
Wiederverwendet:	*Le Carnaval Mascarade,* 1675
Bemerkung:	Aus den unterschiedlichen Bezeichnungen in den Handschriften geht hervor, daß die Zuordnung (zur Serenade, zu I, 11, zu II, 11 oder III, 8, entsprechend dem Druck von 1720), zu welcher Szene dieser Satz sowie der folgende gehört, nicht eindeutig zu klären ist.

41/21

Bourrée, les Trompettes:

| Abschriften: | Qu. 4—6, 8—14, 18, 19, 22, 24, 25, 30, 32, 36, 37, 39—43, 46, 58, 60 (Qu. 5, 39, C-Dur); F-Pc X 108 |

41/22

Bourrée:

| Abschriften: | F-TLm Cons 2; Qu. 8, 41—43, 60; F-Pc X 108 |

41/23

Menuet:
Qu. 8: Les Biscayens

| Abschriften: | F-TLm Cons 2; Qu. 8, 24, 41—43, 60; F-Pc X 108 |

LWV 42
LE DIVERTISSEMENT ROYAL
(LES AMANTS MAGNIFIQUES)

Bezeichnung:	Divertissement
Text:	Jean Baptiste Poquelin Molière
Erste Aufführung:	7. 2. 1670 in Saint-Germain-en-Laye
Librettodruck:	*Le / Divertissement / Royal, / Meslé de Comedie, de / Musique, & / d'Entrée / de Ballet. / Paris, Robert Ballard, 1670,* F-Pn Yf 1034
Abschrift in Partition générale:	F-Pc Rés F 601; F-B 13745
Literatur:	La Laurencie, Lully, 118 f.; Prunières, L'Opéra, 351—352, 359; Pellisson, Comédies-ballets, passim; Prunières, Lully, 93; Christout, Le Ballet de Cour, 117—119

42/1   Ouverture:

Abschriften:	Qu. 4—6, 8—10, 11 (Rés F 652 und 657), 12—14, 20, 22, 25, 30, 32, 38, 40—43, 46, 47, 49, 50, 55, 58, 60, 62—64; GB-Lbl Add 10455, 111; S-Uu instr Mus ihs 10:9; F-Pc X 108 (Dessus)
Druck:	A. Campra, *Fragments de M. de Lully,* 1702
Wiederverwendet:	A. Campra, *Fragments de M. de Lully,* 1702

42/2   Premier Intermede, Recit d'Eole:

Abschriften:	Qu. 4—6, 8—14, 19, 40, 42
Druck:	A. Campra, *Fragments de M. de Lully,* 1702 (mit Varianten)
Wiederverwendet:	A. Campra, *Fragments de M. de Lully,* 1702

42/3   Tous les Tritons:

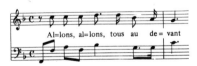

Abschriften:	Qu. 4—6, 8—14, 19, 40, 42

42/4   Les Pêcheurs de corail:

Abschriften:	Qu. 4—6, 8—15, 19, 22, 25, 30, 32, 38 (zweimal), 40—41, 43, 46, 55, 58, 60; S-Uu instr Mus ihs 10:9; F-Pc X 108

Weltl. Parodien, hs.:	Chansonnier Maurepas 12619, 143 (1674): *Quand dans l'hiver, Nôtre Gendarmerie N'a point de couvert;* ebd. 540 (1679): *Par ce grand bruit Que fit la Renommée;* ebd. 547 (1679, sur les Dames de Nantes): *Soir et matin* (de Coulanges); ebd. 12622, 151 (1691, à Emanuel Th. de La Tour): *Grand cardinal Qu'on aime et qu'on revere;* ebd. 12639, 320 (1671): *Estre fort sain, fuir toujours la tristesse* (Corbinelli); ebd. 12618, 429, (1671): *Quand l'opera tant vanté par La Grille;* ebd. 355 (1670): *Quand Florimond les coudes sur la table;* ebd. 357, 359, 361, 363, 365, 366, 367, 375 (alle 1670) F-Pa 4843, I, n°. 48: *Quand l'opera que nous vante La Grille* GB-Lbl Egerton 1520, IV, 110: *Quoy dans l'hiver . . .* F-LYm Ms 1545, 89 (1670): *Par le bruit Que fit la renommée*
Drucke:	de Coulanges, Recueil, 1698, 287: *Soir et matin, J'ay couru la prairie* Bacilly, Recueil, 1671, 215, La Clef des chansonniers, 1717, I, 116: *Quand Florimond les coudes sur la table*
Geistl. Parodie:	Noëls ou Cant., Oudot, 1679, 16: *Quand Dieu voulut De l'humaine nature, Faire le salut*
Timbre:	Quand Florimond les coudes sur la table (Maurepas) Quand l'opera (F-Pa 4843 und Egerton)

42/5   Choeur:

Abschriften:	Qu. 4—6, 8—15, 19, 40, 42

42/6   Air de Neptune:

Abschriften:	Qu. 4—6, 8—15, 19, 22, 25, 30, 32, 38 (zweimal), 40—43, 46, 55, 58, 60; GB-Lbl Add 10455, 112; S-Uu instr Mus ihs 10:9; F-Pc X 108
Drucke:	P. Collasse, *Ballet des Saisons,* 1695 und 1700 ders. *La Naissance de Venus,* 1696
Wiederverwendet:	P. Collasse, *Ballet des Saisons,* 1695 ders. *La Naissance de Venus,* 1696

42/7   Les Suivants de Neptune:
                    Qu. 4 etc.: Les Dieux Marins; Qu. 22: Sarabande; GB-Lbl Add 10445: Menuet; Ballet des Saisons: Les Bohemiens

Abschriften:	Qu. 4—6, 8—15, 19, 22, 25, 30, 32, 38 (zweimal), 40—43, 46, 55, 58, 60; GB-Lbl Add 10445, 112; S-Uu instr Mus ihs 10:9; F-Pc X 108
Druck:	P. Collasse, *Ballet des Saisons,* 1695 und 1700
Wiederverwendet:	P. Collasse, *Ballet des Saisons,* 1695

42/8   I, 5, second Intermède, trois Pantomimes:
                   Qu. 22: Les Fantosmes

Abschriften: Qu. 4—6, 8—15, 19, 22, 25, 30, 32, 38 (zweimal), 41—43, 58; F-Pc X 108

42/9   II, 5, troisième Intermede, Prologue, Ritournelle, la Nymphe de Tempé:

Abschriften: Qu. 5, 8—10, 11 (nur Rés F 652), 13, 19, 40, 42

42/10   Scene première, Ritournelle, Tircis:

Abschriften: Qu. 8, 11 (Rés F 652), 20, 38, 40, 48, 49, 59, 75, 78, 79, 81, 85
Drucke: Les Simphonies à 4 . . . Des Festes de l'Amour, Pointel: Ritournelle
                   Les Festes de l'Amour et de Bacchus, 1717
                   (Air) Recueil Complet De Vaudevilles, 1753, 10
                   (Text) Nouv. Rec., Raflé, 1695
Wiederverwendet: *Les Fêtes de l'Amour et de Bacchus,* 1672

42/11   Scène troisième, Ritournelle pour les flûtes, Caliste:

Abschriften: Qu. 8, 11 (Rés F 652), 22, 40, 48, 49, 59, 85; (Air) 75, 78, 81
Drucke: Les Simphonies à 4 . . . Des Festes de l'Amour, Pointel
                   Les Festes de l'Amour et de Bacchus, 1717
                   (Text) Bacilly, Recueil, 1671, 292
Geistl. Parodie: A.H.P.E.L.D.L., Cant. spir., Lyon 1692, 17: *Ha que dans tous nos coeurs*
                   Le peché cause de malheur
Wiederverwendet: *Les Fêtes de l'Amour et de Bacchus,* 1672

42/12   Scène quatrième, Ritournelle pour les flûtes, Tircis, Lycaste, Menandre:

Abschriften: Qu. 8, 11 (Rés F 652) 38, 40; F-V Ms mus 165
                   Abschriften in Suiten und Exzerpten aus *Les Fêtes de l'Amour:* Qu. 22,
                   45, 48—50, 52, 59, 64, 69, 72, 79, 85; (Air) Qu. 75
Drucke: Les Trio, Blaeu, 1691, II, 17
                   Les Simphonies à 4 . . . Des Festes de l'Amour, Pointel
                   Les Festes de l'Amour et de Bacchus, 1717
Wiederverwendet: *Les Fêtes de l'Amour et de Bacchus,* 1672
Literatur: Le Cerf de la Viéville, Comparaison, I, 70

42/13   Lycaste, Menandre:

Abschriften: Qu. 8, 11 (Rés F 652), 38, 40, 79

Drucke: Les Trio, Blaeu, 1691, II, 88
                       Les Festes de l'Amour et de Bacchus, 1717

Wiederverwendet: *Les Fêtes de l'Amour et de Bacchus,* 1672

42/14   Scène cinquième, premier Satyre:

Abschriften: Qu. 8, 11 (Rés F 652), 40
                       Abschriften in Exzerpten aus *Les Fêtes de l'Amour:* Qu. 22, 35, 52, 59,
                       65, 78, 79

Drucke: Les Trio, Blaeu, 1690, I, 73
                       Les Simphonies à 4 . . . Des Festes de l'Amour, Pointel
                       Les Festes de l'Amour et de Bacchus, 1717

Wiederverwendet: *Les Fêtes de l'Amour et de Bacchus,* 1672

42/15   Tous:

Abschriften: Qu. 8, 11 (Rés F 652), 40, 50; *(Les Festes)* Qu. 35

Druck: *Les Festes de l'Amour et de Bacchus,* 1717

Wiederverwendet: *Les Fêtes de l'Amour et de Bacchus,* 1672

42/16   Six Dryades et six Faunes:

Abschriften: Qu. 8, 11 (Rés F 652), 22, 30—32, 38 (zweimal), 41—43, 46, 58, 69, 85;
                       S-Uu instr Mus ihs 10:9
                       Abschriften in Exzerpten aus *Les Fêtes de l'Amour:* Qu. 22, 32, 45, 48—50,
                       52, 62, 72, 78

Drucke: Les Simphonies à 4 . . . Des Festes de l'Amour, Pointel
                       Les Festes de l'Amour et de Bacchus, 1717

Wiederverwendet: *Les Fêtes de l'Amour et de Bacchus,* 1672

42/17   Depit amoureux, Philinte:

Quand je plai=sois   à tes yeux J'é=tois con= tent

Abschriften: Qu. 8, 11 (Rés F 652), 40, 85

Druck: *Les Festes de l'Amour et de Bacchus*, 1717

Wiederverwendet: *Les Fêtes de l'Amour et de Bacchus*, 1672

42/18   Climene, Philinte:

Ah! Ah! plus que ja = mais ai=mons

Abschriften: Qu. 8, 11 (Rés F 652), 40
                    Abschriften in Exzerpten aus *Les Fêtes de l'Amour:* Qu. 79, 85

Drucke: Les Trio, Blaeu, 1691, II, 49
                    Les Festes de l'Amour et de Bacchus, 1717

Wiederverwendet: *Les Fêtes de l'Amour et de Bacchus,* 1672

42/19   Tous les acteurs de la comedie:

A = mants que vos que=rel = les

Abschriften: Qu. 8, 11 (Rés F 652), 40
                    Abschriften in Exzerpten aus *Les Fêtes de l'Amour:* Qu. 35, 50, 85

Drucke: Les Trio, Blaeu, 1691, II, 62
                    Les Festes de l'Amour et de Bacchus, 1717

Wiederverwendet: *Les Fêtes de l'Amour et de Bacchus,* 1672

42/20   Menuet pour les Faunes et les Dryades:

Abschriften: Qu. 8—13, 19, 22, 25, 30, 32, 38 (zweimal), 41, 43, 46, 58, 60, 85;
                    GB-Lbl Add 10445, 113; S-Uu instr Mus ihs 10:9; F-Pc X 108
                    Abschriften in Exzerpten aus *Le Bourgeois Gentilhomme:* Qu. 4—6, 8—15,
                    19; GB-Cfm 23 H 16; F-Po A 95b (Bearbeitung mit Streichern)

Transkription: B-Bc 27220 (Cembalo)

Weltl. Parodien, hs.: Chansonnier Maurepas 12639, 39 (1666, sic. sur l'abbé l'Aisné): *L'Abbé
                    à sa niece Disoit plein de tendresse*
                    Qu. 22: *J'ayme Celimene Elle en vaut bien la peine*

Drucke: La Clef des chansonniers, 1717, I, 8: *Quitte ta houlette, Berger, disoit
                    Nanette*
                    Théâtre de la Foire, 1721, I, Air 161; ebd. 1728, VI, 280, 448 (Air 104);
                    ebd. 1737, IX, 316 (Air 110)
                    Concerts parodiques, 1730, III, 8: *Bacchus est aimable*
                    Les Par. du Nouv. Théâtre it., 1738, IV, 30, 269 (Air 103): *Margot sur
                    la brune*

Geistl. Parodie:	La Monnoye, Noei compozai 1700, 49: *Vè Noei Blaizôte Jaidi si joliôte*
Wiederverwendet:	*Le Bourgeois Gentilhomme*, 1671
Timbre:	Quitte ta houlette (Maurepas, Théâtre de la Foire)
	Margot la brune (Les Par. du Nouv. Théâtre it.)

42/21   Ritournelle pour les flûtes, Rondeau, les Bergers et les Bergeres:

Abschriften:	Qu. 4—6, 8—15, 19, 32, 37, 40, 42, 46, 47, 50, 51, 55, 57, 69; GB-Lbl Add 31425, 8
Transkription:	B-Bc 27220, 108 (Cembalo)
Geistl. Parodien:	Recueil de cant., Rouen, 1738, 37: *Faux plaisirs, vains honneurs, biens frivoles;* dass.
	Pellegrin, Cant. spir., Reims, 1811, 45

42/22   III, 1, quatrième Intermede, Symphonie des Plaisirs:
Qu. 4 etc.: Concert des Plaisirs; Qu. 11 etc. Prelude

| Abschriften: | Qu. 4—6, 8—15, 19, 25, 32, 43, 46, 47, 51, 55, 57, 69 |

42/23   Air des Statues:

| Abschriften: | Qu. 4—6, 8—15, 19, 22, 25, 30, 32, 38 (zweimal), 41, 43; GB-Lbl Add 10445, 113; S-Uu instr Mus ihs 10:9; F-Pc X 108 |

42/24   IV, 5, cinquième Intermede, Air des Pantomimes:
Qu. 4 etc.: Les Passions; Qu. 6 etc. Les Passions Pantomimes

| Abschriften: | Qu. 4—6, 8—15, 19, 22, 25, 30, 32, 38 (zweimal), 42, 43; GB-Lbl Add 10445, 114; S-Uu instr Mus ihs 10:9; F-Pc X 108 |

42/25   Second Air des Pantomimes:

| Abschriften: | Qu. 4—6, 8—15, 19, 22, 25, 30, 32, 38 (zweimal), 43, 46, 58, 60; GB-Lbl Add 10445, 114; S-Uu instr. Mus ihs 10:9; F-Pc X 108 |

42/26   V, 4, sixième Intermede qui est la solennité des Jeux Pythiens, Prelude
         des Sacrificateurs, la Prêtresse:

Abschriften: Qu. 4—6, 8—15, 19, 22, 25, 30, 32, 38 (zweimal), 40, 42, 43, 46, 58, 60;
                GB-Lbl Add 10445, 114; S-Uu instr Mus ihs 10:9; F-Pc X 108
                Abschriften des Air: Qu. 4—6, 8—15, 19, 40

42/27   Choeur des Grecs:

Abschriften: Qu. 4—6, 8—15, 19, 40, 58

42/28   Les Porteurs de haches:
         Qu. 58: Gavotte

Abschriften: Qu. 4—6, 8—15, 19, 22, 25, 32, 38, 42, 43, 46, 50, 51, 58, 60, 63, 66;
                GB-Lbl Add 10445, 114; S-Uu instr Mus ihs 10:9; F-Pc X 108

42/29   Les Voltigeurs:

Abschriften: Qu. 4—6, 8—15, 19, 22, 25, 32, 38, 42, 43, 46, 55, 58, 60, 66; GB-Lbl
                Add 10445, 114; F-Pc X 108

42/30   Les Esclaves:

Abschriften: Qu. 4—6, 8—15, 19, 22, 25, 30, 32, 38, 42, 43, 46, 55, 58, 60, 66;
                GB-Lbl Add 10445, 114; S-Uu instr Mus ihs 10:9; F-Pc X 108

42/31   Les Hommes et Femmes armés:

Abschriften: Qu. 4—6, 8—15, 19, 22, 25, 30, 32, 38 (zweimal), 40, 42, 43, 46, 55, 58,
                60, 66; GB-Lbl Add 10455, 155; S-Uu instr Mus ihs 10:9; F-Pc X 108

Transkription: B-Bc 27220, 100 (Cembalo, C-Dur)

| 42/32 | Prelude de Trompettes: |
| | Qu. 4 etc.: Concert de Trompettes |

| Abschriften: | Qu. 4—6, 8—15, 19, 22, 24, 25, 30, 32, 38, 42; S-Uu instr Mus ihs 10:9 |
| Bemerkung: | Qu. 24 gibt einen vierstimmigen Trompetensatz an, davon ist die dritte Stimme durch ein Saqueboutte zu besetzen. |

| 42/33 | Choeur: |

Abschriften:	Qu. 4—6, 8—15, 19, 35, 40, 42, 50, 60
Druck:	A. Campra, *Fragments de M. de Lully*, 1702 (Bearbeitung)
Wiederverwendet:	A. Campra, *Fragments de M. de Lully*, 1702

| 42/34 | Entrée d'Apollon: |
| | Qu. 58: Le Soleil |

| Abschriften: | Qu. 4—6, 8—15, 19, 22, 25, 30, 32, 38 (zweimal), 40, 42, 43, 46, 55, 58, 60; GB-Lbl Add 10445, 115; S-Uu instr Mus ihs 10:9; F-Pc X 108 |

| 42/35 | Menuet des Trompettes: |

| Abschriften: | Qu. 4—6, 8—14, 19, 22, 24, 25, 30, 32, 38, 39, 42, 43, 58, 60; GB-Lbl Add 10445, 118; S-Uu instr Mus ihs 10:9; F-Pc X 108 |
| Bemerkung: | Qu. 24 gibt an, daß der second dessus mit Saqueboutte zu besetzen ist. |

LWV 43
LE BOURGEOIS GENTILHOMME

Bezeichnung:	Comédie-Ballet
Text:	Jean Baptiste Poquelin Molière
Erste Aufführung:	14. 10. 1670 in Chambord
Librettodrucke:	*Le / Bourgeois / Gentil-Homme, / Comedie-Ballet, / Donné par le Roy à toute sa Cour / dans le Chasteau de Chambort, / au mois d'Octobre 1670. / Paris, Robert Ballard, 1670*, F-Pn Rés Yf 1035
	Weitere Ausgaben, vgl. A.-J. Guibert, Bibliographie I, 308—319, II, 468—470

Abschriften in Partition générale:	F-Pc Rés F 578; ehemals GB-T Ms 267; F-BO (unvollständige Partitur)
Stimme:	F-BO (basse continue)
Literatur:	La Laurencie, Lully, 119 f.; Pellisson, Comédies-ballets, passim; Prunières, Lully, 92; Borrel, Lully, 48—50; Christout, Le Ballet de Cour, 119 f.

43/1   Ouverture:

Abschriften:	F-Pc Rés F 578; Rés F 657; F-TLm Cons 13; Qu. 4—6, 8, 9, 10 (13740, 13741), 12, 13, 15, 19, 22, 25, 30, 32, 36, 41, 42, 46, 47, 49, 51, 55, 56, 58, 60, 64, 69; F-V Ms mus 165; F-Pc X 108 (Dessus) Abschriften in Suiten aus *Les Fêtes de l'Amour:* Qu. 22, 31, 38, 44, 45, 49, 50, 52, 62, 64, 72, 78, 79, 85
Transkription:	Ouvertures des opera, 1725, 4
Drucke:	Les Simphonies à 4 . . . Des Festes de l'Amour, Pointel *Les Festes de l'Amour et de Bacchus,* 1717
Weltl. Parodie:	Ouvertures des opera, 1725: *Quoy dans ce repas, l'on ne boit pas?*
Wiederverwendet:	*Les Fêtes de l'Amour et de Bacchus,* 1672

43/2   I, 2, L'Eleve de musique, la Musicienne:

Abschriften:	F-Pc Rés F 578; Rés F 657; F-TLm Cons 13; Qu. 6, 8, 10, 12—15, 19; (nur Air) Qu. 4, 5, 9, 63; F-Po A 95b (Bearbeitung mit Streichersatz)
Druck des Air:	Recueil, Complet De Vaudevilles, 1753, 6 (Text) Bacilly, Recueil, 1680, s. p.
Literatur:	Le Cerf de la Viéville, Comparaison, II, 153

43/3   M. Jourdain:

Abschriften:	F-Pc Rés F 578; Rés F 657; Qu. 4—6, 8—10, 12—15, 19, 63; F-Po A 95b (Bearbeitung mit Streichersatz); GB-Cfm 23 H 16
Druck:	Recueil Complet De Vaudevilles, 1753, 7
Bemerkung:	Der Text stammt von P. Perrin, die Musik von La Sablière

43/4   Dialogue en musique, Ritournelle, une Musicienne:

Abschriften:	F-Pc Rés F 578; Rés F 657; F-TLm Cons 13; Qu. 4—6, 8—10, 12—15, 19, 42, 63; (nur Air) F-Po A 95b (Bearbeitung mit Streichern)
Druck:	A. Campra, *Fragments de M. de Lully,* 1702
Wiederverwendet:	A. Campra, *Fragments de M. de Lully,* 1702

43/5   Ritournelle, la Musicienne, deux Musiciens:

Abschriften: F-Pc Rés F 578; Rés F 657; F-TLm Cons 13; Qu. 4—6, 8—10, 12—15, 19, 42, 63

Druck: A. Campra, *Fragments de M. de Lully*, 1702

Wiederverwendet: A. Campra, *Fragments de M. de Lully*, 1702

43/6   Quatre Danseurs, gravement, plus vite, mouvement de Sarabande, Bourrée, Gaillarde:

Abschriften: F-Pc Rés F 578; Rés F 657; Qu. 4—6, 8—10, 12—15, 19, 22, 25, 30, 32, 36, 41, 42, 46, 55, 58, 60; GB-Cfm 23 H 16; F-Pc X 108

Literatur: F. Böttger, Die Comédies-ballets, 1931, 172

43/7   Canaries:

Abschriften: F-Pc Rés F 578; Rés F 657; Qu. 4—6, 8—10, 12—15, 19, 22, 25, 30—32, 36, 38, 41, 42, 46, 55, 58, 60, 63; F-Pc X 108

43/8   II, 1, Le Maître à danser singt auf die Silbe la, la 42/20

Bemerkung: F-Po A 95b, enthält eine Bearbeitung mit vierstimmigem Streichersatz

43/9   II, 5, Les six Garçons tailleurs:

Abschriften: F-Pc Rés F 578; Rés F 657; Qu. 4—6, 8—10, 12—15, 19, 22, 25, 30, 32, 36, 38, 41, 42, 46, 55, 58, 60, 63; F-Po A 95b; F-Pc X 108

43/10   Second Air, la Gavotte:

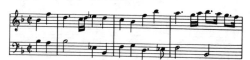

Abschriften: F-Pc Rés F 578; Rés F 657; Qu. 4—6, 8—10, 12—15, 19, 22, 25, 30, 32, 36, 41, 42, 46, 55, 58, 60; GB-Cfm 23 H 16; F-Po A 95b (Bearbeitung); F-Pc X 108

43/11	IV, 1, Premiere Chanson à boire:

Un pe= tit doigt, Phi = lis   pour com=men=cer

Abschriften:	F-Pc Rés F 578; Rés F 657; F-TLm Cons 13; Qu. 4—6, 8—10, 12—15, 19, 35, 63; F-Po A 95b (Bearbeitung für Streicher)
Druck:	(Text) Bacilly, Recueil, 1671, 11

43/12	Seconde Chanson à boire:

Bu = vons, chers a = mis, bu = vons, le temps

Abschriften:	F-Pc Rés F 578; Rés F 657; F-TLm Cons 13; Qu. 4—6, 8—10, 12—15, 19, 22 (C-Dur), 35, 42, 63; F-Po A 95b (Bearbeitung für Streicher)
Druck:	Recueil Complet De Vaudevilles, 1753, 7 (Text) Bacilly, Recueil, 1671, 29
Geistl. Parodie:	Noëls ou Cantiques, Oudot, 1679, 18: *La paix soit chez vous, Bergers, Et gloire au Dieu qui nous commande* Chassain, Cant. sacrez, 1684, 111: *O secret vraiment profond;* ebd. 114
Literatur:	Le Cerf de la Viéville, Comparaison, II, 114

43/13	Tous ensemble:

Sus, sus, du vin, du vin, par = tout

Abschriften:	F-Pc Rés F 578; Rés F 657; F-TLm Cons 13; Qu. 4—6, 9, 10, 12—15, 19, 42, 63; F-Po A 95b (Bearbeitung für Streicher und Bläser)

43/14	IV, 5, Marche pour la Cérémonie turque:

Abschriften:	F-Pc Rés F 578; F-TLm Cons 13; Qu. 4, 5, 8, 10, 15, 19, 22, 30, 32, 35, 36, 41, 42, 46, 55, 58, 60, 65; F-V Ms mus 135; F-Po A 95b (Bearbeitung für Orchester mit vollem Bläsersatz einschließlich der Ophicléide); F-Pc X 108 Abschriften in Suiten aus *Le Carnaval Mascarade:* Qu. 31, 38, 45, 72,
Druck:	(Partitur) *Le Carnaval Mascarade,* 1720
Wiederverwendet:	*Le Carnaval Mascarade,* 1675

43/15	Le Mufti:

Se = ti sa = bir   Ti re=spon = dir

Abschriften:	F-Pc Rés F 578; F-TLm Cons 13; Qu. 4, 5, 8, 10, 15, 19, 22, 35, 42, 46, 55, ·60, 63, 65; F-Po A 95b (Bearbeitung für Streicher) Abschriften in Suiten aus *Le Carnaval:* Qu. 38, 59, 72, 78, 79

| Drucke: | Trios de Differents Auteurs, Babel, 1697, I |
| | (Partitur) *Le Carnaval Mascarade,* 1720 |

| Bemerkung: | Der Ruf der Türken, Alla, ist nur in F-Pc Rés F 578 und Qu. 15 über-liefert |

43/16   Le Mufti:

Ma=ha = me = ta, per   Giour = di = na,

| Abschriften: | F-Pn Rés F 578; F-TLm Cons 13; Qu. 4, 5, 8, 10, 15, 19, 22, 35, 42, 55, 60, 63, 65; F-Po A 95b (Bearbeitung) |
| | Abschriften in Suiten aus *Le Carnaval:* Qu. 38, 59, 78, 79 |

| Druck: | *Le Carnaval Mascarade,* 1720 |

| Wiederverwendet: | *Le Carnaval Mascarade,* 1675 |

43/17   Le Mufti, Choeur:

Star bon   Tur=ca Giour = di = na?   Hei val = la

| Abschriften: | F-Pc Rés F 578; F-TLm Cons 13; Qu. 4, 5, 8, 10, 15, 19, 35, 42, 55, 60, 65 |
| | Abschriften in Exzerpten aus *Le Carnaval:* Qu. 38, 78, 79 |

| Druck: | *Le Carnaval Mascarade,* 1720 |

| Wiederverwendet: | *Le Carnaval Mascarade,* 1675 |

43/18   Second Air:
                 Qu. 38: Gigue

| Abschriften: | F-Pc Rés F 578; F-TLm Cons 13; Qu. 4, 5, 8, 10, 15, 19, 22, 30, 32, 35, 36, 38, 41, 42, 46, 55, 58, 60, 65; F-V Ms mus 137; F-Pc X 108 |
| | Abschriften in Suiten und Exzerpten aus *Le Carnaval:* Qu. 31, 38, 45, 72, 78 |

| Druck: | *Le Carnaval Mascarade,* 1720 |

| Wiederverwendet: | *Le Carnaval Mascarade,* 1675 |

43/19   Troisième Air pour les Turcs portant le Turban:

| Abschriften: | F-Pc Rés F 578; F-TLm Cons 13; Qu. 4, 5, 8, 10, 15, 19, 22, 30, 32, 35, 36, 41, 42, 46, 58, 60; F-Po A 95b (Bearbeitung); F-Pc X 108 |
| | Abschriften in Suiten und Exzerpten aus *Le Carnaval:* Qu. 31, 38, 45, 63, 72, 78 |

| Druck: | *Le Carnaval Mascarade,* 1720 |

| Wiederverwendet: | *Le Carnaval Mascarade,* 1675 |

43/20   Le Mufti, Choeur:

Abschriften: F-Pc Rés F 578; F-TLm Cons 13; Qu. 4, 5, 8, 10, 15, 19, 35, 63

Druck: *Le Carnaval Mascarade,* 1720

Wiederverwendet: *Le Carnaval Mascarade,* 1675

43/21   Quatrième Air:

Abschriften: F-Pc Rés F 578; F-TLm Cons 13; Qu. 4, 5, 8, 15, 19, 30, 32, 35, 41,
                  42, 46, 58, 63, 78
                  Abschriften in Suiten aus *Le Carnaval:* Qu. 31, 38, 45, 72, 78

Druck: *Le Carnaval Mascarade,* 1720

Wiederverwendet: *Le Carnaval Mascarade,* 1675

43/22   Le Mufti, Choeur:

Abschriften: F-Pc Rés F 578; F-TLm Cons 13; Qu. 4, 8, 10, 15, 19, 42, 63

Druck: *Le Carnaval Mascarade,* 1720

Wiederverwendet: *Le Carnaval Mascarade,* 1675

43/23   Ballet des Nations, première Entrée, Dialogue des gens qui en musique
                  demandent des livres:

Abschriften: F-Pc Rés F 576; Qu. 4, 9, 30—32, 36, 41, 42, 46, 58; F-Po A 95b (Be-
                  arbeitung); F-Pc X 108
                  Abschriften in Suiten aus *Les Fêtes de l'Amour et de Bacchus:* Qu. 22, 38,
                  45, 48—50, 72, 78
                  Abschriften des Choeur: F-Pc Rés F 578; Qu. 4; F-Po A 95b (Bearbeitung)

Druck: *Les Festes de l'Amour,* 1717

Wiederverwendet: *Les Fêtes de l'Amour,* 1672

43/24   Seconde Entrée, Les trois Importuns:

Abschriften: F-Pc Rés F 578, Rés F 657; Qu. 4—6, 8—10, 12—15, 19, 22, 25, 30, 32,
                  36, 41, 42, 46, 58; F-Pc X 108

43/25   Troisième Entrée, Ritournelle, trois Espagnols:

Abschriften:	F-Pc Rés F 578; Qu. 4, 8, 22, 35, 40, 42, 51, 55, 69
	Abschriften in Suiten und Exzerpten aus *Le Carnaval:* Qu. 38, 48, 59, 78, 79, 85
Druck:	*Le Carnaval Mascarade,* 1720
Wiederverwendet:	*Le Ballet des Ballets,* 1671
	Le Carnaval Mascarade, 1675
Literatur:	Le Cerf de la Viéville, Comparaison, I, 93

43/26   Le second Espagnol:

Abschriften:	F-Pc Rés 578; Qu. 4, 8, 35, 40, 51, 65, 69
	Abschriften in Suiten und Exzerpten aus *Le Carnaval:* Qu. 22, 38, 59, 78, 79, 85
Druck:	*Le Carnaval Mascarade,* 1720
Weltl. Parodie:	Chansonnier Maurepas 12618, 325 (1670, sur de la Mothe-Theobon, fille d'honneur de Marie Thérèse d'Autriche): *Quelle nature porte Theobon*
Wiederverwendet:	*Le Ballet des Ballets,* 1671
	Le Carnaval Mascarade, 1675

43/27   Premier Air des Espagnols:
                                        Qu. 22, 47, Druck 1720: Sarabande

Abschriften:	F-Pc Rés F 578; Qu. 4, 8, 22, 30—32, 35—38, 40—42, 46, 47, 51, 55, 60, 64, 65, 68, 69; F-V Ms mus 165; F-Pc X 108
	Abschriften in Suiten und Exzerpten aus *Le Carnaval:* Qu. 48, 72, 78, 85
Transkription:	GB-Lbl Add 39569, 198 (Cembalo)
Drucke:	A. Feuillet, Recueil de Dances, Paris 1700, 21
	Le Carnaval Mascarade, 1720
Weltl. Parodien, hs.:	F-Pa 4842, 169: *Viens Bacchus à mon aide, Je suis amoureux;* dass. GB-Lbl Egerton 1519, 111
Drucke:	Par. bach., 1695, 28, 1696, 37, du Fresne, 1696, 17, Nouv. Rec., Raflé 1697, 17: *Viens Bacchus à mon aide . . .* (M.L.M.)
Wiederverwendet:	*Le Ballet des Ballets,* 1671
	Le Carnaval Mascarade, 1675

43/28   Un Espagnol:

Abschriften:	F-Pc Rés F 578; Qu. 4, 8, 35, 40, 55, 60, 69, 78
Druck:	*Le Carnaval Mascarade,* 1720
Wiederverwendet:	*Le Ballet des Ballets,* 1671
	Le Carnaval Mascarade, 1675

43/29   Deux Espagnols:

Abschriften:	F-Pc Rés F 578; Qu. 4, 8, 35, 40, 55, 65, 69
	Abschriften in Exzerpten aus *Le Carnaval:* Qu. 78, 85
Druck:	*Le Carnaval Mascarade,* 1720
Wiederverwendet:	*Le Ballet des Ballets,* 1671
	Le Carnaval Mascarade, 1675

43/30   Second Air des Espagnols:
                     Qu. 38, 78: Gigue; F-Mc 68: Loure

Abschriften:	F-Pc Rés F 578; Qu. 4, 22, 30, 32, 35, 36, 38, 40—42, 46, 47, 51, 55, 58, 60, 65, 69; F-Pc X 108
	Abschriften in Exzerpten aus *Le Carnaval:* Qu. 31, 48, 72, 78
Druck:	*Le Carnaval Mascarade,* 1720
Weltl. Parodien:	Par. bach., 1695, 27, 1696, 36, du Fresne, 1696, 17, Nouv. Rec., Raflé, 1697, 17: *C'en est fait injuste Climene, Ta fierté tira peu de ma peine* (M.R.)
Wiederverwendet:	*Le Ballet des Ballets,* 1671
	Le Carnaval Mascarade, 1675

43/31   Un Espagnol:

Abschriften:	F-Pc Rés F 578; Qu. 4, 8, 22, 35, 40, 42, 55, 69
	Abschriften in Exzerpten aus *Le Carnaval:* Qu. 38, 59, 78
Druck:	*Le Carnaval Mascarade,* 1720
Wiederverwendet:	*Le Ballet des Ballets,* 1671
	Le Carnaval Mascarade, 1720

43/32   Trois Espagnols:

Abschriften: F-Pc Rés F 578; Qu. 4, 8, 35, 40, 42, 55, 65, 69
                          Abschriften in Exzerpten aus *Le Carnaval:* Qu. 19, 79, 85

Druck: *Le Carnaval Mascarade,* 1720

Wiederverwendet: *Le Ballet des Ballets,* 1671
                          Le Carnaval Mascarade, 1675

43/33   Quatrième Entrée, Italiens, Ritournelle une Musicienne italienne:

Abschriften der Ritournelle: F-Pc Rés F 578; Qu. 4, 5, 8, 22, 40, 42, 43, 46, 47, 49, 51, 69
                          Abschriften in Exzerpten aus *Le Carnaval:* Qu. 19, 38, 48, 59, 72, 79
                          Abschriften des Air: F-Pc Rés F 578; Qu. 4, 5, 8, 40
                          Abschriften in Exzerpten aus *Le Carnaval:* Qu. 19, 78

Drucke: Les Airs De la Grotte . . . et de la Mascarade, Pointel, 1700
                          Le Carnaval Mascarade, 1720

Wiederverwendet: *Le Ballet des Ballets,* 1671
                          Le Carnaval Mascarade, 1675

Literatur: Le Cerf de la Viéville, Comparaison, II, 185

43/34   Entrée des Scaramouches, Trivelins et un Arlequin representant une nuit:

Abschriften: F-Pc Rés F 578; Qu. 5, 22, 30, 32, 36, 40—42, 46, 55, 58, 60, 69; F-Pc
                          X 108
                          Abschriften in Exzerpten aus *Le Carnaval:* Qu. 18, 31, 38, 45, 48, 72

Druck: *Le Carnaval Mascarade,* 1720

Wiederverwendet: *Le Ballet des Ballets,* 1671
                          Le Carnaval Mascarade, 1675

43/35   Le Musicien italien:

Abschriften: F-Pc Rés 578; Qu. 5, 40
                          Abschriften in Exzerpten aus *Le Carnaval:* Qu. 19, 42, 78, 85

Druck: *Le Carnaval Mascarade,* 1720

Wiederverwendet: *Le Ballet des Ballets,* 1671
                          Le Carnaval Mascarade, 1675

43/36   Chaconne des Scaramouches, Trivelins:

Abschriften: F-Pc Rés 578; Qu. 5, 22, 30, 32, 36, 37, 40—42, 46, 47, 49, 51, 55, 56, 58, 60, 64, 69; F-Pn Vm⁷ 3555; F-Pc X 108
Abschriften in Exzerpten aus *Le Carnaval:* Qu. 31, 38, 45, 48, 62, 72

Transkriptionen: F-Pc Rés F 933 (Cembalo)
GB-Lbl Add 39569, 189 (Cembalo)
F-Pc Rés F 844 (Gitarre, verkürzt)
Duo choisis, 1730, II, 148 (F-Dur)

Druck: *Le Carnaval Mascarade,* 1720

Weltl. Parodien, hs.:   Chansonnier Maurepas 12642, 4 (1693, par Mme de la Suse pour la marquise de Thierry): *Tu vois dedans mes yeux Les transports de mon ame*
F-V Ms mus 262, 47: *Jamais je ne suis triste quand je bois de bon vin*

Drucke: Par. bach., 1695, 1696, 40, du Fresne, 1696, 19, Nouv. Rec., Raflé, 1697, 19: *Amour a payé ma tendresse, J'ay sçu charmer le coeur de ma maîtresse* (M.D.L.F.)
Nouv. Par. bach., 1700, I, 61: *Quel feu, quel ardeur me dévore*

Wiederverwendet: *Le Ballet des Ballets,* 1671
Le Carnaval Mascarade, 1675

43/37   Cinquième Entrée. François, premier Menuet; premier Musicien poitevin:

Abschriften: F-Pc Rés F 578; F-TLm Cons 13; Qu. 4—6- 8—15, 18, 19, 22, 25, 30, 32, 36, 40—43, 46, 50, 57, 58, 60, 63, 69; GB-Cfm 23 H 16; F-Po A 95b (Bearbeitung); F-B Ms 279.147; F-Pc X 108

Transkription: B-Bc 27220, 114 (Cembalo)

Drucke: A. Campra, *Fragments de M. de Lully,* 1702
La Clef des chansonniers, 1717, I, 180 (G-Dur)
(Text) Bacilly, Recueil, 1680, s. p.
Recueil Complet De Vaudevilles, 1753, 8

Weltl. Parodien, hs.:   Chansonnier Maurepas 12619, 75, sur Louis Charles de Levis, duc de Ventadour): *Grand Dieu, la nature est f . . . tue Et nous sommes tous empestez;* ebd. 237 (1675): *Je suis revenu de la Trape, Cette maudite Trappe-à-fou;* dass. F-Pa 4843, I, n°. 58

Weltl. Parodien: Bacilly, Recueil, 1671, 73, Tendresses bachiques, 1712: *Entre la poire et le fromage, C'est le temps de boire aux chansons;* dass.
La Clef des chansonniers, 1717, I, 180

Geistl. Parodie: Chassain, Hymnes 1705, 114: *Grands Martyrs, dont la noble vie*

Wiederverwendet: A. Campra, *Fragments de M. de Lully,* 1702

43/38   Second Menuet pour les hautbois des Poitevins, deux Musiciens poitevins:

Abschriften: F-Pc Rés F 578; F-Pn Rés 685; F-TLm Cons 13; Qu. 4—6, 8—15, 18, 19, 22, 30, 32, 36, 40—43, 46, 49, 57, 58, 60, 63, 69, 70; GB-Cfm 23 H 16; F-Pc X 108

Transkriptionen:	B-Bc 27220, 115 (Cembalo, mit Varianten) Duo choisis, 1728, 92
Drucke:	Trios de Differents Auteurs, Babel, 1698, II, 77 A. Campra, *Fragments de M. de Lully*, 1702 La Clef des chansonniers, 1717, I, 184 (G-Dur) Recueil Complet De Vaudevilles, 1753, 8 f. (Text) Bacilly, Recueil, 1680, s. p.
Weltl. Parodien, hs.:	Chansonnier Maurepas 12639, 314 (1671), sur le Cardinal de Bouillon, par Mme de Longueval, chanoinesse): *La jeune Eminence, Craignant la médisance* F-Pa 4843, nᵒ. 59: *Croy-moy mon frere; Que je vous plains; Quand Florimond Les coudes sur le table*
Drucke:	Bacilly, Recueil, 1671, 73, 1680, s. p.: *Quoy vous dormez, belle Bergere* (Perrin); Tendresses bachiques, 1712: *Si ma methode Vous est commode* La Gamme bachique, 1715, 26: *Entre la Poire et le Fromage* La Clef des chansonniers, 1717, I, 184: *Si ma methode Vous est commode*
Wiederverwendet:	Trio pour la Chambre du Roy A. Campra, *Fragments de M. de Lully*, 1702

43/39

Choeur:

Quels spec = ta=cles char=mants, quels plai = sirs

Abschriften:	F-Pc Rés F 578; F-TLm Cons 13; Qu. 4—6, 8—15, 18, 19, 40, 42, 50, 63; F-Po A 95b (Bearbeitung für Orchester mit Bläsersatz)
Druck:	A. Campra, *Fragments de M. de Lully*, 1702
Wiederverwendet:	A. Campra, *Fragments de M. de Lully*, 1702

43/40

Sätze ohne Titel in der Kopie Philidors (F-Pc Rés F 578). Sie sind zweistimmig und vor der Ouverture notiert

43/41   Duo à boire:

Dieu du vin, Dieu du vin, c'est à toi

Abschrift: F-Pc Rés 578

Bemerkung: Dieses Duett soll von Destouches stammen.

LWV 44
MARCHES ET BATTERIES DE TAMBOUR

44/1   Batteries de tambours faites par Mr. de Lully à Saint Germain en Laye
            en 1670 que le Roy fit faire à dessein de changer celle des Mousquetaires
            pour celle là:

Abschriften: F-V Ms mus 168; F-Pc Rés F 671

44/2   Marche du Regiment du Roy faite par M. de Lully l'an 1670:

Abschriften: F-V Ms mus 168; F-Pc Rés F 671; Qu. 17, 43, 69

Bemerkung in: F-V Ms mus 168: A la Creation du Regiment du Roy l'on battoit la
                  marche françoise, mais les officiers dud. regiment ayant été tirez des mous-
                  quetaires demanderent au Roy que les tambours battent la marche des
                  mousquetaires, ce qui leur fut accordé. Puis ils ont battu la marche cy
                  dessus de Mr de Lully Page 36. Et ensuitte ont repris la marche des mous-
                  quetaires qui subsiste encore presentement.

LWV 45
PSYCHE

Bezeichnung: Tragi-Comédie, Tragédie-Ballet

Text: Jean Baptiste Poquelin Molière, Pierre Corneille, Jean-Baptiste Lully,
                  Philippe Quinault

Erste Aufführung: 17. 1. 1671 in den Tuileries

Librettodrucke:	*Psiché / Tragi-Comedie, / et Ballet / Dansé devant sa Majesté au mois /* *de Janvier 1671. /* Paris, Robert Ballard, 1671, F-Pn Yf 1036
	Psiché, / Tragedie-Ballet. / Par J. B. P. Moliere. / Paris, Pierre Monnier, *1671,* F-Pn Rés Yf 4201

Suivant la copie imprimée à Paris, [Amsterdam] s. n. 1671, D-G
s. l. s. n. 1672, F-LYm
Paris, Cl. Barbin, 1673, F-Pn
Weitere Ausgaben, vgl. A.-J. Guibert, Bibliographie, I, 338—375 (Guibert
begeht jedoch den Fehler, die Psyché Molières und P. Corneilles von jener
T. Corneilles nicht zu unterscheiden), II, 476—479.

Abschriften:	keine
Stimme:	Qu. 22 (unvollständig)
Ariendruck:	Airs / du Ballet Royal / de Psyché, avec la Basse-Continue / A Paris / Chez Robert Ballard, seul Imprimeur du Roy / pour la Musique, ruë S. Jean de Beauvais, / au Mont Parnasse. / M.DC.LXX. / Avec Privilege de sa Majesté. dass. ²1673, F-Pn
Bemerkung:	Psyché war der letzte gemeinsame Erfolg Lullys und Molières. Die Über- lieferung der ersten Drucke der Libretti ermöglicht eine Rekonstruktion der am Hof sowie im Palais Royal gespielten Fassungen. In der Plainte italienne der Fassung des Palais Royal fehlt das Double zum Air *Deh* *piangete.* Im Finale nahm Molière einige Veränderungen und Umstellun- gen vor. Von den insgesamt 23 musikalischen Nummern strich er das Récit de Mars, *Mes plus fiers ennemis,* das Chanson de Silène, *Bacchus veut* *que l'on boive* sowie das nachfolgende Terzett. Außerdem wurde der Text des Schlußchores an die neue Aufführungssituation im Palais Royal an- gepaßt.
Literatur:	La Laurencie, Lully 120—122; Prunières, L'Opéra Italien, 361; Borrel, Lully, 61; Christout, Le Ballet de Cour, 120—122; Girdlestone, La tra- gédie en musique, 129 f.; Isherwood, Music in the service, 274 f.; Anthony, French baroque music, 57 f.; Newman, Formal Structure, 142 f.; H. Schnei- der, Zur Rezeption von Molières und Lullys „Psyché", in: Stimmen der Romania, Fs. für W. Th. Elwert, Wiesbaden 1980

45/1	Ouverture:

Abschriften:	Qu. 22, 31, 32, 36—38, 42—52, 55, 58, 60, 62, 64, 66, 72, 78, 79; GB-Lbl Add 10445, 105 (vierstimmig); F-B 13750; F-V Ms mus 165; F-Pc X 108 (Dessus)
Transkriptionen:	GB-Lbl Add 39569, 40 (Cembalo) Ouvertures des opera, 1725, 18
Drucke:	Les Simphonies à 4, Pointel Ouverture Avec tous les Airs, Roger
Weltl. Parodien, hs.:	F-Pa 4843, 241: *Pourquoi s'amuser à folatrer*
Drucke:	Par. bach., 1695, 59, 1696, 81, du Fresne, 1696, 37: *Pourquoy s'amuser* *A folatrer, A baiser* Concerts parodiques, 1721, 30: *Mere des amours* Les Ouvertures des opera, 1725, 18: *Pourquoy s'amuser à causer & folatrer?*

Prologue, Flore:

Ce n'est plus le temps de la guer=re

Abschriften: Qu. 73, 78, 85; F-B 13750

Druck: Airs du Ballet Royal De Psiché, 1670 und 1673

Geistl. Parodie: Opera spir., 1710, 22: *Gloire à Dieu, & paix sur la terre*

Wiederverwendet: *Ballet des Ballets*, 1671

45/3   Choeur:

Nous goû=tons u = ne paix pro=fon = de

Abschriften: Qu. 22, 42, 50, 60, 65, 85; F-B 13750

Wiederverwendet: *Ballet des Ballets*, 1671

45/4   Pour les Nayades, Silvains, Fleuves et Driades:
                      Qu. 62: Bourrée; Qu. 37, 44 etc.: Symphonie; Qu. 46, Pointel: Les faunes

Abschriften: Qu. 22, 31, 32, 36—38, 43—46, 48—50, 52, 55, 58, 60, 62 (zweimal),
                      66, 71 (zweimal), 72, 78; GB-Lbl Add 10445, 106 (vierst.)

Drucke: Les Simphonies à 4, Pointel
                      Ouverture Avec tous les Airs, Roger

Wiederverwendet: *Ballet des Ballets*, 1671

45/5   Vertumne:

Ren =dez-vous beau=tez cru=el = les

Abschrift: Qu. 73; F-B 13750

Druck: Airs du Ballet Royal De Psiché, 1670 und 1673

Geistl. Parodien: Cant. de l'ame devote, Marseille, 1688, 23: *Rendez-vous, beauté cruelle*
                      Opera spir., 1710, 68: *Rendons-nous dans cette Etable, Pour y voir le
                      fils de Dieu*

Wiederverwendet: *Ballet des Ballets*, 1671

45/6   Menuet:

Abschriften: Qu. 22, 31, 32, 36—38, 42—46, 48, 50, 52, 55, 58, 60, 66, 71, 72, 78;
                      GB-Lbl Add 10445, 106; F-B 13750; F-Pc X 108

Transkription:	B-Bc 27220 (Cembalo)
Drucke:	Les Simphonies à 4, Pointel Ouverture Avec tous les Airs, Roger
Weltl. Parodien, hs.:	Chansonnier Maurepas 12639, 327 (1672): *Avez-vous ressenti l'absence?* *Estes-vous sensible au retour* (Louis XIV) F-Pa 4842, 283: *Vos appas, belle Nanette Vos appas font du fracas*
Drucke:	Par. bach., 1695, 51, 1696, 83, du Fresne, 1696, 38, Nouv. Par. bach., 1700, I, 157, Nouv. Recueil de chansons choisis, 1732, V, 13: *Que j'aime* *à choquer le verre, Belle Iris seul avec vous*
Timbre:	Que j'aime à choquer le verre (F-Pa 4842)
Wiederverwendet:	*Ballet des Ballets,* 1671

45/7   Flore (Menuet):

Abschriften:	Qu. 22 (F-Dur), 60, 73, 78; F-B 13750; US-Sp ML 96 A 75
Drucke:	Airs Du Ballet Royal De Psiché, 1670 und 1673 (Text) Nouv. Recueil, Raflé, 1695
Weltl. Parodie, hs.:	GB-Lbl Egerton 1520, III, 57: *Vos appas, belle Nannette Vos appas font* *du fracas* Nouv. Par. bach., 1700, I, 158: *Point d'affaire, Ny de mystere, Point* *d'affaire Dans un repas*
Druck:	La Monnoye, Oeuvres, 1770, 203: *Epinette, Flûte, musette*
Geistl. Parodien:	N. Saboly, Recueil des noëls, 1699, 49: *Lei plus sage Dou vesinage Lei* *plus sage Et lei plus fin* Opera spir., 1710, 45: *Allegresse, Chantons sans cesse, Allegresse, Le Roy* *des Cieux*
Wiederverwendet:	*Ballet des Ballets,* 1671
Literatur:	Le Cerf de la Viéville, Comparaison, II, 78 (irrtümlich *Alceste* zugeordnet)

45/8   I, 6, Premier Intermede, Plainte en italien, Prelude; Femme désolée:
                                F-V Ms mus 102: Marche pour la Pompe Funebre; Qu. 55 etc.: Symphonie

Abschriften des Prelude:	Qu. 22, 37, 38 (in Suite aus *Les Amants magnifiques*), 42, 44—49, 51, 52, 55, 58, 60, 72, 85; GB-Lbl Add 31425 (Trio); F-B 13750
Druck:	Les Simphonies à 4, Pointel
Abschriften des Air:	Qu. 73, 75, 78, 85; F-B 13750
Druck:	Airs Du Ballet Royal De Psiché, 1670 und 1673
Wiederverwendet:	*Ballet des Ballets,* 1671
Literatur:	Le Cerf de la Viéville, Comparaison, I, 93, II, 185 (Double von M. Lam- bert, dessen Text, *Rispondete a miei lamenti,* im Librettodruck Le Mon- niers fehlt)

45/9   Deux Hommes affligés:

Abschriften: Qu. 42, 75, 78, 79, 85; F-B 13750

Druck: Airs Du Ballet Royal De Psiché, 1670 und 1673

Wiederverwendet: *Ballet des Ballets,* 1671

45/10   Entrée de Ballet de huit Personnes affligées:

Abschriften: Qu. 22, 32, 36, 43 etc.: Les hommes et femmes échevelez
                              Qu. 22, 31, 32, 36—38, 43—46, 48—50, 52, 55, 60, 72, 78; GB-Lbl Add
                              10445, 106 (Trio); F-Pc X 108

Drucke: Les Simphonies à 4, Pointel
                              Ouverture Avec tous les Airs, Roger

Wiederverwendet: *Ballet des Ballets,* 1671

45/11   II, 5, Second Intermede. Entrée des Cyclopes et des Fées:
                            F-Pc Rés F 623, F-V Ms mus 102, Qu. 32, Druck 1720: Entrée des Cyclopes

Abschriften: Qu. 22, 31, 32, 36—38, 42—46, 48, 50, 52, 55, 58, 60, 72, 78; F-V Ms mus
                              137; GB-Lbl Add 10445, 107 (Trio); F-Pc X 108

Drucke: Les Simphonies à 4, Pointel
                              Ouverture Avec tous les Airs, Roger

45/12   Six Cyclopes:
                            Pointel, Roger, Qu. 31, 60 etc.: Les Forgerons

Abschriften: Qu. 22, 31, 32, 36—38, 42—50, 52, 55, 58, 60, 72, 78; GB-Lbl Add 10445,
                              107 (Trio); F-Pc X 108

Drucke: Les Simphonies à 4, Pointel
                              Ouverture Avec tous les Airs, Roger

Weltl. Parodien: Par. bach., 1695, 62, 1696, 84, du Fresne, 1696, 38, Nouv. Par. bach.,
                              1700, I, 160: *Ah! quel doux plaisir Que de trinquer à loisir* (M.D.L.F.)

Wiederverwendet: *Ballet des Ballets,* 1671

45/13   Vulcain:

Abschriften: Qu. 78, 85; US-Sp ML 96 A 75

Drucke: Airs Du Ballet Royal De Psiché, 1670 und 1673

Weltl. Parodien, hs.: Chansonnier Maurepas 12618, 455 (1671): *Qui l'eût crû qu'à vingt et deux ans Le plus vigoureux des amants;* ebd. 457: *Un jour la Lionne dit-on Trouva Saint Paul en Caleçon;* ebd. 459: *Depeschez, preparez vos v . . . Il n'importe grands, ou petits;* ebd. 450; ebd. 469: *Qui l'eut crû qu'apres quarante ans;* ebd. 477: *Provençaux vous êtes heureux*
F-Pa 4842, 226: *Qui l'eut crû qu'à vingt et deux ans*
GB-Lbl Egerton 1520, III, 38: *Un jour la Lionne, dit-on . . .;* ebd. Egerton 814, 191: *Qui l'eût crû qu'apres quarante ans . . .*

Drucke: de Coulanges, Recueil, 1698, 175: *Provinciaux, vous êtes heureux;* ebd. 183: *Quoy faut-il quitter ce séjour; II, 117: Quelques grands que soient des logis;* Chansons, 1754, 81: *Provinciaux, vous êtes heureux D'avoir ce chef-d'oeuvre des Cieux;* ebd. 85, 214

Geistl. Parodie: Opera spir., 1710, 67: *Depêchons, allons voir ce Dieu*

Wiederverwendet: *Ballet des Ballets,* 1671

Bemerkung: Der Text dieses Air und von 45/15 fehlt in dem Libretto-Druck Ballards von 1671.

45/14   Vulcain:

Abschriften: Qu. 22, 78, 85

Druck: Les Airs Du Ballet Royal De Psiché, 1670 und 1673

45/15   III, 3, Troisiesme Intermede, Entrée de Ballet de quatre Amours et quatre Zephirs, Menuet:
                                   Par. bach., 1696, 85: Sarabande

Abschriften: Qu. 22, 31, 32, 36—38, 42—46, 48—52, 58, 60, 62, 69, 72, 78, 85;
                      F-V Ms mus 137; GB-Lbl Add 10445, 107; F-B 13750; F-Pc X 108

Drucke: Les Simphonies à 4, Pointel
                      Ouverture Avec tous les Airs, Roger

Weltl. Parodie, hs.: F-V Ms mus 262, 40: *C'est trop soupirer Mon coeur commence à murmurer*

Drucke: Par. bach., 1695, 63, 1696, 85, du Fresne, 1696, 39, Nouv. Par. bach., 1700, I, 162: *C'est trop soupirer . . .*
                      S. Vergier, Oeuvres, 1726, 242: *L'Amour est ton Copiste fidèle*

196

45/16	Premiere Nymphe:

Abschriften:	Qu. 66, 73, 78, 85; F-B 13750; US-Sp ML 96 A 75
Transkription:	B-Bc 27220, 130 (Cembalo)
Drucke:	Airs Du Ballet Royal De Psiché, 1670 und 1673 (Text) Nouv. Recueil, Raflé, 1695
Weltl. Parodien, hs.:	Chansonnier Maurepas 12618, 461 (1671, von Louis XIV): *Hideuse vieillesse Fuyez la jeunesse* F-Pa 4842, 216: *Hideuse vieillesse ...* F-A Ms 1248: *Aimable du Pontel;* dass. F-LYm Ms 1545, II, 22
Drucke:	Le Cerf de la Viéville, Comparaison, II, 114: *Aimable La Ferté Hélas aupres de vous on perd* (Lully) La Monnoye, Oeuvres, 1770, 233: *Que la terre essuie*
Geistl. Parodien:	N. Saboly, Recueil des Noëls, 1699, 51: *Lei Pastre fan Festo Jogon de son resto* Opera spir., 1710, 48: *Ce Dieu redoutable, tout grand, tout aimable*

45/17	Deux Nymphes:

Abschriften:	Qu. 66, 78, 79, 85
Drucke:	Airs Du Ballet Royal De Psiché, 1670 und 1673 (g-Moll) Les Trio, Blaeu, 1691, II

45/18	IV, 5, Quatriesme Intermede. Entrée des Furies et des Lutins: Druck 1720: Air des Démons

Abschriften:	Qu. 22, 31, 32, 36, 37, 42—50, 52, 55, 58, 60, 64, 72, 78; GB-Lbl Add 10445, 108; F-Pc X 108
Drucke:	Les Simphonies à 4, Pointel: Entrée de Furie Ouverture Avec tous les Airs, Roger: Les Démons
Weltl. Parodie, hs.:	GB-Lbl Egerton 1520, III, 59: *L'on boit en tous lieux*
Drucke:	Par. bach., 1695, 64, 1696, 85, du Fresne, 1696, 39, Nouv. Par. bach., 1700, I, 163: *On boit en tous lieux Même en Enfer* (M.D.L.F.)

45/19	V, 6, Prelude, Recit d'Apollon:

Abschriften des Prélude:	Qu. 22, 32, 36—38, 42—46, 48, 51, 52, 58, 60, 72, 85; GB-Lbl Add 10445, 108; F-B 13750; F-Pc X 108
Abschriften des Récit:	Qu. 73, 79, 85; F-B 13750
Druck:	Airs Du Ballet Royal De Psiché, 1670 und 1673

45/20   Choeur:

Ce=le=brons, ce=le=brons ce grand jour

Abschriften: Qu. 22, 35, 50

45/21   Prelude, Bacchus:

Si quel=que fois sui=vant nos dou=ces loix

Abschriften des Prélude: Qu. 22, 37, 38, 44, 48, 52, 60, 64; F-Pc X 108

Abschrift des Récit: Qu. 78

Drucke: Airs Du Ballet Royal De Psiché, 1670 und 1673
                          (Text) Bacilly, Recueil, 1671, 277
                          Nouv. Par. bach., 1700, I, 170 (Originaltext)

Bemerkung: Im Erstdruck von 1670 ist das Air im 4/4-Takt notiert, in allen anderen
                          Abschriften im 3/2-Takt.

45/22   Recit de Mome:

Je cherche à mé = di = re sur la terre

Abschriften: Qu. 22, 35, 59, 62, 73, 78, 79, 85; F-B Ms 279.147

Drucke: Airs Du Ballet Royal De Psiché, 1670 und 1673
                          Les Simphonies à 4, Pointel (Trio)
                          Les Trio, Blaeu, 1690, I

45/23   Mars:

Mes plus fiers en =ne = mis vain=cus

Abschrift: Qu. 78

Druck: Airs Du Ballet Royal De Psiché, 1670 und 1673 (C-Dur)

Bemerkung: Dieses Récit fehlt im Druck Le Monniers.

45/24   Choeur:

Chan= tons les plai = sirs char = mans

Abschriften: Qu. 22, 24, 35, 50, 60

Bemerkung: Bei Le Monnier mit verändertem Text nur als Finalchor.

198

45/25   Entrée de la suite d'Apollon, Bergers galants, Apollon:
Qu. 37, D-B Mus ms 13263: Gavotte

Abschriften:	Qu. 22, 31, 32, 36—38, 42—46, 48—50, 52, 55, 58, 60, 66, 72, 73, 75, 78, 79; D-BN ms 585/85; US-Sp ML 96 A 75; F-Pc X 108
Transkriptionen:	F-Pc Rés 823, 26 (Laute): Gavotte B-Bc 27220, 133 (Cembalo)
Drucke:	Airs Du Ballet Royal De Psiché, 1670 und 1673 Les Simphonies à 4, Pointel Ouverture Avec tous les Airs, Roger
Geistl. Parodie:	Opera spir., 1710, 67: *Allons voir dans la Créche, Cet Enfant nouveau né*

45/26   Second Air:
Qu. 37, 44, 50, D-B Mus ms 13263: Sarabande; Qu. 43: Entrée des Bacchantes; F-V Ms mus 102: Air pour les Arts

Abschriften:	Qu. 22, 31, 32, 36—38, 42—46, 48—50, 52, 55, 58, 60, 66, 78, 85; F-V Ms mus 137; GB-Lbl Add 10445, 109; F-Pc X 108
Druck:	Les Simphonies à 4, Pointel
Weltl. Parodien, hs.:	F-Pa 4843, 242: *Dieu Bacchus que je chéris Je languis, je gémis* GB-Lbl Egerton 1520, III, 58: *Avez-vous ressenti l'absence Estes-vous sensible au retour*
Drucke:	Par. bach., 1695, 66, 1696, 88, du Fresne, 1696, 40, Nouv. Par. bach., 1700, I, 167: *Tu m'avois promis de bien boire, Tu m'avois tant vanté ce vin* (M.R.)

45/27   Deux Muses:

Abschriften:	Qu. 51, 60, 73, 78, 79, 85; GB-Lbl Add 31425, 11 (Trio, g-Moll); S-Sk S 173
Drucke:	Airs Du Ballet Royal De Psiché, 1670 und 1673 Les Trio, Blaeu, 1691, II Trios de Differents Auteurs, Babel, I (g-Moll)

45/28   Entrée de la suite de Bacchus:
Monnier-Druck, F-V Ms mus 102, Qu. 47 etc.: Pour les Menades et Aegipans; Qu. 36, 44, 46, 66, etc.: Les Bacchanales; Qu. 62: Loure

Abschriften:	Qu. 22, 31, 32, 36—38, 42—50, 52, 55, 58, 60, 62, 66, 72, 78; GB-Lbl Add 10445, 109; F-Pc X 108

Transkription:	B-Bc 27220, 133 (Cembalo, D-Dur)
Drucke:	Les Simphonies à 4, Pointel
	Ouverture Avec tous les Airs, Roger

45/29   Recit de Bacchus:

Abschriften:	Qu. 73, 75, 78; US-Sp ML 96 A 75
Druck:	Airs Du Ballet Royal De Psiché, 1670 und 1673
	(Text) Bacilly, Recueil, 1671, 294
	(Text) Nouv. Par. bach., 1700, I, 172

45/30   Second Air:
                 Qu. 22: Les Faunes

Abschriften:	Qu. 22, 31, 32, 36—38, 42—50, 52, 55, 58, 60, 62, 66, 72, 78, 85;
	GB-Lbl Add 10445, 109: Rondeau; F-Pc X 108
Transkription:	B-Bc 27220 (Cembalo, D-Dur, Les Fées)
Drucke:	Les Simphonies à 4, Pointel
	Ouverture Avec tous les Airs, Roger
Weltl. Parodie:	Nouv. Par. bach., 1700, I, 166: *Le vin est le noeud charmant Par qui tout est uny constamment* (M. V.); dass. S. Vergier, Oeuvres, 1726, 248

45/31   Silene:

Abschriften:	Qu. 73, 78
Drucke:	Airs Du Ballet Royal De Psiché, 1670 und 1673
	(Text) Bacilly, Recueil, 1671, 277
	(Text) Nouv. Recueil, Raflé, 1695
	(Text) Nouv. Par. bach., 1700, I, 174
Bemerkung:	Dieser Text fehlt in Le Monniers Druck.

45/32   Silene et deux Satyrs:

Abschrift:	Qu. 75, 85
Druck:	Les Trio, Blaeu, 1691, II: *Ne les cherchez qu'au bord des pots*
	(Text) Bacilly, Recueil, 1671, 294
Bemerkung:	Dieser Text fehlt in Le Monniers Druck.

45/33   Entrée de la suite de Mome. Les Polichinels, Matassins et Esprits follets:

Abschriften:	Qu. 22, 31, 32, 36—38, 42—46, 48—50, 52, 55, 58, 72, 78; F-V Ms mus 137; GB-Lbl Add 10445, 109; F-Pc X 108
Drucke:	Les Simphonies à 4, Pointel Ouverture Avec tous les Airs, Roger
Bemerkung:	In dem Druck Ballards von 1720 ist nach diesem Satz die Chaconne aus dem *Bourgeois Gentilhomme* (43/36) eingefügt.

45/34   Mome:

Fo=lâ=trons,   fo=lâ = trons,   di=ver =   tis=sons -

Abschriften:	Qu. 22, 35, 59, 72, 73, 75, 78, 79, 85; F-Pn Rés 684; F-B Ms 279.147
Drucke:	Airs Du Ballet Royal De Psiché, 1670 und 1673 Les Simphonies à 4, Pointel: Trio Les Trio, Blaeu, 1690, I
Geistl. Parodie:	Opera spir., 1710, 74: *Dépêchons, dépêchons, & doublons le pas*

45/35   Entrée de la suite de Mars, Mars:
                   Le Monnier: Mars suivy de sa Troupe guerriere; Druck 1720: Prelude de Trompettes et de Violons, en Echo, pour Mars; Qu. 22, 24, 48, 60, 78, Pointel, Roger etc.: Echo; Qu. 31, 36: Rondeau

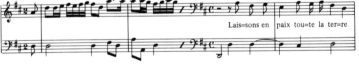

Lais=sons en   paix tou=te la ter=re

Abschriften des Prélude:	Qu. 22, 24, 31, 32, 36, 37, 42—45, 48—50, 52, 58, 60, 71, 72, 78; GB-Lbl Add 10445, 110; F-Pc X 108
Transkription:	Qu. 39 (Trompeten, C-Dur)
Drucke:	Les Simphonies à 4, Pointel Ouverture Avec tous les Airs, Roger
Abschrift des Air:	Qu. 78
Druck:	Airs Du Ballet Royal De Psiché, 1670 und 1673 (C-Dur)

45/36   Quatre Hommes portant des enseignes:
                   Qu. 24, 32, 48, 71, Pointel, Roger: Rondeau pour les Trompettes

Abschriften:	Qu. 22, 24, 31, 32, 36—38, 42—45, 48—50, 52, 58, 60, 71, 72, 78; GB-Lbl Add 10445, 110; F-Pc X 108
Transkription:	B-Bc 27220, 136: Cembalo

Drucke:	Les Simphonies à 4, Pointel Ouverture Avec tous les Airs, Roger
Weltl. Parodien:	Par. bach., 1695, 67, 1696, 89, du Fresne, 1696, 41, Nouv. Par. bach., 1700, I, 168: *Les armes à la main Au son de cette Trompette* (M.D.L.F.)

45/37   Dernier Air:

Abschriften:	Qu. 22, 24, 32, 36—38, 42—45, 48—50, 52, 58, 60, 71, 72, 78; F-V Ms mus 137; GB-Lbl Add 10455, 110; F-Pc X 108
Transkription:	Qu. 39 (Trompeten, C-Dur)
Drucke:	Les Simphonies à 4, Pointel Ouverture Avec tous les Airs, Roger

45/38   Mome et Polichinel:

Abschrift:	Qu. 55 (Suite 24, 7. Satz)

LWV 46
BALLET DES BALLETS

Bezeichnung:	Ballet
Text:	Jean Baptiste Poquelin Molière, Philippe Quinault
Erste Aufführung:	2. 12. 1671 in Saint-Germain-en-Laye zusammen mit Molières *La Comtesse d'Escarbagnas*
Librettodruck:	*Ballet / des Ballets, / Dansé devant Sa Majesté en son / Chasteau de S. Germain en Laye / au mois de Decembre 1671. / Paris, Robert Ballard, 1671*, F-Pa 4⁰ B 3769 (15), F-Pn Yf 1037 Weitere Ausgabe, vgl. A.-J. Guibert, Bibliographie, II, 531
Abschrift in Partition générale:	F-B Ms 13741 (nicht vollständig)
Bemerkung:	Die oben genannte Abschrift des *Ballet des Ballets* enthält nicht die gesamte Musik dieses Pasticcios, sondern verweist an verschiedenen Stellen auf die Herkunft der zu musizierenden Sätze. So wird nur auf die *Cérémonie turque* des *Bourgeois Gentilhomme* und das Finaldivertissement der *Psyché* von 1671 verwiesen.

46/1—3	Identisch mit 23/1, 2, 6
46/4	Prologue, identisch mit 42/2
46/6—11	Identisch mit 45/2—7
46/12	Premier acte de la Comédie

46/13—15	Identisch mit 45/8—10
46/16	Second acte de la Comédie
46/17—20	Identisch mit 33/1—4
46/21	Troisième acte de la Comédie
46/22—29	Identisch mit 38/7—14
46/30	Quatrième acte de la Comédie
46/31—32	Identisch mit 33/12—13
Bemerkung:	Das Libretto enthält den Hinweis auf zwei Tänze: quatre Biscayens jouans des castagnettes; quatre Bohemiens jouans de la guitare
46/33—35	Identisch mit 45/12—14
46/36	Cinquième acte de la Comédie
46/37—45	Identisch mit 43/14—22
46/46	Sixième acte de la Comédie
46/47—58	Identisch mit 43/33—36, 25—32
46/59—61	Identisch mit 23/3—5
46/62—81	Identisch mit 45/19—38

LWV 47
LES FETES DE L'AMOUR ET DE BACCHUS

Bezeichnung:	Pastorale
Text:	Philippe Quinault, Jean Baptiste Poquelin Molière, Président de Périgny
Erste Aufführung:	15.(?) 11. 1672 im Bel-Air in Paris
Librettodrucke:	*Les Festes / De l'Amour / et / De Bacchus / pastorale. / représentée / par l'Academie royale / de musique. / Paris ... François Muguet*, 1672, F-Pa

> Suivant la copie imprimée à Paris, Amsterdam s. n. 1682, US-NH
> in: Recueil des Opera, des Balets, Amsterdam, A. Wolfgang, 1684, D-Tu
> Imprimée à Paris, se vend à Anvers, H. Van Dunwaldt, 1685, D-Mbs
> Suivant la copie imprimée à Paris, [Amsterdam] s. n. 1686, D-Mth
> Paris, Ballard, 1689 (mit Idylle sur la Paix), F-Pn
> Suivant la copie imprimée à Paris, [Amsterdam] s. n. 1687, D-Mth
> (unter dem Titel) L'Idylle et les Festes de l'Amour et de Bacchus, Paris, Ballard, 1689, F-Pn
> in: Recueil des Opera, Amsterdam, A. Wolfgang, 1690, D-HR
> Paris, Ballard, 1696, F-Pn
> Suivant la copie de Paris, Amsterdam, H. Schelte, 1697, D-F
> Suivant la copie imprimée à Paris, Amsterdam, s. n. 1699, F-Pn
> in: Recueil général des Opera, Paris, Ballard, 1703, F-Pn
> in: Recueil des Opera, La Haye, G. de Voys, 1726, D-F
> Paris, s. n. 1738, F-Pn
> in: Petite Bibliothèque des Théâtres, Paris, 1784, F-Pn

Abschriften:	Partition générale: F-Pn Rés F 589; Rés F 659 (signiert de Larivet); Rés F 652; Rés F 662 (mit dem Titel *Le Triomphe de l'Amour et de Bacchus*, kopiert von J. N. Cuinet, mit dem Exlibris Philidors von 1702); ehemals GB-T Ms 267, jetzt F-Pn Rés F 1703; I-Tn Ris Mus I, 6; F-Pn Vm² 4; F-Pc X 457; F-Po A 3 b (Henry Dumont 1710); F-B Ms 13742; F-PMeyer; F-TLm Cons 5 (signiert Aubry, conseiller au parlement); F-Po A 3 c; GB-Lbl RM 21h13; US-BE Ms 448
Druck in Partition générale:	*Les Festes / de l'Amour / et / de Bacchus, / Pastorale. / Premier Opera de Monsieur De Lully, / Ecuyer-Conseiller-Secretaire du Roy, Maison, / Couronne de France & de ses Finances; & Sur- / Intendant de la Musique de Sa Majesté. / Imprimé pour la premiere fois. / Partition Générale. /* [Druckerzeichen Ballards mit Lilienwappen] */ De l'Imprimerie / De J-B-Christophe Ballard, seul Imprimeur du Roy pour la Musique, / à Paris, rüe Saint Jean de Beauvais, au Mont-Parnasse. / M.DCCXVII. / Avec Privilege du Roy.*
Stimmen:	Qu. 21, 22, 28, 29. F-Po A 3 d (haute-contre du grand choeur), ehemals GB-T Ms 1—5, jetzt F-Pn Rés F 1705 (Philidor, 1703, Vokalstimmen) und Ms 132—135 (Instrumentalstimmen)
Suitendruck:	*Les / Simphonies / à 4. / Avec les Airs / Et Triots, / Des Festes / De l'Amour / et de Bacchus. / Par Monsr. de Lully. /* [Stimmbezeichnung] */ A Amsterdam, / Par A. Pointel* [ca. 1687—1700]
Literatur:	Gros, Quinault, 103 f.; Christout, Le Ballet de Cour, 124; Girdlestone, La Tragédie, 77—81; Anthony, French Baroque Music, 186—189
47/1	Identisch mit 43/1
47/2	Prologue, identisch mit 43/23
47/3	Le Donneur de Livres et les quatre Importuns forment la premiere Entrée:

Abschriften:	Qu. 38, 72: Canaries; Qu. 43: Le Marié Qu. 22, 38, 43—45, 49, 50, 52, 72, 78
Druck:	Les Simphonies à 4, Pointel
47/4	Ritournelle, Polymnie:

Abschriften der Ritournelle:	Qu. 18 (als Ouverture bezeichnet), 22, 31, 38, 40, 43—46, 49, 50, 52, 55, 60, 63, 69, 72
Abschriften des Air:	Qu. 18, 78, 85
Druck:	A. Campra, *Fragments de M. de Lully*, 1702
Wiederverwendet:	A. Campra, *Fragments de M. de Lully*, 1702
Bemerkung:	Die Partiturabschrift ehemals GB-T Ms 267 enthält nicht die Nummern 4—11

47/5   Symphonie, Melpomene:
              Qu. 18, 40, 49—51, 85: Descente de la machine; Qu. 46, 55, 69: La
              descente des Dieux; Qu. 44: Air pour les Muses

Joig=nez à mes chants mag=ni=fi=ques

Abschriften der Symphonie: Qu. 18, 22, 31, 38, 40, 43—46, 49—52, 55, 63, 69, 72, 85

Drucke: Les Simphonies à 4, Pointel
                            A. Campra, *Fragments de M. de Lully*, 1702

Abschriften des Air: Qu. 18, 40, 85

Druck: A. Campra, *Fragments de M. de Lully*, 1702

Wiederverwendet: A. Campra, *Fragments de M. de Lully*, 1702

47/6   Melpomene et Euterpe:

C'est à moy, c'est à moy de pré = tendre à luy

Abschriften: Qu. 40, 85

Druck: A. Campra, *Fragments de M. de Lully*, 1702

Wiederverwendet: A. Campra, *Fragments de M. de Lully*, 1702

47/7   Euterpe:

C'est un doux a = mu = se = ment

Abschriften: Qu. 18, 40, 78, 85

Druck: A. Campra, *Fragments de M. de Lully*, 1702

Wiederverwendet: A. Campra, *Fragments de M. de Lully*, 1702

47/8   Les trois Muses ensemble:

Que nôtre ac=cord est doux, que nôtre ac=cord est doux

Abschriften: Qu. 18, 40, 85

Druck: A. Campra, *Fragments de M. de Lully*, 1702

Wiederverwendet: A. Campra, *Fragments de M. de Lully*, 1702

47/9   II. Entrée, Premier Air:
        F-Pc Rés F 652, Qu. 44: les Ouvriers; F-TLm Cons 5, Qu. 18, 45: Air
        des Héros, Pastres, Ouvriers des Arts; Qu. 40: Air des Arts; Qu. 22, 43,
        46, 55, 60, 69, 78: Les Menuisiers

Abschriften: Qu. 18, 22, 31, 38, 40, 43—46, 49—52, 55, 60, 69, 78; F-LYm Ms 133726
                (Suite V, 13)

Drucke: Les Simphonies à 4, Pointel
                A. Campra, *Fragments de M. de Lully*, 1702

Wiederverwendet: A. Campra, *Fragments de M. de Lully*, 1702

47/10   Les trois Muses ensemble, Choeur:

Abschriften: Qu. 18, 22, 40, 72

47/11   Symphonie pour les Hautbois et les Musettes; Melpomene, Choeur:

Abschriften: Qu. 22, 40, 63, 72; (mit Choeur): Qu. 40
Drucke: Les Simphonies à 4, Pointel
                A. Campra, *Fragments de M. de Lully*, 1702

Wiederverwendet: A. Campra, *Fragments de M. de Lully*, 1702

47/12   I, 1, identisch mit 42/10

47/13   I, 3, Climene:

Abschrift: Qu. 85

Weltl. Parodien, hs.:   F-Pa 4842, 215 (Air 276): *Paris n'est qu'un village, Voicy le temps* (bis);
                         dass.
                         GB-Lbl Egerton 1520, IV, 121

Geistl. Parodie: Opera spir., 1710, 59: *Viens dans nôtre Village, Tu feras du voyage, Viens
                    avec nous* (bis)

47/14   Climene:

Abschriften: Qu. 78, 85

| 47/15—20 | Identisch mit 42/11—16 |
| 47/21—22 | Identisch mit 40/18, 14 |

47/23   II, 1, Florestan:

Je ne puis souf=frir l'ou = tra = ge

Abschriften: Qu. 22, 35, 38, 59, 65, 78; F-B Ms 279.147

Drucke: Les Simphonies à 4, Pointel
Les Trio des opera, Blaeu, 1690, I, 74
Petite Bibliothèque des Théâtres, 1784 (Noten, G-Dur)

47/24   Florestan:

Ca = liste au = ra   beau se   def = fen = dre

Abschriften: Qu. 59, 79; F-B Ms 279.147

Druck: Les Trio des opera, Blaeu, 1690, I, 75

47/25—28   Identisch mit 33/1—4

47/29   II, 3, Florestan:

Qu'un beau vi = sa = ge   A da=van = ta = ge

Abschriften: Qu. 22, 38, 50, 52, 59, 65, 69, 78, 79; F-B Ms 279.147

Drucke: Les Simphonies à 4, Pointel
Les Trio des opera, Blaeu, 1690, I, 44

Geistl. Parodie: Desessartz, Nouv. poésies spir., 1738, VIII, 39: *Quoi! l'on t'offense sans pénitence, Dieu puissant*

47/30   II, 4, Florestan:

Il est bien doux de boi=re; On peut

Abschrift: Qu. 78

47/31   Silvandre:

Ah qu'il est beau! Ho, ho, ho, ho, ho

Abschriften: Qu. 22, 59, 79

Drucke: Les Simphonies à 4, Pointel
(Text) Nouv. Rec., Raflé, 1695

| 47/32 | Silvestre: |

A= my, me veux-tu croi=re, Ne son=geons

Abschriften:	Qu. 75, 85
Druck:	(Text) Nouv. Rec., Raflé, 1695
Literatur:	Le Cerf de la Viéville, Comparaison, II, 112

| 47/33 | II, 5, Damon: |

C'est pour ser=vir Clo = ris que je

| Abschriften: | Qu. 78, 85 |

| 47/34 | II, 6, Climene, Damon: |

Ma vo=la=ge s'a = van=ce   Ven=geons - nous,   ven=geons-nous

| Abschriften: | Qu. 79, 85 |
| Druck: | Les Trio des opera, Blaeu, 1691, II, 2 |

| 47/35—37 | Identisch mit 42/17—19 |

| 47/38 | II, 8, Arcas: |

Ve = nez, que rien ne vous ar = rê = te

| Abschrift: | Qu. 78 |

| 47/39 | Tous ensemble: |

Les plai = sirs   où l'A = mour con = vi = e

| Abschrift: | Qu. 50 |

| 47/40 | II, 8, les Suivants de l'Amour, Gigue |
| | F-Po A 3b I, Qu. 22, 43: la Loure; Pointel: Gigue; Qu. 46: La Cour |

| Abschriften: | Qu. 22, 31, 38, 43—46, 49, 50, 52, 55, 72, 78 |
| Druck: | Les Simphonies à 4, Pointel |

| 47/41—48 | III, 1—3, identisch mit 38/7—14 |

LWV 48
MARCHE

Air des hautbois les Folies d'Espagne fait par Mr de Lully en Trio par ordre du Roy l'an 1672. Philidor l'ainé en ayant reçeu l'ordre du Roy à Saint Germain en Laye pour le porter à Mr. de Lully:

Abschriften: F-V Ms mus 168; F-Pc Rés F 671

LWV 49
CADMUS ET HERMIONE

Bezeichnung:	Tragédie
Text:	Philippe Quinault
Erste Aufführung:	27. (?) 4. 1673 im Jeu de Paume du Bel-Air in Paris
Librettodrucke:	*Cadmus / et / Hermione. / Tragedie / Représentée par l'Academie / Royale de Musique / Sur l'Imprimé / A Paris, / Chez C. Ballard . . . 1673,* B-Bc

        Paris, R. Baudry, 1674, F-Pn
        Représentée . . . au mois d'Avril 1672, s. l. s. d., F-Pn
        Paris, R. Baudry, 1678, F-Pn
        La Haye, P. Hagen, 1680, D-KNub
        Suivant la copie imprimée à Paris, [Amsterdam] s. n. 1682, D-HR
        in: Recueil des Opera, des Balets, Amsterdam, A. Wolfgang, 1684, D-HR
        Amsterdam, A. Magnus, 1687, Ndl. Übersetzung von T. Arendsz, F-Pn
        Imprimé à Paris, se vend à Anvers, H. Van Dunwaldt, 1687, D-Mbs
        Suivant la copie imprimée à Paris, [Amsterdam] s. n. 1687, D-Mth
        Sur la copie imprimée à Paris, [Amsterdam] s. n. 1688, F-Pa
        Paris, Ballard, 1690, F-Pn
        in: Recueil des Opera, Amsterdam, A. Wolfgang, 1690, F-Pn
        Suivant la copie imprimée à Paris, [Amsterdam] s. n. 1693, F-G
        Suivant la copie imprimée à Paris, [Amsterdam] s. n. 1699, F-Pn
        Rennes, Ph. Le Sainct 17--, US-Wc
        in: Recueil général des Opera, Paris, Ballard, 1703, F-Pn
        Paris, Ballard, 1711, F-Pn
        in: Recueil des Opera, La Haye, G. de Voys, 1726, D-F
        Paris, Ballard, 1737, F-Pn
        in: Petite Bibliothèque des Théâtres, Paris 1784, F-Pn

Abschriften: Partition générale: F-Po A 4 b (1674, scripsit Vignol); F-V Ms mus 91 (1702, Philidor); F-Pn Rés F 581; ehemals GB-T Ms 268, jetzt F-Pn Rés F 1700 (1703, Philidor); F-Pa M 880; F-V Ms mus 92 (1708); F-Pn Vm² 6 (Foucault); F-Mc 53 bis (Foucault mit Stich Bonnarts); US-NH (Foucault); I-Tn Ris Mus I, 9; B-Bc 1732 J.; F-C Ms 1048; F-B Ms 13743; US-Sp; D-Sl HB XVII 411; S-Uu Vok mus ihs 59; DDR-LEm; GB-Lbl Hirsch III 906, R.M. 12 h. 14; GB-Ob L 3049; US-BE Ms 144, Ms 447
        Partition réduite: F-Pn Rés F 582 (mit Stich von Chaveau); F-PMeyer; US-BE Ms 768

Druck in Partition générale:	*Cadmus / Et / Hermione, / Tragedie / Mise en Musique / Par Monsieur De Lully, Ecuyer-Conseiller- / Secretaire du Roy, Maison, Couronne de France / & de ses Finances, & Sur-Intendant de la Musique /. de Sa Majesté; / Représentée pour la premiere fois, / devant le Roy, à Saint-Germain-en-Laye, en l'Année 1674. / Partition générale, imprimée pour la premiere fois. /* [Druckerzeichen Ballards mit Lilienwappen] */ De l'Imprimerie / De J-B-Christophe Ballard, seul Imprimeur du Roy pour la Musique, / à Paris, rüe Saint Jean de Beauvais, au Mont-Parnasse. / M.DCCXIX. / Avec Privilege de Sa Majesté.*
Stimmen:	Qu. 21, 22, 25, 28, 29, 30; ehemals GB-T Ms 6—10, jetzt F-Pn Rés F 1702 (1703, Philidor, Vokalstimmen), Ms 136—139 (Instrumentalstimmen); F-Pn Vm² 7 (dessus); F-Po Fonds La Salle; F-Mc 53 (basse continue mit der oberen Singstimme); F-AG II, 293 (1er violon), 302 (1ère flûte), 305 (3e basse), 306 (basson), 308 (basse continue)
Suitendrucke:	Ouverture avec tous les airs de L'opera de Cadmus / fait à paris par Monsʳ Jean Baptiste Lully sur Intendant / de la Musique du Roy / Imprimée à Amsterdam par J. P. Heus 1682 Les / Simphonies / à 4. / Avec les Airs / Et Triots, / de / Cadmus. / Mise en Musique / Par Monsr. de Lully. / [Stimmbezeichnung] / A Amsterdam, / Par A. Pointel [ca. 1687—1700] Ouverture tous les airs à jouer de / l'Opera de Cadmus / Par / Mʳ. Baptiste Luly / . . . A Amsterdam / Chez Estienne Roger Marchand Libraire [1702]
Szen.-dramatische Parodie, Druck:	Carolet: Pierrot Cadmus (31. 8. 1737), Paris Vve Valleyre, 1737
Literatur:	Le Cerf de la Viéville, Comparaison, I, 157; Prunières, L'Opéra Italien, 362; Prunières, Lully, 96; Gros, Quinault, 104 f., 526—529, 592—597; Borrel, Lully, 53—55; Girdlestone, La tragédie en musique, 55—60; Isherwood, Music in the service, 189—195; Newman, Formal Structure, 134—137; P. H. Kennedy, The first french opera. The literary standpoint, in RMFC, 1972
49/1	Ouverture:

Abschriften:	Qu. 22, 31, 32, 36—38, 41, 42, 45—50, 52, 55, 58, 60—62, 64, 67, 72, 78 (mit 1/8 Auftakt), 79, 85; F-V Ms mus 165; GB-Och Ms 23 und 1216; F-Pc X 108 (Dessus)
Transkriptionen:	d'Anglebert, Pieces de Clavecin, Paris 1689 Les Ouvertures des Opera, 1725, 6 (Cembalo)
Drucke:	Ouverture avec tous les airs, Heus, 1682 Les Simphonies à 4, Pointel Ouverture avec tous les airs, Roger
Weltl. Parodie, Druck:	Les Ouvertures des Opera, 1725, 6: *Ah! que j'ay d'ennuy: Je vois icy de pots et de plats*
49/2	Prologue, Pales, Melisse:

Abschriften:	Qu. 74, 85
Druck:	(Text) C.-F. Ménestrier, Des Représentations anciennes et modernes, Paris 1681, 216

49/3   Pales, Melisse:

Abschriften: Qu. 74, 79, 85; Qu. 50 (nur Choeur, *Ne perdons pas*)

Druck: Les Trio, Blaeu, 1691, II

49/4   Choeur:

Drucke: Ouverture avec tous les airs, Heus, 1682
                     Ouverture avec tous les airs, Roger: Air

49/5   Rondeau:
                     Qu. 32 und Druck 1719: Premier Air des Faunes; Qu. 41, 42, 55: Ritour-
                     nelle du Dieu Pan; F-Pc Rés F 844: Les Paisans; Qu. 50: Ritournelle;
                     Qu. 58: Danseurs rustiques; F-C Ms 1048 und Qu. 36: Gavotte; F-Mc 53:
                     Air pour les Instrumens Champêtres

Abschriften: Qu. 22, 31, 32, 35—38, 41, 42, 48—52, 55, 58, 61, 67, 72, 74, 85; GB-Och
                     Ms 23 und 1216; F- Pc X 108

Transkription: F-Pc Rés F 844 (Gitarre, G-Dur)

Drucke: Ouverture avec tous les airs, Heus, 1682: Air
                     Les Simphonies à 4, Pointel: Rondeau
                     Ouverture avec tous les airs, Roger: Air

Weltl. Parodien, Drucke: Par. bach., 1695, 5, 1696, 10, du Fresne, 1696, Nouv. Recueil, Raflé,
                     1697, 4, Nouv. Par. bach., 1700, I, 10: *Hé! Comment pourroit-on passer
                     cette vie* (M.D.L.F.)

Geistl. Parodien: H. Reboulh: Noëls, 1673, 7: *Ah! Comment peut-on changer ce Mystere*
                     Opera spir., 1710, 46: *Que l'on se rejouisse*

Timbre: Hé! Comment pourroit-on passer cette vie

49/6   Pan:

Abschriften: Qu. 22, 35, 42, 50—52, 55, 59, 65, 73—75, 78, 79, 85; F-B Ms 279.147

Transkription: GB-Cmc 2804 (Gitarre)

Drucke: Les Trio, Blaeu, 1690, I
                     Les Simphonies à 4, Pointel: Trio

Weltl. Parodien, hs.:	Chansonnier Maurepas 12620, 187: *Que l'abbé se ressente De la liqueur charmante*
Drucke:	de Coulanges, Recueil, 1698, 282: *Que l'abbé se ressente* Nouv. Par. bach., 1700, I, 8: *Que chacun se ressente De la liqueur charmante*
Geistl. Parodien:	H. Reboulh, Noëls, 1673, 7: *Quoy! Jesus vient de naistre?* Opera spir., 1710, 35: *Hé comment pourroit-on passer cette vie*

49/7   Choeur:

Abschriften:	Qu. 22, 42
Geistl. Parodie:	H. Reboulh, Noëls, 1673, 8: *Quel miracle nouveau! Quoy Dieu vient sur la terre*

49/8   Entrée de l'Envie:

Qu. 31, 37, 41, 46, 52, Heus, Pointel, Roger etc.: Les vents; Qu. 64: Air des vents. Les furies

Abschriften:	Qu. 22, 31, 32, 36—38, 41, 42, 46—50, 52, 58, 60 (zweimal), 61, 64, 67, 72, 74, 78; F-V Ms mus 165; GB-Och Ms 23 und 1216; F-Pc X 108
Drucke:	Ouverture avec tous les airs, Heus, 1682 Les Simphonies à 4, Pointel Ouverture avec tous les airs, Roger

49/9   Violons (Les vents), l'Envie:

Abschriften:	Qu. 22, 42, 52; (Rezitativ) Qu. 78

49/10   Gavotte:

Qu. 32, Druck 1719: Rondeau, Gavotte; Heus, Pointel: Rondeau

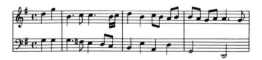

Abschriften:	Qu. 22, 31, 32, 37, 38, 41, 42, 45, 46, 48—50, 52, 55, 58, 60, 61, 64, 67, 68, 74, 78; GB-Och Ms 23 und 1216; F-Pc X 108
Drucke:	Ouverture avec tous les airs, Heus, 1682 Les Simphonies à 4, Pointel Ouverture avec tous les airs, Roger

Weltl. Parodien, hs.:	GB-Lbl Egerton 1521, 103: *Vos beaux yeux, jeune Climene*
Drucke:	Par. bach., 1695, 6, 1696, 11, du Fresne, 1696, Nouv. Par. bach., 1700, I, 12: *Un Heros couvert de gloire* (M.D.L.F.) Nouv. Recueil, Raflé, 1697, 4: *Vos beaux yeux, jeune Climene* (M.D.L.F.)
Geistl. Parodie:	H. Reboulh, Noëls, 1673, 8: *C'est assez, Bergeronette;* ebd. 32: *Doux Jesus, sois moy propice*

49/11   Pales:

Chas=sons, chas=sons la | crain=te qui nous pres=se

Abschrift:	Qu. 22
Geistl. Parodie:	H. Reboulh, Noëls, 1673, 9: (Ange:) *Berger, contemple bien Marie*

49/12   Ritournelle, Le Soleil:

Ce n'est point par l'é=clat d'un pom=peux sa=cri=fi=ce

Abschriften:	Qu. 22, 42, 52, 59, 61, 73, 74, 78, 79, 85
Geistl. Parodie:	H. Reboulh, Noëls, 1673, 10: *Ce n'est point par l'éclat d'un pompeux Equipage*

49/13   Choeur:

Pro=fi = tons des beaux jours, pro=fi = tons, pro=fi = tons

Abschriften:	Qu. 22, 35, 42, 50, 51, 74, 85
Druck:	(Text) Nouv. Recueil, Raflé, 1695

49/14   Pales, Melisse, Pan (zuerst als Terzett, dann als Menuet, air pour les Dieux champêtres)
 Qu. 37: Symphonie; Qu. 71: Trio, hautbois, tendrement; Qu. 61: Air

Heu=reux qui peut plai=re, Heu=reux les a = mants!

Abschriften:	Qu. 22, 31, 32, 35, 37, 38, 41, 42, 45—47, 50—52, 55, 57, 58, 60, 61, 66, 67, 70—75, 78, 79, 85; GB-Lbl Add 31425, 11 (Trio); S-Uu Vok mus ihs 164 (basse continue, St. Theorbe); F-Pc X 108
Transkriptionen:	F-Pc Rés F 1091 (Cembalo) GB-Cmc 2804 (Gitarre) F-Pc Rés F 1091, 20 (Cembalo)
Druck:	Duo choisis, 1730, II, 119: Tendrement
Drucke:	Ouverture avec tous les airs, Heus, 1682 Les Trio, Blaeu, 1691, II Ouverture avec tous les airs, Roger Trio de differents auteurs, Babel, 1697, I, 12

Weltl. Parodien, hs.:	F-Pa 4842, 277: *Si je vous puis plaire,* dass. GB-Lbl Egerton 1520, III, 58
Drucke:	Par. bach., 1696, 14: *Heureux qui peut boire* (M.L.M.), dass. Nouv. Par. bach., 1700, I, 14 (M.D.L.)
Geistl. Parodien:	H. Reboulh, Noëls, 1673, 11: *Grand Dieu, quel mystere* Noëls ou cantiques, Oudot, 1679, 21: *Vierge belle & sage Et vous, son Espoux* Desessartz: Nouv. poésies spir., 1733, V, 39: *J'admire cette herbe, Qui croit dans nos champs*
Literatur:	Le Cerf de la Viéville, Comparaison, II, 77

49/15   Archas (zuerst vokal, dann als Menuet):

Abschriften:	Qu. 22, 31, 32, 35—38, 41, 42, 45, 46, 48, 50, 52, 55, 58, 60, 61, 66, 67, 72, 74, 78, 85; F-V Ms mus 137; F-Pc X 108
Transkription:	GB-Cmc 2804 (Gitarre)
Drucke:	Ouverture avec tous les airs, Heus, 1682 Les Simphonies à 4, Pointel Ouverture avec tous les airs, Roger
Weltl. Parodien, hs.:	Chansonnier Maurepas 12639, 395 (1671): *Vous serez Reine Belle Climene* F-Pa 4842, 279: *Que peut-on faire D'un pauvre here,* dass. GB-Lbl Egerton 1520, III, 47
Drucke:	Par. bach., 1695, 7, 1696, 14, du Fresne 1696, 5, Nouv. Par. bach., 1700, I, 18: *Quand on veut faire fort bonne chere*
Geistl. Parodien:	H. Reboulh, Noëls, 1673, 12: *Que l'on s'explique Par la Musique;* ebd. 28: *Je veux connoistre Jesus mon Maistre* La Grande Bible de Noels Reformez, Oudot, 1694: *Peut-on mieux faire* Opera spir., 1710, 5: *Chantons la gloire, Et la victoire*
Timbre:	Quand on veut faire fort bonne chere
Literatur:	La Laurencie, Lully, 184

49/16   I, 1, Premier Prince tirien:

Abschrift:	Qu. 78

49/17   I, 2, Arbas:

Abschriften:	Qu. 22, 42, 52, 59, 79; F-B Ms 279.147
Drucke:	Les Trio, Blaeu, 1690, I Les Simphonies à 4, Pointel

49/18   Arbas:

Non, non, nous n'au=rons point de bruit ni d'em= bar = ras

Abschriften:	Qu. 22, 59, 79; F-B Ms 279.147
Drucke:	Les Trio, Blaeu, 1690, I
	Les Simphonies à 4, Pointel

49/19   I, 3, Ritournelle, Hermione:

Cet ai = ma=ble se= jour si pai = si=ble

Abschriften:	Qu. 22, 42, 73, 78, 79, 85; S-SK 466
Transkription:	GB-Cmc 2804 (Gitarre)
Geistl. Parodie:	H. Reboulh, Noëls, 1673, 13: *Mon aymable Sauveur, Permets que je t'adore*
Bemerkung:	Die Partituren B-Bc und F-C haben nur eine Ritournelle ohne Violons

49/20   Aglante:

On a beau fuir l'a =mour, On ne peut l'é=vi = ter

Abschriften:	Qu. 78, 85
Geistl. Parodie:	H. Reboulh, Noëls, 1673, 13: *Quel bonheur, mon Sauveur, à qui veut t'adorer*

49/21   Charite:

La pei= ne d'ai = mer est char = man = te

Abschriften:	Qu. 78, 85
Geistl. Parodie:	H. Reboulh, Noëls, 1673, 14: (Jesus:) *Aproche donc de ma Table*

49/22   Chaconne:
                              Qu. 41, 58: La Chaconne des Africains; Qu. 85: La feste africaine, Chaconne

Abschriften:	Qu. 22, 31, 32, 36—38, 41, 42, 45, 46, 48—52, 55, 58—62, 64, 66, 67, 68, 72, 78, 85; GB-Och Ms 23 und 1216; F-Pc X 108
Drucke:	Ouverture avec tous les airs, Heus, 1682
	Les Simphonies à 4, Pointel
	Ouverture avec tous les airs, Roger

49/23   Premier et Second Africain, Arbas:

Abschriften: Qu. 22, 35, 42, 45, 50, 51, 57, 66, 68, 70 (Beginn mit betonter Taktzeit),
                      73, 79, 85

Transkription: GB-Cmc 2804 (Gitarre)

Druck: Les Trio, Blaeu, 1691, II

Weltl. Parodie, hs.: F-Pa 4843, IV, 225: *Suivons, suivons l'amour, laissons-nous enflammer*

Druck: Nouv. Par. bach., 1700, I, 19 (à 3): *Suivons, suivons Bacchus, chérissons*
                      sa liqueur, ah!

Geistl. Parodien: H. Reboulh, Noëls, 1673, 14: *Suivons, suivons Jesus, & donnons-luy nos*
                      coeurs
                      Pellegrin, Cant. spir., 1701, 187: *Que mon destin est doux! Tout répond*
                      à mes voeux
                      ders. Noëls, Rec. III, 1725, 238: *Cherchons, cherchons Jesus, il doit nous*
                      enflammer
                      Desessartz: Nouv. poésies spir., 1733, VII, 34: *Heureux, heureux un coeur*
                      qui cherche le Seigneur
                      Cant. spir., Avignon, 1743, 125: *Suivons, suivons l'amour Que mon destin*
                      est doux!
                      Cant. spir., Sens, 1761, 99: *Que mon destin est doux!*

49/24   Le Géant:

Abschriften: Qu. 22, 59, 78, 79, 85; F-B Ms 279.147

Druck: Les Trio, Blaeu, 1690, I

49/25   II, 1, Ritournelle, Arbas:

Abschriften: Qu. 22, 42, 78, 79, 85

49/26   Charite:

Abschriften: Qu. 42, 78, 85

Transkription: GB-Cmc 2804 (Gitarre)

Weltl. Parodie, Druck: Nouv. Par. bach., 1700, I, 24: *C'est à table jeune Lisette*

49/27   Arbas:

C'est trop rail = ler de mon mar = ti = re le dé = pit

Abschriften: Qu. 22, 35, 42, 52, 59, 78, 79, 85; F-B Ms 279.147

Drucke: Les Trio, Blaeu, 1690, I
                      Les Simphonies à 4, Pointel: Trio

49/28   Charite:

Gue=ry - toy si tu peux, J'ap=prou = ve ta co=

Abschriften: Qu. 42, 78, 85

Weltl. Parodien, hs.: Chansonnier Maurepas 12619, 251 (1675, faite dans l'Armée Françoise):
                      Dans ces derniers temps cy Notre Fortune est mince; ebd. 12618, 555
                      (1672): *Guery-toy, si tu peux Prends tous les jours un Bole,* dass. F-Pa
                      4842, 263 und GB-Lbl Egerton 1519, 258

Druck: Nouv. Par. bach., 1700, I, 25: *Dans l'Empire amoureux Le vin est neces-
                      saire*

Geistl. Parodien: H. Reboulh, Noëls, 1673, 15: *Viens chanter dans ces lieux Au son de ta
                      Musette*
                      Opera spir., 1710, 72: *Allons voir cet Enfant*

49/29   II, 3, Charite:

Croy-moy, mo= de = re l'é=clat de ta co = le =re,

Abschrift: Qu. 78

Geistl. Parodie: H. Reboulh, Noëls, 1673, 16: *Prens soin, Marie, Prens soin du fruit de vie*

49/30   Charite:

Je suis jeu = ne, je le con=fes = se, trou=ves - tu

Abschrift: Qu. 78

Geistl. Parodie: H. Reboulh, Noëls, 1673, 17: *Je sçay, Vierge, que je revere*

49/31   II, 3, Ritournelle, Cadmus:

Je vais par=tir, belle Her=mi = o =ne

Abschriften der Ritournelle: Qu. 22, 42, 52, 59, 61, 75, 79, 85

Abschriften des Rezitativs: Qu. 78, 79, 83—85

Weltl. Parodien, hs.:	Chansonnier Maurepas, 12619, 15 (1673): (Dangeau) *Je vais passer en Angleterre;* ebd. 12639, 415 (1674): *Je vais partir, ma chere femme;* ebd. 12640, 319 (1683): *Je vais partir, Colombine* Chansonnier Clairambault 12687, 118: *Je vais passer en Angleterre,* dass. F-Pa 4842, 255, GB-Lbl Egerton 1520, 26; Egerton 814, 284, F-La Rochelle Ms 673, 167
Drucke:	Mme de Sévigné, Correspondance, hrsg. von R. Duchêne, II, 97: *Je vais partir, belle Hermione, Je vais exécuter ce que l'Abbé m'ordonne* de Coulanges, Recueil, 1698, 56, Chansons, 1754, 32: *Je vais partir, belle Coulange;* Recueil 1698, 57: *Ah, mon cher, pourquoy venez-vous?*
Geistl. Parodien:	H. Reboulh, Noëls, 1673, 16: *Je vais mourir, l'amour l'ordonne* A.H.P.E.L.D.L., Cant. spir., Lyon, 1692, 16: *Vous pleurez, Divine Marie* Pellegrin, Noëls, Rec. III, 1725, 194: *Je veux changer, mon cher Timandre,* dass. Cant. spir., 1726, 2
Literatur:	Le Cerf de la Viéville, Comparaison, II, 125 f.

49/32   II, 5, Ritournelle, Hermione:

Abschriften:	Qu. 22, 57, 61, 73, 78, 79, 85
Geistl. Parodien:	H. Reboulh, Noëls, 1673, 22: *Grand Dieu, le pécheur par ma voix;* ebd. 29: *Grand Dieu qui montez dans les Cieux*

49/33   II, 6, Ritournelle, l'Amour:

Abschriften:	Qu. 22, 57, 61, 73, 78, 79, 85
Geistl. Parodie:	H. Reboulh, Noëls, 1673, 23: *Calme tes déplaisirs, dissipe tes larmes*

49/34   Air des Statues:

Abschriften:	Qu. 22, 31, 32, 36—38, 41, 42, 45, 46, 48, 50, 52, 55, 58, 60 (zweimal), 61; 66, 67, 71, 72, 78, 85; F-Pc X 108
Drucke:	Ouverture avec tous les airs, Heus, 1682 Les Simphonies à 4, Pointel Ouverture avec tous les airs, Roger
Weltl. Parodien:	Par. bach. 1695, 8, 1696, 16, du Fresne, 1696, 5, Nouv. Recueil, Raflé, 1697, 5: *Oui, je suis enchanté, Votre beauté*

49/35   L'Amour:

Abschriften:	Qu. 60, 73, 75, 78, 85
Druck:	Petite Bibliothèque des Théâtres, 1784, 1 (Noten)
Geistl. Parodien:	H. Reboulh, Noëls, 1673, 23: *Venez sans contrainte Adorer l'Eternel;* ebd. 29: *Allons voir Marie, Et son Fils au Berceau*
	Cantiques, Marseille, 1688, 139: *Sçavante Marseille, Qui te plaît à chanter*
	Opera spir., 1719, 65: *Cessons de nous plaindre Nous sommes trop heureux*

49/36   Second Air pour les Statues:

Abschriften:	Qu. 22, 31, 32, 36—38, 41, 42, 45, 46, 48, 50, 52, 55, 60—62, 67, 71, 72, 85; F-Pc X 108
Drucke:	Ouverture avec tous les airs, Heus, 1682
	Les Simphonies à 4, Pointel
	Ouverture avec tous les airs, Roger
Weltl. Parodien, hs.:	F-Pa 4843, IV, 225: *Le tourment d'un amant Nous enchaîne,* dass. GB-Lbl Egerton 1519, 358
Bemerkung:	In der Partitur ehemals GB-T 268 sind die Szenen III, 1—4 um eine große Sekund nach oben transponiert

49/37   III, 1, Arbas:

Abschriften:	Qu. 22, 35, 52, 59, 60, 65, 73, 79 (in D-Dur), 85; F-B Ms 279.147
Drucke:	Les Trio, Blaeu, 1690, I
	Les Simphonies à 4, Pointel
	Petite Bibliothèque des Théâtres, 1784, 3 (Noten)
Geistl. Parodie:	La Grand Bible des Noëls, Oudot, 1679, 64: *Que maudit soit le péché*

49/38   Premier, second Prince, Arbas:

Abschriften:	Qu. 35, 60, 65, 79, 85
Druck:	Les Trio, Blaeu, 1691, II
Literatur:	Le Cerf de la Viéville, Comparaison, I, 70

49/39   III, 3, Arbas se cache et Cadmus combat contre le Dragon:
Qu. 22, 59, 61, 79, Druck 1719: Ritournelle; Qu. 32: Le combat du dragon

Abschriften der Ritournelle: Qu. 22, 32, 34, 42, 52, 59, 61, 67, 79; F-Pc X 108 (G-Dur)

49/40   III, 5, Ritournelle, premier Prince:

Abschriften: Qu. 22, 42, 52, 59, 78, 79

49/41   Arbas:

Abschriften: Qu. 22, 35, 42, 52, 59, 78, 79 (in a-Moll); F-B Ms 279.147
Druck: Les Trio, Blaeu, 1690, I

49/42   Marche des Sacrificateurs:
Qu. 51: Le sacrifice de Mars; Heus: Marche des Africains; Pointel: Marche
Africaine; Qu. 61: Marche des Combattants

Abschriften: Qu. 22, 31, 32, 36—38, 41, 42, 45—48, 50—52, 55, 58, 60—62, 64, 67,
68, 71, 72, 78, 85; F-V Ms mus 165; S-Uu Ihre 285; F-Pc X 108
Drucke: Ouverture avec tous les airs, Heus, 1682
Les Simphonies à 4, Pointel
Ouverture avec tous les airs, Roger
Théâtre de la Foire 1721, II, Air 155
Weltl. Parodie: Théâtre de la Foire, 1721, II (Air 155), 172, 1731, VII, 412: *Qu'est donc
que cela*

49/43   III, 6, le grand Sacrificateur:

Abschriften: Qu. 22, 42, 75, 78, 85
Literatur: Le Cerf de la Viéville, Comparaison, III, 69

49/44   Les Sacrificateurs:

Heus, Pointel, Roger, Qu. 22, 64, 71: Rondeau; Qu. 48: Le Sacrifice;
Qu. 41: Air

Abschriften: Qu. 22, 31, 36—38, 41, 42, 45, 46, 48, 50, 52, 55, 58, 60, 61, 64, 67,
71, 72, 78; F-V Ms mus 165; S-VX Mus Ms 6; F-Pc X 108

Drucke: Ouverture avec tous les airs, Heus, 1682
Les Simphonies à 4, Pointel
Ouverture avec tous les airs, Roger

49/45   Le grand Sacrificateur, Choeur:

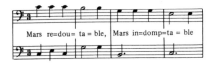

Abschriften: Qu. 22, 42, 78

49/46   IV, 1, Ritournelle, Cadmus:

Abschriften: Qu. 22, 42, 61, 78, 79, 85

49/47   IV, 2, Air pour les Combattans:

Abschriften: Qu. 22, 31, 32, 36—38, 41, 42, 45, 46, 48, 50, 52, 55, 58, 59, 60, 61, 67,
72, 78, 85; F-Pc X 108

Drucke: Ouverture avec tous les airs, Heus, 1682
Les Simphonies à 4, Pointel
Ouverture avec tous les airs, Roger

49/48   IV, 6, Ritournelle, Cadmus et Hermione:

Abschriften: Qu. 22, 73, 75, 79, 85

49/49   Ritournelle, Cadmus:

    Abschriften: Qu. 42, 61, 72, 78, 85

49/50   V, 1, Ritournelle, Cadmus:

    Abschriften: Qu. 22, 52, 61, 73, 75, 78, 79, 85

    Drucke: Trio de differents auteurs, Babel, II, 117
           (Text) Nouv. Recueil, Raflé, 1695

    Geistl. Parodien: H. Reboulh, Noëls, 1673, 24: *Croy mon Triomphe, & viens me suivre dans les Cieux;* ebd. 30: *Vierge immortelle, hélas! Que ferions-nous sans vous?*

49/51   V, 3, Prélude:
           Table des airs à jouer, Qu. 48: Air, pour Jupiter; Qu. 58: Prélude pour la Nopce de Cadmus

    Abschriften: Qu. 22, 32, 36—38, 42, 45, 48, 50, 52, 58, 61, 67, 72, 78, 85; F-V Ms mus 135; F-Pc X 108

    Drucke: Ouverture avec tous les airs, Heus, 1682
           Les Simphonies à 4, Pointel
           Ouverture avec tous les airs, Roger

49/52   Choeur:

    Abschriften: Qu. 22, 42, 85

49/53   L'Hymen:
           F-Mc Ms 53: Prelude de Basse

    Abschriften: Qu. 73, 75, 78, 85

    Druck: Petite Bibliothèque des Théâtres, 1784, 4 (Noten)
    Geistl. Parodie: Reboulh, Noëls nouv. 1673, 25: *Venez, Enfans de Dieu*

49/54

Air pour Comus et sa suite:
Qu. 41, 46, 48, 60, F-Mc Ms 53 etc.: Entrée du Basque; Qu. 36: Les driades; Qu. 62: Les Amadriates

Abschriften:	Qu. 22, 31, 32, 36—38, 41, 42, 45, 46, 48, 50, 52, 55, 58, 60—62, 72, 78, 85; S-VX Mus ms 6; F-Pc X 108
Transkription:	F-Pc F 1091 (Cembalo)
Drucke:	Ouverture avec tous les airs, Heus, 1682 Les Simphonies à 4, Pointel Ouverture avec tous les airs, Roger
Weltl. Parodien, hs.:	F-Pa 4843, 225: *C'est un plaisir charmant De bien passer la vie*
Drucke:	Par. bach., 1695, 9, 1696, 17, du Fresne, 1696, 6, Nouv. Recueil, Raflé, 1697, 6: *Ç'a promptement du vin, Vuidons cette bouteille* (M.N.) Concerts parodiques, 1725, II, 13: *Pour charmer mes destins* (G-Dur)
Geistl. Parodien:	H. Reboulh, Noëls, 1673, 25: *Dieu monte dans les Cieux* Opera spir., 1710, 75: *Nous nous amusons trop Nous serons des dernieres*

49/55

La Nourrice, Arbas (zuerst vokal, dann als Gavotte instrumental ausgeführt)

Se=rons-nous dans le si = len = ce, quand on rit

Abschriften:	Qu. 22, 31, 32, 36—38, 41, 42, 45, 46, 48, 50, 52, 55, 58, 60, 66, 72, 73, 75, 78, 85; F-Pc X 108
Drucke:	Ouverture avec tous les airs, Heus, 1682 Les Simphonies à 4, Pointel Ouverture avec tous les airs, Roger
Weltl. Parodien, hs.:	Chansonnier Maurepas 12619, 73: *On a veu prés la Princesse Le Tiers-Etat, la Noblesse*
Drucke:	Par. bach., 1695, 25, 1696, 20, du Fresne, 1696, 15, Nouv. Recueil, Raflé, 1697, 15: *Du chagrin qui te possede* (M.R.) Nouv. Par. bach., 1700, I, 34: *Lorsque je me trouve à table* Concerts parodiques, 1725, II, 36: *Je ris sans cesse et je chante*
Geistl. Parodien:	H. Reboulh, Noëls, 1673, 26: *Que dis-tu? Le vray Messie*; ebd. 30: *Serons-nous dans la tristesse* L. Chassain, Cantiques sacrez, 1684, 13: *Le Verbe qu'un Pere engendre Daigne sur terre descendre*

49/56

Charite:

A=mants, ai = mez vos chaî=nes, vos soins

Abschriften:	Qu. 22, 50, 60, 73, 75, 78, 85
Drucke:	Ouverture avec tous les airs, Heus, 1682 Ouverture avec tous les airs, Roger (Text) Nouv. Recueil, Raflé, 1695 Petite Bibliothèque des Théâtres, 1684, 7 (Noten, in c-Moll)

Weltl. Parodien, hs.:	Chansonnier Maurepas 12619, 61 (1673): *J'aime bien mon beaufrere* (Guilleragues), dass. Chansonnier Clairambault 12687, 155; Chansonnier Maurepas 12619, 453 (1678): *N'estes-vous pas un Astre* F-Pa 4842, 309: *J'aime bien mon beaufrere* GB-Lbl Egerton 1529, 57: *Un jour ma bonne mere*
Drucke:	Par. bach., 1695, 11, 1696, 19, du Fresne, 1696, 7, Nouv. Recueil, Raflé, 1697, 7, Nouv. Par. bach., 1700, I, 32 (a-Moll): *Amants, brisez vos chaînes* (M.R.) de Coulanges, Recueil, 1698, 223: *He! quoy par Mathurine;* ebd. 228: *N'estes-vous pas un Astre?* Les concerts parodiques, 1732, IV, 6: *Un coq en sentinelle*
Geistl. Parodien:	H. Reboulh, Noëls, 1673, 26: *Bergers, que l'on publie La pompe du Sauveur;* ebd. 31: *Berger, viens voir ton Maistre* L. Chassain, Cantiques sacrez, 1684, 19: *Un sacré Mariage Se celebre en ce jour;* ebd. 95: *Mon coeur que ton envie Soit pour l'heureux sejour* N. Saboly, Recueil de Noëls, 1699, 75: *Adam & sa compagno N'eron que trop hurous* de Mante, Nouv. Rec. s. d., 6: *Chacun de nous contemple* Opera spir., 1710, 80: *Chrétiens, dans l'abondance Venez pour admirer* La grande et grosse Bible de Noëls, Melun, s. d., 54: *Chrétiens, adieu nos chaînes;* ebd. 185: *Sortons de nos chaumines* La Belle Bible des Cantiques, ³Troyes, Oudot, 1717: *Sortons de nos Tannieres* J.-B. Feillâtre, Grande Bible des Noëls (1750), hrsg. von Herluison, Orléans, 1866, 310 f. und 355: *Aussitôt qu'en Judée Notre Seigneur fut né*
Timbre:	Amants, aimez vos chaînes

49/57	Menuet:

Abschriften:	Qu. 22, 31, 32, 36—38, 41, 42, 45, 46, 48, 49, 52, 58, 60, 61, 64, 67, 72, 78, 85; F-V Ms mus 137; F-Pc X 108
Transkriptionen:	F-Pc Rés F 1091 (Cembalo) F-Pc Rés F 844, 221 (Gitarre)
Weltl. Parodien, Drucke:	Par. bach., 1695, 10, 1696, 18, du Fresne, 1696, 7: *Tu me reproches, Aminte Que j'aime trop la pinte* (M.R.) Nouv. Par. bach., 1700, I, 30: *Tu me dis plus, Aminte*

LWV 50
ALCESTE OU LE TRIOMPHE D'ALCIDE

Bezeichnung:	Tragédie
Text:	Philippe Quinault
Erste Aufführung:	19. 1. 1674 im Jeu de Paume du Bel-Air in Paris

Librettodrucke:	*Alceste / ou / Le Triomphe / D'Alcide. / Tragedie. / Representée devant Sa Majesté à Fontainebleau, Paris, R. Baudry, 1674,* F-Pn

Paris, R. Baudry, 1675, D-Tu
Paris, Ballard, 1675, F-Pn
Paris, Ballard, 1677, F-Pn
Paris, R. Baudry, 1678, F-Pn
Suivant la copie imprimée à Paris, [Amsterdam] s. n. 1680, F-Pn
Paris, Ballard, 1682, F-Pn
Suivant la copie imprimée à Paris, [Amsterdam] s. n. 1682, B-Bc
Suivant la copie imprimée à Paris, Amsterdam, A. Wolfgang, 1683, D-HR
in: Recueil des Opera, des Balets, Amsterdam, A. Wolfgang, 1684, D-Mth
Imprimé à Paris, se vend à Anvers, H. Van Dunwaldt, 1687, F-Pa
Suivant la copie imprimée à Paris, Amsterdam, A. Wolfgang, 1688, D-Mth
in: Recueil des Opera, Amsterdam, A. Wolfgang, 1690, F-Pn
Suivant la copie imprimée à Paris, Amsterdam, H. Schelte, 1693, D-Sl
Paris, R. Baudry, s. d., F-Pn
s. l. s. d., F-Pn
Lyon, A. Molin, 1699, F-LYm
Suivant la copie imprimée à Paris, [Amsterdam] s. n. 1699, F-Pn
in: Recueil des Opera, Amsterdam, H. Schelte, 1700, D-Sl
Amsterdam, H. Schelte, 1701, D-Sl
in: Recueil général des Opera, Paris, Ballard, 1703, F-Pn
Paris, Ballard, 1706, F-Po
Paris, R. Ribou, 1716, F-Pn
in: Recueil des Opera, La Haye, G. de Voys, 1726, D-F
Paris, Ballard, 1728, F-Pn
Lyon, A. Olyer, 1730, F-Pa
Paris, Ballard, 1732, F-Pn
La Haye, H. Scheurleer, 1737, D-F
Paris, Ballard, 1739, F-Pn
Paris, Ballard, 1754, F-Pn
Paris, Vve Delormel, 1757, F-Pn
in: Petite Bibliothèque des Théâtres, Paris 1784, F-Pn
in: Répertoire du théâtre français, Paris 1822, F-Pn

Abschriften:	Partition générale: F-V Ms mus 95 (1675, Vignol); F-Pn Vm² 12; F-V Ms mus 94; F-Pn Rés 678 (copié par le Roux); Rés F 548; F-Pa M 937¹; I-Tn Ris mus I, 2; F-Pn Rés F 549 (Foucault); ehemals GB-T Ms 269, jetzt F-Pn Rés F 1701 (ca. 1703); F-Pc X 22; GB-Lbl RM 12h15; F-B Ms 13746 (Foucault); F-Pn Rés 2046; US-Sp; F-AIXm Ms 1698; D-Sl HB XVII 403; F-C Ms 2126; F-LYm Ms 27273; Ms 27275; F-Pn Vm² 12 bis (Brossard zugeschrieben, unvollständig); GB-Lbl Gg 2963; GB-Cfm Mus Ms 85; US-Boston Public Library; GB-Ob; C-Lu; D-Mz Federhofer

Partition réduite: F-Pc X 24; F-Pc Rés 2046; Rés 678; F-Pa M 937; GB-Cfm; US-BE Ms 770

Drucke in Partition réduite:	*Alceste. / Tragedie. / Mise en Musique. / Par Feu Mʳ. De Lully Escᵉʳ. Conᵉʳ. / Secretaire du Roy, Maison, Couronne / de France et de ses Finances, et Sur- / Intendant de la Musique de Sa Majesté. / Gravée par H. de Baussen. / A Paris / A l'Entrée de la Porte de l'Academie Royale / de Musique au Palais Royal, / rue Saint Honoré. / MDCCVIII. / Avec Privilege du Roy.*

Seconde édition, Paris s. n. (gravée par H. de Baussen), 1708
Seconde édition, Paris, J.-B.-C. Ballard (gravée par H. de Baussen), 1716
Seconde édition, oeuvre III, Paris, J.-B.-C. Ballard (gravée par H. de Baussen), 1720
Imprimée pour la premiere fois, Paris, J.-B.-C. Ballard, 1727

Stimmen:	Qu. 21, 22, 25, 28, 29, 30; ehemals GB-T Ms 6—10, jetzt F-Pn Rés F 1702 (1703, Philidor, Vokalstimmen), Ms 136—139 (Instrumentalstimmen)
Suitendrucke:	Les / Simphonies / à 4, / Avec les Airs / Et Triots, / D'Alceste. / Mise en Musique / Par Monsr. de Lully. / [Stimmbezeichnung] / A Amsterdam, / Par A. Pointel [ca. 1687—1700] Ouverture / & Tous les autres Airs à jouer de / l'Opera / D'Alceste / par / M^r. Baptiste Luly / . . . A Amsterdam / Aux depens d'Estienne Roger Marchand Libraire / N° 90 [1709—1712]
Szen.-dramatische Parodien, bibliographisch nachgewiesen:	Anonym: Alceste (3. 2. 1710, Foire Saint-Germain, Troupe Veuve Maurice) Anonym: Alceste, parodie (1739, Foire Saint-Germain, théâtre des Marionettes)
Drucke:	A. Piron: Philomèle, Parodie IV, 1, 3 (nach dem 27. 4. 1723, Théâtre italien) in: Oeuvres complètes, Paris 1776, V P. F. Biancolelli (Dominique), J.-A. Romagnesi: Alceste, Parodie (21. 12. 1728. Théâtre italien), Paris, Delormel, 1729 und in: Les Parodies du Nouveau Théâtre italien, Paris, Briasson, 1731 und 1738 C. S. Favart: La Noce interrompue, Parodie d'Alceste (26. 1. 1758), Paris, Delormel, 1758, Nouvelle édition, Paris 1760 und in: Théâtre, Paris 1763
Literatur:	La Laurencie, Lully, 150; Gros, Quinault, 107—111, 529 f., 555 f., 756 f.; Borrel, Lully, 55—59; Girdlestone, La tragédie en musique, 60—69; Isherwood, Music in the service, 214—217, 242 f.; Newman, Formal Structure, 137—140

50/1   Ouverture:

Abschriften:	Qu. 22, 31, 32, 36—38, 41, 45, 46, 48—52, 55, 58, 60—62, 64, 67, 72, 78, 79, 85; F-V Ms mus 165; F-Pc X 108 (Dessus)
Transkriptionen:	F-Pn Rés 2094 (Orgel) B-Bc 27220, 136 (Cembalo)
Druck:	Les Ouvertures des opera, 1725 (Cembalo)
Drucke:	Les Simphonies à 4, Pointel Ouverture & Tous les autres Airs, Roger
Weltl. Parodie:	Les Ouvertures des opera, 1725: *Ah, belle Isabeau, Qu'il seroit beau*

50/2   Prologue, la Nymphe de la Seine:

Abschriften:	Qu. 73—75, 76, 78, 82, 85; S-SK 466
Drucke (Text):	C.-F. Ménestrier, Des représentations anciennes et modernes, 1681, 218 Nouv. Recueil, Raflé, 1695
Weltl. Parodie:	de Coulanges, Recueil, 1698, 48, Chansons, 1754, 28: *Le Piedmont que j'attens, n'arrivera-t-il pas?*
Geistl. Parodie:	Desessartz, Nouv. poésies spir., 1733, Rec. V, 32: *Le repos de mon coeur, ne reviendra-t-il pas?*

50/3

Bruit de Trompettes, la Nymphe:
Qu. 22: Prelude; Partitur D-Sl HB XVII 402: Simphonie pour la descente de la Gloire; F-C Ms 2126: Fanfare; Qu. 32 und Table des airs à jouer: Bruit de guerre

Abschriften:

Qu. 22, 32, 36, 38, 45, 50, 52, 74, 78, 85; S-VX Mus Ms 6

50/4

La Gloire paroist au milieu d'un Palais brillant:
Qu. 32, 64, Pointel, Roger: Rondeau; Qu. 41, 46, 48, 52, 55, 78 etc.:
La descente de la Gloire; Qu. 36, 61: Marche

Abschriften:

Qu. 22, 31, 32, 36—38, 41, 45, 46, 48—50, 52, 55, 58, 60, 61, 64, 67, 74, 78, 85; D-B Mus ms 13272/1; F-V Ms mus 165; S-VX Mus Ms 6; F-Pc X 108

Transkription:

F-Pn Rés 2094 (Orgel)

Drucke:

Les Simphonies à 4, Pointel
Ouverture & Tous les autres Airs, Roger

50/5

La Nymphe:

Abschriften:

Qu. 74, 78, 85; D-B Mus ms 13272/1

50/6

La Nymphe:

Abschriften:

Qu. 73, 74, 78, 85; D-B Mus ms 13272/1

Weltl. Parodien, hs.:

Chansonnier Maurepas 12619, 107: *On ne voit plus icy paroître Que Partisans, et Maltotiers;* ebd. 241 (1675): *On ne voit plus icy paroître Que des Courtisans trop parfaits;* ebd. 12621, 531 (1690): *On ne voit plus de capitaines Parmi tant de braves soldats*
F-Pa 4842, 259: *Cette volage creature De l'amour suit enfin les loix*

Geistl. Parodie:

Opera spir., 1710, 13: *Ne verrons-nous point le Messie*

50/7

La Gloire, la Nymphe:

Abschriften:

Qu. 22, 35, 50, 74, 79, 85; D-B Mus ms 13272/1

50/8   Ritournelle, la Nymphe des Tuileries:

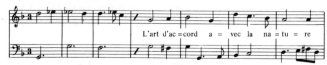

           Abschriften der Ritournelle: Qu. 22, 85 (mit Varianten)

                                     Qu. 60, 73, 74, 76, 78, 79; D-B Mus ms 13272/1

Transkription: F-Pc Rés F 844, 93 (Gitarre, a-Moll)

Druck: Petite Bibliothèque des Théâtres, 1784, 1 (Noten)

Weltl. Parodien, hs.:   Chansonnier Maurepas 12619, 335 (1674): *L'art d'accord avec la nature, Sert Mery depuis quarante ans*
                                     F-Pa 4842, 355: *L'art qui veut aider la nature Sert Philis depuis quarante ans*

Druck: de Coulanges, Recueil, 1694, 162, 1698, 140, Chansons, 1754, 227: *L'art qui veut aider la nature. . .*

Geistl. Parodie: Opera spir., 1710, 15: *Quel bonheur pour la race humaine*

50/9   Menuet. Les Divinitez des fleuves:
                                 Qu. 85: Entrée pour les dieux marins; Qu. 38, 46, 55, 60 etc.: Trianon

Abschriften: Qu. 22, 31, 32, 36—38, 41, 45—49, 52, 55, 58, 60, 61, 72, 74, 78, 85; F-Pc X 108

Transkription: F-Pc Rés F 1091, 19 (Cembalo)

Drucke: Les Simphonies à 4, Pointel
                                   Ouverture & Tous les autres Airs, Roger

Weltl. Parodie: S. Vergier, Oeuvres, 1726, 262: *Je ne ressens plus d'allarmes*

50/10   La Nymphe de la Marne, Ritournelle:

Abschriften: Qu. 60, 74, 76, 78, 85; D-B Mus ms 13272/1

50/11   La Loure. Les Divinitez et les Nymphes:
                                 Qu. 22, 32, 41, 46, 52, 55, 60, 67 etc.: La Menagerie

Abschriften: Qu. 22, 31, 32, 36, 37, 41, 45, 46, 48—50, 52, 55, 58, 60, 61, 67, 71, 72, 74, 78; F-V Ms mus 137

Drucke: Les Simphonies à 4, Pointel
                                   Ouverture & Tous les autres Airs, Roger

Weltl. Parodien: Par. bach., 1695, 12, 1696, 21, du Fresne, 1696, 8, Nouv. Recueil, Raflé, 1697, 8, Nouv. Par. bach., 1700, I, 37: *Que ferions-nous, cher voisin Sans le bon vin* (M.D.L.F.); dass. S. Vergier, Oeuvres, 1726, 259

50/12   Ritournelle, la Gloire:

Abschriften: Qu. 39, 50, 59, 74, 76, 79; D-B Mus ms 13727/1

50/13   Ritournelle, Choeur:
                       Qu. 22, 32, 35, 67 etc.: Echo

Abschriften: Qu. 22, 32, 67, 74, 79, 85

Druck: Ouverture & Tous les autres Airs, Roger

50/14   Menuet. Les Divinitez de fleuves et les Nymphes forment une danse gene-
                       rale:
                       Qu. 32: La Gloire

Abschriften: Qu. 22, 31, 32, 35—39, 41, 45, 46, 48—50, 52, 55, 58, 61, 67, 71, 72,
                      74, 85; D-B Mus ms 13272/1; S-VX Mus ms 6; F-Pc X 108

Drucke: Les Simphonies à 4, Pointel
                      Ouverture & Tous les autres Airs, Roger

50/15   Choeur:

Abschriften: Qu. 22, 32, 35, 36, 38, 41, 46, 50, 55, 58, 60, 67, 72, 74, 85; D-B Mus ms
                      13272/1; S-VX Mus ms 6

Drucke: Les Trio, Blaeu, 1691, II
                      Les Simphonies à 4, Pointel
                      Ouverture & Tous les autres Airs, Roger

Weltl. Parodien, hs.: Chansonnier Maurepas 12619, 337 (1676): *Bourdaloue fronde Contre tout*
                      le monde
                      F-Pa 4842, 295: *Celui qui fronde Contre tout le monde;* dass. GB-Lbl
                      Egerton 1520, III, 55

Drucke: Par. bach., 1695, 16, 1696, 25, du Fresne, 1696, 10, Nouv. Recueil, 1697,
                      10: *Sus qu'on s'engage Dans le doux servage* (M.D.L.F.)

Geistl. Parodie: Opera spir., 1710, 74: *Quel coeur sauvage Reste en ce village*

50/16   I, 1, le Choeur des Thessaliens:

Abschriften: Qu. 35, 85; D-B Mus ms 13272/1

50/17   Alcide:

Ce n'est point a=vec toi que je pré=tens me tai=re

Weltl. Parodie, hs.:   F-Pa 4843, 255: *Ce n'est point avec toy que je pretens me taire, le vin a trop d'appas*

50/18   Lycas, Alcide, Straton:

L'A=mour a bien des maux,

Abschriften: Qu. 79, 85; D-B Mus ms 13272/1

50/19   I, 3, Lycas:

Je pré=tens ri = re, Je pré=tens

Abschrift: Qu. 78
Druck (Text):   Nouv. Recueil, Raflé, 1695

50/20   Straton:

Le mé=pris d'un coeur vo = la = ge doit

Abschriften: Qu. 22, 52, 59, 73, 78, 79; F-B Ms 279.147
Druck: Les Trio, Blaeu, 1690, I

50/21   I, 4, Ritournelle, Cephise, Straton:

Dans ce beau jour, quelle hu=meur

Abschriften der Ritournelle: Qu. 22, 52, 59, 61, 68, 78, 79, 83—85
Abschriften des Dialogs: Qu. 78, 82; S-N Finspong 9096:13

50/22   Cephise:

Si je chan=ge d'a = mant Qu'y trou=ves-tu

Abschriften: Qu. 73, 78, 85

50/23   Cephise:

Abschriften: Qu. 73, 76, 78, 85

Weltl. Parodien: Chansonnier Maurepas 12619, 305 (1676): *Si tu contentes la Rambure Tu peux apres cela porter partout tes pas;* dass. F-Pa 4842, 259 und F-LYm Ms 1545, 99 (1671 datiert!)

50/24   Cephise, Straton:

Abschriften: Qu. 76, 78, 85

Zitiert in: Les Parodies du Nouveau Théâtre italien, 1738, IV, 132

50/25   I, 5, Licomede, Straton, Cephise:

Abschriften: Qu. 35, 78, 82, 85; D-B Mus ms 13272/1; F-B Ms 279.147

Drucke: Les Trio, Blaeu, 1690, I
(Text) Nouv. Recueil, Raflé, 1697, 8

Weltl. Parodien, hs.:   Chansonnier Maurepas 12619, 131 (1674): *Enfin grâce à Fourbin je goûte la douceur;* ebd. 141: *Enfin grâce à Crequi, me voici de retour* (1674); ebd. 151, 153, 155, 157, 159, 163, 165, 523; ebd. 12620, 53; ebd. 12622, 473 (1693); ebd. 12624, 5 (1696)
F-Pa 4842, 220: *Enfin grâce au dépit je goûte la douceur*
GB-Lbl Egerton 1520, III, 53: *Enfin grâce à l'Amour, nous sommes seuls icy;* ebd. 1521, 81 und 87; Egerton 814, 366 (1671 datiert!): *Enfin grâce au Seigneur je vais jouer en paix,* dass.: F-LYm Ms 1545, 98

Drucke: Par. bach., 1695, 13, 1696, 22, du Fresne, 1696, 8: *Enfin grâce à Bacchus je goûte le plaisir*
de Coulanges, Recueil, 1694, 72: *Enfin je vous revois;* ebd. 73, 74, 160; Recueil, 1698, 63, 66, 206, 208, 210, II, 131; Chansons, 1754, 36: *Enfin vous nous quittez, & j'en meurs de douleur;* ebd. 37, 97, 98, 222

50/26   Licomede:

Abschriften: Qu. 22, 51, 52, 59, 65, 73, 78, 79, 85

Drucke: Les Trio, Blaeu, 1690, I
Les Simphonies à 4, Pointel

Weltl. Parodie: F-Pa 4842 (Air 280), 220: *Qu'aisément* (M. Théobon)

Geistl. Parodie: Chassain, Cant. sacrez, 1684, 172: *Fermés l'oeil à vôtre Justice;* ebd. 215, 231

50/27   Cephise:

Abschriften: Qu. 60, 72, 73, 78, 85
                        D-B Mus ms 13272/1

50/28   Licomede:

Abschriften: Qu. 22, 35, 52, 59, 73, 78, 79, 85; F-B Ms 279.147
                        D-B Mus ms 13272/1

Drucke: Les Trio, Blaeu, 1690, I
                        Les Simphonies à 4, Pointel

50/29   Loure pour les Pêcheurs:
                        Qu. 37, 67, Roger: Menuet; Qu. 51, 52, Pointel, Druck 1708: Air pour
                        les Matelots; Par. bach., 1695, 1696, Partitur US-Sp: La Feste Marine

Abschriften: Qu. 22, 31, 32, 36—38, 41, 45, 46, 48, 49 (zweimal), 50, 52, 55, 58, 60,
                        61, 67, 72, 78, 85; F-V Ms mus 137; F-Pc X 108

Transkription: F-Pc Rés F 844, 227 (Gitarre)

Drucke: Les Simphonies à 4, Pointel
                        Ouverture & Tous les autres Airs, Roger

Weltl. Parodien, hs.:   Chansonnier Maurepas 12619, 175 (1674): *Quoi tu dis que je ne vaux
                        rien Que je vis comme un chien*, dass. F-Pa 4842, 284 und GB-Lbl Egerton
                        1520, III, 48

Drucke: Par. bach., 1695, 14, 1696, 23, du Fresne, 1696, 9, Nouv. Recueil, Raflé,
                        1697, 9, Nouv. Par. bach., 1700, I, 42: *Quand je suis dedans le Cabaret
                        Que je bois du clairet* (1695: M.L.M., 1696: M.D.L.F.)

Timbre: Y a t'il dans notre couvent (F-Pa 4842, 230)

50/30   I, 7, Deux Tritons:
                        Libretto: Des Nymphes de la mer et des Tritons viennent faire une fête
                        marine où se meslent des matelots et des pescheurs; Qu. 22, Par. bach.,
                        1695 etc.: Rondeau

Abschriften: Qu. 22, 36, 37, 41, 46, 50, 55, 57, 60, 66, 68, 70, 73, 75, 78, 79, 85;
                        D-B Mus ms 13272/1

Transkription: Duo choisis, 1726, 90

Drucke:	Les Trio, Blaeu, 1691, II (Text) Nouv. Recueil, Raflé, 1695
Weltl. Parodien, hs.:	Chansonnier Maurepas 12619, 291 (1676): *Malgré tant de Neiges Nous faisons cortege;* ebd. 12640, 260 (1682): *Qu'il pleuve, ou qu'il neige, Je suis du cortege* (de Coulanges) F-Pa 4842, 269: *Qu'on fasse la guerre Par mer & par terre;* GB-Lbl Egerton 1520, III, 7: *Qu'on fasse la guerre . . .* (M. l'abbé Martinot); ebd. 1519, 258: *Malgré tant de neige,* dass. Egerton 814, 390 und F-LYm Ms 1545, 129 (1675)
Drucke:	Par. bach., 1695, 15, 1696, 24, du Fresne, 1696, 9, Nouv. Par. bach., 1700, I, 44: *Qu'on fasse la guerre Par mer & par terre* (M.L.M.) de Coulanges, Recueil, 1694, 37, 1698, 106, Chansons, 1754, 46: *Malgré tant de neige;* 1698, 112, 1754, 49: *Quelque tems qu'il fasse Brouillard, neige ou glace*
Geistl. Parodien:	N. Saboly, Recueil de Noëls, 1699, 88: *L'Estrange deluge! Bon Dieou es à vous* Pellegrin Cantiques, 1701, 124: *Parmy tant d'orages Et tant de naufrages;* ders. Noëls, 1702, 62: *Aprés tant d'allarmes De cris & de larmes;* ebd. Rec. III, 1725, 178: *Un sort plein de charmes Succede aux allarmes;* ebd. Rec. V, 1709, 365: *Chantons la victoire Du grand Roy de gloire* ders. Les Pseaumes, 1705, 430: *En vain les tempêtes Menacent nos têtes* ders. Chansons, 1722, 1: *Malgré tant d'orages Et tant de naufrages*

50/31

Cephise:
Qu. 22, Roger etc. Gavotte

Abschriften:	Qu. 22, 32, 35, 36, 38, 41, 46, 50—52, 55, 57, 58, 61, 66, 67, 72, 73, 75, 76, 78, 79, 85; F-Pc X 108 D-B Mus ms 13272/1; GB-Lbl Add 31425, 16 (Trio)
Transkription:	F-Pc Rés F 844, 92 (Gitarre)
Drucke:	Les Trio, Blaeu, 1691, II Les Simphonies à 4, Pointel Les Trios de Differents Auteurs, Babel, 1698, livre second, 101 Ouverture & Tous les autres Airs, Roger (Text) Nouv. Recueil, Raflé, 1695
Weltl. Parodien, hs.:	Chansonnier Maurepas 12619, 185 (April, Mai 1674): *Besançon, laissez-vous prendre;* dass. F-Pa 4842, 353 und GB-Lbl Egerton 1520, III, 28 Par. bach., 1695, 17, 1696, 26, du Fresne, 1696, 10, Nouv. Recueil, Raflé, 1697, 10, Nouv. Par. bach., 1700, I, 47: *Chers amis, fuyons la gloire D'estre couchez dans l'histoire* (M.D.L.F.) Théâtre de la Foire, 1721, II, 231 (Air 166)
Geistl. Parodien:	L. Chassain, Cant. sacrez, 1684, 9: *O vous qui venez sur la terre Comme en un sejour de guerre;* ebd. 159 Odon de Noei, Dijon s. d., 49: *Prôve jan no vo déplaise Si vo mau ne sépoise* N. Saboly, Recueil de Noels, 1699, 92: *Seignor, n'es pas resonable, Que logés dins uns Estable* Pellegrin, Cantiques, 1701, 32: *Tant que l'homme est sur la terre;* ebd. 95:

Combattons la médisance
ders. Cant. spir., 1706, 275: *Quel objet sur le Calvaire;* ebd. 375: *Dieu veut que chacun espere*
ders. Histoire, 1702, 42: *Lorsqu'un Dieu plein de tendresse;* ebd. 64: *Quand le monde nous menace;* ebd. 250: *Trop heureux qui persevere;* ebd. 284: *Le demon nous veut surprendre*
ders. Les Pseaumes, 1705, 180: *Puissants Juges de la terre*
Opera spir., 1710, 55: *Quel bruit vient de nous surprendre*
Cantiques, Lyon, 1710, 126: *Loin de nos coeurs la tristesse;* ebd. 139: *Doux Jesus, aimable Maître*
Pellegrin, Chansons, 1722, Rec. II, 6: *Hâtons-nous de reconnoître*
Cantiques, Avignon, 1759, 50: *O Mon Dieu! que votre loi sainte*

Timbre:	Tant que l'homme est sur la terre

50/32   Rondeau:
Qu. 41, 55: Rondeau pour la Fête Marine

Abschriften:	Qu. 22, 31, 32, 36—38, 41, 45, 46, 48—52, 55, 58, 60, 61, 67, 68, 72, 85 F-V Ms mus 137; F-Pc X 108
Drucke:	Les Simphonies à 4, Pointel Ouverture & Tous les autres Airs, Roger

50/33   Prelude, Admete, Alcide:

Dieux, le pont s'a = bî = me dans l'eau

Abschriften des Prélude:	Qu. 22, 52

50/34   Les Vents:

Abschriften:	Qu. 22, 31, 32, 37, 38, 45, 48—50, 52, 60, 61, 67, 72, 85; F-V Ms mus 137; F-Pc X 108
Drucke:	Les Simphonies à 4, Pointel: Les Vents. Presto Ouverture & Tous les autres Airs, Roger

50/35   Ritournelle, Eole:

Le Ciel pro = te = ge les He = ros

Abschriften:	Qu. 22, 32 (in der Suite *Les Amants magnifiques*), 51, 52, 61, 73, 75, 78, 79, 82, 85; F-B Ms 279.147 D-B Ms mus 13272/1
Druck:	Les Trio, Blaeu, 1690, I
Weltl. Parodie, hs.:	F-Pa 4843, 255: *L'Amour rend tous les hommes sots Buvons, buvons tous à la ronde*

50/36   Eole:

Et lais = sez   reg = ner sur les on=

Abschriften: Qu. 22, 32 (Trio), 35, 51, 52 (Trio), 59, 76, 78, 79, 85
                      F-B Ms 279.147; D-B Mus ms 13272/1

Drucke: Les Trio, Blaeu, 1690, I
                      Les Simphonies à 4, Pointel: Trio

50/37   II, 1, Ritournelle, Cephise:

Al = ce=ste ne vient point

Abschriften der Ritournelle: Qu. 22, 38, 45, 49—52, 59, 61, 79, 85
                      D-B Mus ms 13272/1

Abschriften des Rezitativs: Qu. 82; D-B Mus ms 13727/1

50/38   Cephise:

Un ri = val n'est pas in = u = ti = le

Abschriften: Qu. 73, 78
                      D-B Mus ms 13272/1

50/39   Straton:

Un hy=men qui peut plai = re   ne coû=te

Abschriften: Qu. 22, 32, 52, 59, 78, 79, 85; F-B Ms 279.147
                      D-B Mus ms 13272/1

Druck: Les Trio, Blaeu, 1690, I

50/40   II, 2, Licomede:

Puis=que   je perds toute es = pe = ran = ce Je

Abschriften: Qu. 22, 59, 73, 78, 79, 85; F-B Ms 279.147
                      D-B Mus ms 13272/1

Druck: Les Trio, Blaeu, 1690, I

50/41   Les Combattans, la Marche:
Qu. 46, 60: La Marche du siége; Roger, Druck 1708: Marche en Rondeau;
Qu. 62: Trompettes

Abschriften: Qu. 22, 31, 32, 36—38, 41, 45, 46, 48—50, 52, 55, 58, 60—62, 67, 71
(D-Dur), 72, 78; S-VX Mus Ms 6; F-Pc X 108

Drucke: Les Simphonies à 4, Pointel
Ouverture & Tous les autres Airs, Roger

Weltl. Parodie, hs.: Chansonnier Maurepas 12640, 154 (1679): *Raisin encore Croit que sa
femme l'adore*

50/42   II, 4, Admete, Alcide, Choeur:

Abschriften: Qu. 22, 50

50/43   Marche:
Qu. 22, 37, 52, 61 etc.: Les Combattants; Druck 1708: Entrée

Abschriften: Qu. 22, 31, 32, 36—38, 41, 45, 46, 48—50, 52, 55, 60, 61, 67, 72; F-Pc
X 108

Drucke: Les Simphonies à 4, Pointel
Ouverture & Tous les autres Airs, Roger
Ouverture Avec tous les Airs à jouer de l'opera D'Atys, Roger (Satz 10)
Théâtre de la Foire, 1721 (instrumental)

50/44   Les Assiégeants:

Abschriften: Qu. 22

Weltl. Parodien: Le Théâtre de la Foire, 1722, VI, 247: *Massacrons, noyons cette race Le
Forain commence à plier*

50/45   II, 5, Pheres:

Abschriften: Qu. 78, 82

50/46   Pheres:

Abschriften: Qu. 35, 60, 78

Weltl. Parodien, hs.:   Chansonnier Maurepas, 12639, 341 (1673!): *O Dieux! quel prodige nouveau Le paisible berger Dangeau;* dass. ebd. 403 (1674) und ebd. *Si les foudres de guerre Conqueste l'Angleterre;* dass. F-Pa 4842, 261

Druck: de Coulanges, Recueil, 1698, 286, Chansons, 1754, 201: *Ah que la Cour est lente, les efforts qu'elle tente;* Recueil 1694, 143, 1698, II, 87: *Chansons de toute espece*

50/47   II, 6, Ritournelle, Alcide:

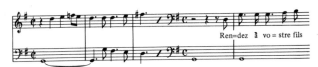

Abschriften der Ritournelle: Qu. 22, 49, 58, 59, 61, 79, 85

Abschriften des Dialogs: Qu. 78, 79, 85

50/48   II, 8, Ritournelle, Alceste:

Abschriften: Qu. 22
D-B Mus ms 13272/1; DDR-Bs Mus ms 30110

50/49   Alceste, Admete:

Abschriften: Qu. 75, 85
D-B Mus ms 13272/1

Druck: Les Trio, Blaeu, 1691, II

50/50   II, 9, Ritournelle, Apollon:

Abschriften: Qu. 22, 50, 52, 61, 78, 79, 85
D-B Mus ms 13272/1

50/51   III, 1, Ritournelle, Alceste:

Abschriften der Ritournelle: Qu. 22, 49, 50, 52, 59, 61, 78, 85
                             D-B Mus ms 13272/1

Abschriften des Air: Qu. 78, 82, 85

50/52   Cephise, Pheres:

Abschriften: Qu. 79, 85
                             D-B Mus ms 13272/1

Druck: Les Trio, Blaeu, 1691, II

50/53   Cephise, Alceste, Pheres:

Abschriften: Qu. 76, 79, 85
                             D-B Mus ms 13272/1

50/54   III, 3, Ritournelle, Choeur:

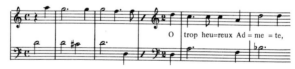

Abschriften: Qu. 22, 85
                             D-B Mus ms 13272/1

50/55   III, 4, Cephise, Choeur:

Abschriften: Qu. 85
                             D-B Mus ms 13272/1

Weltl. Parodie, hs.:   GB-Lbl Egerton 816, 207 (1712): *Pendule est morte Pendule s'en alloit
                             sonner ses douze coups*

Drucke: Théâtre de la Foire, 1721, III, Air 216: *La Foire est morte*
                             de Coulanges, Recueil, 1698, 65, Chansons, 1754, 36: *Pendule est morte*

50/56	III, 5, Prelude pour la Pompe funebre: Qu. 32: Marche funebre; M-C Ms 2126: Ritournelle

Abschriften:	Qu. 22, 31, 32, 37, 45, 48—50, 52, 61, 67, 72, 85
Druck:	Ouverture & Tous les autres Airs, Roger

50/57	Ritournelle, une Femme affligée:

Abschriften:	Qu. 73, 78, 85 D-B Mus ms 13272/1

50/58	Ritournelle, un Homme desolé:

Abschriften:	Qu. 78, 79, 85 D-B Mus ms 13272/1
Bemerkung:	Die Ritournelle fehlt in: F-V Ms mus 95 (1675)

50/59	Ritournelle, une Femme affligée:

Abschriften der Ritournelle:	Qu. 79 D-B Mus ms 13272/1

50/60	Choeur:

Abschriften:	Qu. 35, 50, 65, 72 D-B Mus ms 13272/1; S-VX Mus Ms 6
Weltl. Parodie:	Mme de Sévigné, Correspondance, hrsg. von R. Duchêne, II, 731: *Rompons, brisons les tristes restes* (Mme La Sablière); ebd. III, 56: *Talbot est vainqueur du trépas*

50/61   Symphonie:
                         Qu. 32: Les Affligez; Qu. 48, Roger: Air; Qu. 62: Entrée; Qu. 52, 58:
                         Les Hommes désolés

Abschriften: Qu. 22, 31, 32, 36—38, 45, 48—50, 52, 58, 60—62; F-Pc X 108
                         F-V Ms mus 137; D-B Mus ms 13272/1

Drucke: Les Simphonies à 4, Pointel
                         Ouverture & Tous les autres Airs, Roger

50/62   Prelude, Choeur:

Abschriften des Prélude: Qu. 22, 48, 50, 51, 61, 72

50/63   III, 6, Ritournelle, Admete:

Abschriften: Qu. 22, 49, 59, 61, 76, 78, 79, 82, 85

Bemerkung: In der Partitur F-V Ms mus 95 (1675) sowie in Qu. 49, 59 steht die Szene
                         in F-Dur.

Weltl. Parodien: Théâtre de la Foire, 1721, III, 403, Air 214

Geistl. Parodie: L. Chassain, Les Hymnes, 1705, 24: *Jesus, gloire immense des Cieux;*
                         ebd. 112

50/64   III, 7, Cephise, Pheres, Cleante:

Abschriften: Qu. 76, 79, 85

Druck: Les Trio, Blaeu, 1691, II (F-Dur)

50/65   III, 8: Ritournelle, Diane:

Abschriften: Qu. 22, 45, 49, 50, 52, 59, 61, 78, 79, 85

50/66   IV, 1, Ritournelle, Charon:

Abschriften:	Qu. 22, 49, 50, 76, 78, 79, 82, 85
Druck des Air:	Petite Bibliothèque des Théâtres, 1784, 3 (Noten)
Geistl. Parodie:	Opera spir., 1710, 79: *Bergers, entrez dans ce lieu, Bergers, entrez dans l'Etable*

50/67   Charon:

Abschriften:	Qu. 79; F-B Ms 279.147
Druck:	Les Trio, Blaeu, 1690, I

50/68   IV, 3, Prelude, Pluton:
                       Qu. 67: la barque de Caron

Abschriften des Prélude:	Qu. 22, 32, 36, 37, 38 (zweimal, in der Suite aus *Alceste* und in der des *Ballet de la Raillerie*), 45, 48—50, 58, 64, 67; F-V Ms mus 165; F-Pc X 108
Drucke:	Les Simphonies à 4, Pointel Ouverture & Tous les autres Airs, Roger

50/69   La Fête infernale, premier Air:
                       Qu. 32: Les Démons

Abschriften:	Qu. 22, 31, 32, 35—38, 41, 45—53, 55, 58, 60—62, 65, 67, 68, 72 F-V Ms mus 137; D-B Mus ms 13272/1; S-VX Mus ms 6; F-Pc X 108
Transkription:	F-Pn Rés 1106, 64 (Laute, les Démons)
Drucke:	Les Simphonies à 4, Pointel Ouverture & Tous les autres Airs, Roger
Weltl. Parodien:	Par. bach., 1695, 18, 1696, 27, du Fresne, 1696, 11, Nouv. Recueil, 1697, 13: *Quand Jupon se voulant donner carriere* (M.R.) Théâtre de la Foire, 1721, II, 172: *Quel fantôme en ces lieux, O justes Dieux*

50/70   Choeur:

Abschriften: Qu. 35, 50, 55, 60
                      D-B Mus ms 13272/1

Druck: Trios de Differents Auteurs, Blaeu, 1698, II, 126

Weltl. Parodien, hs.: Chansonnier Maurepas 12619, 105: *C'est icy l'hostel de misere On y vient guere;* ebd. 12642, 353 (1696): *Tout péché doit icy paroître Si l'on veut être en Paradis*
                      F-Pa 4842, 249: *C'est icy l'hostel de misere,* dass.: GB-Lbl Egerton 1521, 81; ebd. Egerton 1520, III, 64: *Tout péché doit icy paroistre*

Drucke: Par. bach., 1695, 21, 1696, 30, du Fresne, 1696, 13, Nouv. Recueil, Raflé, 1697, 13: *Tout mortel est pis qu'une bête Quand il s'entête d'un fol amour* (M.D.L.F.)
                      de Coulanges, Recueil, 1694, 35, 1698, 99, Chansons, 1754, 41: *Tout portrait doit icy paroître*

Geistl. Parodie: Opera spir., 1710, 79: *Tout Pasteur doit icy paroître, Pour le connoître*

50/71   Choeur:

Bemerkung: Diese Musik enthalten folgende Partiturkopien: F-V Ms mus 95 (1675), F-LYm Ms 27273 und der Druck von 1708 (dort zuvor die Fassung 50/72); Qu. 35

50/72   Les Démons, Choeur:
                      Qu. 22, 48, 64: Gigue; Qu. 67: Air de la Fête infernale; Qu. 37, 52 etc. Entrée; F-V Ms mus 137, Pointel, Roger: Air

Abschriften: Qu. 22, 31, 32, 35—37, 41, 45—48, 50—53, 55, 58, 60—62, 64, 65, 67, 78
                      F-V Ms mus 137; D-B Mus ms 13272/1; S-VX Mus Ms 6; F-Pc X 108

Drucke: Les Simphonies à 4, Pointel
                      Ouverture & Tous les autres Airs, Roger

Weltl. Parodie: Les Concerts parodiques, 1732, IV, 20: *Elevons jusqu'aux Cieux*

50/73   V, 1, Prelude, Admete, Choeur:

Abschriften des Prélude: Qu. 22, 39, 45, 48, 49, 52, 60, 76, 78, 85
                      D-B Mus ms 13272/1

Weltl. Parodien:	Chansonnier Maurepas 12619, 121 (1674): *Baptiste* [Lully] *est le Dieu du Bordel: La Gare lui doit un autel* (von Jeannot, chirurgien de Paris); ebd. 123: *De Foix est le Roy du Bordel La Cornu lui doit un Autel;* ebd. 124, 125, 167, 169, 287, 307, 415; ebd. 12620, 379 F-Pa 4842, 224: *D'Estrées est vainqueur des Estats,* dass.: GB-Lbl Egerton 1519, 133 F-LYm Ms 1545, 100: *Turenne a gagné le combat*
Drucke:	Mme de Sévigné, Correspondance, hrsg. von R. Duchêne, II, 127: *Ruyter est le dieu des combats;* ebd. 206: *La Trousse est vainqueur de Brancas* Théâtre de la Foire, 1721, III, Air 232: *Honneur aux Opéra nouveaux, Honneurs à leurs puissans pavots* (Parodie des Chœurs) de Coulanges, Recueil, 1698, 71, Chanson, 1754, 39: *Testu est vainqueur de Brancas;* Recueil, 1698, 72, Chansons, 40: *Quand Vezon fait saigner du bras*
Geistl. Parodie:	Opera spir., 1710, 27: *Chantez le Saint avenement, De Jesus, Fils du Tout-Puissant*

50/74	V, 2, Straton, Lycas:

Abschriften:	Qu. 22, 73, 75, 76, 78, 85 D-B Mus ms 13272/1

50/75	V, 3, Cephise:

Abschriften:	Qu. 78, 85 D-B Mus ms 13272/1

50/76	Cephise, Lycas, Straton:

Abschriften:	Qu. 79, 85 D-B Mus ms 13272/1
Druck:	Les Trio, Blaeu, 1691, II

50/77	Prelude, Alcide:

Abschriften des Prélude:	Qu. 22, 32, 37, 48, 50, 61, 72, 85
Abschriften des Air:	Qu. 76, 78, 82, 85

50/78   V, 4, Alceste, Admete:

Abschriften: Qu. 76, 79, 85

Druck: Les Trio, Blaeu, 1691, II

Weltl. Parodie: Théâtre de la Foire, 1721, III, Air 234 (Originaltext)

50/79   Prelude, Apollon:
                          Qu. 85: Apollon descend

Abschriften des Prélude: Qu. 22, 32, 37, 38, 41, 46, 48—52, 61, 72, 85
                          F-V Ms mus 137

Abschriften des Air: Qu. 22, 78, 85

Drucke: Trios de Differents Auteurs, Babel, I, 41: Symphonie
                          Ouverture & Tous les autres Airs, Roger

50/80   Choeur des Thessaliens:

Abschriften: Qu. 22, 50
                          D-B Mus ms 13272/1

50/81   Premier Air pour les Pastres:
                          Qu. 67, F-C Ms 2126: Le Basque; F-V Ms mus 95: Entrée; Qu. 32, 47:
                          Comus; Qu. 22: Les Bergers; Par. bach., 1696: Gavotte

Abschriften: Qu. 22, 31, 32, 36, 37, 41, 45—52, 55, 58—61, 67, 72, 78, 85; F-Pc X 108

Transkription: F-Pc Rés F 1091, 20 (Cembalo)

Drucke: Les Simphonies à 4, Pointel
                          Ouverture & Tous les autres Airs, Roger

Weltl. Parodien: Par. bach., 1695, 22, 1696, 33, du Fresne, 1696, 14, Nouv. Recueil, Raflé,
                          1697, 14, Nouv. Par. bach., 1700, I, 51: *Tantale au milieu des eaux, Sans
                          en avaler endure mille maux* (M.R.)

50/82   Deuxiesme Air pour les Pastres:
                          Qu. 36: Les Bergers

Abschriften: Qu. 22, 31, 32, 36—38, 41, 44, 45, 49, 50, 52, 58, 61, 62, 67, 85
                          F-V Ms mus 137; D-B Mus ms 13272/1; F-Pc X 108

Druck:	Les Simphonies à 4, Pointel
Weltl. Parodien:	Par. bach., 1695, 23, 1696, 31, du Fresne, 1696, 14, Nouv. Recueil, Raflé, 1697, 14: *Tôt, tôt, tôt, du vin, du vin, du vin Laquais, verse-moy sans fin* (M.R.)
	Les Parodies nouv., 1731, II, 45: *Quel plaisir D'employer son loisir A boire de bon vin* (F-Dur)

50/83 Straton:

A quoy bon tant de rai = son

Abschriften:	Qu. 22, 35, 50, 52, 59, 65, 72, 73, 78, 79, 85; F-B Ms 279.147; D-B Mus ms 13272/1
Drucke:	Les Trio, Blaeu, 1690, I
	Les Simphonies à 4, Pointel
	Trios de Differents Auteurs, Babel, I, 55
Weltl. Parodien, hs.:	F-Pa 4842, 269: *Pour baiser, se marier Est-ce sage,* dass.: GB-Lbl Egerton 1520, III, 9 (C-Dur)
Drucke:	Par. bach., 1695, 24, 1696, 32 (C-Dur), du Fresne, 1696, 15, Nouv. Recueil, Raflé, 1697, 15: *N'adorons que des flacons, Et des bouteilles* (M.D.L.F.)
	Nouv. Par. bach., 1700, I, 49: *Caressons avec le verre ces bouteilles* (Es-Dur)
Geistl. Parodien:	Opera spir., 1710, 83: *A quoi bon, Tant de façons Pour ce voyage*
	Desessartz, Nouv. poésies spir., 1738, VIII, 5: *Quand un coeur Pour son malheur Fuit la Sagesse*

50/84 Troisiesme Air pour les Pastres, Menuet:

Abschriften:	Qu. 22, 31, 32, 36—38, 41, 45, 46, 48—50, 52, 55, 58, 60, 61, 67, 78, 85; F-Pc X 108
Transkription:	Duo choisis, 1730, II, 120
Drucke:	Les Simphonies à 4, Pointel
	Ouverture & Tous les autres Airs, Roger
Weltl. Parodien, hs.:	GB-Lbl Egerton 1519, 256: *Meslons à nos plaisirs ceux de la table*
Drucke:	Par. bach., 1695, 26, 1696, 34, du Fresne, 1696, 16, Nouv. Recueil, Raflé, 1697, 16, Nouv. Par. bach., 1700, I, 72: *Mêlons à nos plaisirs ceux de la table* (M.R.)

50/85 Cephise:

C'est la sai = son d'ai = mer Quand on

Abschriften:	Qu. 22, 45, 60, 73, 75, 76, 78, 85
	D-B Mus ms 13272/1

Transkription:	F-Pc Rés F 844, 91 und 164 (Gitarre)
Drucke:	Ouverture & Tous les autres Airs, Roger Petite Bibliothèque des Théâtres, 1784, 7 (Noten)
Geistl. Parodie:	L. Chassain, Cant. sacrez, 1684, 139: *Jesus en ce saint temps Se rend victime*

50/86   Les Choeurs:

Tri=om=phez, tri=om=phez gé=né = reux

Abschriften:	Qu. 22, 85

LWV 51
THESEE

Bezeichnung:	Tragédie en Musique
Text:	Philippe Quinault
Erste Aufführung:	11. 1. 1675 in Saint-Germain-en-Laye
Librettodrucke:	*Thesée / Tragedie / en Musique, / ornée / d'entrées de Ballet, / de Machines, & de Changements / de Théâtre. / Representée devant Sa Majesté à Saint Germain / en Laye, le dixiéme jour de Janvier 1675 / A Paris . . . C. Ballard, 1675,* D-DS, F-Pn

     Paris, Ballard, 1677, D-S, F-Pn
     Paris, Ballard, 1678, F-Re
     Suivant la copie imprimée à Paris, [Amsterdam] s. n. 1680, D-KNub
     Suivant la copie imprimée à Paris, [Amsterdam] s. n. 1682, D-BFb
     in: Le Parnas françois, Anvers, H. Van Dunwaldt, 1683, D-BFb
     Suivant la copie imprimée à Paris, [Amsterdam] s. n. 1683, D-HR
     in: Recueil des Opera, des Balets, Amsterdam, A. Wolfgang, 1684, D-HR
     Suivant la copie imprimée à Paris, [Amsterdam] s. n. 1687, US-NH
     Imprimé à Paris, se vend à Anvers, H. Van Dunwaldt, 1687, F-Pa
     Wolffenbüttel, C. J. Bismarck 1687, mit dt. Inhaltsangabe, D-HVl
     Paris, Ballard, 1688, F-Pa
     Suivant la copie imprimée à Paris, Amsterdam, A. Wolfgang, 1688, D-Mth
     in: Recueil des Opera, Amsterdam, A. Wolfgang, 1690, F-Pn
     Lyon, T. Amaulry, 1691, F-Pa
     Lyon, T. Amaulry, 1692, D-Hs
     Paris, Ballard, 1698, F-Pn
     s. l. s. d., F-Pn
     Suivant la copie imprimée à Paris, [Amsterdam] s. n. 1699, F-Pn
     in: Recueil général des Opera, Paris, Ballard, 1703, F-Pn
     Paris, Ballard, 1707, F-Pc
     in: Recueil des Opera, Amsterdam, H. Schelte, 1712, D-Tu
     Bruxelles, s. n. 1713, F-PMeyer
     Paris, P. Ribou, 1720, F-Pn

La Haye, G. de Voys, 1722, D-F
in: Recueil des Opera, La Haye, G. de Voys, 1726, D-F
Paris, Ballard, 1729, F-Pn
Dijon, A. J. B. Augé, 1740, F-Pa
in: Recueil des Opera, Lyon, A. Delaroche, 1740, F-LYm
Lyon, A. Delaroche, 1741, F-Pa
Paris, Ballard, 1744, F-Pa
Paris, Ballard, 1745, F-Pn
Lyon, Rigollet, 1749, F-LYm
Paris, P. Delormel, 1754, F-Pa
Paris, Ballard, 1754, F-Pn
Paris, P. Delormel, 1765, F-Pa
Paris, Ballard, 1765, F-Pn
Paris, P. Delormel, 1779, F-Pn
in: Petite Bibliothèque des Théâtres, Paris 1784, F-Pn
in: Répertoire du théâtre français, Paris 1822, F-Pn

Abschriften:	Partition générale: F-V Ms mus 93; F-Pn Vm² 17; F-Po A6b; A6c; F-TLm Cons 11 (signiert Bardy); I-Tn Ris mus I, 4; F-AG II, 169; F-LYm Ms 27295; F-C Ms 1069; Ms 2125 (signiert Bayet); F-B Ms Z 509 (28. 5. 1728, Ferré); D-B Mus ms 13262 (unvollständig); GB-Lbl Hirsch III, 906 Partition réduite: F-PMeyer; US-BE Ms 768
Druck in Partition générale:	*Thesee / Tragedie / mise / en Musique / Par Monsieur De Lully, / Sur-Intendant de la Musique du Roy.* / [Druckerzeichen Ballards] / *A Paris, / Par Christophe Ballard, seul Imprimeur / du Roy pour la Musique, rüe S. Jean de Beauvais / au Mont Parnasse. / Et se vend, / A la Porte de l'Academie Royale de Musique, rüe S. Honoré. / M.DC.LXXXVIII. / Avec Privilege de Sa Majesté.*
Drucke in Partition réduite:	Seconde édition, Paris s. n. (gravée par H. de Baussen), 1711 Nouvelle édition, Paris J.-B.-C. Ballard (gravée par H. de Baussen), 1719 Seconde édition, oeuvre IV, Paris, J.-B.-C. Ballard (gravée par H. de Baussen), 1720 Seconde édition, Paris, J.-B.-C. Ballard, gravée par H. de Baussen, diese Ausgabe fehlt in RISM, US-Cu), 1721
Stimmen:	Qu. 21—23, 28, 29, 30; ehemals GB-T Ms 11—14 (1703, Philidor, Vokalstimmen), Ms 140—143 (Instrumentalstimmen), jetzt F-V Ms mus 291—298; F-Pn Vm² 18 (dessus)
Szen.-dramatische Parodien, bibliographisch nachgewiesen:	L. Fuzelier: Les Amours de Tremblotin et de Marinette. Intermèdes pour Thésée (11. 8. 1701, Foire de Saint-Laurent, troupe des marionettes de Bertrand) Valois Dorville: Arlequin Thésée (30. 1. 1745, Théâtre italien), Zusammenfassung in: Mercure 1745, Februar I, S. 169—170 Anonym: Thésée. L'opéra de Quinault, remanié en un acte par ordre de la Cour (17. 1. 1755, Théâtre italien, nach Carmody zusammen aufgeführt mit *Les Amours de Mathurine;* dieses Stück wurde nach Brenner aber erst am 10. 6. 1756 gegeben)
Drucke:	P. Laujon, Parvi und C. S. Favart: Thésée (17. 2. 1745, Foire de Saint-Germain), Nouvelle édition avec la musique, s. l. s. d. (52 Aufführungen)
Literatur:	Prunières, Lully, 99; Gros, Quinault, 111 f., 530 f., 599—603; Borrel, Lully, 59 f.; Girdlestone, La tragédie en musique, 70—73; Anthony, French baroque music, 70 f., 74 f., 114 f., Newman, Formal Structure, 140

51/1   Ouverture:

Abschriften:	Qu. 22, 31, 32, 36—38, 41, 42, 44—46, 48—52, 55, 58, 60, 62, 64, 67, 68, 72, 74, 78, 79, 85; F-R(m) (Teilkopie von David); D-B Mus ms 13722/1; F-V Ms mus 165; F-Pc X 108 (Dessus)
Transkription:	Les Ouvertures des opera, 1725
Weltl. Parodie:	Les Ouvertures des opera, 1725: *Qu'on apporte du vin, Je suis chagrin*
Literatur:	Le Cerf de la Viéville, Comparaison, III, 12

51/2   Prologue, Choeur:

Abschriften:	Qu. 22, 35, 60, 65, 74, 85; F-R(m)

51/3   Choeur:

Abschriften:	Qu. 79; D-B Mus ms 13272/1; GB-Och Ms 95
Druck:	Les Trio, Blaeu, 1691, II

51/4   Ritournelle, Venus:

Abschriften der Ritournelle:	Qu. 22, 52, 59, 74, 75, 79, 85; F-R(m)
Transkription:	GB-Cmc 2804 (Gitarre)
Abschriften des Air:	Qu. 22, 73, 75, 78; GB-Och Ms 95

51/5   Trompettes:
                         Qu. 31, 37, 44, 48: La descente de Mars; F-LYm Ms 27295: Rondeau

Abschriften:	Qu. 22, 32, 36—38, 41, 44—46, 48—50, 52, 55, 58, 60, 62, 67, 68, 70, 72, 74, 78; F-R(m); S-VX Mus Ms 6; S-Sk 5173; F-Pc X 108

51/6	Mars:

Abschriften:	Qu. 73—75, 78, 82, 85; D-B Mus ms 13272/1; F-R(m)
Weltl. Parodien:	Par. bach., 1695, 34, 1696, 41, du Fresne, 1696, 19, Nouv. Par. bach., 1700, I, 63: *Sans les vapeurs du vin, je ne sçaurois dormir* (M.D.L.F.)
Geistl. Parodien:	Pellegrin, Noëls, Rec. III, 1725, 208: *Bergers, rassemblez-vous dans cet heureux séjour;* dass. Cantiques, 1726, 13 Opera spir., 1710, 47: *Rien ne peut desormais nous troubler dans ces lieux* Desessartz, Nouv. poésies spir., 1733, VII, 20: *Cherchons à vivre ici dans un repos heureux*

51/7	Hautbois: Qu. 22, 31, 32, 37, 44, 55, 66: Menuet; Qu. 22: Trio. Hautbois; Qu. 48: Ritournelle; Qu. 85: Prelude pour les flûtes

Abschriften:	Qu. 22, 32, 36, 38, 41, 44—46, 48, 50—52, 55, 58—60, 66, 67, 68, 72, 74, 79, 85; F-R(m); D-B Mus ms 13272/1; F-Pc X 108

51/8	Mars:

Abschriften:	Qu. 73—75, 78, 82, 85; F-R(m); D-B Mus ms 13272/1
Geistl. Parodien:	Opera spir., 1710, 27: *Partez, allez, courez adorer Messie* Desessartz, Nouv. poésies spir., 1733, VII, 20: *Fuyez, allez, fuyez, importunes affaires*

51/9	Venus:

Abschriften:	Qu. 22, 73, 74, 78, 85; F-R(m); D-B Mus ms 13272/1
Weltl. Parodien, hs.:	Chansonnier Maurepas 12639, 443 (1675) (Dialogue entre la Présidente de Perigny . . . et un de ses amis): *Mon charitable amy, que me conseillez-vous?*

51/10	Venus, Mars:

Abschriften:	Qu. 34, 35, 54, 65, 73, 74, 85; F-R(m); D-B Mus ms 13272/1

51/11   Choeur:

Abschriften: Qu. 22, 34, 50, 65, 74; F-R(m); D-B Mus ms 13272/1

51/12   Premier Air:
                         Qu. 36, F-V Ms mus 15, F-LYm 27295: Gigue; Qu. 32, 55, 60: Air de
                         Flore; Qu. 22, 58: la suite de Ceres; Qu. 38, 62: Rondeau; Qu. 32, 85:
                         Les Moisonneurs

Abschriften: Qu. 22, 31, 32, 34, 36—38, 41, 44—46, 48—50, 52, 55, 58, 60, 62, 67, 72,
                         78, 85; F-V Ms mus 137; F-Pc X 108

51/13   Ceres:

Abschriften: Qu. 73—75, 78, 85; D-B Mus ms 13272/1
Transkription: GB-Cmc 2804 (Gitarre)
Druck: Petite Bibliothèque des Théâtres, 1784 (Noten)

51/14   Second Air:
                         Qu. 22, 85; F-LYm 27295: Les vendengeurs; Qu. 34, 41: Air de Flore;
                         Qu. 69: Moisonneurs

Abschriften: Qu. 22, 31, 32, 34, 36—38, 41, 44—46, 48—52, 55, 58, 60, 62, 67, 74,
                         78, 85; F-V Ms mus 137; F-Pc X 108

Weltl. Parodie: Les Par. nouv., 1731, II, 13: *Dans ces beaux lieux Tout m'enchante*

51/15   Bacchus:

Abschriften: Qu. 73—75, 78, 85; D-B Mus ms 13272/1; GB-Och Ms 95
Transkriptionen: GB-Cmc 2804 (Gitarre)
                         F-Pc Rés F 1091 (Cembalo)
Geistl. Parodien: Opera spir., 1710, 44: *Pouvons-nous avoir trop d'empressement pour luy*
                         Cantiques, Avignon, 1735, 148: *Non me castigas pas, vous eu pregui
                         ô Seignour*
Literatur: Le Cerf de la Viéville, Comparaison, III, 112

51/16	I, 1, Choeur:

A=van=çons, a=van=çons que rien ne nous es=ton=ne

Abschriften:	Qu. 22, 24, 50, 78

51/17	I, 3, Cleone, Aeglé:

Il n'est rien de si beau que les noeuds

Abschriften:	Qu. 22, 24, 73, 75, 79, 85
Druck:	Les Trio, Blaeu, 1691, II

51/18	I, 5, Arcas:

Pré=tens - tu que je sois un A = mant

Abschriften:	Qu. 22, 34, 35, 49, 51, 52, 59, 65, 73, 75, 78, 79, 85; F-R(m); D-B Mus ms 13272/1; F-B Ms 279.147; GB-Och Ms 95
Transkription:	GB-Cmc 2804 (Gitarre)
Druck:	Les Trio, Blaeu, 1690, I
Weltl. Parodie, hs.:	F-Pa 4843, 271: *Pretens-tu que je sois un buveur qui me presse*
Geistl. Parodien:	Pellegrin, Les Pseaumes, 1705, 342: *Celebrez le Seigneur, adorez sa puissance* Desessartz, Nouv. poésies spir., 1733, V, 25: *Ne crois pas m'engager par tes belles promesses*

51/19	Cleone:

La va=leur à mes yeux a des char = mes

Abschriften:	Qu. 75, 78
Transkription:	GB-Cmc 2804 (Gitarre)

51/20	I, 6, La Prêtresse:

Pri=ons, pri=ons la Dé = es=se

Abschriften:	Qu. 22, 78
Literatur:	Le Cerf de la Viéville, Comparaison, III, 299

51/21   Choeur:

Mou=rez, mou=rez, per=fi=des | coeurs, mou=rez

Abschrift: Qu. 50

51/22   I, 6, Ritournelle, la Prêtresse:

O Mi=nerve! ar=re=stez la cru=el = le

Abschriften: Qu. 22, 59, 78, 79

51/23   Choeur:

Li=ber = té, li = ber = té, li = ber = té,

Abschriften: Qu. 22, 24

51/24   Prelude, Aegée:

Les Mu=tins sont vain = cus

Abschriften des Prélude: Qu. 22, 32, 36—38, 41, 44, 48—52, 58, 67, 72, 78; F-Pc X 108

51/25   I, 8, le Roy:

Ces=sez, char=mante Aeg=lé de ré =pan=dre des | lar =mes

Abschriften: Qu. 73, 75, 85; F-R(m); D-B Mus ms 13272/1; GB-Och Ms 95

Transkriptionen: GB-Cmc 2804 (Gitarre)
          F-Pc Rés F 1091 (Cembalo)

Weltl. Parodien, hs.: Chansonnier Maurepas 12612, 211 (1675): *Cessez, pour ce Merval, de répandre des larmes,* dass.: F-Pa 4842, 317; GB-Lbl Egerton 1520, III, 29, Egerton 815, 331, King's 333, 16 (1705) (alle diese Kopien enthalten die Parodie der 8. Szene)

Druck: Théâtre de la Foire, 1721, III, Air, 231: *Cessez, Amis Forains, de répandre des larmes*

51/26   Le Roy:

Fai=tes grace à mon âge en fa = veur

Abschriften: Qu. 22, 35, 52, 59, 65, 73, 78, 79, 85; F-R(m); D-B Mus ms 13272/1; F-B Ms 279.147; GB-Och Ms 95

Druck:	Les Trio, Blaeu, 1690, I
Geistl. Parodien:	Desessartz, Nouv. poésies spir., 1732, IV, 4: *Le Seigneur a produit et conservé le monde;* ebd. 1733, V, 27: *Fais briller tes grandeurs, inconstante fortune*
Literatur:	La Laurencie, Lully, 1911, 185

51/27 I, 9, le Sacrifice, Prelude, la Prêtresse:

Abschriften des Prélude:	Qu. 22, 32, 36—38, 41, 44, 46, 48—52, 55, 58, 60, 67, 72, 85; F-V Ms mus 137; D-B Mus ms 13272/1: *Marche;* F-Pc X 108
Abschriften des Air:	Qu. 85; D-B Mus ms 13272/1

51/28 La Prêtresse:
Qu. 32: Menuet

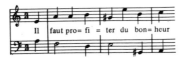

Abschriften:	Qu. 32, 44, 55, 60, 78, 85; F-Pc X 108
Weltl. Parodien, hs.:	Chansonnier Maurepas 12619, 423 (1677, à Mme la marquise d'Uxelles): *Quand on veut goûter Du repos dans la vie*
Drucke:	Les Par. nouvelles, 1731, II, 54: *Je goûte un grand bien, Si je suis miserable* de Coulanges, Chansons, 1754, 172 f. (Pour Mme la Marquise D'***): *Si tu veux goûter Du repos dans la vie*

51/29 Choeur:

Abschriften:	Qu. 45, 50—52, 55, 57, 79, 85; D-B Mus ms 13272/1
Drucke:	Les Trio, Blaeu, 1691, II Les Trios de Differents Auteurs, Babel, I, 43
Weltl. Parodie:	Les Par. nouvelles, 1731, II, 54: *Je chante le vin Je chante Silvie*
Geistl. Parodie:	Opera spir., 1710, 6: *D'un coeur humble & doux, Chantons sa Naissance*

51/30 La Marche:
Qu. 37: Trompettes; Qu. 22, 58 etc.: Marche du sacrifice; F-LYm 27295: Rondeau

Abschriften:	Qu. 22, 24, 31, 32, 36—38, 41, 44—46, 48—50, 55, 58, 60, 62, 67, 70, 72, 78; F-R(m); S-VX Mus ms 6; F-Pc X 108
Weltl. Parodien:	Par. bach., 1695, 32, 1696, 42, du Fresne, 1696, 20, Nouv. Par. bach., 1700, I, 67: *Laquais verse-moy du vin promptement* (M.D.L.F.)

51/31   I, 10, Choeur:

Abschriften: Qu. 22, 35

51/32   Entrée des Combattants:

Abschriften:	Qu. 22, 24, 31, 32, 36—38, 41, 44—46, 48—50, 55, 58, 60, 62, 71, 72; S-VX Mus ms 6; F-Pc X 108
Weltl. Parodie:	Les Par. nouvelles, 1731, II, 49: *A moy, Camarades, buvons, C'est le temps des Chansons*
Timbre:	A moy, Camarades, buvons

51/33   II, 1, Ritournelle, Medée:

Abschriften der Ritournelle:	Qu. 22, 35, 44 (d-Moll), 52, 59, 79, 85; F-R(m); D-B Ms mus 13272/1; GB-Och Ms 95
Abschriften des Air:	Qu. 22, 35, 73, 75, 78, 80, 82, 84; D-B Mus ms 13272/1
Transkription:	GB-Cmc 2804 (Gitarre)
Zitiert in:	P. Laujon, Parvi, C. S. Favart, Thésée, Parodie nouvelle, s. d., 11
Literatur:	Le Cerf de la Viéville, Comparaison, III, 298

51/34   Dorine:

Abschriften:	Qu. 78, 85 (F-Dur); GB-Och Ms 95; S-SK 466
Transkription:	F-Pc Rés F 1091 (Cembalo)

51/35   Medée:

Abschriften:	Qu. 73, 78, 80, 85; D-B Mus ms 13272/1; GB-Och Ms 95
Transkription:	GB-Cmc 2804 (Gitarre)
Zitiert in:	J.-F. Regnard, Le Divorce, vgl. A. Poitevin, Le Théâtre de la Foire, 1889, 42

Geistl. Parodien: Cant. spir. d'un solitaire, 1698, 1: *Ha! Monde ingrat, ton amour m'inquiete*
Pellegrin, Cantiques, 1706, Rec. IV, 404: *Heureuse liberté si longtemps attendue!*
ders.: Histoire, 1702, 443: *Les charmes les plus doux des plaisirs de la vie*
ders.: Les Pseaumes, 1705, 28: *Malgré les ennemis du repos de ma vie;*
ebd. 190: *Seigneur, prenez pitié des tourmens que j'endure*
Opera spir., 1710, 48: *Son tendre amour pour nous va plus loin qu'on ne pense*
ders.: Imitation, 1727: *Les charmes les plus doux . . .*

51/36   II, 2, Medée:

Abschriften: Qu. 78, 85; GB-Och Ms 95

Transkription: GB-Cmc 2804 (Gitarre)

51/37   Medée, le Roy:

Abschriften: Qu. 85; F-R(m); D-B Mus ms 13272/1

51/38   II, 5, Dorine:

Abschriften: Qu. 73, 75, 78; GB-Och Ms 95

Transkriptionen: GB-Cmc 2804 (Gitarre)
F-Pc Rés F 1091 (Cembalo)

Geistl. Parodie: Opera spir., 1710, 64: *Manifestons tous nôtre zele Pour Jesus notre Redempteur*

51/39   Premier Air pour l'Entrée triomphante de Thesée:
Qu. 72, F-LYm 27295: la Populace; Par. Nouvelles (1731): Marche du Triomphe de Thesée

Abschriften: Qu. 22, 31, 32, 36—38, 41, 44—46, 48—52, 55, 60, 67, 72, 78, 85;
F-V Ms mus 137; F-R(m); S-VX Mus ms 6; F-Pc X 108

Weltl. Parodien, hs.:   GB-Lbl Egerton 817, 183 (1731): *Que l'on doit être content D'avoir un maître si noble et si courtois*

Druck: Les Par. Nouvelles, 1731, II, 26: *L'affreuse vie! Libre de tout soin, Nul joug ne me lie*

51/40　Choeur:

Abschriften:　Qu. 35, 38, 41, 45, 50, 51, 58, 60, 72; D-B Mus ms 13272/1

Weltl. Parodie:　Les Par. Nouvelles, 1731, II, 26 (Fortsetzung von 51/39)

51/41　Second Air:
Qu. 22, 31, 36, 46, 48, 78 etc.: Air des vieillards

Abschriften:　Qu. 22, 32, 36—38, 44—46, 48—50, 52, 55, 58, 60, 67, 72, 78, 85;
F-V Ms mus 137; S-VX Mus ms 6; F-Pc X 108

51/42　Les Vieillards:

Abschriften:　Qu. 41, 49, 51, 57, 60, 73, 75, 79, 85; D-B Mus ms 13272/1

Druck:　Les Trio, Blaeu, 1691, II

Weltl. Parodien, hs.:　Chansonnier Maurepas 12630, 299 (1720): *Pour le peu de papier qui nous reste Rien n'est si funeste*
F-Pa 4843, 271: *Toque, choque avec moy ton grand verre Buvons mon compere*
GB-Lbl Egerton 1521, 88: *Je me f . . . qu'une ingrate maîtresse (fortune) Toujours m'importune*

Drucke:　Théâtre de la Foire, 1721, III, 116, Air 148: *Je vivrai toujours dans l'allegresse*
Les Parodies du Nouv. Théâtre italien, 1731, III, 273 und 1739, IV, Air 200: *Chacun vient ici bas pêle-mêle Dru comme la grêle*
Les Par. nouvelles, 1731, II, 57: *Jouissons des plaisirs sans allarmes*
J. Bailly, Phaéton, parodie, s. d.: *Phaéton me demande ma fille Déja je petille*
Carolet, Pierrot Cadmus, 1737, 23: *Pour le peu de beauté qui me reste*
Théâtre de la Foire, 1737, IX/II, 326: *Pour le peu de bon temps, Oui je proteste*
J. Bailly, Boland ou le Médecin amoureux, 1756, 137: *Claudine, bannissons la tristesse Vive l'allegresse*
C.-F. Pannard, Théâtre et Oeuvres diverses, 1763, III, 291

Geistl. Parodie:　Opera spir., 1710, 67: *Allons voir cet Enfant tout aimable*

51/43　II, 9, Ritournelle, Medée:

Abschriften der Ritournelle:　Qu. 22, 44, 50, 52, 57, 79, 85
Abschriften des Air:　Qu. 78, 80, 85; F-R(m)
Zitiert in:　P. Laujon, Parvi, C. S. Favart, Thésée, s. d. 21 f.

51/44   III, 1, Ritournelle, Cleone:

Abschriften der Ritournelle: Qu. 22, 44, 49—52, 59, 78, 79

Abschriften des Rezitativs: Qu. 75, 78

51/45   Cleone, Aeglé:

Abschrift: Qu. 79

Druck: Les Trio, Blaeu, 1691, II

51/46   III, 2, Arcas:

Abschriften: Qu. 22, 35, 49, 52, 59, 65, 78, 79; F-B Ms 279.147

Druck: Les Trio, Blaeu, 1690, I

Geistl. Parodie: Pellegrin, Les Pseaumes, 1705, 432: *Quand Sion sortit d'esclavage, Par la clémence du Seigneur*

51/47   Aeglé, Cleone, Arcas:

Abschriften: Qu. 35, 65, 66, 73, 75, 79, 85; D-B Mus ms 13272/1

Transkription: Duo choisis, 1730, II, 150

Drucke: Les Trio, Blaeu, 1691, II
                               (Text) Nouv. Recueil, Raflé, 1695

Weltl. Parodien: Nouv. Par. bach., 1700, I, 69: *On ne peut amuser la vie Sans Bacchus, & sans sa liqueur* (M. Vault)

Geistl. Parodien: Pellegrin, Cantiques, 1701, 150: *Que les vaines esperances Que le monde nous donne, doivent ceder*
                               ders. Noëls, 1702: *Il n'est point de douceur charmante;* dass. Cantiques, 1728, 46
                               ders. Les Pseaumes, 1705, 460: *Mes soûpirs calment la justice Roy des Cieux, je veux le chanter*
                               Desessartz, Nouv. poésies spir., 1737, VIII, 40: *Il n'est point de douceur charmante Sans les biens de l'éternité*

51/48   III, 3, Medée:

Abschriften: Qu. 78; D-B Mus ms 13272/1

Literatur: Le Cerf de la Viéville, Comparaison, III, 298

51/49   Aeglée:

Abschriften: Qu. 75, 78, 85; D-B Mus ms 13272/1

51/50   Prelude, Aeglé, Cleone, Arcas:

Abschriften des Prélude: Qu. 22, 32, 36—38, 44, 45, 48—50, 52, 58, 60, 72, 78; F-Pc X 108

Transkription: GB-Lbl Add 39569, 26 (Cembalo)

51/51   III, 5, Cleone, Arcas:

Abschriften: Qu. 35, 73, 75, 79, 85

Druck: Les Trio, Blaeu, 1691, II

Weltl. Parodie: Mme de Sévigné, Correspondance, hrsg. R. Duchêne, II, 166: *Non, je le promets, Non je ne m'y fierai jamais*

51/52   III, 7, Invocation, Ritournelle, Medée:

Abschriften der Invocation: Qu. 22, 44, 49, 50, 52, 59, 79, 85

Abschriften des Air: Qu. 73, 75, 78, 80, 85; D-B Mus ms 13272/1; GB-Och Ms 95

Transkription: GB-Cmc 2804 (Gitarre)

Weltl. Parodien, hs.:   Chansonnier Maurepas 12619, 209 (1675): *Sortez, Pinon, sortez du quartier Saint Antoine*, dass. F-La Rochelle Ms 673 (Tallemant des Réaux)

51/53   Premier Air:

Qu. 46, 48, 55, 58 etc.: Les Démons; Qu. 36, 37 und GB-Lbl Add 39569: Les Lutins

Abschriften: Qu. 22, 31, 32, 35—38, 41, 44—50, 52, 55, 58, 64, 66, 67, 72; F-V Ms mus 137, Ms mus 165; F-Pc X 108

Transkription: d'Anglebert, F-Pn Rés 89ter (Cembalo, Autograph)

51/54   Les Ombres:

Abschriften: Qu. 35, 55, 65

51/55   Second Air:

Abschriften: Qu. 31, 32, 35—38, 41, 44—52, 55, 58, 64, 66, 67, 72, 78; 85; F-V Ms mus 137, Ms mus 165; F-Pc X 108

Transkriptionen: d'Anglebert, F-Pn Rés 89 ter (Cembalo, Autograph)
GB-Lbl Add 39569, 175 (Cembalo)
Duo choisis, 1730, II, 152

Weltl. Parodie: Nouv. Par. bach., 1700, I, 75: *De deux grands Dieux, Iris, effaçons la gloire;* dass. S. Vergier, Oeuvres, 1726, 245

51/56   IV, 1, Ritournelle, Aeglé:

Abschriften der Ritournelle: Qu. 22, 44, 49—52, 59, 79

Abschriften des Rezitativs: D-B Mus ms 13272/1

Literatur: Le Cerf de la Viéville, Comparaison, II, 114 (bezüglich des ganzen 4. Akts), III, 298

51/57   IV, 2, Ritournelle, Aeglé:

Abschriften: Qu. 22, 44, 59, 78, 79; D-B Mus ms 13272/1

51/58   IV, 3, Ritournelle, Medée:

Vo=yez ce que j'ay soin de | fai=re

Abschriften der Ritournelle: Qu. 22, 44, 49, 79; D-B Mus ms 13272/1

Abschriften des Dialogs: F-R(m); D-B Mus ms 13272/1

51/59   IV, 4, Medée:

De quoy ne | vient point à | bout Un | Roy

Abschriften: Qu. 73, 78; D-B Mus ms 137272/1; F-R(m)

Weltl. Parodien: Par. bach., 1696, 43: *Le sage sçait bien choisir le temps qu'il faut boire*
                     (M.L.M.)

Geistl. Parodien: Pellegrin, Les Pseaumes, 1705, 86: *Seigneur, mon espoir m'est mis qu'en*
                     ton coeur propice; ebd. 324, *Seigneur, je vais celebrer*

51/60   IV, 5, Thesée:

Aeg=lé ne m'ay=me | plus, et n'a rien

Abschriften: Qu. 78; F-R(m); D-B Mus ms 13272/1

Literatur: Le Cerf de la Viéville, Comparaison, III, 298

51/61   IV, 6, Aeglé, Thesée:

Es= parg =nez   ce que | j'ay=me, C'est | moy,

Abschriften: Qu. 79; D-B Mus ms 13272/1

Druck: Les Trio, Blaeu, 1691, II

51/62   IV, 6, Thesée, Aeglé und Thesée:

Quel bon=heur sur=pre = nant pour nos | coeurs

Druck: Les Trio, Blaeu, 1691, II

51/63   Medée, Aeglé, Thesée (Duett):

Gar=dez vos | ten=dres a = mours, Goû=tez

Abschriften: Qu. 75, 78, 79; D-B Mus ms 13272/1

Transkription: F-Pc Rés F 1091 (Cembalo)

260

51/64

IV, 7, Habitants de l'Isle enchantée, Flûtes, deux Bergeres:
Qu. 32: la Bergerie

Abschriften:	Qu. 22, 31, 32, 37, 41, 44, 46—52, 57, 64, 66, 72, 73, 75, 79, 85; D-B Mus ms 13272/1; F-V Ms mus 165; GB-Och Ms 95; S-Sk S 173; F-Pc X 108
Transkriptionen:	GB-Cmc 2804 (Gitarre) Duo choisis, 1730, II, 108 (Rondeau, D-Dur)
Drucke:	Les Trio, Blaeu, 1691, II Trios de Differents Auteurs, Babel, II, 95 Petite Bibliothèque des Théâtres, 1784, 5 (Noten)
Weltl. Parodien, hs.:	F-Pa 4843, 272: *Les Tuileries Toutes fleuries N'auront jamais*
Geistl. Parodien:	Pellegrin, Noëls, 1702, 64: *Chantons la gloire Et la victoire Du Tout-puissant;* ebd. Rec. V, 372: *Cedez, trompettes A nos musettes, Charmans hautbois* ders. Cantiques, 1728, 11: *Que chacun aime Le bien suprême* Desessartz, Nouv. poésies spir., 1733, VI, 40: *Cette prairie Verte et fleurie, Charme nos sens*

51/65

Flûtes, Habitants de l'Isle enchantée, deux Bergeres:

Abschriften:	Qu. 22, 32, 37, 41, 44—46, 48—52, 55, 57, 60, 66, 68, 72, 73, 75, 78, 79, 85; D-B Mus ms 13272/1; GB-Och Ms 95; S-Sk S 173; F-Pc X 108
Transkriptionen:	GB-Cmc 2804 (Gitarre) Duo choisis, 1730, II, 110
Drucke:	Les Trio, Blaeu, 1691, II Trios de Differents Auteurs, Babel, II, 82 Gaudran, Nouv. Recueil de danse de bal, s. d., II, 1: *Entrée pour un homme et une femme dancée par Mr Bâlon et Mr Subligny à thezée*
Weltl. Parodien, hs.:	Chansonnier Maurepas 12619, 129 (1674, sur la révolte qui se fit à Rennes): *Allons, allons, braves Mousquetaires, Chez ces rebelles Bretons;* ebd. 189 (sur le Pere François de la Chaise): *Chantons, chantons, faisons bonne chere;* ebd. 12639, 163 (1669 sic!): *Rions, chantons, faisons bonne chere, Notre Monarque vainqueur,* dass. F-Pa 4842, 257 GB-Lbl Egerton 1520, III, 48: *Heureux qui comme Epicure;* ebd. 1521, 80: *Buvons, buvons, tout nous y convie*
Drucke:	Par. bach., 1695, 33, 1696, 44, du Fresne, 1696, 20, Mme de Sainctonge, Poésies, 1696, 142: *Avez-vous peur de tomber par terre!* Nouv. Par. bach., 1700, I, 77: *Buvons, buvons, l'hôtesse convie* (M.D.L.F.); Les Parodies du Nouveau Théâtre italien, 1731, II, Air 190 Le Tribut de la Toilette, s. d. 601: *Licas épris de la jeune Annette*
Geistl. Parodien:	Pellegrin, Noëls, 1728, Rec. VII, 490: *Quittons, quittons notre bergerie, Ne craignons plus de danger*

51/66

Un Berger, Choeur:
Qu. 48, 70, 72: Gaillarde; F-V Ms mus 15: Gavotte

Quel plai=sir d'ai=mer sans con=train=te

Abschriften:

Qu. 22, 31, 32, 35—38, 41, 45, 46, 48—50, 52, 58, 60, 66, 67, 70, 72, 78, 85; D-B Mus ms 13272/1; D-BN ms 585/124; GB-Och Ms 95; F-Pc X 108

Transkriptionen:

GB-Cmc 2804 (Gitarre)
Duo choisis, 1730, II, 131

Weltl. Parodien, hs.:

Chansonnier Maurepas 12624, 283 (1697): *Juge souverain de Police* [Argenson] *Les buveurs vous demandent justice;* ebd. 12629, 15 (1717): *Quel plaisir d'avoir à mon âge Jouy de tous les bergers du village*
F-Pa 4842, 337: *Laissons chamailler l'Allemagne*
GB-Lbl Egerton 1520, III, 63: *Souverain juge de Police . . .;* dass. Egerton 814, 256

Drucke:

Par. bach., 1695, 34, 1696, 45, du Fresne, 1696, 21, Nouv. Par. bach., 1700, I, 80: *Laissons chamailler l'Allemagne* (M.L.M.)
Théâtre de la Foire, 1721, II, 167, 331, Air 154; ebd. 1728, VI, 333; 1737, IX, 8, 83, 242
Les Parodies du Nouveau Théâtre italien, 1731, III, Air 100; ebd. 1738, IV, 14: *Accourez sorciers, & sorcieres;* ebd. 176: *Hé quoi, tu viens faire ici tapage*
Le Bas, Festin Joyeux, 1738, II, 78: *Ayez un dindon gras & tendre*
C.-F. Panard, Théâtre et Oeuvres diverses, 1763, II, 403

Geistl. Parodien:

Pellegrin, Cantiques, 1701, 221: *Quel astre éclatant Je découvre?;* dass. Cantiques, 1728, 12
ders. Noëls, 1702, 101: *Que cet heureux jour A de charmes!*
Opera spir., 1710, 45: *Quel bonheur! Jesus vient de naître*
Recueil de Cantiques, Rouen, 1738: *De quel bruit les airs Retentissent*
Cantiques spir., Avignon, 1743, 31: *Quel astre éclatant Je découvre!*
dass. Cant. spir., Reims 1751, 60
Cantiques spir., Metz, 1761, 75: *De quel bruit les airs Retentissent*
Cantiques spir., Sens, 1761, 24: *Quel astre éclatant . . .*
Cantiques spir., Reims, 1811, 74: *De quel bruit les airs . . .;* dass. Pellegrin, Cant. spir., 1811, 67

Timbre:

De nécessité nécessitante

51/67

Un Berger, Choeur:

L'A=mour plaist mal=gré ses pei=nes

Abschriften:

Qu. 22, 31, 32, 35—38, 41 (zweimal, auch *Atys*-Suite), 45, 46, 50, 52, 58, 60 (zweimal), 66, 67, 70, 72, 78, 85; D-B Mus ms 13272/1; GB-Och Ms 95; F-Pc X 108

Transkriptionen:

GB-Cmc 2804 (Gitarre)
Duo choisis, 1730, II, 132

Druck:

(Text) Nouv. Recueil, Raflé, 1695

Weltl. Parodien, hs.:	Chansonnier Maurepas 12619, 113 (1674, sic!): *Saint Vallier, vous seriez sage D'abandonner la Rouvroy;* ebd. 223: *Pendant que Boissy se moque;* ebd. 12620, 181 (1681): *La fille de notre pere;* ebd. 12641, 255 (1691): *Que sur la fin de vôtre âge* (Harlay Archevêque de Paris) F-Pa 4842, 228: *Saint Vallier, vous seriez sage . . .* GB-Lbl Egerton 1520, 57: *L'Amour disoit en colere;* dass. Egerton 814, 153 GB-Lbl Egerton 817, 349 (1734): *Toy qui fis brusler la poudre*
Drucke:	Par. bach., 1695, 35, 1696, 46, du Fresne, 1696, 21, Nouv. Par. bach., 1700, I, 82: *Bacchus d'heureuse memoire Dit un jour à ses enfants* (M.D. L.F.) de Coulanges, Recueil, 1698, 90: *La fille de votre pere* Le Trompeur trompé, Parodie d'Isis, F-Pn Th^B 2131: *Vous avez tord de vous plaindre* Théâtre de la Foire, 1721, I, 23, 201, 246, 375; II, 224, Air 9; 1738, IX, 8, 83, 242 J. Bailly: Phaéton, Parodie, F-Pn Th^B 627, 6: *Lorsque l'amour est extrême;* ebd. 35: *Allons, entrons dans le temple* Les Parodies du Nouv. Théâtre italien, 1731, II, 168; 1738, III, 28 Le Bas, Festin Joyeux, 1738, II, 106: *A la broche on la fait cuire* J. Bailly, Boland ou le Médecin amoureux, 1756, 117: *Il vient, laisse-nous ensemble* C.-F. Panard, Théâtre et Oeuvres diverses, 1763, II, 403 M. Marais, Journal, Genf 1967, 67 (Parodie des 2. Teils): *La De Prie est la plus maigre*
Geistl. Parodien:	Opera spir., 1710, 56: *Allons voir ce divin Maître Qui s'humanise avec nous* Desessartz, Nouv. poésies spir., 1731, II, 25: *Servons Dieu, c'est le seul Maître*
Timbre:	Quel plaisir de voir Claudine

51/68   V, 1, Ritournelle, Medée:

Abschriften der Ritournelle:	Qu. 22, 44, 47, 50, 52, 59, 79, 85; GB-Och Ms 95
Druck:	Trios de Differents Auteurs, Babel, I, Nr. 22
Abschriften des Air:	Qu. 75, 78, 80, 85; D-B Mus ms 13272/1
Transkription:	GB-Cmc 2804 (Gitarre)
Literatur:	Le Cerf de la Viéville, Comparaison, III, 12 f.

51/69   V, 3, Medée, le Roy:

Abschriften:	Qu. 78, 85; D-B Mus ms 13272/1

51/70   V, 5, Thesée:

    Abschrift: Qu. 79

    Druck: Les Trio, Blaeu, 1691, II

51/71   Le Roy:

    Abschriften: Qu. 22, 35, 59, 78, 79, 85; D-B Mus ms 13272/1; F-B Ms 279.147

    Druck: Les Trio, Blaeu, 1690, I

51/72   Choeur:

    Abschriften: Qu. 22, 35; D-B Mus ms 13272/1

51/73   Aeglé, Thesée:

    Abschriften: Qu. 85; D-B Mus ms 13272/1

    Drucke: Les Trio, Blaeu, 1691, II
                  (Text) Nouv. Recueil, Raflé, 1695

    Literatur: Le Cerf de la Viéville, Comparaison, II, 73, III, 13

51/74   V, 6, Ritournelle, Medée:

Abschriften der Ritournelle: Qu. 22, 38, 44, 50, 52, 59, 78, 79

Abschrift des Rezitativs: Qu. 78

51/75   V, 7, Choeur:

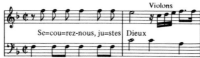

    Abschriften: Qu. 22, 35, 50

51/76

V, 8, Prelude, Minerve:
Qu. 32: Prelude des Divinitez en Echo; Qu. 41, 46, 55: Symphonie de la gloire de tezée; Qu. 50: Fanfare

Abschriften des Prélude: Qu. 22, 24, 32, 37, 38, 41, 44—46, 48, 50—52, 55; F-Pc X 108

Drucke: Trios de Differents Auteurs, Babel, II, 64: La Gloire
Ouverture & Tous les autres Airs à jouer de l'Opera D'Alceste, Roger, Air 13

51/77

Choeur:

Vi=vez, vi= vez con =tents dans ces   ay = ma = bles

Abschriften: Qu. 22, 24, 35, 65

51/78

Premier Air pour la derniere Entrée:
Qu. 36, 41, 46, 55, 60 etc.: Entrée de Beauchamps; Qu. 58: Un grand d'Athene; Qu. 32, F-LYm 27295: Les courtisans; Table des airs à chanter: Air pour les Suivants de Minerve

Abschriften: Qu. 22, 32, 36—38, 41, 44—46, 48—50, 52, 55, 58, 60 (zweimal), 67, 78; F-V Ms mus 137; S-VX Mus ms 8; F-Pc X 108

Weltl. Parodien, hs.: F-Pa 4843, 271: *Alerte, cher voisin Prend ton verre et moy le mien*

Drucke: Par. bach., 1695, 36, 1696, 48, du Fresne, 1696, 22, Nouv. Par. bach., 1700, I, 84: *Il faut quitter Nanon Pour cette aimable boisson* (M.N.)

51/79

Second Air:
Qu. 24, 31, 32, 37, 38, 46, 78, 85 etc. Chaconne; Qu. 22, F-LYm 27295: Esclaves, Rondeau; Qu. 36: Rondeau; Qu. 58: Chaconne des Nations, Rondeau

Abschriften: Qu. 22, 24, 32, 36—38, 41, 44—46, 48—50, 52, 55, 58, 60 (zweimal), 67, 72, 78, 85; F-V Ms mus 137; S-VX Mus ms 6; F-Pç X 108

Transkription: F-Pc Rés F 844, 303 (Gitarre)

51/80

V, 9, Arcas, Cleone:

Le plus   sa=ge s'en=flamme et s'en= ga=ge

Abschriften: Qu. 35, 45, 60, 65, 85; GB-Och Ms 95

Transkription:	GB-Cmc 2804 (Gitarre)
Druck:	Petite Bibliothèque des Théâtres, 1784, 11
Weltl. Parodie:	F-Pa 4843, 271: *Est-on sage Si l'on ne s'engage, au Dieu du serment* Mme de Sévigné, Correspondance, hrsg. R. Duchêne, II, 317: *Le plus sage s'entête et s'engage*

LWV 52
LE CARNAVAL MASCARADE

Bezeichnung:	Mascarade
Text:	Isaac de Benserade, Jean Baptiste Poquelin Molière
Erste Aufführung:	Oktober 1675 im Palais Royal
Librettodrucke:	*Le Carnaval / Mascarade, / représentée pour la premiere fois par l'Academie royale de musique, le jour du mois d' 1675. La Musique de Monsieur de Lully, Paris, Ballard, 1675*, F-Pn Paris, R. Baudry, 1675, F-Pn Amsterdam, H. Schelte, 1699, D-F Paris, Ballard, 1700, F-Pn in: Recueil des Opera, des Balets, Amsterdam, A. Wolfgang, 1701, F-Pn in: Recueil général des Opera, Paris, Ballard, 1703, F-Pn
Abschriften:	Partition générale: F-V Ms mus 104 (1702, Philidor); Ms mus 103; F-Pn Rés F 586; Rés F 975; Rés F 976; Rés F 652; Vm² 14; F-TLm Cons 5; Cons 13 (vierstimmiger Orchestersatz); ehemals GB-T Ms 218; F-Po A3c; A3b II (1710, Henry Dumont); F-B Ms 13747; GB-Cfm 23H16; F-Pc X 483; X 457 (2); D-Sl HB XVII 413; GB-Lbl R.M. 12h.13; F-Pa M 882; B-Lu Ms 1878 D Partition réduite: F-PMeyer; US-BE Ms 713
Stimmen:	Qu. 21, 22, 28, 29; F-Mc 68 (basse continue), F-Po A3d
Ariendruck:	Les Airs / De la Grotte / De Versailles, / et / de la Mascarade. / Propres à Chanter & à Joüer sur toutes / sortes d'Instruments. / Par Monsieur De Lully, Sur-Intendant de la / Musique du Roy. / The Airs / of the Grotti / of Versailles, / . . . Amsterdam, / By Anthony Pointel, in die Kalverstraat . . . 1700.
Druck in Partition générale:	*Le / Carnaval, / Mascarade / Mise en Musique / Par Monsieur De Lully, / Ecuyer-Conseiller- / Secretaire du Roy, Maison, Couronne de France / & de ses Finances, & Sur-Intendant de la Musique / de Sa Majesté; / Représentée par l'Academie Royale / de Musique, en l'Année 1675. / Cette Mascarade est un Composé de differents / Divertissements François, Espagnols, Italiens / & Turcs. / Partition générale, imprimée pour la premiere fois / [Druckerzeichen] / De l'Imprimerie / De J.-B. Christophe Ballard, seul Imprimeur du Roy pour la Musique, / à Paris, rüe Saint Jean-de-Beauvais, au Mont-Parnasse. / M.DCCXX. / Avec Privilege de Sa Majesté.*
Bemerkung:	Die Anordnung der einzelnen Szenen ist in den zahlreichen Abschriften nicht immer gleich. Die im folgenden gewählte Reihenfolge entspricht der des Druckes von 1720.
52/1—3	Identisch mit 36/1—3
52/4—11	Identisch mit 43/25—32

52/12   Pourceaugnac:

Abschrift: Qu. 78

Druck: Pourceaugnac, Divertissement comique, 1715

Bemerkung: Dieser Satz wurde von dem unbekannten Herausgeber in den Pourceaugnac-
                         Druck von 1715 aufgenommen.

52/13   Pourceaugnac:

Abschrift: Qu. 78

Druck: Pourceaugnac, Divertissement comique, 1715

52/14—15   Identisch mit 41/14—15

52/16   Pourceaugnac:

Abschrift: Qu. 78

Bemerkung: Die entsprechende Szene des *Monsieur de Pourceaugnac* wurde durch einen
                         italienischen Text und die dazu gehörende Musik erweitert. Diese neuen
                         Teile fehlen in der Abschrift F-Po A3b II

52/17   Pourceaugnac:

Abschrift: Qu. 78

Druck: Pourceaugnac, Divertissement comique, 1715

52/18   Pourceaugnac:

Abschrift: Qu. 78

Druck: Pourceaugnac, Divertissement comique, 1715

52/19   Pourceaugnac:

A=mor, cru=del a= mor chet'o fat=

Abschrift: Qu. 78

Druck: Pourceaugnac, Divertissement comique, 1715

52/20—23   Identisch mit 41/9—12

52/24—26   Identisch mit 34/1—3

52/27   Identisch mit 33/8

52/28—31   Identisch mit 43/33—36

52/32—43   Identisch mit 41/20, 16—19, 2—8

52/44—47   Identisch mit 40/15—18

52/48—55   Identisch mit 43/14—21

52/56—58   Identisch mit 36/12—14

52/59   Air pour le Carnaval et la Galanterie:
               Abschriften befinden sich nur in folgenden Partituren: F-V Ms mus 103;
               F-B 13747

Druck: Le Carnaval Mascarade, 1720

52/60—61   Identisch mit 36/15—16

LWV 53
ATYS

Bezeichnung: Tragédie en Musique

Text: Philippe Quinault

Erste Aufführung: 10. 1. 1676 in Saint-Germain-en-Laye

Librettodrucke: *Atys, / Tragedie / en Musique. / ornée / d'Entrées de ballet, / de Machines, / & de Changements / de Theatre. / Representée devant Sa Majesté à Saint Germain / en Laye, le dixiéme jour de Janvier 1676. / A Paris, Ballard 1676,* F-Pn
          Suivant la copie imprimée à Paris, [Amsterdam] s. n. 1676, D-KNub
          Paris, Ballard, 1677, F-Re
          Paris, Ballard, 1678, F-Pn
          Paris, Ballard, 1682, F-Re

Suivant la copie imprimée à Paris, Amsterdam, A. Wolfgang, 1682, F-LYm

in: Recueil des Opera, des Balets, Amsterdam, A. Wolfgang, 1684, D-Tu

Suivant la copie imprimée à Paris, Amsterdam, A. Wolfgang, 1687, D-Tu

Imprimé à Paris, se vend à Anvers, H. Van Dunwaldt, 1687, D-Mbs

Paris, Ballard, 1689, neuer Prolog von P. Collasse, F-Re

in: Recueil des Opera, Amsterdam, A. Wolfgang, 1690, D-Tu

Amsterdam, H. Schelte, 1693, US-U

Brusselle s. n. 1695, D-Mth

Suivant la copie imprimée à Paris, [Amsterdam] s. n. 1695, D-Hs

Paris, Ballard, 1699, F-Pn

Suivant la copie imprimée à Paris, [Amsterdam] s. n. 1699, F-Pn

Lyon s. n. s. d., F-LYm

Paris, Ballard, 1699, F-Pn

s. l. s. n. 1700, frz. und dt. Text, D-BÜ

in: Recueil général des Opera, Paris, Ballard, 1703, F-Pn

Paris, Ballard, 1708, F-Pn

Paris, Ballard, 1709, F-Po

in: Recueil des Opera, Amsterdam, H. Schelte, 1712, D-Tu

La Haye, G. de Voys, 1717, D-F

Paris, Vve Ribou, 1725, F-Pa

in: Recueil des Opera, La Haye, G. de Voys, 1726, D-F

Paris, de la Chevardiere s. d., F-G

Paris, Ballard, 1736, F-Pn

Paris, Ballard, 1738, F-Pa

in: Recueil des Opera, Lyon, Delaroche, 1740, F-LYm

Lyon, A. Delaroche, 1743, LYm, F-Pa

Paris, Delormel, 1747, F-Pn

s. l. s. d. F-Pn

Paris, Ballard, 1753, F-Pn

in: Petite Bibliothèque des Théâtres, Paris, 1786, F-Pn

in: Répertoire du théâtre français, Paris, 1822, F-Pn

Abschriften:	Partition générale: F-Va Ms 847 (1688); F-Pn Vm² 30; Rés F 570 (1703, copié par Estienne Pijolet à Dijon, vierstimmiger Orchestersatz); Rés F 571; Rés F 566; Vm² 22; F-V Ms mus 100; Ms mus 99; F-Pn Vm² 21 (fehlt Anfang des III. Aktes); F-Po A8b (1708); A8c, F-LYm Ms 27297; F-Po A8f; F-TLm Cons. Rés 17 (als Tragicomedie bezeichnet); Cons 16 (signiert Bardy); F-C Ms 2123 (scripsit Maricourt); US-Sp (2 Exemplare); NL-DHgm; F-Pa M 936; GB-Lbl Add 24304; I-Tn Ris Mus I, 5; F-AG II, 173; F-PThibaut; F-Pc X 26; D-WD Ms 613; US-BE Ms 445 Partition réduite: F-B Ms 279.148 (Ex Libris J. B. Gourdon, Querformat); F-Pa M 936; F-Pc Rés F 572; F-PMeyer; F-B Ms Z 510; US-BE Ms 769
Druck in Partition générale:	*Atys / Tragedie / Mise / en Musique / Par Monsieur De Lully, Escuyer, Conseiller, Secretaire du Roy, / Maison Couronne de France & de ses Finances; Et Sur-Intendant / de la Musique de sa Chambre.* / [Druckerzeichen Ballards] / *A Paris, / Par Christophe Ballard, seul Imprimeur / du Roy pour la Musique, rüe S. Jean de Beauvais / au Mont Parnasse. / Et se vend, / A la Porte de l'Academie Royale de Musique, rüe S. Honoré. / M.DC.LXXXIX. / Avec Privilege de Sa Majesté.*
Drucke in Partition réduite:	Seconde édition, Paris, s. n. (gravée par H. de Baussen), 1708 Seconde édition, Paris, s. n. (gravée par H. de Baussen), 1709 Seconde édition, Paris, C. Ballard (gravée par H. de Baussen, fehlt in RISM), 1714, F-PMeyer Seconde édition, Paris, C. Ballard (gravée par H. de Baussen), 1715 Seconde édition, oeuvre VI, Paris, J.-B.-C. Ballard (gravée par H. de Baussen), 1720 Seconde édition, Paris, J.-B.-C. Ballard, 1745

Stimmen:	Qu. 21, 22, 29, 30; ehemals GB-T Ms 11—14 (1703, Philidor, Vokalstimmen), Ms 140—143 (Instrumentalstimmen), jetzt F-V Ms mus 291—298; F-Pn Vm² 23; F-Po Fonds La Salle; F-Psg Ms 2345
Ariendruck:	Les Airs, / de la / Tragedie / D'Atys. / Propres à Chanter & à Jouer sur toutes / sortes d'Instruments. / Par Monsieur De Lully, Sur-Intendant de la / Musique du Roy. / The Airs, / of the / Tragedy . . . Amsterdam / Anthony Pointel, in de Kalverstraat, in de Rozeboom, in alderley gelineer Papier en Music te koop. 1687.
Suitendruck:	Ouverture / Avec tous les Airs à jouer de / l'Opera / D'Atis / Par / Mr. Baptiste Luly / . . . A Amsterdam / Chez Estienne Roger Marchand Libraire [1704]
Szen.-dramatische Parodien, bibliographisch nachgewiesen bzw. handschriftlich:	P. F. Biancolelli: Arlequin Atys (3. 2. [?] 1710, Foire de Saint Germain, Ms F-Pn) Carolet: Polichinelle Atys (März 1736, Foire de Saint-Germain, durch die Marionettes de Bienfait) Carolet: Les Ombres modernes, critique d'Atys, la Métromanie, Castor et Pollux, etc. (22. 2. 1738, Foire de Saint-Germain), ohne Erfolg. J.-A. Romagnesi, A.-F. Riccoboni: Atys (27. 2. 1738, Théâtre italien)
Drucke:	C. F. B. de Pontau: Atys, ou Arlequin Atys (22. 1. 1726, Théâtre italien) in: Les Parodies du Nouveau Théâtre italien, 1731 und 1738 A. Piron und L. Fuzelier: Atys (19. 2. 1726, Foire de Saint Germain) in: Oeuvres complètes, Paris 1776, V L. Fuzelier, Dorneval: La Grand'mère amoureuse (10. 3. 1726, Foire de Saint-Germain, Marionettes de Bienfait), s.l.s.d. und in: Théâtre de la Foire, Paris, Prault 1734, VIII, Paris, Gandouin, 1737, Amsterdam, Z. Chatelin, 1737 A.-J. Sticotti: Cybèle amoureuse (nicht aufgeführt), Paris, Prault 1738 und s.l.s.d.
Literatur:	La Laurencie, Lully, 152 f.; Prunières, Lully, 99; Gros, Quinault, 116 f., 533 f., 553—555, 603—607; Borrel, Lully, 60 f.; Girdlestone, La tragédie en musique, 73—77; Isherwood, Music in the service, 218 f.; Anthony, French baroque music, 74 f., 79 f., 83 f.; Newman, Formal Structure, 140 f.

53/1	Ouverture:

Abschriften:	Qu. 17, 22, 31, 32, 34, 36—38, 41, 44, 45—52, 55, 58, 60, 62—64, 66, 68, 71, 72, 78, 79, 85; F-Psg 2345; F-V Ms mus 165; F-Pc X 108 (Dessus)
Transkriptionen:	B-Bc 27220, 122; GB-Lbl Add 39569, 180 Ouvertures des opera, 1725
Druck:	Ouverture Avec tous les Airs, Roger
Weltl. Parodie, hs.:	F-Pa 4843, 259: *Lorsque Aminte Seconda ma pinte*
Druck:	Ouvertures des opera, 1725: *Non, jamais nôtre ame est contente*

53/2	Prologue, le Temps:

Abschriften:	Qu. 22, 73, 74, 78, 82, 85; F-Psg 2345; F-Pn Rés Vmf ms 11

53/3   Choeur:

Abschriften: Qu. 17, 22, 34, 35, 50, 60, 72, 74

53/4   Air pour les Nymphes de Flore:
                       Qu. 78, Par. bach., 1696: Rondeau

Abschriften: Qu. 17, 22, 31, 32, 34, 36, 37, 41, 44—46, 48—52, 55, 58, 60, 63, 66, 71,
                       74, 78, 85; F-V Ms mus 137; GB-Lbl Add 24304; F-Pc X 108

Druck: Ouverture Avec tous les Airs, Roger

Weltl. Parodien: Par. bach., 1695, 39, 1696, 55, du Fresne, 1696, 23, Nouv. Par. bach., 1700,
                       I, 108: *Les jeux, les ris, T'accompagnent partout comme à Paris*

53/5   Le Temps:

Abschriften: Qu. 73, 74, 78, 82, 85

53/6   Flore:

Abschriften: Qu. 73, 74, 78, 85; F-Psg 2345; F-Pc Rés Vmf ms 11

Druck: Les Airs de la Tragedie, Pointel, 1687

53/7   Flore, le Temps:

Abschriften: Qu. 17, 34, 35, 51, 60, 65, 72—76, 78, 85; F-Psg 2345; S-SK 466; F-Pn
                       Rés Vmf ms 11

Druck: Les Airs de la Tragedie, Pointel, 1687

Weltl. Parodie, hs.:   Dangeau, Journal, 20. 2. 1685: *Le conseil à ses yeux a beau se présenter
                       Sitôt qu'il voit sa chienne, il quitte tout pour elle* (Louis XIV)

Drucke: Par. bach., 1695, 38, 1696, 54, du Fresne, 1696, 23, Nouv. Par. bach., 1700,
                       I, 103: *La Bouteille à mon sens a plus de quoi charmer* (M.D.N.)

Geistl. Parodien: A.H.P.E.L.D.L., Cant. spir., Lyon, 1692, 9: *Jesus mourant pour nous a
                       dompté les Enfers*
                       Desessartz, Nouv. poésies spir., 1732, III, 21: *La grandeur d'ici bas ne peut
                       me rendre heureux*

53/8   Choeur:

Abschriften: Qu. 22, 50, 60, 65, 72, 74

53/9   Air pour la suite de Flore, Gavotte:
                         Qu. 41, 44, 46, 55 etc.: Rondeau; Qu. 37: Marche

Abschriften: Qu. 17, 22, 31—34, 36, 37, 41, 44—50, 52, 55, 57, 58, 60, 63, 64, 66,
                         72, 74, 78; F-V Ms mus 137, Ms mus 165; F-Pc X 108

Druck: Ouverture Avec tous les Airs, Roger

Weltl. Parodien, hs.:   F-Pa 4843, 259: *Nicolas fatigué du voyage S'endormit*

Drucke: Par. bach., 1695, 40, 1696, 56, du Fresne, 1696, 24: *Si jamais de la belle
                         Champagne De mon gré l'on me voit separé*
                         Nouv. Par. bach., 1700, I, 110: *Pour chasser le chagrin de ton ame*
                         Concerts parodiques, 1732, IV, 31: *Aimons-nous, adorable Silvie*

53/10   Un Zephir:

Abschriften: Qu. 17, 34, 60, 74, 78, 85; F-Pn Rés Vmf ms 11

Druck: Les Airs de la Tragedie, Pointel, 1687

Weltl. Parodien, hs.:   Chansonnier Maurepas 12640, 87 (1677): *Le Montal tous les ans Sans sujet
                         nous enleve, Et fait perir nos Régimens;* dass. ebd. 145 (1678)

Drucke: Par. bach., 1696, 57, Nouv. Par. bach., 1700, I, 112: *Le petit Dieu d'Amour
                         est moins doux qu'il ne semble*

53/11   Prelude pour Melpomene, Melpomene:

Abschriften des Prélude: Qu. 22, 32, 36, 37, 44, 48, 52, 58, 72, 74, 85; F-Pc X 108

Abschriften des Rezitativs: Qu. 82, 85

53/12   Air pour la suite de Melpomene:
                         Qu. 31, 32, 47, 48: Les Combattants; Qu. 36: Prelude

Abschriften: Qu. 22, 32, 36, 37, 44, 45, 47—49, 52, 58, 63, 78

Druck: Ouverture Avec tous les Airs, Roger

Weltl. Parodie: Concerts parodiques, 1732, IV, 25: *Verse-moy tout plein*

53/13   Ritournelle, Iris:

Abschriften der Ritournelle: Qu. 22, 52, 59, 72, 74, 79

53/14   Choeur:

Abschriften: Qu. 17, 22, 34, 35, 50, 65

53/15   Menuet:

Abschriften: Qu. 17, 22, 31, 32, 34, 36, 37, 41, 44, 45, 48—50, 52, 58, 60, 63, 72, 74, 79; F-Pc X 108

Druck: Ouverture Avec tous les Airs, Roger

Weltl. Parodie: Concerts parodiques, 1732, IV, 33: *Un petit moment de foiblesse*

53/16   I, 1, Ritournelle, Atys, Atys et Idas:

Abschriften: Qu. 17, 22, 32, 34, 36, 44, 47, 50, 52, 57, 59, 73, 75, 76, 78, 79, 85; F-Pc X 108, F-Pn Rés Vmf ms 11

Druck: Les Airs de la Tragedie, Pointel, 1687

Weltl. Parodien, hs.:   Chansonnier Maurepas 12641, 387 (1692): (Les Flamands) *Allons, allons, accourez tous Guillaume vient en Flandre* (Abbé de Lubert, Parodie von Szene 1—3)
                              F-Pa 4842, 351: *Allons, allons, assurez-vous Ma mere va descendre*

Drucke: Par. bach., 1695, 41, 1696, 58, du Fresne, 1696, 24: (Les buveurs) *Allons, allons, accourez tous Bacchus s'en va descendre*
                              Théâtre de la Foire, 1721, I, Air 155

Geistl. Parodie: Opera spir., 1710, 23: *Pasteurs, Bergers, accourez tous*

53/17   Atys:

Abschriften: Qu. 73, 78, 85; F-Psg 2345; F-Pn Rés Vmf ms 11

Druck: Les Airs de la Tragedie, Pointel, 1687

Weltl. Parodien: s. 53/16

Geistl. Parodie: Opera spir., 1710, 24: *Cet Enfant, en naissant vous comble de faveurs*

53/18	Idas:

Vous veil = lez   lors = que tout som = meil   =   le

Abschriften:	Qu. 22, 35, 52, 59, 75, 78, 79, 85; F-B Ms 279.147; F-Pn Rés Vmf ms 11
Drucke:	Les Airs de la Tragedie, Pointel, 1687 Les Trio, Blaeu, 1690, I
Weltl. Parodie:	Nouv. Par. bach., 1700, I, 114: *Ciel! à table un Buveur sommeille! Quel prodige, prends du vin frais*
Geistl. Parodien:	L. Chassain, Les Hymnes, 1705, 110: *Que les faveurs du Roy des Anges Apôtres de zele enflammés;* ebd. 49: *L'autre montre son beau visage* Desessartz, Nouv. poésies spir., 1731, II, 36: *Toi qui dors, crains Satan, qui veille*

53/19	Atys:

Mon coeur veut fuir toû = jours les

Abschriften:	Qu. 75, 78, 85; F-Psg 2345
Druck:	Les Airs de la Tragedie, Pointel, 1687

53/20	Idas:

Tost ou tard l'A = mour est vain = queur

Abschriften:	Qu. 78, 85; F-Psg 2345; F-Pn Rés Vmf ms 11
Geistl. Parodien:	Pellegrin, Cantiques, 1706, 326: *C'est en vain que l'homme prend soin, De se cacher son impuissance;* ebd. Rec. IV, 402: *Quelle erreur séduit les mortels?* ders. Histoire, 1702, 439: *Quand le ciel protege nos jours;* ebd. 472: *Tost ou tard le Ciel est vainqueur;* ebd. 511: *Le repos est un bien charmant* ders. Les Pseaumes, 1705, 102: *Hatez-vous, comblez tous mes voeux;* ebd. 238: *Roy des Cieux, vos rares bienfaits;* ebd. 307: *Le Seigneur, si-tôt qu'il le veut;* ebd. 350: *Celebrez le nom du Seigneur;* ebd. 419: *Jusqu'icy j'ay vû sans effroy;* ebd. 519: *Israël, benis ton Seigneur;* ebd. 542: *Roy des Cieux, l'oracle nouveau* L. Chassain, Les Hymnes, 1705, 27: *L'Aurore brille dans les cieux* Pellegrin, Les Proverbes, 1725, 158: *Garde-toy, mon Fils, garde toy* ders. Imitation, 1727, 100: *Pour regner un jour dans les Cieux;* ebd. 103: *Ne pensez jamais qu'au Seigneur* Desessartz, Nouv. poésies spir., 1737, VIII, 55: *Tôt ou tard la mort a son temps*
Zitiert:	Arlequin Atys, in: Les Parodies du Nouv. Théâtre italien, 1738, III, 166

53/21   Idas:

A = mans qui vous plaig = nez, vous e = stes

Abschriften:	Qu. 73, 78, 85; F-Psg 2345; S-N Finspong 9096:7; F-Pn Rés Vmf ms 11
Druck:	Les Airs de la Tragedie, Pointel, 1687
Weltl. Parodie:	Théâtre de la Foire, 1721, II, 328: *Amants qui vous plaignez*
Geistl. Parodien:	Pellegrin, Les Pseaumes, 1705, 421: *Malgré tous mes malheurs, je puis me voir heureux;* ebd. 366: *Seigneur, défendez-moy, vous connoissez mon coeur*

53/22   I, 3, Sangaride, Doris:

Al=lons, al=lons, ac=cou=rez   tous, Cy=bel = le

Abschriften:	Qu. 75, 79; F-Psg 2345
Druck:	Les Trio, Blaeu, 1691, II
Literatur:	Le Cerf de la Viéville, Comparaison, I, 74

53/23   Sangaride:

Es = cou =tons les oy=seaux de ces bois

| Abschriften: | Qu. 76, 85 |
| Weltl. Parodie: | Par. bach., 1696, 59: *Escoutons les échos de ces bois d'alentour* (M.D.L.F.) |

53/24   Atys:

L'A=mour fait trop ver=ser de pleurs

| Abschriften: | Qu. 73, 75, 78, 85; F-Psg 2345; F-Pn Rés Vmf ms 11 |
| Druck: | Les Airs de la Tragedie, Pointel, 1687 |

53/25   Sangaride:

Quand le pe = ril est a = gré = a = ble

| Abschriften: | Qu. 17, 34, 73, 78, 85; F-Psg 2345; F-Pn Rés Vmf ms 11 |
| Drucke: | Les Airs de la Tragedie, Pointel, 1687
(Text) Nouv. Recueil, Raflé, 1695 |

Weltl. Parodien, hs.:	Chansonnier Maurepas 12619, 109 (1674): (Sur Colbert de Turgis) *Si la Jouchere est fort en peine;* ebd. 321 (sur Lully) *Baptiste est fils d'une Meusniere* (1676); ebd. 322 (sur Lully) *Un jour l'amour dit à sa mere;* ebd. 323 (1676): *La Mecklenbourg dit à la Fosse;* ebd. 341 (sur Henry de Montmorency (1676): *Sur le Rhin parut une beste;* ebd. 355, 397, 415; ebd. 12620, 258 (sur la mort de Colbert) *Quand Caron vit sur le rivage;* ebd. 428 (1684): (sur Lully) *Baptiste prens soin de ta vie;* ebd. 12622, 91: (sur de Clermont, Comte de Tonnerre) *On dit comme chose certaine;* ebd. 201, 229, 256; ebd. 12623, 99 (1694): (sur la satire des femmes de Boileau) *Des Preaux reprend la Satire;* ebd. 12624, 215, 216, 249; ebd. 12627, 53; ebd. 12640, 1 (1676): *Moy qui toute ma vie;* ebd. 2 (1676): (sur Lully) *Lully est sans mélancolie;* ebd. 3, 291, 259, 326; ebd. 12643, 233 (1701) *Charmante Esquinancie;* ebd. 12644, 164 (1708) *Poignant ce commis en etoffe;* ebd. 194 (1709): *La d'Igny dit quand on la trousse* F-Pa 4842, 232: *Lorsque le Dieu Mars en personne* GB-Lbl Egerton 1520, III, 46: *Un cocu dedans nostre dame*
Drucke:	Par. bach., 1695, 43, 1696, 61, du Fresne, 1696, 26, Nouv. Par. bach., 1700, I, 116: *Si je cheris si fort Aminte (M.Al.)* Le Cerf de la Viéville, Comparaison, II, 22: *Phylis aime la Violette* Théâtre de la Foire, 1721, I, (Air 5), 20, 51, 71, 82, 94, 116, 135, 150, 160, 193, 194, 204, 222, 236, 253, 262, 336, 340, 357, 383; ebd. II (Air 5) passim; ebd. III (Air 5) passim; ebd. IV (Air 5) passim; ebd. V (Air 5) passim; ebd. VI passim; ebd. VIII (1731) passim; ebd. IX (1737) passim Les Parodies du Nouv. Théâtre italien, 1731, I, 173, 269; ebd. II passim; ebd. IV (1738) (Air 12) passim Carolet, Pierrot Cadmus, 1737, 4: *Pour trouver cette garçonnière* J. Lebas, Festin joyeux, 1738, 23: *Prenez moitié lait, moitié crême;* ebd. II, 182—185, 187, 188 Riccoboni, Phaeton, Parodie nouvelle (1743), F-Pn Th^B 2071, 20: *Libie à vos yeux paraît belle* L. Fuzelier, le Trompeur trompé, F-Pn Th^B 2131: *Laissons d'aimer une infidelle* P. Laujon, Parvi, C. S. Favart, Thésée (1745) s. d., 24: *Vous êtes gentille, Princesse* de Coulanges, Recueil, 1694, 197, 1698, II, 218, Chansons, 1754, 266: *Avoir taille noble et bien faite* J. Bailly, Boland ou le Médecin amoureux, 1756, 100: *Je vole à lui toute attendrie;* ebd. 121, 134 Abbé Morambert, C. Collé: Amadis, Parodie nouvelle, 1760, 10: *Je revois mon amant fidele* C. F. Panard, Théâtre et Oeuvres diverses, 1763, II, 50, 419, III, 206, 221 Abbé de l'Attaignant, Poésies, 1767, III, 94: *Jeune Iris, je n'ose entreprendre* [F. J. Desoer], Trois cens Fables (1777), II, 13: *L'Aigle avoit pris une Tortue*
Geistl. Parodien:	Cant. spir. d'un solitaire, 1700, 1: *Benissez le Seigneur suprême* Pellegrin, Cant., 1701, 45: *Vous qui voyez d'un oeuil d'envie;* ebd. 122: *Que le qu'en dira-t-on;* ebd. 208: *Pour nous tirer de l'esclavage;* ebd. 246: *Sacrez héros du Roy de Gloire;* ebd. 1706, Rec. III, 340: *Que les ames les plus pieuses;* ebd. Rec. IV, 364: *Vous qui vivez dans l'abondance;* ebd. Rec. VI, 450: *Dispensateurs de saints Mysteres* La Monnoye: Noei tô nôvea (1701), 37: *Sôverain Moitre du tonarre* Pellegrin, Noëls, 1702: *Nous ne songeons qu'à plaire au monde* ders. Histoire, 1702, 38: *Vous qui vivez dans la souffrance;* ebd. 149, 194, 228, 252, 257, 262, 298, 451, 488 ders. Les Pseaumes, 1705, 13: *Divin Seigneur, tu sçais mes crimes;* ebd. 76, 164, 226, 284 Cantiques, Lyon, 1710, 72: *Sur la terre il n'est rien stable* La grande et grosse Bible, Melun s. d., 36: *Benissez le Seigneur suprême*

Cantiques, Lille, 1718, 124: *Rien sans Jesus n'est agreable;* ebd. 133: *Ah! j'entends Jesus qui m'appelle;* ebd. 214: *Benissez le Seigneur suprême;* ebd. 221: *Vous qui voyez d'un oeuil d'envie*

Cantiques, Nantes, 1721, 72: *Benissez le Seigneur suprême*

Pellegrin, Chansons spir., 1722, 27: *Lorsque Dieu regne dans une ame;* ebd. II, 25: *Ah que le monde est agreable*

ders. Proverbes, 1725, 12: *Mon fils, je t'ai promis ma gloire*

ders. Imitation, 1727, 217: *Quand Dieu lui-même nous console;* ebd. 130: *David est plein de confiance*

Nouv. Cantiques, Limoges, 1728, 18: *Benissez le Seigneur suprême*

Desessartz, Nouv. poésies spir., 1732, III, 34: *Il faut souffrir dans le silence*

Recueil de cantiques, Rouen, 1738, 29: *Ah! j'entends Jesus qui m'appelle*

Cant. spir., Avignon, 1743, 144: *Benissez le Seigneur suprême*

Cant. spir., Reims, 1751, 101: *Nous ne songeons qu'à plaire au monde*

Cant. spir., Avignon, 1759, 135: *Benissez le Seigneur suprême*

Cant. spir., Metz, 1761, 30: *Ah! j'entends Jesus qui m'appelle*

Cant. spir., Sens, 1761, 115: *Benissez le Seigneur suprême*

Cantiques, Nancy, 1788, 27: *Que le Seigneur est admirable*

Pellegrin, Cant., Reims, 1811, 31: *Ah! j'entends Jesus qui m'appelle*

Timbre:	Quand le peril est agréable

53/26	Sangaride:

Abschriften:	Qu. 73, 78; F-Psg 2345
Druck:	Les Airs de la Tragedie, Pointel, 1687
Weltl. Parodien:	Chansonnier Maurepas 12619, 389: *Peut-on être insensible A tant de maux, helas;* ebd. 12627, 5 (1700): *Grand prélat, n'est-il pas infame*

53/27	I, 4, Sangaride:

Abschriften:	Qu. 17, 34, 55, 73, 78, 82, 85; F-Psg 2345; S-N Finspong 9096:7; F-Pn Rés Vmf ms 11
Druck:	Les Airs de la Tragedie, Pointel, 1687
Geistl. Parodie:	Pellegrin, Les Pseaumes, 1705, 475: *Mes cris vont jusqu'aux cieux*

53/28	Doris:

Abschriften:	Qu. 78; F-Psg 2345; F-Pn Rés Vmf ms 11
Druck:	Les Airs de la Tragedie, Pointel, 1687

53/29   Doris, Atys:

Un a=mour mal=heu=reux dont le de=voir

Abschriften: Qu. 79; F-Psg 2345

Druck: Les Trio, Blaeu, 1691, II

53/30   I, 6, Atys:

San=ga=ri=de, ce jour est un grand jour pour vous

Abschriften: Qu. 76, 78, 82, 85; F-Psg 2345; D-W Cod Guelf 226 Mus Hs; S-N
                  Finspong 9096:13

Geistl. Parodie: Pellegrin, Noëls, 1709, Rec. V, 343: (Daphnis) *Celimene, ce jour est un
                  grand jour pour nous* (Parodie der ganzen Szene)

Literatur: Le Cerf de la Viéville, Comparaison, II, 12

53/31   Sangaride, Atys:

Si l'Hy=men u=nis=soit mon de=stin

Abschriften: Qu. 76, 78, 79, 85; F-Psg 2345

Druck: Les Trio, Blaeu, 1691, II

53/32   Atys:

Ai=mons un bien plus du=ra=ble

Abschriften: Qu. 78; F-Psg 2345; F-Pn Rés Vmf ms 11

Druck: Les Airs de la Tragedie, Pointel, 1687

53/33   I, 7, Sangaride, Atys, Choeur:

Com=men=çons, com=men=çons de ce=le=brer Com=men=çons, com=men=çons

Abschriften: Qu. 22, 50, 79

Druck: Les Trio, Blaeu, 1691, II

53/34   Entrée des Phrygiens:

Abschriften: Qu. 22, 31, 32, 36—38, 41, 44, 45, 48—52, 58, 60, 63, 72; F-Pc X 108

Druck: Ouverture Avec tous les Airs, Roger

53/35   Second Air des Phrygiens:
           Qu. 36: Prelude; Qu. 55: Gigue; Qu. 44: Rondeau

Abschriften: Qu. 22, 31, 32, 36—38, 41, 44, 45, 48, 49, 50, 52, 55, 58, 60, 63, 72, 78;
           F-Pc X 108

53/36   I, 8 Prelude, Cybelle:
           Qu. 22, 41, 52, 60 etc.: Prelude pour la descente de Cybelle

Abschriften: Qu. 22, 32, 35—38, 41, 44—46, 48—52, 58, 60, 63, 64, 72, 78, 85; F-V
           Ms mus 165; GB-Lbl Add 39569, 153 (Imitation de la descente de
           Cybelle); F-Pc X 108; F-Pn Rés Vmf ms 11

Abschriften des Rezitativs: Qu. 73, 78, 82, 85

53/37   Cybelle:

Abschriften: Qu. 22, 52, 76, 78, 85; F-Psg 2345

Druck: Les Airs de la Tragedie, Pointel, 1687

Geistl. Parodie: Opera spir., 1710, 33: *Pasteurs, faut nous preparer, Voicy le Messie*

53/38   Choeur:
           Qu. 36, 48, 55, 62, 72: La descente de Cybelle

Abschrift: Qu. 22, 32, 35—37, 41, 46, 48, 50, 51, 55, 58, 60, 62, 65, 72, 78; F-Psg
           2345; F-Pc X 108

Drucke: Les Airs de la Tragedie, Pointel, 1687
           Les Simphonies à 4. Avec les Airs et Triots De Psiché, Pointel
           J. Hawkins, A General History of the Science and Practice of Music (1776),
           Reprint New York, 1963, II, 935: The Old Cebell

Weltl. Parodien: D'Urfey, Songs Compleat, Plaesant an Divertive, 1719, II, 139: *Pray now
           John let Jug prevail Doff thy sword*
           Eftcourt, A dialogue between a good fellow and a beau to the tune of the
           old cibell, s. d.: *Lard how man can claret drink, tis but Brutish act I think*
           (GB-Lbl)
           Thesaurus musicus (1745), II, 43: *Pray now John . . .*

53/39   II, 1, Ritournelle, Celenus:

Abschriften der Ritournelle: Qu. 22, 44, 45, 49, 50, 52, 59, 79, 85

53/40   Celenus:

Abschriften:	Qu. 78; F-Psg 2345
Druck:	Les Airs de la Tragedie, Pointel, 1687

53/41   Atys:

Abschriften:	Qu. 73, 78, 85; F-Pn Rés Vmf ms 11
Druck:	Les Airs de la Tragedie, Pointel, 1687
Geistl. Parodie:	Opera spir., 1710, 70: *Allons voir ce Dieu Redempteur*
Literatur:	Le Cerf de la Viéville, Comparaison, II, 140

53/42   II, 2, Prelude, Cybelle:
                Qu. 60: Prelude de la gloire d'Atys

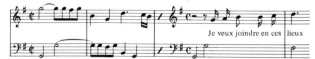

Abschriften des Prélude:	Qu. 17, 22, 32, 34, 36—38, 44, 45, 48—50, 52, 58, 60, 63, 72; F-Pc X 108
Abschrift des Rezitativs:	Qu. 82

53/43   Cybelle:

Abschriften:	Qu. 78; F-Psg 2345
Druck:	Les Airs de la Tragedie, Pointel, 1687

53/44   Melisse:

Abschriften:	Qu. 78, 85 (d-Moll); F-Pn Rés Vmf ms 11
Druck:	Les Airs de la Tragedie, Pointel, 1687

53/45	II, 4, Choeur des Nations:

Abschriften:	Qu. 17, 22, 32, 34—38, 44, 45, 48—50, 52, 58, 60, 63, 65, 72

53/46	Entrée des Nations:
	Qu. 41, 46, 55: Entrée de la Gloire d'Atys; Qu. 32, 37: Les Indiens; Qu. 58: les Phrygiens

Abschriften:	Qu. 17, 22, 31—34, 36—38, 41, 44—46, 48—50, 52, 55, 58, 60, 63; F-Pc X 108
Druck:	Ouverture Avec tous les Airs, Roger
Weltl. Parodien:	Par. bach., 1695, 44, 1696, 62, du Fresne, 1696, 27, Nouv. Par. bach., 1700, I, 118: *Malheureux Amants qui n'avez pour amusemens* (M.R.)

53/47	Entrée des Zephirs:
	Qu. 17, 41: pour les hautbois de la Gloire d'Atys; Qu. 22, 32, 44, 47, 48, 50, 71, 78: Les echos d'Atys; Qu. 62: dialogue; Qu. 36, 72: Les maures; Roger: Chaconne

Abschriften:	Qu. 17, 22, 31—34, 36—38, 41, 44—48, 50—52, 55, 56, 58, 60, 62, 63, 68, 71, 72, 78, 85; S-VX Mus ms 6; S-Uu Vok mus ihs 18:11; F-Pc X 108
Transkriptionen:	F-Pn Rés 1106 (Luth)
	GB-Lbl Add 39569, 97 (Cembalo)
	A-Wm Ms 743, 47 (Cembalo)
Druck:	Ouverture Avec tous les Airs, Roger

53/48	Choeurs:

Abschriften:	Qu. 17, 22, 32, 34—38, 41, 45, 46, 48, 50, 52, 55, 58, 60, 65, 66, 71, 72, 78, 85; S-VX Mus ms 6; F-Pc X 108
Transkription:	F-B Ms 279.152 (Laute)
Drucke:	Les Airs de la Tragedie, Pointel, 1687
	Ouverture Avec tous les Airs, Roger
Weltl. Parodien, hs.:	Chansonnier Maurepas 12619, 297 (1676): (sur Quinault) *Devant tes vers tout gemit et tout tremble*, dass.
	F-Pa 4842, 345 und GB-Lbl Egerton 1520, III, 60
Druck:	J. Bailly, Boland ou le Médecin amoureux, 1756, 112: *Vous triomphez de l'ame la plus fiere*

Geistl. Parodien:	Pellegrin, Cantiques, 1706, Rec. IV, 399: *Quand nous avons brisé ses fers du crime*
	ders. Histoire, 1702, 458: *Que loin de nous le demon se retire*
	Grande Bible d'Orleans: *Pauvre Damon, quand je te considere Tu es trop digne de compassion* (H. Poulaille, La Grande et Belle Bible des Noëls, 1950, 372)
	Pellegrin, Les Proverbes, 1725, 34: *N'entends-tu pas la voix de la sagesse*
	ders. Imitation, 1727, 38: *Tant que du jour le flambeau nous éclaire;* ebd. 41: *L'erreur des sens, l'inconstance de l'ame*
	Cantiques spir., Lottin, 1728, III, 58: *Que devant Dieu tout orgueil disparoisse*
	Desessartz Nouv. poésies spir., 1730, I, 5: *Que devant lui tout s'abaisse*
	Cantiques spir., Avignon, 1743, 154: *Que devant Dieu tout orgueil disparoisse*, dass.:
	Cant. spir., Sens, 1761, 123
Literatur:	Le Cerf de la Viéville, Comparaison, III, 70

53/49   III, 1, Ritournelle, Atys:

Abschriften der Ritournelle:	Qu. 22, 44, 45, 51, 52, 59, 72, 79, 85; F-Pn Rés Vmf ms 11
Abschriften des Air:	Qu. 76, 78; F-Psg 2345
Druck:	Les Airs de la Tragedie, Pointel, 1687

53/50   III, 2, Doris, Idas:

Abschriften:	Qu. 78, 85; F-Psg 2345; F-Pn Rés Vmf ms 11
Druck:	Les Airs de la Tragedie, Pointel, 1687
Weltl. Parodie:	Nouv. Par. bach., 1700, I, 246: *Dans l'empire amoureux le plaisir, le plaisir cede à la peine*

53/51   Doris, Atys, Idas:

Abschriften:	Qu. 17, 34, 79, 85
Drucke:	Les Airs de la Tragedie, Pointel, 1687 Les Trio, Blaeu, 1691, II
Weltl. Parodie, hs.:	F-Pa 4843, 260: *En vain mon coeur incertain de son choix Met en balance mille fois*

53/52   III, 3, Ritournelle, Atys:

                               Nous pou=vons nous fla = ter

Abschriften: Qu. 33, 52, 78, 85

53/53   Atys:

                               Lais = se mon coeur en paix, im=puis=san = te ver = tu

Abschrift: Qu. 85; F-Psg 2345
Druck: Les Airs de la Tragedie, Pointel, 1687

53/54   III, 4, Prelude, le Sommeil:
                               Qu. 55, 56, 66, 78, Roger etc.: Le Sommeil d'Atys

                               Dor=mons,   dor = mons   tous

Abschriften des Prélude: Qu. 17, 22, 34, 35, 37, 44—46, 48, 49, 51, 52, 55—57, 60, 66, 78, 85
Druck: Ouverture Avec tous les Airs, Roger
Weltl. Parodie: Concerts parodiques, 1721, 4—8: *Donnez, tristes époux*
Abschriften des Air: Qu. 17, 57, 66, 75, 78, 82, 85; F-Psg 2345
Druck: Les Airs de la Tragedie, Pointel, 1687
Zitiert: Les Parodies du Nouv. Théâtre italien, 1738, III, 187
Literatur: Le Cerf de la Viéville, Comparaison, I, 64

53/55   Photebor:

                               Ne vous fai=tes   point vi = o = len   = ce

Abschriften: Qu. 17, 34, 35, 51, 52, 59, 66, 73, 79, 85; F-Psg 2345; F-B Ms 279.147;
                               F-Pn Rés Vmf ms 11
Drucke: Les Airs de la Tragedie, Pointel, 1687
                               Les Trio, Blaeu, 1690, I

53/56   Morphée, Phantase, Photebor:

                               Dor=mons, dor = mons tous, Ah!

Abschriften: Qu. 66, 78, 79, 85; F-Pn Rés Vmf ms 11
Druck: Les Trio, Blaeu, 1691, II

                                                                                    283

53/57   Morphée:

Abschriften: Qu. 22, 73, 75, 78; F-Psg 2345; F-Pn Rés Vmf ms 11

Druck: Les Airs de la Tragedie, Pointel, 1687

Weltl. Parodie, hs.:   Chansonnier Maurepas 12619, 327 (1676): *Que Monsieur a d'amour*
                               Quand il voit Faure

53/58   Entrée des Songes agréables:

Abschriften: Qu. 17, 31, 32, 34, 36—38, 41, 44—52, 55, 58, 60, 62—64, 68; F-V
                               Ms mus 165; GB-Lbl Add 24304; F-Pc X 108

Transkriptionen: GB-Lbl Add 39569, 96 (Cembalo)
                               F-B Ms 279.152 (Laute)

Druck: Ouverture Avec tous les Airs, Roger

Weltl. Parodien: Par. bach., 1696, 63: *Pour chasser nostre ennuy, Buvons illustre Dupuis*
                               (M.D.L.F.)
                               Nouv. Par. bach., 1700, I, 120: *Je prens congé d'Isis, Ses trop justes mépris*
                               (M.D.L.)

53/59   Photebor:

Abschriften: Qu. 17, 34, 59, 79; F-B Ms 279.147; F-Pn Rés Vmf ms 11

Druck: Les Trio, Blaeu, 1690, I

53/60   Entrée des Songes funestes:

Abschriften: Qu. 22, 31, 32, 36—38, 41, 44—52, 55, 58, 60, 62—64, 66, 68, 71, 72, 78;
                               S-VX Mus ms 6; F-Pc X 108

Druck: Ouverture Avec tous les Airs, Roger

Weltl. Parodie: Concerts parodiques, 1721, 9: *Volez à mon secours*

53/61   Choeur des Songes funestes:

Abschrift: Qu. 78

284

53/62   Second Air:

Abschriften: Qu. 22, 31—33, 36—38, 41, 44—52, 55, 58, 60, 62—64, 68, 71, 72, 78;
                     GB-Lbl Add 24304; F-VX Mus ms 6; F-Pc X 108

Transkription: A-Wm Ms 743, 49 (Cembalo)

Druck: Ouverture Avec tous les Airs, Roger

Weltl. Parodien, hs.: F-Pa 4843, 260: *Ça, ça, du vin, du vin sans cesse Verse, verse*
                     F-V Ms mus 262: *Laissons-là les façons, Amis, buvons*

Drucke: Par. bach., 1695, 45, 1696, 64, du Fresne, 1696, 27, Nouv. Par. bach., 1700,
                     I, 122: *Laissons-là les façons, Amis buvons*
                     Nouv. Par. bach., 1700, I, 250: *Ça, ça du vin, du vin sans cesse, verse
                     promptement*
                     Les Parodies du Nouv. Théâtre italien, 1738, II, Air 143: *D'inspirer la ter-
                     reur, la peur, l'horreur*

Geistl. Parodien: Abbé de l'Attaignant, Cant. spir., 1762, 121: *L'Homme voluptueux Paroît
                     heureux; dass*
                     Cant. spir., 1782, 31

53/63   III, 7, Cybele:

Abschriften: Qu. 78, 82

53/64   Melisse:

Abschriften: Qu. 78; F-Psg 2345

Druck: Les Airs de la Tragedie, Pointel, 1687

53/65   III, 8, Ritournelle, Cybele:

Abschriften: Qu. 22, 59, 73, 76, 78, 79, 82, 85; F-Psg 2345; F-Pn Rés Vmf ms 11

Druck: Les Airs de la Tragedie, Pointel, 1687
                     (Text) Nouv. Recueil, Raflé, 1695

Geistl. Parodie: Opera spir., 1710, 6: *Dieu debonnaire & si doux. Ah! ah! nous delaisserez-
                     vous?*

Literatur: Le Cerf de la Viéville, Comparaison, II, 140

285

53/66   IV, 1, Ritournelle, Doris, Idas:

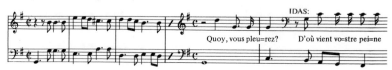

Abschrift der Ritournelle: Qu. 85. Diese Ritournelle ist in keinem der Partiturdrucke enthalten.

Abschrift des Dialogs: Qu. 78

53/67   Doris, Idas:

Abschriften: Qu. 66, 72, 85; F-Psg 2345; F-Pn Rés Vmf ms 11

Druck: Les Airs de la Tragedie, Pointel, 1687

53/68   Doris, Idas:

Abschrift: Qu. 85

Druck: Les Airs de la Tragedie, Pointel, 1687

Weltl. Parodie: F-Pa 4843, IV, 260: *Iris qu'on croit une merveille N'efface point tous les appas*

53/69   Sangaride, Doris, Idas:

Abschriften: Qu. 66, 79, 85; F-Psg 2345; F-Pn Rés Vmf ms 11

Drucke: Les Airs de la Tragedie, Pointel, 1687
                      Les Trio, Blaeu, 1691, II

Weltl. Parodie: F-Pa 4843, 260: *Ah que cette liqueur est belle Qu'elle a de quoi nous engager*

53/70   IV, 2, Prelude, Celaenus:

Abschriften des Prélude: Qu. 22, 33, 36—38, 41, 45, 49, 50, 52, 63, 72, 85; GB-Lbl Add 24304; F-Pc X 108

Abschriften des Rezitativs: Qu. 78, 82, 85; F-Pn Rés Vmf ms 11

53/71   IV, 4, Ritournelle, Atys:

Abschriften: Qu. 22, 44, 59, 63, 79, 82

53/72   Sangaride, Atys:

Abschrift: Qu. 79

Druck: Les Trio, Blaeu, 1691, I
                          (letzter Teil des Duetts, *Aimons en secret*) Les Airs de la Tragedie, Pointel,
                          1687

53/73   IV, 5, Prelude, le Fleuve Sangaride:

Abschriften des Prélude: Qu. 22, 32, 35—38, 41, 44—46, 48—50, 52, 55, 58, 60, 72; GB-Lbl Add
                          24304; F-Pc X 108

53/74   le Fleuve Sangar, Choeur:

Abschriften: Qu. 35, 45, 52, 59, 60, 65, 66, 72, 78, 79; F-Psg 2345; F-B Ms 279.147;
                          Choeur: 78, 85

Drucke: Les Airs de la Tragedie, Pointel, 1687
                          Les Trio, Blaeu, 1690, I

53/75   Flûtes, Choeur:
                          Qu. 63, 66: Trio de flûtes; Qu. 37: Gavotte

Abschriften: Qu. 22, 32, 37, 41, 44—46, 48—50, 52, 57, 59, 60, 63, 66, 70, 72, 73, 75,
                          78, 79, 85; F-Psg 2345; F-Pc X 108; F-Pn Rés Vmf ms 11

Transkription: Duo choisis 1730, II, 128 (E-Dur)

Drucke: Les Airs de la Tragedie, Pointel, 1687
                          Les Trio, Blaeu, 1691, II
                          (Text) Nouv. Recueil, Raflé, 1695

Weltl. Parodien, hs.:	Chansonnier Maurepas 12619, 295 (1676, sur Quinault): *La beauté la plus severe N'est pas un couplet fort bon;* dass.
	F-Pa 4842, 347 und GB-Lbl Egerton 1520, 56; S-Uu Nordin 1135: *Hör Apelles slug och snäller*
Drucke:	Par. bach., 1695, 46, 1696, 65, du Fresne, 1696, 28, Nouv. Par. bach., 1700, I. 124: *Le vray plaisir de la table Ne se goûte qu'à l'ecart* (M.D.L.F.)
	Théâtre de la Foire, 1721, V, Air 67
Geistl. Parodien:	L. Chassain, Cant. sacrez, 1684, 10: *O Cieux, envoyés le Juste Par vôtre divin pouvoir*
	Pellegrin, Cant. spir., 1701, 214: *Ah! que vôtre amour est tendre, Adorable Redempteur;* ebd. 1706, 342: *La vertu la plus constante*
	ders. Noëls, 1725, Rec. III, 224: *Qu'un Dieu reconnoît pour Fils, Quand ton ame est toute pure*
	ders. Histoire, 1702, 55: *En lisant ce qui se passe;* ebd. 328: *Nous ne sommes sur la terre;* ebd. 520: *Toy qui suis ses pas du crime*
	ders. Les Pseaumes, 1705, 149: *Le Seigneur est admirable;* ebd. 234: *Dieu puissant, vangeur de crimes;* ebd. 357: *Nous servons un Dieu propice*
	L. Chassain, Les Hymnes, 1705, 127: *Sion le Dieu du Firmament;* ebd. 125: *Accordez aux voeux*
	Cantiques, Lille, 1718, 104: *Ah! que vôtre amour est tendre;* ebd. 191: *Marie est une merveille*
	Pellegrin, Chansons, 1722, III, 82: *Quelle ardeur funeste anime Tous les peuples d'ici bas*
	ders. Proverbes, 1725, 97: *L'Indigent n'a rien à craindre*
	ders. L'Imitation, 1727, 10: *Verité, mon bien suprême Que votre commerce est doux;* ebd. 47: *Ne nous déchaînons jamais;* ebd. 49: *Tout pécheur est votre frere*
	Nouv. Recueil des plus beaux cantiques, De Mante s. d., 4: *Marie est une merveille*
	Nouv. poésies spir., 1733, VII, 24: *C'est à tout qu'on se figure*
	Cant. spir., Metz 1761, 101: *Quelle ardeur funeste anime*
	J. Chapelon, Oeuvres, Saint-Etienne, 1779: *Avant que rien ne fût au monde Le verbe était toujours Dieu*

53/76

Flûtes, Choeur:
F-Va Ms 847: Menuet

Abschriften:	Qu. 32, 33, 37, 41, 44—46, 48—50, 52, 57, 59, 63, 66, 73, 78, 79, 85; F-Psg 2345; F-Pc X 108
Transkription:	Duo choisis, 1730, II, 129 (E-Dur)
Drucke:	Les Airs de la Tragedie, Pointel, 1687
	Les Trio, Blaeu, 1691, II
Weltl. Parodien, hs.:	F-Pa 4843, 260: *La tiédeur suit les caresses Que l'on nous fait en amour*
Druck:	Les Par. Nouv., 1731, II, 44: *Je vois la Troupe légere Des Plaisirs suivant l'Amour*

53/77

Menuet:

| Abschriften: | Qu. 22, 31—33, 36—38, 41, 44—46, 48—50, 52, 55, 58, 60, 63, 64, 72, 78, 85; F-V Ms mus 165; F-Pc X 108 |
| Druck: | Ouverture Avec tous les Airs, Roger |

53/78   Choeur:

Abschriften:	Qu. 22, 45, 50, 55, 57, 60, 70, 73, 75, 78, 79; F-Psg 2345; F-Pn Rés Vmf ms 11
Drucke:	Les Airs de la Tragedie, Pointel, 1687 Les Trio, Blaeu, 1691, II Trios de Differents Auteurs, Babel, I
Weltl. Parodien, hs.:	Chansonnier Maurepas 12640, 5 (1676): *Presentez bien les fesses Pécour a dit Broussin;* ebd. 6 (1676): *D'une constance extrême Quinault suivant son cours* F-Pa 4843, 261: *D'une constance extrême Je vais boire toujours*
Drucke:	Mercure de France, 1678, Oct., 46: *D'une constance extrême Un ruisseau suit son cours* Par. bach., 1696, 67, Nouv. Par. bach., 1700, I, 128: *Ce bon vin de Surême Charme dans sa Primeur* (M.D.L.)
Geistl. Parodien:	L. Chassain, Cant. sacrez, 1684, 49: *Dieu qui nommez le Temple Vôtre Sainte Maison* Pellegrin, Cant. spir., 1706, 317: *Que plus nous avons reçu de graces, Plus nous devons trembler* ders. Noëls, 1725, Rec. III, 172: *Pasteurs de ce bocage, Que vous êtes heureux* ders. Histoire, 1702, 60: *N'attendons pas du monde;* ebd. 129: *Toy que le crime engage;* ebd. 214: *Ah! quel affreux orage;* ebd. 552: *D'une constance extrême Saul défend Jesus-Christ;* ebd. 343: *Vous que le ciel menace* ders. Les Pseaumes, 1705, 20: *C'est vous seul Roi suprême;* ebd. 127: *Trop heureux qui soulage;* ebd. 272: *Roy du céleste Empire;* ebd. 395, 449, 485, 551 ders. Les Proverbes, 1725, 114: *Pourquoi s'en faire accroire, Quand la fortune rit* ders. L'Imitation, 1727, 275: *Mon fils, je veux qu'on m'aime;* ebd. 279: *Que l'ame est inquiete*

53/79   Gavotte:

Abschriften:	Qu. 22, 31, 33, 35—38, 41, 44—46, 48—50, 52, 55, 58, 60, 63, 64, 72, 78, 85; F-V Ms mus 165; F-Pc X 108
Transkription:	F-Pc Rés F 844, 280 (Gitarre)
Druck:	Ouverture Avec tous les Airs, Roger
Weltl. Parodien, hs.:	GB-Lbl Egerton, 1519, 112: *Pauvre avare tu crois follement;* dass. F-V Ms mus 262
Drucke:	Par. bach., 1695, 47, 1696, 66, du Fresne, 1696, 29: *Pauvre avare Tu crois follement* (M.V.); dass. S. Vergier, Oeuvres, 1726, 260 Nouv. Par. bach., 1700, I, 130: *Inhumaine, Tu crois vainement*

53/80   Choeur:

Un grand | calme est trop fas = cheux, Nous ai = mons

Abschriften: Qu. 22, 32, 35—38, 41, 45, 46, 48, 50, 55, 58, 60, 66, 72, 78, 85; F-Psg
                        2345; F-Pc X 108

Drucke: Les Airs de la Tragedie, Pointel, 1687
                        Ouverture Avec tous les Airs, Roger: Gavotte

Weltl. Parodien, hs.:   F-Pa 4842, 323: *Un grand Carme est amoureux De Margot, notre servante;*
                        dass.
                        GB-Lbl Egerton 1519, 112

53/81   V, 1, Ritournelle, Celaenus:

Vous m'o=stez San=ga=ride, in=hu=mai=ne

Abschriften der Ritournelle: Qu. 22, 38 (zweimal, Suite aus Xerxes), 44, 47, 50—52, 59, 79
Transkription: Duo choisis, 1730, II, 156: Prelude
Druck: Trios de Differents Auteurs, Babel, II
Weltl. Parodien, hs.:   F-Pa 4843, 261: *Je meurs d'amour pour Climene Ma peine*
Abschrift des Rezitativs: Qu. 78, 82

53/82   V, 3, Prelude, Atys:

Ciel!   quel=le va=peur m'en=vi=ron = ne

Abschriften des Prélude: Qu. 22, 38, 44, 45, 48—50, 52, 63, 85; GB-Lbl Add 24304
Abschriften des Rezitativs: Qu. 78, 85; F-Pn Rés Vmf ms 11

53/83   Atys:

Que je viens d'im=mo=ler u=ne gran=de vic = ti=me

Abschriften: Qu. 78, 85

53/84   V, 7, Ritournelle, Cybele:

Ve=nez fu=ri=eux Co=ry = ban=tes,

Abschriften der Ritournelle: Qu. 22, 44, 45, 49, 52, 55, 59, 79, 85

53/85	Entrée des Nymphes: Qu. 22, 55, 60: Air pour les flûtes; Qu. 41, 46: Les Coribantes, pour les flûtes allemandes; Qu. 38, 56: Plainte d'Atys; Qu. 62 und F-Mc Ms 51: Sarabande

Abschriften:	Qu. 22, 31—33, 41, 44—52, 55, 56, 60, 62, 63, 72
Transkription:	F-Pn Rés 1106, 9 (Laute)
Druck:	Trios de Differents Auteurs, Babel, II
Weltl. Parodien, hs.:	F-Pa 4843, 259: *Plus je caresse ma pinte Plus mes sens prennent de vigueur;* dass. GB-Lbl Egerton 1519, 112
Druck:	Concerts par. III, 21: *J'ai vû perir ce que j'aime*

53/86	Première Entrée des Coribantes:

Abschriften:	Qu. 22, 31—33, 36—38, 41, 44, 45, 48—52, 55, 58, 60, 63, 72, 78; F-Pc X 108
Druck:	Ouverture Avec tous les Airs, Roger

53/87	Seconde Entrée: Qu. 85: Air en écho; Qu. 62: Dialogue; Qu. 55: troisième Air des Coribantes

Abschriften:	Qu. 22, 31, 32, 36, 37, 41, 44—46, 48—52, 55, 60, 62, 63, 72, 78, 85; F-Pc X 108

53/88	Choeur:

Abschriften:	Qu. 50 (letzter Teil des Chores), 82, 85

53/89	Passepied:

Abschriften:	Qu. 17, 41, 46; F-Pc X 108
Bemerkung:	Dieses Passepied ist in den angegebenen Quellen jeweils unter Sätzen aus *Atys* mitgeteilt. Obgleich dieser Satz in keiner Partitur erhalten ist, kann er zur ersten Fassung des *Atys* gehört haben.

LWV 54
ISIS

Bezeichnung:	Tragédie en Musique
Text:	Philippe Quinault
Erste Aufführung:	5. 1. 1677 in Saint-Germain-en-Laye
Librettodrucke:	*Isis, / Tragedie / en Musique / ornée / d'Entrées de Ballet, / de Machines, / & de changements / de Théâtre, / Représentée devant Sa Majesté à Saint Germain / en Laye, le cinquiéme jour de Janvier 1677. / A Paris, Ballard, 1677,* F-Pn

> Paris, Ballard, 1677, D-Sl (ohne Nennung der Darsteller)
> Suivant la copie imprimée à Paris, [Amsterdam] s. n. 1682, B-Bc
> Regensburg, P. Dalnsteiner, 1683, D-Us
> in: Recueil des Opera, des Balets, Amsterdam, A. Wolfgang, 1684, D-Tu
> Suivant la copie imprimée à Paris, [Amsterdam] s. n. 1686, F-Pn
> s. l. s. n. 1687, F-Pa
> Imprimé à Paris, on les vend à Anvers, H. Van Dunwaldt, 1687, D-Mbs
> in: Recueil des Opera, Amsterdam, A. Wolfgang, 1690, D-HR
> in: Recueil des Opera, [Amsterdam] s. n. 1698, D-Hs
> Suivant la copie imprimée à Paris, [Amsterdam] s. n. 1699, F-Pn
> s. l. s. d. F-Pn
> Amsterdam, H. Schelte, 1702, D-F
> in: Recueil général des Opera, Paris, Ballard, 1703, F-Pn
> Paris, Ballard, 1704, F-Pn
> Paris, R. Ribou, 1717, F-Pn
> Strasbourg, Le Roux, 1732, D-DS
> Paris, Ballard, 1732, F-Pa
> in: Petite Bibliothèque des Théâtres, Paris 1785, F-Pn
> in: Répertoire du théâtre français, Paris 1822, F-Pn

Abschriften:	Partition générale: F-V Ms mus 96 (1702, Philidor); F-AM Ms 743 (Philidor 1702); F-Pn Vm² 33 (1699, Chr. Ballard); ehemals GB-T Ms 270, jetzt F-Pn Rés F 1708 (Foucault); F-AIXm Ms 1699 (Foucault); US-R (Foucault); DDR-LEm (Foucault); US-Sibleys Music Library (Foucault); F-Mc (Foucault); F-BO Claude Chauvel (Foucault); F-Re Ms 2524; F-B Ms 13748; F-LYm Ms 27296; F-TLm Cons 19; F-Po A9c; F-BO (Foucault) Ms 642; NL-DHgm; F-Va Ms 969; US-Sp; S-Skma T-R (1706); F-An Ms 488; GB-Lbl; B-Lu Ms 1878 D; C-Lu
	Partition réduite: F-Pn Vm² 34; F-V Ms mus 97 und 98; F-PMeyer
Stimmendruck:	*Isis / Tragedie / Mise en Musique / Par M. de Lully / Sur-Intendant de la Musique du Roy. / Représentée devant Sa Majesté à S. Germain en Laye, le cinquiéme jour de Janvier 1677. / (Stimmbezeichnung) On la vend à Paris, à l'entree de la Porte de l'Academie Royale de Musique au Palais / Royal, ruë Saint Honoré. / Imprimée par Christophe Ballard, seul Imprimeur du Roy pour la Musique / M.DC.LXXVII. / Avec Privilege de Sa Majesté.*
	(Dessus, Haute-Contre, Taille, Basse, Dessus de Violon, Quinte de Violon, Haute-Contre de Violon, Taille de Violon, Basse de Violon, Basse continue)
Druck in Partition générale:	*Isis, / Tragedie / Mise en Musique / Par Monsieur De Lully Ecuyer-Conseiller- / Secretaire du Roy, Maison, Couronne de France / & de ses Finances, & Sur-Intendant de la Musique / de Sa Majesté, / Représentée pour la premiere fois, / devant le Roy, à Saint-Germain-en-Laye, le cinquiéme jour / de Janvier, en l'Année 1677. / Partition générale, Imprimée pour la premiere fois. / [Druckerzeichen Ballards mit Lilienwappen] / De l'Imprimerie De J.-B. Christophe Ballard, seul Imprimeur du Roy pour la Musique, / à Paris, rue Saint Jean de Beauvais, au Mont-Parnasse. / M.DCCXIX. / Avec Privilege de Sa Majesté.*

Stimmen:	Qu. 21—23, 28, 29, 30; F-Po (basse de violon), Fonds La Salle; ehemals GB-T Ms 15—18, jetzt F-Pn Rés F 1709 (1703, Philidor, Vokalstimmen), Ms 144—147 (Instrumentalstimmen)
Suitendruck:	Ouverture / Avec tous les Airs à jouer de / l'Opera / D'Isis / Par Mr. Baptiste Luly / . . . A Amsterdam / chez Estienne Roger Marchand libraire [1701]
Szen.-dramatische Parodien, bibliographisch nachgewiesen bzw. handschriftlich:	Charpentier: La vache Io, ou Jupiter amoureux d'Io (1718, Foire de Saint-Laurent, durch Ecriteaux au Jeu du Chevalier Pellegrin) Anonym: A fourbe et demi, ou le Trompeur trompé (3. 2. 1733, Foire de Saint-Germain, durch Marionettes) L. Fuzelier: Le Trompeur trompé (Februar [?] 1733, Théâtre de la Foire, Ms. F-Pn)
Literatur:	La Laurencie, Lully, 154; Gros, Quinault, 117 f., 634 f., 607—614; Borrel, Lully, 61; Isherwood, Music in the service, 219—221; Anthony, French baroque music, 99—101; Newman, Formal Structure, 141 f.

54/1   Ouverture:

Abschriften:	Qu. 17, 22, 31, 32, 34, 36—38, 41, 44—52, 54, 55, 58, 60, 62, 64, 68, 71, 72, 78, 79, 85; F-V Ms mus 165; S-Sk S 173; S-VX Mus ms 6; F-Pc X 108
Transkriptionen:	d'Anglebert F-Pn Rés 89ter (Cembalo Autograph); F-Pc Rés F 933 (Cembalo); F-Pn Rés 2094 (Orgel); GB-Lbl Add 39569, 94 (Cembalo); A-Wn Ms 16798, 87 (Cembalo, notiert in Klaviertabulatur); Les Ouvertures des opera, 1725, 16
Druck:	Ouverture Avec tous les Airs, Roger
Weltl. Parodien, hs.:	F-Pa 4843, 247: *Pour braver l'Amour Croyez-moy, buvons nuit et jour;* dass. GB-Lbl Egerton 1520, III, 35
Drucke:	Par. bach., 1695, 48, 1696, 68, du Fresne, 1696, 29, Ouvertures des opera, 1725, 16: *Pour braver l'Amour . . .* (M.D.L.F.)

54/2   Prologue, Choeur:

Abschriften:	Qu. 22, 24, 35, 39, 44, 45, 49, 50, 52, 65, 78; F-Pc X 108

54/3   Choeur:

Abschriften:	Qu. 22, 32, 35, 39, 49, 65, 72; F-Pc X 108
Literatur:	Le Cerf de la Viéville, Comparaison, I, 79

54/4   Premier Air des Tritons, les deux Tritons:
                                Qu. 32: Les Dieux marins; Qu. 44: Ritournelle

Abschriften:	Qu. 17, 22, 31, 32, 34, 36—38, 41, 44—46, 48—52, 55, 57—60, 71—73, 76, 78, 79, 85; D-BNms 585/134; F-Pc X 108
Transkriptionen:	F-Pn Rés 823, 66 (Laute, F-Dur); F-Pc Rés F 844, 219 (Gitarre) Duo choisis, 1728, 67: Gavotte
Drucke:	Les Trio, Blaeu, 1691, II Trios de Differents Auteurs, Babel, I Ouverture Avec tous les Airs, Roger
Weltl. Parodien, hs.:	Chansonnier Maurepas 12619, 403 (sur Hurault, marquis de Belebat): *C'est le Roy des Sots qui va paroître;* ebd. 537 (1679, sur l'entrée publique de Spinola, marquis de los Balbasés): *C'est los Balbases qui va paroître;* ebd. 12640, 106 (1677, sur le naufrage de Tabago): *C'est le Comte d'Estrées qui s'approche* F-Pa 4842, 357: *Si le Medecin pretend paroître* GB-Lbl Egerton 1519, 132: *C'est los Balbazés qui va paroître;* dass. Egerton 814, 356 F-LYm Ms 1545, 90
Drucke:	Par. bach., 1695, 50, 1696, 71, du Fresne, 1696, 31: *C'est le Dieu du Vin qui va paroître* (M.R.) Mme de Sainctonge, Poésies, 1696, 144: *Tout parle d'aimer dans nos boccages* Nouv. Par. bach., 1700, I, 132: *Sans le Dieu du Vin Quelle folie D'esperer une douce vie!* Théâtre de la Foire, 1721, II, Air 147 ebd. 1728 ,VI, 16, 216: *C'est le Sultan qui va paroître* Carolet, Pierrot Cadmus, 1737, 37: *C'est le grand Thomas qui va paroître* de Coulanges, Recueil, 1694, 196, 1698, 217, Chansons, 1754, 266: *Si le Médecin prétend paroître*
Geistl. Parodien:	Pellegrin, Noëls, 1702, 52: *C'est le Roy des cieux qui vient de naître;* ebd. 1725, Rec. III, 184: *Qu'en ces lieux charmants chacun s'assemble;* ebd. 1709, Rec. V, 392: *Le divin Jesus s'offre à son Pere* ders., Histoire, 1702, 155: *Des que nous voyons le Ciel propice* ders., Les Pseaumes, 1705, 204: *Signalez sur nous vôtre clémence* Opera spir., 1710, 20: *C'est l'enfant qui va paroître* Cant. spir., Lille, 1718, 241: *Des que nous voyons le Ciel propice*

54/5   Second Air des Tritons:
                                Qu. 36: Prelude; Qu. 22, 44: Menuet

Abschriften:	Qu. 17, 22, 31, 32, 34, 36—38, 41, 44—46, 48—50, 52, 55, 58, 60, 71, 72, 78
Druck:	Ouverture Avec tous les Airs, Roger

54/6   Neptune:

Mon Em=pire a ser=vi de thé=âtre à la guer=re

Abschriften:	Qu. 73, 78, 85
Weltl. Parodie, hs.:	F-Pa 4843, 247: *La chaleur de l'été nous fait icy la guerre*
Geistl. Parodie:	Opera spir., 1710, 44: *Que nous sommes heureux, un Dieu vient de paroître*

54/7   La Renommée, Neptune, Choeur:

Ce=le=brez son grand nom sur la terre Ce=le=brons son grand nom

Abschriften des Duetts:	Qu. 73, 78
Abschriften des Choeur:	Qu. 22, 24, 35, 50, 65
Weltl. Parodie:	Mme de Sévigné, Correspondance, hrsg. R. Duchêne, III, 83: *Célébrons toujours son grand nom*

54/8   Prelude des Muses, Calliope:

Ces=sez, ces=sez pour quel=que temps,

Abschriften des Prélude:	Qu. 17, 22, 32, 34, 37, 41, 44—48, 50—52, 54, 55, 57, 59, 60, 62, 64, 66, 71, 72, 78, 79, 85; F-V Ms mus 137; F-V Ms mus 165; S-Sk S 173
Transkription:	Duo choisis, 1730, II, 114
Druck:	Trios de Differents Auteurs, Babel, I
Literatur:	Le Cerf de la Viéville, Comparaison, III, 229

54/9   Calliope, Thalie, Apollon:

Ne troub=lez point les char=mes De nos di=

| Abschriften: | Qu. 51, 85 |

54/10   Premier Air pour les Muses:

Abschriften:	Qu. 17, 22, 31, 32, 34, 36—38, 41, 44—46, 48—50, 52, 54, 55, 60, 71, 72, 78; F-V Ms mus 137; Ms mus 165; S-VX Mus ms 6; F-Pc X 108
Druck:	Ouverture Avec tous les Airs, Roger
Weltl. Parodien, hs.:	F-Pa 4843, IV, 250: *Un Berger charmant D'un air si touchant*
Drucke:	Par. bach., 1695, 51, 1696, 72, du Fresne, 1696, 31, Nouv. Par. bach., 1700, I, 135: *Un amant chagrin contre sa catin L'autre jour chez d'Arbolin* (M.R.) Concerts parodiques, 1730, III, 17: *Un berger charmant . . .*

54/11   Second Air pour les Muses:
Qu. 17, 22, 37, 64, 71 etc. Menuet

Abschriften:	Qu. 17, 22, 31, 32, 34, 36—38, 41, 44—46, 48—50, 52, 54, 55, 58, 60, 66, 70—72, 78; F-V Ms mus 137; S-VX Mus ms 6; F-Pc X 108
Transkription:	F-Pn Rés 2094 (Orgel)
Druck:	Ouverture Avec tous les Airs, Roger
Weltl. Parodien, hs.:	Chansonnier Maurepas 12619, 363 (1677, sur Louis XIV): *Puissant Roy qui donnez chaque jour, Des plaisirs nouveaux à vôtre Cour;* ebd. 365: *Croyez-moy Philis, consolez-vous;* ebd. 367: *J'ay foison de debtes sans procés;* ebd. 369: *Martinet autrefois grand vaurien* (Beauregard); ebd. 370: *Beauregard qui m'appelle un vaurien;* ebd. 371: *Beauregard crotté, sal et mouillé;* ebd. 561 (1679): *Une fille a quinze ou seize ans;* ebd. 12640, 38 (1677, sur le départ du Roy pour l'armée): *Si le Roy part en cette saison;* ebd. 159: *J'esperois, belle Iris tôt ou tard* (de Coulanges) F-Pa 4842, 236: *Si le Roy part en cette saison* (20 couplets) GB-Lbl Egerton 1520, III, 52: *Puissant Roy qui donnez chaque jour* (11 couplets); ebd. Egerton 1521, 91: *Martinet autrefois grand vaurien* F-La Rochelle Ms 673, 189: *Puissant Roy qui donnez chaque·jour* de Coulanges, Recueil, 1694, 168, 1698, 156: *Croyez-moy, Philis, consolez-vous*
Drucke:	Par. bach., 1695, 52, 1696, 73, du Fresne, 1696, 32, Nouv. Par. bach., 1700, I, 136: *Le Demon malicieux & fin* (M.L.M.) (Ausgabe 1695, second souplet): *J'ay foison de dettes, de procés* Théâtre de la Foire, 1721, II, Air 157 Concerts parodiques, 1725, II, 93: *En chantant ce Menuet si vanté* Les Par. nouvelles, 1732, 54: *Mon coeur trop facile à s'enflammer* J. Lebas, Festin Joyeux, 1738, II, 126: *Prenez trois ou quatre pieds de veau* de Coulanges, Chansons, 1754, 112: *Je croyois, belle Iris, tôt ou tard;* ebd. 117: *Une fille de quinze ou seize ans;* ebd. 235: *Croyez-moy Philis, consolez-vous*
Geistl. Parodien:	Pellegrin, Cant. spir., 1706, Rec. IV, 366: *Que je plains les superbes mortels* ders. Noëls, 1725, Rec. III, 222: *Roy des Cieux, Soleil brûlant d'amour* ders. Histoire, 1702, 144: *Rois du monde, écoutez ces leçons;* ebd. 159: *Quand le ciel rend l'homme malheureux;* ebd. 233: *Avec soin fuyons l'oisiveté;* ebd. 308: *Quand je vois un Chrêtien enchanté* ders. Les Pseaumes, 1705, 81: *Vous qu'un Dieu choisit pour ses enfants;* ebd. 145: *Le grand Roy qui regne sur les Rois;* ebd. 299: *Le Trés-Haut doit être nôtre appui* ders. Les Proverbes, 1725, 49: *Reglez-vous toujours sur l'équité* ders. L'Imitation, 1727, 106: *Sur Dieu seul fondez tout vostre espoir;* ebd. 108: *Voulez-vous être heureux à jamais?;* ebd. 111: *Pour Dieu seul on doit avoir des yeux;* ebd. 306, 308, 310, 365, 368, 372, 375 Cant. spir., Lottin, 1733, II, 55: *Vous avez, ô Dieu de vérité*
Timbre:	J'ai foison de dettes (Chansonnier Maurepas) Le démon malicieux et fin (F-Pa 4842, Théâtre de la Foire etc.) Puissant Roi qui donnez chaque jour (Pellegrin)

54/12   Air:
                       Qu. 24: Marche; Qu. 22, 44, 48 etc.: Air pour les Trompettes

Abschriften: Qu. 22, 24, 31, 32, 35—37, 39, 41, 44, 49—50, 52, 58, 60, 72, 78; F-Pc
                       X 108

Transkription: F-Pn Rés 2094 (Orgel)

Druck: Ouverture Avec tous les Airs, Roger

54/13   La Renommée, Choeur:

Abschriften: Qu. 22, 24, 35, 39, 50

54/14   I, 1, Ritournelle, Hierax:

Abschriften der Ritournelle: Qu. 22, 44, 45, 47, 48, 50—52, 55, 56, 59, 72, 79; F-Po ₵ 5491 (1742)

Druck: Trios de Differents Auteurs, Babel, I, 44

Abschriften des Rezitativs: Qu. 78; F-Po ₵ 5491

54/15   Hierax:

Abschrift: Qu. 78; US-Sp ML 96 A 75

Weltl. Parodie: Théâtre de la Foire, 1731, VII, (Air 119), 218: *Revenez, ô Santé char-
                       mante! Vous n'êtes que trop diligente*

54/16   I, 2, Hierax:

Abschriften: Qu. 17, 22, 34, 35, 52, 59, 73, 75, 78, 79, 85; F-B Ms 279.147; F-Po ₵ 5491

Druck: Les Trio, Blaeu, 1690, I

Weltl. Parodien, hs.: F-Pa 4843, IV, 248: *Ma bouteille n'a plus cette agreable charge*

Druck: Nouv. Par. bach., 1700, I, 151: *Ma bouteille n'est plus une source féconde*
                       (M. Vault)

Geistl. Parodie: Desessartz, Nouv. poésies spir., 1738, VIII, 53: *D'être habile trompeur
                       chacun se félicite*

54/17   I, 3, Hierax:

Abschriften: Qu. 73, 78; F-Po ♮ 5491; US-Sp ML 96 A 75

54/18   Hierax:

Abschriften: Qu. 22, 35, 52, 59, 78, 79; F-B Ms 279.147; F-Po ♮ 5491

Druck: Les Trio, Blaeu, 1690, I

54/19   I, 5, Choeur:

Abschriften: Qu. 22, 35

54/20   Mercure, Choeur:

Abschriften: Qu. 35, 78, 85; (Choeur) Qu. 22, 35, 58, 65, 85; F-Pc X 108

54/21   Premier Air pour les Divinitez de la Terre:

Abschriften: Qu. 22, 31, 32, 36—38, 41, 44—52, 55, 58, 60, 72, 78; F-V Ms mus 137;
                      S-VX Mus ms 6; F-Pc X 108

Druck: Ouverture Avec tous les Airs, Roger

54/22   Second Air:
              Qu. 48: Menuet

Abschriften: Qu. 22, 31, 32, 36—38, 41, 44—52, 55, 60, 72, 78; F-V Ms mus 137;
                      S-VX Mus ms 6; F-Pc X 108

Druck: Ouverture Avec tous les Airs, Roger

Weltl. Parodie, hs.:   F-Pa 4843, IV, 248: *Les soins que j'ay pris pour engager Iris*

54/23   I, 6, Jupiter:

Abschriften:	Qu. 35, 65, 66, 73, 78, 85; F-B Ms 279.147; F-Po ♭ 5491
Druck:	Les Trio, Blaeu, 1690, I
Weltl. Parodien, hs.:	F-Pa 4843, 248: *Les armes de Bacchus n'ont rien que d'agréable*
Drucke:	Par. bach., 1695, 53, 1696, 74, du Fresne, 1696, 32: *Les armes que je tiens protegent les Yvrognes* Nouv. Par. bach., 1700, I, 138: *Les armes de Bacchus protegent . . .* Le Théâtre de Gherardi, 1717, IV, 67: *Les armes que je tiens ne font aucune offense* Le Théâtre de la Foire, 1737, IX, (Air 41) 81: *Les armes que je tiens respectent l'innocence*
Geistl. Parodie:	Desessartz, Nouv. poésies spir., 1730, I, 25: *Enfin est arrivé le temps de la promesse*

54/24   Jupiter, Choeur:

Abschriften:	Qu. 17, 22, 32, 34, 35, 41, 47—52, 58—60, 66, 72, 73, 78, 79, 85; F-B Ms 279.147; F-Po ♭ 5491; (Choeur) Qu. 22, 36, 46, 55, 72, 75; F-Pc X 108
Druck:	Les Trio, Blaeu, 1690, I Ouverture Avec tous les Airs, Roger (Choeur)
Weltl. Parodien, hs.:	F-Pa 4843, IV, 250: *Jupiter vient sur la terre Pour planter l'arbre de paix* F-La Rochelle Ms 673, 192: *Champmeslé vient sur la terre*
Druck:	Le Théâtre de Gherardi, 1717, IV, 68: *Jupiter vient sur la terre Pour planter l'arbre de paix*
Geistl. Parodie:	Desessartz, Nouv. poésies spir., 1730, I, 25: *Le seigneur vient sur la terre Pour nous combler de bienfaits*
Literatur:	Le Cerf de la Viéville, Comparaison, I, 23

54/25   II, 1, Ritournelle, Isis:

Abschriften der Ritournelle: Qu. 22, 48, 50, 52, 59, 79

Abschriften des Rezitativs: Qu. 76, 78

54/26   II, 4, Mercure:

Abschrift:	Qu. 78; US-Sp ML 96 A 75
Geistl. Parodie:	L. Chassain, Cant. sacrez, 1684, 117: *Bonté suprême qu'on adore dans ce saint lieu*

54/27   Isis, Mercure:

       Abschriften: Qu. 79, 85

       Druck: Les Trio, Blaeu, 1691, II

54/28   Isis, Mercure:

       Abschriften: Qu. 57, 60, 75, 79

       Drucke: Les Trio, Blaeu, 1691, II
                         (Text) Nouv. Rec., Raflé, 1695

54/29   II, 5, Prelude, Isis:
                 Qu. 41, 60: Prelude de la Jeunesse; Qu. 44, 48: Symphonie; Qu. 50:
                 Descente de Juno

       Abschriften: Qu. 22, 31, 32, 37, 38, 41, 44, 45, 48, 50, 52, 58, 60, 72, 78; F-V Ms
                         mus 137; F-Pc X 108

       Druck: Ouverture Avec tous les Airs, Roger

54/30   Junon:

       Abschriften: Qu. 73, 78; US-Sp ML 96 A 75

54/31   II, 6, Entrée pour la Jeunesse:
                 Qu. 32, 41, 44, 48 etc.: Menuet

       Abschriften: Qu. 22, 31, 32, 37, 38, 41, 44, 45, 48, 50, 58, 60, 72, 78, 85; F-Pc X 108

       Druck: Ouverture Avec tous les Airs, Roger

54/32   II, 7, Hebé, Choeur:

       Abschriften: Qu. 60, 73, 78, 85; US-Sp ML 96 A 75

       Druck: (Text) Nouv. Rec., Raflé, 1695

54/33

Premier Air:
Qu. 17, 41, 46, 60 etc.: Air des Plaisirs; Qu. 85: Entrée pour la suite d'Hébé; Qu. 22: Les Plaisirs, les Jeux et les Ris

Abschriften: Qu. 17, 22, 31, 32, 34, 36—38, 41, 44—46, 48—52, 55, 58, 60, 72, 78, 85; F-V Ms mus 137; F-Pc X 108

Transkriptionen: F-Pc Rés F 844, 259 (Gitarre)
                  Duo choisis, 1730, II, 117

Druck: Ouverture Avec tous les Airs, Roger

54/34   Deux Nymphes:

Abschriften: Qu. 17, 34, 51, 55, 57, 60, 64, 66, 73, 75, 78, 79, 85; S-Sk S 173

Druck: Les Trio, Blaeu, 1691, II

54/35   Second Air:
                  Qu. 36: Bourrée

Abschriften: Qu. 17, 22, 31, 32, 34, 36—38, 41, 44—46, 48—51, 55, 58, 60, 72, 78: F-V Ms mus 137; F-Pc X 108

Transkription: Duo choisis, 1730, II, 118

Druck: Ouverture Avec tous les Airs, Roger

54/36   Choeur:

Abschriften: Qu. 17, 22, 32, 34—38, 41, 44—46, 48—52, 55, 60, 65, 72, 78

Transkriptionen: Gresse Manuscript, hrsg. von A. Curtis, in: MMN III, Nederlandse Klaviermuziek uit de 16e en 17e Eeuw, Amsterdam 1961, 109
                  F-B Ms 279.152 (Laute)

Drucke: Ouverture Avec tous les Airs, Roger
                  (Text) Nouv. Rec., Raflé, 1695

Weltl. Parodien: Nouv. Par. bach., 1700, I, 153: *Ah que pour des Buveurs le jus est plein de charmes* (M. Vault); ebd. 250: *Que Bacchus a d'attraits, rendons luy tous les armes*

Geistl. Parodien: L. Chassain, Cant. sacrez, 1684, 24: *Mere de mon Sauveur, ma souveraine dame;* ebd. 34: *O combien de mortels appliquent leur genie;* ebd. 97: *Votre grace, ô Jesus, est cent fois plus féconde;* ebd. 126: *O jour vraîment heureux de palme et de victoire;* ebd. 155, 210, 258
Pellegrin, Les Pseaumes, 1705, 94: *Mortels chéris des Cieux, Chantez le Roi de gloire*
Opera spir., 1710, 65: *Jouissons entre nous du bien qui se presente*
Cant. spir., Lille, 1718, 136: *Je vous croy, mon Sauveur, vivant dans cette Hostie*

54/37   II, 8, Isis, Mercure:

Abschrift: Qu. 79

Druck: Les Trio, Blaeu, 1691, II

54/38   III, 1, Ritournelle, Argus:

Abschriften der Ritournelle: Qu. 22, 44, 50, 52, 59, 79

54/39   III, 2, Argus:

Abschriften: Qu. 22, 35, 52, 59, 65, 73, 75, 78, 79, 85; F-B Ms 279.147; F-Po ♭ 5491

Druck: Les Trio, Blaeu, 1690, I

Weltl. Parodie, hs.:   F-Pa 4843, 249: *Dégageons-nous, amis, du dieu d'amour Suivons Bacchus*

Geistl. Parodie: Desessartz, Nouv. poésies spir., 1733, VII, 35: *Soumettez-vous à la loix du Seigneur*

54/40   Argus, Hierax et Argus:

Abschriften: Qu. 78, 85; F-Po ♭ 5491

54/41   III, 3, Choeur des Nymphes, Ritournelle:

Abschriften: Qu. 22, 44, 52, 59, 79

Druck: Les Trio, Blaeu, 1691, II (nur 2. Teil, *S'il est quelque bien au monde*)

54/42   III, 5, Air des Sylvains et des Satyres:

Abschriften: Qu. 22, 31, 32, 36—38, 41, 44, 45, 48—50, 52, 58, 60, 78; F-Pc X 108

Druck: Ouverture Avec tous les Airs, Roger

54/43   Marche, Violons, Musettes et Hautbois:
                 F-V Ms mus 37: Gavotte

Abschriften: Qu. 22, 31, 32, 36—38, 41, 44—46, 48—50, 52, 55, 58, 60, 64, 66, 72, 78; F-V Ms mus 137; F-Pc X 108

Transkription: d'Anglebert, F-Pn Rés 89ter (Cembalo, Autograph)

Druck: Ouverture Avec tous les Airs, Roger

Weltl. Parodien: Par. bach., 1695, 55, 1696, 75, du Fresne, 1696, 33: *Quel plaisir de vous entendre, Dans un repas étaler les appas* (M.R.)
Nouv. Par. bach., 1700, I, 144: *C'est à tort qu'on louë les fiers Tyrans* (M.V.); dass. S. Vergier, Oeuvres, 1726, 261
Concerts parodiques, 1725, II, 14: *Animé d'un bon vin*

54/44   Second Air, deux Bergers:

Abschriften: Qu. 22, 31, 36, 37, 41, 44—46, 49, 51, 52, 55, 58—60, 68, 73, 79; F-Pc X 108

Drucke: Les Trio, Blaeu, 1691, II
Trios de Differents Auteurs, Babel, II
Ouverture Avec tous les Airs, Roger

Weltl. Parodie: F-Pa 4843, IV, 248: *Quel bien devez-vous attendre Vous qui soupirez nuit et jour*

54/45

III, 6, Troisiéme Air:
Qu. 22, 44, 58 etc. Menuet

Abschriften: Qu. 22, 31, 32, 36—38, 41, 44, 45, 48—50, 52, 58, 60, 72, 78, 85; F-Pc
               X 108

Transkription: F-Pn Rés 2094 (Orgel)

Druck: Ouverture Avec tous les Airs, Roger

54/46   Pan:

Abschriften: Qu. 78, 85

54/47   Choeur des Nymphes, la chasse:

Abschriften: (Choeur) Qu. 22, 35; (la Chasse) Qu. 38, 49, 78; F-Pc X 108

Weltl. Parodie: Gherardi, Théâtre, 1717, IV, 66: *Courons à la tasse*

54/48   Plainte du Dieu Pan:

Abschriften: Qu. 22, 85; F-B Ms 279.147; US-Sp ML 96 A 75

Druck: Les Trio, Blaeu, 1690, I

Literatur: Le Cerf de la Viéville, Comparaison, II, 188

54/49   Pan:

Abschriften: Qu. 22, 35, 59, 75, 78, 79, 85; F-B Ms 279.147; US-Sp ML 96 A 75

54/50   Junon:

Abschriften: Qu. 76, 78

Weltl. Parodie, hs.:   F-Pa 4843, IV, 249: *Ah! tu me fais . . ., ah! que de maux*

54/51   Des Peuples paroissent transis de froid:
                        Qu. 32: Les glacez; Qu. 36, 41, 60 etc.: Les Trembleurs

Abschriften: Qu. 17, 22, 31, 32, 34—37, 41, 44, 45, 48—50, 52, 55, 60, 72, 78; F-Pc
                        X 108

Druck: Ouverture Avec tous les Airs, Roger

Weltl. Parodien, hs.:   Chansonnier Maurepas 12619, 351 (1676): *Luxembourg couvert de gloire;*
                        ebd. 391 (1677) *Luxembourg croit que sa gloire;* ebd. 405 (1677) *Ça du*
                        vin que l'on m'en donne; ebd. 406 (1677): *Le fameux Prince d'Orange;*
                        ebd. 12629, 359 (1718, sur le pere Camerade): *Escoutez tous une histoire;*
                        ebd. 12640, 50 (1677): *Quand ce grand Prince d'Orange;* ebd. 102 (1677):*
                        Ha que ce vin me chatouille (La Fond); ebd. 147 (1678): *Apres un an de*
                        veuvage (l'abbé Martinet); ebd. 220 (1680): *Le Roy mettra à l'amande;*
                        ebd. 12642, 1 (1693): *Par les grands soins de du Pile;* ebd. 53 (1693):*
                        Le brave Prince d'Orange; ebd. 12643, 402 (1704): *Sçavez-vous comment*
                        se nomme
                        F-Pa 4842, 285: *C'en est fait belle Silvie;* dass.
                        GB-Lbl Egerton 1520, III, 62
                        GB-Lbl Egerton 814, 471 (1688): *Luxembourg croit que sa Gloire*
                        ebd. Egerton 315, 349: *Ah que ce vin me chatouille*
                        ebd. Egerton 817, 376 (1735, sur le Comte de Broglio fait maréchal de
                        France): *La surprise de Broglio ne tache rien de sa vie*
                        ebd. 463 (1793): *Pour peindre d'aprés nature*
                        GB-Lbl King's 337, 96 (1734): *La surprise de Broglio;* ebd. 125: *Pour*
                        peindre d'aprés nature
                        F-LYm Ms 1545, 193 (1688): *Luxembourg croit que sa gloire*

Drucke: Par. bach., 1695, 56, 1696, 77, du Fresne, 1696: *L'autre jour le pere Eugene*
                        Gherardi, le Théâtre, 1695, 528: *Qu'un homme entre en mariage*
                        Nouv. Rec., Raflé, 1695: *L'autre jour Dame Clotine*
                        Mme de Sainctonge, Poésies, 1696, 139: *Non, il ne m'importe guere*
                        de Coulanges, Rec., 1698, 197: *Le cruel mal que la goutte*
                        Nouv. Rec., Raflé, 1697, 112: *Qu'un homme entre en mariage*
                        Nouv. Par. bach., 1700, I, 150: *L'autre jour le pere Eugene*
                        Théâtre de la Foire, 1721, I (Air 61) passim, II (Air 61) passim, III (Air
                        61) passim, IV (Air 74), 274, VI passim, VII passim, VIII passim, IX pas-
                        sim, IX, 2e partie passim
                        L. Fuzelier, Dorneval, La Grand-mere amoureuse, s. n. s. d. (1726), 49:
                        Venez chercher le supplice
                        Piron, Le Caprice (1724), in: A. Font, Favart, l'Opéra-Comique et la
                        Comédie-Vaudeville, 1894, 96: *Oui morbleu! Vive la rime*
                        Anonym: Phaéton, parodie, s. n. s. d. F-Pn Th^B 627, 32: *Les uns viennent*
                        d'Italie

Concerts parodiques, 1732, IV, 40: *Une tres grosse montagne*
Les Parodies du Nouv. Théâtre ital., 1731, I (Air 5) passim, II (Air 5) passim, III (Air 5) passim
ebd. 1738, I, II, III, IV, VI passim
Carolet, Pierrot Cadmus, 1737, 38: *Mars, ô Mars impitoyable*
C.-F. Panard, A. Sticotti, Roland, parodie nouvelle, 1744, 46: *J'ai donc découvert leur trame*
de Coulanges, Recueil, 1694, 70, 1696, 196, Chansons, 1754, 92: *Quel plaisir sur l'onde amere*
J. Bailly, Roland ou le médecin amoureux, 1756: *A la rage il s'abandonne*
C. S. Favart, Pétrine, parodie de Proserpine, 1759, 36: *Non, Madame, je n'ai garde*
C.-F. Panard, Théâtre et Oeuvres diverses, 1763, passim
Anthologie françoise, 1765, III, 199: *Pour peindre d'après nature*
L'abbé de l'Attaignant, Poésies, London, 1766, II, 254 (Portrait de Mme de Vernouillet): *Pour peindre d'après nature*
Ch. Collé, Théâtre de Société, 1768, I, 18: *O noirceur épouvantable*
de Piis, Chansons choisis, 1779 und 1806: *Avoir messieurs les gluckistes*
Nouv. Recueil de chansons choisis, Genf, 1785, IV, Air 13
Révolutions lyriques où le Triomphe de la Liberté Françoise, Paris, chez Frere, F-Pn Vm⁷ 7092, N° 30: *En vain ce fort detestable, dont la masse épouvantable*
La Clé du Caveau, à l'usage de tous les Chansonniers Français, Troisième édition, Paris 1827—1830, 731: *Une vieille qui roupille*
Vgl. auch P. Barbier, F. Vernillat, Histoire de France par des chansons, 1956, II, 96, III, 144, 169, 194, IV, 57, 243

Geistl. Parodie:

Odon de Noei, s. d. 10: *Dan éne Etaule en in carre*

Literatur:

La Laurencie, Lully, 154, 187

54/52

Choeur des Peuples des Climats glacés:

Abschriften:

Qu. 17, 22, 34, 35, 78, 79

Weltl. Parodie, hs.:

F-Pa 4843, 249: *Le vin seul nous enchante*

54/53

IV, 3, Choeur des Chalytes:

Abschriften:

Qu. 22, 50 (2. Teil)

54/54

Entrée des Forgerons:

Abschriften:

Qu. 22, 31, 32, 36, 37, 41, 44, 45, 48, 49, 52, 58, 60, 64, 72; F-V Ms mus 137, Ms mus 165; F-Pc X 108

Druck:

Ouverture Avec tous les Airs, Roger

Weltl. Parodie:

Dufresny, Venus justifiée (1693), in: A. Font, Favart, 1894, 12

306

54/55   Choeur:

E=xé=cu=tons l'Ar=rest du sort,

Abschriften: Qu. 22, 50, 72

54/56   IV, 6, Premier Air des Parques:
Qu. 41, 60 etc. Les Maladies furieuses; Qu. 32: Les fureurs de la guerre;
Qu. 36: La guerre et la famine; Qu. 22: la guerre; Qu. 72: Les lutins

Abschriften: Qu. 22, 31, 32, 36, 37, 41, 44, 45, 47—50, 52, 58, 60, 62, 72; F-Pc X 108

Druck: Ouverture Avec tous les Airs, Roger

54/57   Second Air des Parques:
Qu. 41, 60 etc.: Les Maladies lentes; Qu. 22, 36, 37: Les Malades; Qu. 32:
Les Maladies languissantes

Abschriften: Qu. 22, 31, 32, 36, 37, 41, 44, 45, 48—52, 60, 62, 72; F-Pc X 108

Druck: Ouverture Avec tous les Airs, Roger

54/58   IV, 7, Ritournelle, les trois Parques:

Le fil de la vi=e, le fil

Abschriften der Ritournelle: Qu. 22, 35, 44, 49, 51, 52, 59, 79, 85; F-Pn Rés 1856

Abschriften des Terzetts: Qu. 73, 79, 85

Literatur: Le Cerf de la Viéville, Comparaison, I, 70, II, 299; La Laurencie, Lully, 154

54/59   V, 1, Ritournelle, Rondeau, gravement, Io:

Ter=mi=nez mes tour=ments, puis=sant

Abschriften der Ritournelle: Qu. 17, 22, 34, 44, 47, 50—52, 55 (g-Moll), 56, 57, 59, 79, 85

Abschriften des Air: Qu. 73, 75, 76, 78, 85

Weltl. Parodien, hs.:   F-Pa 4843, IV, 250: *Terminons nos tourments, buvons tous à la ronde*
Mme de Sévigné, Correspondance, hrsg. R. Duchêne, II, 497: *Terminez mes tourments, puissant maître du monde*

Geistl. Parodie: Opera spir., 1710, 9: *Finissez nos langueurs, Dieu d'éternelle essence*

Literatur: Le Cerf de la Viéville, Comparaison, II, 139

54/60   V, 2, Prelude, Jupiter:

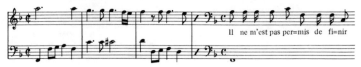

Abschriften des Prélude: Qu. 22, 32, 36, 37, 44, 48—52, 58; F-Pc X 108
Abschriften des Air: Qu. 76, 78

54/61   V, 3, Junon, Jupiter:

Abschrift: Qu. 76

54/62   Jupiter:

Abschriften: Qu. 76, 78, 85

54/63   La Furie:

Abschriften: Qu. 78, 85

54/64   Junon, Jupiter, Choeur:

Abschriften: (Choeur) Qu. 22, 35

54/65   Rondeau, Canaries:
Qu. 24, Table des airs à jouer: Rondeau pour les Egyptiens; Qu. 41, 55, 60
etc.: Rondeau des Divinitez

Abschriften: Qu. 22, 24, 31, 32, 36, 41, 44, 45, 48—50, 52, 55, 60, 72, 78; F-Pc X 108
Druck: Ouverture Avec tous les Airs, Roger

54/66   Second et dernier Air:

Abschriften: Qu. 22, 31, 32, 36—38, 41, 44—46, 48—50, 52, 55, 58, 60, 72, 78; F-Pc
                                    X 108

Druck: Ouverture Avec tous les Airs, Roger

LWV 55
TE DEUM

Erste Aufführung: 9. 9. 1677 in Fontainebleau

Abschriften: F-Pc Rés F 666; Rés F 1110; D 7218; F-Pn Vm¹ 1040; Vm¹ 1051; Rés 697
                                    (Basse continue, Philidor); D-B Mus ms 13260; B-BR Ms II 3847, II;
                                    F-Pc Rés F 1714; F-Pn Vm¹ 1702 (unvollständig); F-LYm 133719
                                    Qu. 24 (Trompetenstimme); DDR-SW (Stimmen); DDR-Dl(b) Mus 1827-
                                    D-1 und D-2

Stimmendruck: *Motets / à deux choeurs / Pour la Chapelle du Roy. / Mis en Musique /*
                                    Par Monsieur De Lully Escuyer, Conseiller Secretaire du Roy, / Maison,
                                    Couronne de France & de ses Finances, & Sur-Intendant, de la Musique
                                    de Sa Majesté / [Stimmenbezeichnung] / A Paris / Par Christophe Bal-
                                    lard . . . 1684

Druck des Textes: *Motets et Elévations Pour la Chapelle Du Roy, Ballard, 1703*

Literatur: Le Cerf de la Viéville, Comparaison, I, 93; III, 68; La Laurencie, Lully,
                                    127 f.; Prunières, Lully, 87; W. P. Cole, The Motets of Jean-Baptiste Lully,
                                    Diss. Univ. of Michigan, 1967

LWV 56
PSYCHE

Bezeichnung: Tragédie en Musique

Text: Philippe Quinault, Thomas Corneille und Bernard le Bovier de Fontenelle

Erste Aufführung: 19. 4. 1678 im Palais Royal

Librettodrucke: *Psyché, / Tragedie / Représentée / Par l'Academie royale de musique. / On*
                                    la vend / A Paris, / A l'Entrée de la Porte de l'Academie royale de /
                                    musique, Paris, R. Baudry, 1678, F-Pa
                                       Lyon, T. Amaulry, 1678, F-Pa
                                       Suivant la copie imprimée à Paris, Amsterdam s. n. 1680, D-KNub
                                       Paris, Ballard, 1682, B-Bc

Suivant la copie imprimée à Paris, Amsterdam s. n. 1682
Suivant la copie imprimée à Paris, [Amsterdam] s. n. 1683, F-Pn
in: Recueil des Opera, des Balets, Amsterdam, A. Wolfgang, 1684, D-HR
Suivant la copie imprimée à Paris, [Amsterdam] s. n. 1685, F-Rm
Wolffenbüttel, C. J. Bismarck, 1686, D-BS
Imprimé à Paris, se vend à Anvers, H. Van Dunwaldt, 1687, D-Mbs
Suivant la copie imprimée à Paris, [Amsterdam] s. n. 1688, D-Tu
Amsterdam, H. Wetstein, 1688, F-Pn
in: Recueil des Opera, Amsterdam, A. Wolfgang, 1690, D-HR
Lyon, T. Amaulry, 1698, D-HS
Suivant la copie imprimée à Paris, [Amsterdam] s. n. 1699, F-Pn
Amsterdam, H. Schelte, 1702, D-F
Paris, Ballard, 1703, F-Pn
in: Recueil général des Opera, Paris, Ballard, 1703, F-Pn
in: Recueil des Opera, Amsterdam, H. Schelte, 1712, D-Tu
Paris, Ballard, 1713, F-Pn
Wolffenbüttel, C. Bartsch, 1719, D-BS
in: Recueil des Opera, La Haye, G. de Voys, 1726, D-F

Abschriften:	F-Po A10a (1678, Vignol scripsit); A10b; F-V Ms mus 101 (1702, Philidor); Ms mus 102; F-Pc Rés F 622; F-Pn Vm² 38; Vm² 41; Vm² 40; Rés Vm² 20 (Foucault); F-Pim; ehemals GB-T Ms 271, jetzt F-Pn Rés F 1706; F-Pa M 881; US-Sp ML 96. L 85 (Signatur Valentin Alleaume); F-AIXm Ms 1700;, F-TLm Rés Cons 21; F-B Ms 13749 (kopiert von Ferré); D-Sl HB XVII 414; F-Pn Vm² 39 (fehlen zwei Seiten); F-LYm Ms 27336; F-Lm Fonds mus 4001; I-MOe Mus C 211 (Foucault); F-Po A10d und A10e; GB-LKc; GB-Lbl RM 21.h.12; D-B Mus ms 13263; US-BE Ms 450; B-Lu Ms 1879 D; Ms 3255 D; US-BE Ms 450; D-MZschneider Partition réduite: F-Pn Rés F 623; F-LYm Ms 27336a; F-Re Ms 2525; F-PMeyer; F-TLm Cons 22 (Copié . . . par Mr. Philidor, Fait à Dreux l'an 1728); F-B Ms 13750
Druck in Partition générale:	*Psyché, / Tragedie / Mise en Musique / Par Monsieur De Lully, Ecuyer-Conseiller- / Secretaire du Roy, Maison, Couronne de France / & de ses Finances, & Sur-Intendant de la Musique / de Sa Majesté; / Representée par l'Academie Royale / de Musique, en l'Année 1678. / Partition Generale, / Imprimée pour la premiere fois. / Oeuvre VIII.* [Druckerzeichen Ballards mit Lilienwappen] */ De l'Imprimerie / De J-B-Christophe Ballard, Seul Imprimeur du Roy pour la Musique / à Paris, ruë Saint Jean-de-Beauvais, au Mont-Parnasse. / M.DCCXX. / Avec Privilege de Sa Majesté.*
Stimmen:	Qu. 21—23, 28, 30; ehemals GB-T Ms 19—22, jetzt F-Pn Rés F 1707 (1703, Philidor, Vokalstimmen), Ms 148—151 (Instrumentalstimmen)
Suitendrucke:	Les / Simphonies / à 4. / Avec les Airs / Et Triots, / de / Psyché, / Mise en Musique / Par Monsr. de Lully. / [Stimmbezeichnung] / A Amsterdam, / Par A. Pointel [ca. 1687—1700] Ouverture / Avec tous les Airs à jouer / du Ballet / de Psyché / par / Mr. Baptiste Luly / . . . A Amsterdam / Chez Estienne Roger Marchand Libraire [1705]
Szen.-dramatische Parodien, bibliographisch nachgewiesen bzw. handschriftlich:	Anonym oder L. Fuzelier: Parodie de Psyché (1713, Foire de Saint-Germain, Troupe Baxter et Saurin, nach Cucuel, L'Année Musicale III, 1713, S. 252 ff.) Letellier: Psyché (1714, nach Bibliothèque de Soleinne und Grout)

56/1—7   Identisch mit 45/1—7

56/8   Venus:

                                Pour=quoy du Ciel m'ob= li = ger   à des = cen=dre

        Abschrift: Qu. 78

56/9   Prelude pour la descente de l'Amour, Venus:
                                Druck 1720: Ritournelle; Qu. 44, 85: Symphonie; Qu. 72: Air viste

                                Mon fils   si tu plains mes mal= heurs

        Abschriften des Prélude: Qu. 22, 37, 38, 43—45, 48, 50, 52, 60, 62, 64, 72, 85; F-V Ms mus 165
        Druck: Les Simphonies à 4, Pointel
        Abschrift des Rezitativs: Qu. 78

56/10   I, 1, Ritournelle, Aglaure:

                                En=fin ma soeur le Ciel est ap=pai = sé

        Abschriften der Ritournelle: Qu. 22, 44, 45, 50, 52, 59, 79, 85; F-B 13750
        Druck: Les Simphonies à 4, Pointel: Trio

56/11   Aglaure:

                                A=prés un - temps plein d'o= ra = ge

        Abschriften: Qu. 78, 85; US-Sp ML 96 A 75

56/12   Aglaure, Cidippe:

                                Ah   qu'il est dan= ge = reux de trou = ver

        Abschriften: Qu. 73, 75, 78, 79, 85; F-B 13750
        Druck: Les Trio, Blaeu, 1691, II

56/13—15   Identisch mit 45/8—10

56/16   II, 1, Prelude, Vulcain:
               Qu. 60, F-Pc Rés F 623: Les Cyclopes

Abschriften des Prélude: Qu. 22, 43—45, 48, 50, 52, 60, 62, 72, 78, 85

Druck: Les Simphonies à 4, Pointel

Abschrift des Rezitativs: Qu. 78

56/17, 18   Identisch mit 45/11, 12

56/19   II, 2, Zephire:

Abschrift: Qu. 78

56/20, 21   Identisch mit 45/13, 14

56/22   II, 3, Ritournelle, Venus:

Abschriften der Ritournelle: Qu. 22, 45, 50, 52, 59, 72, 79

Drucke: Les Simphonies à 4, Pointel
                            Trio de Differents Auteurs, Babel, II, 129

Abschrift des Air: Qu. 78

56/23   Prelude, Psyché:

Abschriften des Prélude: Qu. 22, 37, 43—52, 55, 60, 62, 66, 68, 72

Druck: Les Simphonies à 4, Pointel

Abschriften des Rezitativs: Qu. 75, 78

56/24   II, 5, Symphonie cachée, Venus:
                            Qu. 43, 46: Passacaille de flûtes et de violons; Qu. 55, 60: Symphonie en
                            trio

Abschriften: Qu. 22, 31, 37, 38, 43—48, 50—52, 55, 60, 72, 78, 79, 85; F-B 13750

Druck: Les Simphonies à 4, Pointel: Trio Symphonie

Abschriften des Dialogs: Qu. 75, 85

56/25   Venus, la Nymphe:

Aimez, aimez, il n'est de beaux airs

Abschriften:	Qu. 78, 79, 85
Druck:	Les Trio, Blaeu, 1691, II

56/26   II, 6, Ritournelle, l'Amour:

Et bien Psyché des cruautez du sort

Abschriften:	Qu. 22, 75; F-B 13750

56/27   Psyché, l'Amour:

Ah qu'en amour le plaisir, le plaisir

Abschriften:	Qu. 78, 79; F-B 13750
Druck:	Les Trio, Blaeu, 1691, II

56/28—30   Identisch mit 45/15—17

56/31   III, 1, Ritournelle, Venus:

Pompe que ce Palais de tous côtés

Abschriften der Ritournelle:	Qu. 22, 38, 43—45, 49—52, 59, 79, 85; F-Pn Rés 1856
Drucke:	Les Simphonies à 4, Pointel Trios de Differents Auteurs, Babel, I
Abschriften des Rezitativs:	Qu. 78, 85

56/32   III, 2, Ritournelle, Psyché:

Que fais-tu, montre-moy

Abschriften:	Qu. 22, 73, 75, 78, 85; F-B 13750

56/33   III, 6, Ritournelle, Psyché:

Vous me demandez donc

Abschriften:	Qu. 22, 38, 44, 45, 50, 52, 59, 79; F-B 13750

56/34   IV, 1, Ritournelle, Psyché:

Abschriften der Ritournelle: Qu. 22, 44, 79; F-B 13750

Abschriften des Rezitativs: Qu. 78; F-B 13750

56/35   IV, 2, Prelude, les trois Furies:

Abschriften des Prélude: Qu. 22, 37, 44, 45, 48, 50, 52, 60, 72; F-V Ms mus 137

Druck des Terzetts: Les Trio, Blaeu, 1691, II

56/36   Identisch mit 45/18

56/37   IV, 3, Prelude, les trois Furies:

Abschriften des Prélude: Qu. 22, 37, 38, 44, 45, 48, 52, 72, 85; F-B 13750

Druck des Terzetts: Les Trio, Blaeu, 1691, II

56/38   Une Nymphe:

Abschriften: Qu. 78, 85; F-B 13750; US-Sp ML 96 A 75

56/39   Deux Nymphes:

Abschriften: Qu. 79, 85; F-B 13750

Druck: Les Trio, Blaeu, 1691, II

56/40   IV, 1, Ritournelle, Psyché:

Abschriften der Ritournelle: Qu. 22, 39, 44, 45, 50, 52, 79; F-B 13750

Druck: Les Simphonies à 4, Pointel

Abschriften des Rezitativs: Qu. 78; F-B 13750

56/41   Scene derniere: Prelude, Jupiter:

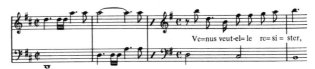

Abschriften des Prélude: Qu. 22, 37, 38, 43—45, 48—50, 52, 72

56/42—60   Identisch mit 45/19—37

LWV 57
BELLEROPHON

Bezeichnung:	Tragédie
Text:	Thomas Corneille, Bernard le Bovier de Fontenelle, Nicolas Boileau-Despréaux
Erste Aufführung:	31. 1. 1679 im Palais Royal

Librettodrucke: *Bellerophon / Tragedie. / Representée / Par l'Academie Royale / de Musique, Paris, Ballard, 1679,* F-Pn

Paris, Mille de Beaujeu, 1679, F-Pa
Suivant la copie imprimée à Paris, [Amsterdam] s. n. 1679, D-KNub
Paris, Ballard, 1680, F-Pn
Suivant la copie imprimée à Paris, Amsterdam, A. Wolfgang, 1682, US-Wc
Imprimé à Paris, se vend à Anvers, H. Van Dunwaldt, 1683, D-BFb
Suivant la copie imprimée à Paris, Amsterdam, A. Wolfgang. 1864, D-BFb
Imprimé à Paris, se vend à Anvers, H. Van Dunwaldt, 1685, D-Mbs
s. l. 1687, F-Pa
imprimé à Paris, et on les vend à Anvers, H. Van Dunwaldt, 1688, F-Pn
in: Recueil des Opera, des Balets, Amsterdam, A. Wolfgang, 1690, D-Hs
Suivant la copie imprimée à Paris, Amsterdam, A. Wolfgang, 1699, F-Po
Lyon, s. d., F-LYm
Amsterdam, H. Schelte, 1702, D-HR
in: Recueil général des Opera, Paris, Ballard, 1703, F-Pn
Paris, Ballard, 1705, F-Pn
in: Recueil des Opera, Amsterdam, Schelte, 1712, D-Tu
Paris, P. Ribou, 1718, F-Pn
Paris, Ballard, 1728, F-Pn
Paris, Ballard, 1773, F-Pn

Abschriften: Partition générale: F-Pn Vm² 45; Vm² 35; US-Cu; F-BO Ms 643; GB-CKc Ms 19; US-BE Ms 446
Partition réduite: F-B Ms Z 511 (1693, Kopie von La Monnoye); F-Pa M 937 II; F-C Ms 1074; F-AIXm Ms 1701; F-Pn Rés F 577; Rés F 576; F-Pc X 25; S-Uu Vok mus i hs 58

Druck in Partition générale:	*Bellerophon / Tragedie. / Mise en Musique, / Par Monsieur De Lully, / Sur-Intendant de la Musique / du Roy.* / [Druckerzeichen Ballards] / *A Paris, / Par Christophe Ballard, seul Imprimeur du Roy pour la Musique, / rüe S. Jean de Beauvais, au Mont de Parnasse. / Et se vend à l'Entrée de la Porte de l'Academie Royale de Musique, / au Palais Royal, rüe S. Honoré. / M.DC.LXXIX. / Avec Privilege de sa Majesté.*
Druck in Partition réduite:	Seconde édition, Paris, C. Ballard (gravée par H. de Baussen), 1714
Stimmen:	Qu. 21—23, 25, 28, 29, 30; F-Po A 11d (basse continue); ehemals GB-T Ms 15—18, jetzt F-Pn Rés F 1709 (1703, Philidor, Vokalstimmen), Ms 144—147 (Instrumentalstimmen); F-Pn Vm² 46 (dessus); F-Po Fonds La Salle (basse des choeurs)
Ariendruck:	*Bellerophon / Tragedie. / Mise en Musique, / Par Monsieur De Lully, / Sur-Intendant de la Musique / du Roy. / Presentée, / A. S. A. Madame la Princesse, / et Abesse de Monsterblce [sic], / et Contesse Daspremont. / et Rayquem. / Se vend a Amsterdam sur le pype Marcx au Schilt / van Vrankryk, chez Amedée le Chevalier, 1692. /*
Suitendruck:	*Ouverture / avec tous les Airs à jouer de / l'Opera de / Bellerophon / Par / M*r*. Baptiste Luly / . . . A Amsterdam / Chez Estienne Roger Marchand Libraire* [ca. 1700—1701]
Szen.-dramatische Parodien, Drucke:	M. Dufresny: L'Union des deux Opera (16. 8. 1692, Comédiens italiens du roi) in: Le Théâtre de Gherardi, Amsterdam 1701, Paris 1717, Amsterdam 1721 P. F. Biancolelli, J.-A. Romagnesi: Arlequin Bellérophon (6. 5. 1728 Théâtre italien), in: Les Parodies du Nouveau Théâtre italien 1731 und 1738, Zusammenfassung in Mercure März, S. 1019—1031
Literatur:	F-LYm Ms 1260 Avis salutaire touchant l'Opera, passim; Prunières, Lully, 100; Borrel, Lully, 62; Girdlestone, La tragédie en musique, 130 f.; Isherwood, Music in the service, 221—225; Anthony, French baroque music, 80 f., 86 f., 112—114; Newman, Formal Structure, 143—145

57/1	Ouverture:

Abschriften:	Qu. 22, 31, 32, 36, 37, 39, 41, 44—46, 48—52, 58, 60, 64, 68, 72, 78; F-Po (b. c. St.); F-V Ms mus 165; S-VX Mus ms 6; F-Pc X 108
Transkriptionen:	F-Pn Rés 2094 (Orgel) B-Bc Ms 27220 (Cembalo) GB-Lbl Add 39569 (Cembalo, 32e suite) Les Ouvertures des opera, 1725 (Cembalo)
Druck:	Ouverture avec tous les Airs, Roger
Weltl. Parodien, hs.:	Chansonnier Maurepas 12620, 57 (1680): *Arboulin, Faux Marchand de Vin;* ebd. 147 (1681): *De Frémont, Mallet de Renaud;* 12628, 280 (1718): *Vertigué M. le Regent;* 12640, 275 (1682): *Si l'himen vous paroist doux* F-Pa Chansonnier Ms 4843, 227: *Arboulin Qu'un esprit malin* GB-Lbl Egerton 1520, f. 33: *Vertigué M. le Curé* F-V Ms mus 262: *Prends ton froc, Ton sac et ton broc*
Drucke:	Par. bach. 1695, 68, 1696, 90, du Fresne, 1696, 41: *C'en est fait Ingratte Babet* (M.D.L.F.); dass. Les Ouvertures des opera, 1725; Le Tribut de la toilette (1744), 176: *Prends ton frere, Ton sac et ton broc* Nouv. Rec. Raflé, 1695: *Vos mépris, Trop ingrate Iris* La Monnoye, Oeuvres, 1770, 167: *Belle Iris, Vous m'avez appris*

Geistl. Parodien: La Monnoye, Noei compôzai l'an MDCC, 73: *Lucifar N'á pa si gran clar*
Pellegrin, Cant. spir., 1701, 144: *Monde affreux Monde dangereux*
ders. Noëls nouveaux, 1702, Rec. III, 211: *Celebrons Ce jour fortuné;* Rec. V, 394: *L'Univers Est sorti des fers*
Odon de Noei, s. d., 18: *Lucifar Au crô dé zanfar*
Opera spir., 1710, 6: *Dieu clément Qui du firmament*

Timbre: Vos mépris, trop ingrate Iris

57/2   Prologue, Apollon:

Abschriften: Qu. 73, 74, 78
Druck: Le Chevalier, 1692
Geistl. Parodie: Opera spir., 1710, 2: *Muses, quittez pour quelque temps*

57/3   Choeur:

Abschriften: Qu. 50, 73, 74, 79
Drucke: Les Trio, Blaeu, 1691, II
                Le Chevalier, 1692

57/4   Marche pour l'Entrée de Bacchus et de Pan; Qu. 46, 55, 66: Les Silvains

Abschriften: Qu. 22, 31, 36, 37, 39, 41 (*Isis*-Suite), 44—52, 55, 58, 60, 62, 64, 66, 68, 72, 74; F-Po (b.c.St.); F-V Ms mus 137, Ms mus 165; F-Pc X 108
Druck: Ouverture avec tous les Airs, Roger
Weltl. Parodien, Drucke: Par. bach., 1695, 72, 1696, 98, du Fresne, 1696, 44; Nouv. Rec., Raflé, 1695, 58; Nouv. par. bach., 1700, I, 176: *Nous avons encore plus d'une bouteille*
                Les Par. Nouv., 1730, 13: *Non, je ne veux plus aimer Silvie*

57/5   Bacchus, Pan:

Abschriften: Qu. 74, 78
Druck: Le Chevalier, 1692
Geistl. Parodie: Opera spir. 1710, 2: *Nous quittons volontiers nos paisibles retraites*

57/6   Choeur:

Chan=tons, chan=tons le plus grand des mor = tels, chan=tons, chan=

Abschriften: Qu. 22, 35, 37, 50, 74; F-Po (b. c. St.)

57/7   Choeur, Menuet:

Pour=quoy n'a=voir pas le coeur ten = dre

Abschriften: Qu. 31, 36, 37, 39, 41 (*Proserpine*-Suite), 44—46, 48—50, 52, 55, 58, 60,
                        72, 74, 78; F-Po (b.c.St.); US-Sp ML 96 A 75; F-Pc X 108

Transkriptionen: F-Pn Rés 823, f° 24 v° (Laute)
                        B-Bc Ms 27220, 146 (Cembalo)
                        F-Pc Rés F 844, 77 (Gitarre)

Drucke: Le Chevalier, 1692
                        Ouverture avec tous les Airs, Roger
                        (Text) Nouv. Rec., Raflé, 1695

Weltl. Parodien, hs.:   F-Pn Rés 684, 1: *Pourquoi n'avoir pas*
                        F-Pa Ms 4842, 271: *Pourquoi renfermer une belle*
                        GB-Lbl Egerton 1520, III, 45 v°: *Pour aller sous votre chemise*

Drucke: Mme de Sainctonge, Poésies, 1696, 141: *Vous savez bien que je soupire*
                        Nouv. Par. bach., 1700, I, 179: *Depuis l'amour t'a sçu seduire*
                        d'Urfey: Songs Compleat, Pleasant and Divertive, 1719, 279: *Ah! Philis
                        why are you less tender?*
                        Théâtre de la Foire, 1721, III, Air 200
                        ebd. 1724
                        ebd. 1731
                        Le Bas, Le Festin, 1738, II, 112: *Vous ferez cuire à l'ordinaire*

Geistl. Parodien: Pellegrin, Cant. spir., 1701, 181: *Objet de ma nouvelle flamme*
                        ders. Pseaumes, 1705, Nr. 20: *Un Dieu prend soin de me conduire*
                        ders. Noëls, 3e Rec. 1725, 236: *Le ciel ne nous est plus contraire*
                        Opera spir., 1710, 55: *Chantons de Jesus la victoire*
                        Cantiques, Lille, 1718, 19: *Quand il est juste d'aimer*
                        Pellegrin, Chansons, 1722, 17: *Je vais chercher la solitude*

57/8   Entrée des Aegipans et Menades:
                        Roger: Les Bacchanales; Qu. 46, 55, 62, 66: Gigue

Abschriften: Qu. 22, 31, 36, 37, 39, 41 (Isis-Suite), 44—50, 52, 55, 58, 60, 62, 64, 66,
                        72, 74, 78; F-Po (b.c.St.); F-V Ms mus 165

Drucke: Ouverture avec tous les Airs, Roger

| 57/9 | Menuet pour les Bergers: |

| Abschriften: | Qu. 22, 31, 36, 37, 39, 41, 44—46, 48, 50—52, 58, 60, 74, 78; F-Po (b.c.St.); F-Pc X 108 |
| Druck: | Ouverture avec tous les Airs, Roger |

| 57/10 | Pan: |

| Abschrift: | Qu. 74 |
| Druck: | Le Chevalier, 1692 |

| 57/11 | Apollon: |

| Abschriften: | Qu. 73, 74, 78 |

| 57/12 | Choeur: |

| Abschriften: | Qu. 22, 35, 50, 74; F-Po (b.c.St.) |

| 57/13 | I, 1, Stenobée: |

| Abschrift: | Qu. 78; US-Sp ML 96 A 75 |
| Druck: | Le Chevalier, 1692 |

| 57/14 | Stenobée: |

Abschriften:	Qu. 78; F-Pn Rés 684
Drucke:	Le Chevalier, 1692
	(Text) Nouv. Rec., Raflé, 1695
Geistl. Parodie:	Pellegrin, Pseaumes, 1705, 442: *Grand Dieu qui vois mon coeur*

57/15   Stenobée:

Abschriften: Qu. 73, 75, 78; F-Pc Rés 684

Drucke: Le Chevalier, 1692
        (Text) Nouv. Rec., Raflé, 1695

Geistl. Parodie: Pellegrin, Pseaumes, 1705, 32: *Seigneur, serez-vous inflexible*

57/16   I, 2, Philonoé:

Abschriften: Qu. 73, 78

Druck: Le Chevalier, 1692

Geistl. Parodie: Pellegrin, Pseaumes, 1705, 434: *Sans l'appuy du tres-haut Nous ne pouvons*
        rien faire

57/17   I, 3, Argie:

Abschriften: Qu. 73, 75, 78; D-BNms 585/82; US-Sp ML 96 A 75

Druck: Le Chevalier, 1692

Geistl. Parodien: Pellegrin, Cant. spir., 1706, 267: *Quelle est la douleur qui nous presse*
        ders. Histoire, 1702, 101: *Seigneur, dans la fin qui nous presse;* ebd. 179:
        Seigneur à nos voeux si propice
        ders., Les Pseaumes, 1705, 196: *C'est en tremblant que je m'adresse à vous;*
        ebd. 326: *Seigneur, deviens-moy favorable*
        ders. Imitation, 1727: *Quelle est la douleur*

57/18   I, 4, Prelude, le Roy:

Abschriften des Prélude: Qu. 22, 36, 37, 39, 41, 44, 45, 48, 50—52, 58; F-Po (b.c.St.); F-Pc X 108

Druck: Ouverture avec tous les Airs, Roger

57/19   Trompettes:
        Roger und Qu. 41, 48, 55 etc.: Marche; Qu. 22, 62, 78, etc.: Rondeau

Abschriften: Qu. 22, 24, 31, 32, 36, 37, 39, 41, 44—46, 48—50, 52, 55, 58, 60, 62, 72,
        78; F-Po (b.c.St.); F-Pc X 108

Transkription: F-Pc Rés F 844, 245 (Gitarre)

Druck: Ouverture avec tous les Airs, Roger

57/20   I, 5, Le Roy:

Ve=nez, ve=nez goû=ter les doux fruits de la gloi=re

Geistl. Parodie: A.H.P.E.L.D.L., Cantiques, 1692, 6: *Eveillez-vous, Bergers, & me prestés l'oreille*

57/21   Le Roy:

Un hé=ros que la Gloire é = le=ve n'est qu'à de = my

Abschriften: Qu. 73, 77; US-Sp ML 96 A 75

57/22   Prelude, Choeur des Amazones et des Solymes:

Quand un vain=queur est tout bril=lant de

Abschriften des Prélude: Qu. 22, 35, 50, 52; F-Po (b.c.St.)

57/23   Premier Air:
                 Qu. 31, 41, 46, 55, 58 etc.: Les Amazones

Abschriften: Qu. 22, 36, 37, 39, 41, 42, 44—46, 48—50, 55, 58, 60, 68, 78; F-Po (b.c.St.); F-Pc X 108

Transkription: B-Bc Ms 27220, 120 (Cembalo)

Druck: Ouverture avec tous les Airs, Roger

57/24   Second Air:
                 Roger, Qu. 60: Les Amazones; Qu. 35: Rondeau; Qu. 44: Prelude; Qu. 36: Symphonie

Abschriften: Qu. 31, 36, 37, 39, 41, 44—46,' 48—50, 52, 60, 72, 78; F-Po (b.c.St.), F-V Ms mus 137; F-Pc X 108

Druck: Ouverture avec tous les Airs, Roger

57/25   Choeur:

Abschriften: Qu. 22, 31, 36, 37, 39, 41, 45, 46, 50, 52, 60, 78; F-Po (b.c.St.); D-BNms
                          585/88; F-Pc X 108

Druck: Ouverture avec tous les Airs, Roger

Weltl. Parodie: Nouv. Rec., Raflé, 1695: *Iris, souffrez qu'on vous aime*

Geistl. Parodien: Pellegrin, Cant. spir., 1706, 281: *O Mere du Roy de gloire;* ebd. Rec. III,
                          353: *Que servent les biens du monde;* ebd. 355: *L'Oubly de nôtre foiblesse;*
                          Rec. IV, 368: *O Vous que l'on persecute;* Rec. V, 415: *Pêcheurs, quelques
                          soient les crimes;* Rec. VI, 456: *Que nos douceurs sont parfaites*
                          ders. Histoire, 1702, 410: *Sous un secret adorable;* ebd. 467: *Faut-il aller
                          dans le temple;* ebd. 536: *Faissons cesser nos allarmes*
                          ders. Les Pseaumes, 1705, 42: *Grand Dieu que la terre admire;* ebd. 120:
                          Malgré toute l'insolence; ebd. 219: *Seigneur, venez à mon aide;* ebd. 242:
                          Mes cris, mes soûpirs, mes larmes; ebd. 296: *Seigneur que vous êtes tendre;*
                          ebd. 529: *Je chante à l'Epoux que j'aime*
                          ders. Chansons spir., 1722, Rec. III, 77: *C'est à toy seul à faire nôtre sort*
                          ders. Noëls, 3e Rec. 1725, 209: *Faisons cesser nos allarmes*
                          ders. L'Imitation, 1727, 301: *Seigneur quel amour extrême;* ebd. 303: *Je
                          brise une vaine idole*

57/26   II, 1, Ritournelle, Philonoé:

Abschriften der Ritournelle: Qu. 22, 44, 49—52, 59, 78 (Air), 79; GB-Lbl Add 31425, fo. 13 (Trio),
                          F-Po (b.c.St.)

Druck: Le Chevalier, 1692

57/27   Philonoé und Choeur:

Abschriften: Qu. 78; (Choeur) 73, 79

Druck: Les Trio, Blaeu, 1691, II (Choeur)
                          Le Chevalier, 1692

57/28   II, 2, Prelude, Bellerophon:

Abschriften des Prélude: Qu. 22, 39, 44, 49, 50, 52, 79; 78 (Rezitativ); F-Po (b.c.St.)

322

Druck:	Le Chevalier, 1692
Bemerkung:	In Dufresnys *Le Depart des Comédiens* wurde dieses Rezitativ auf *L'air du Pont d'Avignon* gesungen, vgl. A. Font, Favart, l'Opera-Comique et la Comédie-Vaudeville aux XVIIe et XVIIIe siècles, Paris 1894, 46.

57/29   Bellerophon, Philonoé:

Abschriften:	Qu. 78, 79
Drucke:	Les Trio, Blaeu, 1691, II Le Chevalier, 1692

57/30   II, 5, Ritournelle, Stenobée:

Abschriften der Ritournelle:	Qu. 22, 39, 44, 52, 59, 72, 79, 88; F-Po (b.c.St.); GB-Lbl Add 31425, f⁰ 13 v⁰ (Trio)
Druck:	Le Chevalier, 1692

57/31   Amisodar:

Abschriften:	Qu. 73, 88
Druck:	Le Chevalier, 1692

57/32   Stenobée:

Abschrift:	Qu. 88
Druck:	Le Chevalier, 1692

57/33   II, 6, Prelude, Amisodar:

Abschriften:	Qu. 17, 22, 34, 35, 37, 60, 65, 72, 73, 78, 88; F-Po (b.c.St.); US-Sp ML 96 A 75
Druck:	Le Chevalier, 1692

Weltl. Parodien, hs.:
Chansonnier Maurepas 12620, 223 (1682): *Que ce Palais se change dans un bordel affreux;* ebd. 12622, 289 (1692): *Mon Royaume se change en un desert affreux* (Guillaume Henry de Nassau); ebd. 12641, 303 (1691): *Rien n'est plus ennuyeux que tous ces grands repas*
F-Pa Ms 4842, f. 326: *Que ce salon se change en un bordel affreux,* dass.; GB-Lbl Egerton 1520, III, 24 und Egerton 814, 369 v°, dass. F-LYm Ms 1545, 102

Druck:
Les Moines. Comédie en Musique, Berghopsom, 1709, in: Chansonnier Maurepas, 12644, 261: *Songeons apres la guerre aux donneurs de la paix*

Geistl. Parodie:
Desessartz: Nouv. poésies spir. I, 1730, 4: *Que tout chante l'Auteur de ce vaste univers;* dass. ²1752

57/34

Premier Air:
Qu. 22, 31, 36, 64 etc.: Les Sorciers; Qu. 47, 55, 60 etc.: Les Magiciens

Abschriften:
Qu. 17, 22, 34, 36—38, 41, 44—50, 52, 55, 58, 60, 64, 68, 71, 72, 78; F-V Ms mus 137, Ms mus 165; F-Po (b.c.St.); F-Pc X 108

Druck:
Ouverture avec tous les Airs, Roger

57/35

Les Magiciens:

Abschriften:
GB-Lbl Egerton 1520, III, 24; F-Po (b.c.St.)

Druck:
Le Chevalier, 1692

57/36

Second Air:

Abschriften:
Qu. 22, 31, 35—38, 41, 42, 44—51, 55, 58, 60, 62, 64, 71, 78; F-V Ms mus 137, Ms mus 165; F-Po (b.c.St.); F-Pc X 108

Transkription:
A-Wm Ms 743, 50 (Cembalo)

Druck:
Ouverture avec tous les Airs, Roger

57/37

II, 6, Les Magiciens:

Abschriften:
Qu. 35, 60, 65, 72, 78

Druck:
Le Chevalier, 1692

57/38   III, 1, Ritournelle, Argie:

Abschriften der Ritournelle: Qu. 22, 44, 49, 51, 52, 59, 79; F-Po (b.c.St.); GB-Lbl Add 31425, 14 (Trio); Qu. 78 (Rezitativ)

Druck: Le Chevalier, 1692

57/39   Stenobée:

Abschriften: Qu. 73, 75, 78

Druck: Le Chevalier, 1692

57/40   III, 2, Prélude, Le Roy:

Abschriften des Prélude: Qu. 22, 44, 49, 52, 59, 79; F-Po (b.c.St.); GB-Lbl Add 31425, 14 (Trio)

57/41   III, 5, La Marche du Sacrifice:

Abschriften: Qu. 17, 22, 31, 34, 36—38, 41, 44—46, 48—50, 52, 55, 58, 60, 71, 72, 78; F-Po (b.c.St.)

Weltl. Parodien: Par. bach., 1695, 74, 1696, 99, 1700, I, 181, du Fresne 1696, 45: *Que ce vin est agréable!*

57/42   Choeur de Peuple, Gavotte:

Abschriften: Qu. 17, 22, 31, 34, 35—38, 41, 45—46, 50, 52, 55, 58, 60, 72, 78; F-Pn Rés 684; F-Po (b.c.St.)

Druck: Ouverture avec tous les Airs, Roger: Gavotte

Geistl. Parodien: Pellegrin, Cant. 1706, 283: *Vierge heureuse et triomphante*
ders. Histoire, 1702, 184: *Le Seigneur est redoutable*
ders. Noëls nouveaux, Rec. III, 1725, 206: *Le malheur qui nous accable*
ders. Les Pseaumes, 1705, 145: *Le Seigneur est nôtre azile*, ebd. 213: *Sauve-moy, Dieu secourable*
ders. Imitation 1727 (Noten)

57/43   III, 5, Violons:
               1715: Symphonie, Choeur de Peuple:

Abschriften: Qu. 17 (mit Choeur), 22, 34, 35, 38, 58; F-Po (b.c.St., mit Choeur)

57/44   Choeur:

Abschriften: Qu. 17, 22, 34, 35, 37, 50; F-Po (b.c.St.); F-Pc X 108

57/45   Choeur de Peuple:
               Roger, Qu. 37 etc. Bourrée:

Abschriften: Qu. 17, 22, 34, 35—38, 45, 46, 50, 52, 54, 55, 58, 60, 71, 72, 78; F-Pn
                       Rés 684; F-Po (b.c.St.); D-BNms 585/83; F-Pc X 108

Transkription: A-Wm Ms 743, 60 (Cembalo)

Weltl. Parodien, hs.: Chansonnier Maurepas 12640, 249 (1681): *Nous sommes amants de fesses*

Drucke: Par. bach., 1695, 75, 1696, 101, du Fresne, 1696, 46: *Montrons notre alle-*
                       gresse Ne parlons plus de chagrin
                       Les Par. Nouv., 1730, 26: *La liberté préside Dans ces lieux remplis*
                       d'attraits

Geistl. Parodien: Pellegrin, Cantiques, 1706, 277: *Ne versez plus de larmes*
                       ders. Noëls nouv., 1702, 105: *Que chacun se ressente Des doux charmes de*
                       la paix; Rec. V, 1709, 280: *Allons avec les Mages*
                       ders. Les Pseaumes, 1705, 74: *Seigneur, jugez ma cause*
                       Opera spir., 1710, 18: *Ne parlons plus de chagrin*
                       Cantiques, Lille, 1718, 146: *Ne versez plus de larmes*
                       Pellegrin, Chansons, 1722, 4: *Sortons de l'esclavage*

57/46   Ritournelle, le Sacrificateur:

Abschriften: Qu. 22, 51, 59, 79; F-Po (b.c.St.)

Druck: Le Chevalier (mit Arie)

57/47   Choeur:

Abschriften: Qu. 17, 22, 34, 35, 37, 38, 41, 45—47, 49, 50—52, 55, 57, 58, 60, 70, 78;
               F-Po (b.c.St.); F-Pn Rés 684; D-BNms 585/132; F-Pc X 108

| Transkriptionen: | F-Pc Rés F 844, 43 (Gitarre) |
| | F-B Ms 279.152 (Laute) |

| Weltl. Parodien, hs.: | F-Pa 4843, IV, 215 und 233: *A l'opera Celle qui mon coeur a* |

Drucke:	Par. bach., 1695, 74, 1696, 100, du Fresne, 1696, 45: *De ce vin frais*
	Buvons tous à longs traits
	Les Par. Nouv., 1730, 100: *Que les plaisirs Reglent tous nos desirs*

Geistl. Parodien:	Pellegrin: Noëls Nouveaux, Rec. IV, 1707, 249: *Dieu de bonté Soleil de*
	bonté; ebd. Rec. V, 1709, 335; Assez de pleurs Ont suivi nos malheurs
	Opera spir., 1710, 10: *Assez longtemps, De toy sont absens*

57/48   III, 6, Prélude, La Pythie:
Qu. 17, 41: La pitié; Druck 1714: Symphonie pour la Pythye

| Abschriften: | Qu. 17, 22, 34, 41, 55, 60, 78; F-Po (b.c.St.) |
| Druck: | Le Chevalier, 1692 |

57/49   Ritournelle, Bellerophon et Philonoé:

| Abschriften der Ritournelle: | Qu. 22, 44, 49, 50, 52, 59, 79; F-Po (b.c.St.); nur Duett: Qu. 73, 75, 79; |
| Druck: | Le Chevalier, 1692 (mit Duett) |

57/50   IV, 1, Ritournelle, Amisodar:

Abschriften der Ritournelle: Qu. 22, 35, 50—52, 73, 78, 79; F-Po (b.c.St.); nur Air: Qu. 35, 52, 59, 65, 73, 75, 78, 79, 88; F-B Ms 279.147; US-Sp ML 96 A 75

Drucke:	Les Trio, Blaeu, 1690, I
	Le Chevalier, 1692
	(Text) Nouv. Rec., Raflé, 1695

Weltl. Parodien, hs.:	Chansonnier Maurepas, 12619, 563 (1679): *Quel spectacle charmant;* ebd.
	12620, 185 (1681): *Quel spectacle charmant Pour un pauvre fiévreux;*
	ebd. 245 (1682): *Quel spectacle charmant Se presente à mes yeux*
	F-Pa 4842, 247: *Quel spectacle indécent Se presente à mes yeux*
	GB-Lbl Egerton 1520, III, 44: *Quel spectacle charmant Pour mon ventre*
	affamé

Drucke:	Par. bach., 1695, 76, 1696, 102, du Fresne, 1696, 46: *Quel spectacle char-*
	mant! Pour mon ventre affamé! 3e couplet: *Quel spectacle charmant Se*
	presente à nos yeux (M. de Coulanges)
	Nouv. Par. bach. 1700, I, 188: *Quel spectacle charmant pour mon ventre*
	affamé; dass.
	La Gamme bachique, 1715, 1
	De Coulanges, Recueil, 1694, 43, 1698, 128 und 288; Chansons, 1754, 57
	und 141: *Quel spectacle indecent Se presente à mes yeux*

Geistl. Parodien: Desessartz: Nouv. poésies morales, 1737, Rec. VIII, 17: *Quel spectacle*
                           charmant Se présente à mes yeux!
                           Cantiques, Reims, 1751, 46: *Chantons l'heureuse naissance*

57/51   IV, 2, Amisodar:

Quand on ob = tient ce qu'on ai=me Qu'im=por=te,

Geistl. Parodien: Desessartz: Nouv. poésies morales, 1730, I, 39, ²1752: *L'attrait puissant*
                           de la grace
                           ebd. 1731, II, 19: *Gloire à toy*

57/52   Voix derrière le Théâtre:

Tout est per = du, le monstre a = van = ce,

Abschriften: Qu. 22, 50; F-Po (b.c.St.)

57/53   IV, 3: Flûtes, Dryade, Napée:
                           Qu. 44, 79: Ritournelle; Table des airs à chanter: Prelude de Flûtes, Trio

Plaig =nons, plaig=nons les maux

Abschriften: Qu. 22, 44, 52, 59, 79

Drucke des Duett: Les Trio, Blaeu, 1691, II
                           Le Chevalier, 1692

57/54   Ritournelle, Dieu des bois:

Les fo=rets sont en feu, le ra=va = ge s'aug = men- te

Abschrift: Qu. 75

Druck: Le Chevalier, 1692

57/55   Ritournelle, Bellerophon:

Heu=reu=se mort, tu vas me se=cou = rir

Abschriften der Ritournelle: Qu. 22, 44, 52, 79; F-Po (b.c.St.); GB-Lbl Add 31425 (Trio); Air: Qu. 73,
                           75, 78; F-B Ms 279.147; US-Sp ML 96 A 75

Druck: Les Trio, Blaeu, 1690, I
                           Le Chevalier, 1692

Geistl. Parodie: Pellegrin, Pseaumes, 1705 (Noten)

57/56   Prelude, Pallas:

Abschriften des Prélude: Qu. 22, 36—38, 44, 45, 48—50, 52, 78; F-Po (b.c.St.); F-Pc X 108

57/57   Choeur de Peuple:

Abschriften: Qu. 22, 50, 60; F-Po (b.c.St.) (in dieser Stimme folgen zwei Gavotten und ein Air in F-Dur, vgl. Incipit 57a)

Weltl. Parodie: Les Parodies du Nouv. Théâtre it., 1738, IV, 32: *Quelle horreur, quel ravage*

57/58   IV, 7, Menuet:

Abschriften: Qu. 22, 31, 36—38, 41, 44, 45, 48—50, 52, 55, 58, 60, 72, 78; F-Po (b.c.St.); F-Pc X 108

Druck: Ouverture avec tous les Airs, Roger

Weltl. Parodien: Mme de Sainctonge, Poésies, 1696, 144: *Quand on sçait tout entreprendre* Les Par. Nouv., 1730, 9: *Si Venus montre ses charmes*

57/59   V, 1, Prelude, Le Roy:

Abschriften des Prélude: Qu. 22, 36—38, 45, 48—50, 52, 58, 60, 62, 72; F-Po (b.c.St.); F-Pc X 108: Qu. 78 (nur Rezitativ)

Druck: Ouverture avec tous les Airs, Roger

57/60   Choeur de Peuple:

Abschriften: Qu. 22, 35, 37, 50; F-Po (b.c.St.)

57/61   Philonoé:

Pour tout vaincre il suf = fit qu'un he = ros

Abschrift: Qu. 73

Druck: Le Chevalier, 1692

57/62   Choeur de Peuple:

O jour! O jour pour la Ly = cie

Abschriften: Qu. 17, 22, 34, 37, 50; F-Po (b.c.St.)

57/63   V, 2, Le Roy:

Ve=nez-vous par=ta= ger l'al=le=gres = se pu = bli =que

Druck: Le Chevalier, 1692

57/64   Trompettes, Tymbales et Violons, Pallas:
                         Qu. 60: Marche, Qu. 36: Prelude, Qu. 44: Air de trompettes en rondeau,
                         Roger: Descente de Pallas, Rondeau

Abschriften: Qu. 22, 24, 31, 32, 36—38, 41, 44, 45, 48—50, 52, 58, 60, 72, 78; F-Po
                        (b.c.St.)

Druck: Ouverture avec tous les Airs, Roger
                        Le Chevalier, 1692 (ohne instr. Einleitung)

57/65   Bellerophon; Bellerophon, Philonoé:

En=fin je vous re = voy Prin=cesse   Quel plai = sir de voir en ce jour

Abschriften: Qu. 73, 79

Drucke: Les Trio, Blaeu, 1691, II (nur das Duett)
                        Le Chevalier, 1692

57/66   Le Roy:

Jou=is = sez des dou= ceurs que l'hy=men

Abschriften: Qu. 22, 73, 78, 79; F-B Ms 279.147

330

Drucke:	Les Trio, Blaeu, 1690, I (ohne Vorspiel)
	Le Chevalier, 1692
Geistl. Parodie:	Opera spir., 1710, 18: *Recevons les faveurs que le Ciel nous presente*

57/67

Trompettes, Choeur de Peuple:
Roger: Air pour les Trompettes

| Abschriften: | Qu. 22, 24, 37, 50, 72; F-Po (b.c.St.); F-Pc X 108 |
| Druck: | Ouverture avec tous les Airs, Roger |

57/68

Premier Air:
Qu. 36: Prélude; Qu. 46, 55: L'Entrée de l'Etang; Qu. 58: Les Liciens

Abschriften:	Qu. 22, 31, 36—38, 41, 44—46, 48—50, 52, 55, 58, 60, 72, 78; F-Po (b.c.St.); F-Pc X 108
Druck:	Ouverture avec tous les Airs, Roger
Weltl. Parodie, hs.:	F-Pa 4843, IV, 232: *Lorsque mon amant Se plaît de son cruel tourment*

57/69

Second Air, Trompettes, Takt 4: Fanfare:
Qu. 36, 52, 78, Roger: Fanfare; Qu. 22, 24, 41, 55, 60: Canaries

| Abschriften: | Qu. 22, 24, 31, 35—39, 41, 44, 45, 48—50, 52, 55, 58, 60, 72, 78; F-Po (b.c.St.); F-Pc X 108 |
| Druck: | Ouverture avec tous les Airs, Roger |

57/70

Choeur de Peuple:
Qu. 22, 41, 60: Canaries

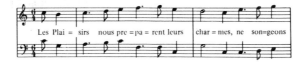

| Abschriften: | Qu. 22, 31, 35—38, 41, 45, 50, 52, 55, 58, 60, 78; F-Po (b.c.S.t); F-Pc X 108 |
| Druck: | Ouverture avec tous les Airs, Roger |

LWV 58
PROSERPINE

Bezeichnung:	Tragédie en Musique
Text:	Philippe Quinault
Erste Aufführung:	3. 2. 1680 in Saint-Germain
Librettodrucke:	*Proserpine / Tragedie / en Musique, / ornée / D'Entrées de Ballet, / de Machines, & de Changements / de Theatre. / Representée devant Sa Majesté à Saint Germain / en Laye le troisiéme Fevrier 1680. / . . . Paris, Ballard, 1680,* F-Pn

    Suivant la copie imprimée à Paris, [Amsterdam] s. n. 1680, D-KNub
    Suivant la copie imprimée à Paris, [Amsterdam] s. n. 1683, D-HR
    in: Recueil des Opera, des Balets, Amsterdam, A. Wolfgang, 1684, D-HR
    Wolffenbüttel, C. J. Bismarck, 1685, D-KNth
    Imprimé à Paris, se vend à Anvers, H. Van Dunwaldt, 1688, F-Pn
    Suivant la copie imprimée à Paris, Amsterdam, A. Wolfgang, 1688, D-Mth
    in: Recueil des Opera, des Balets, Amsterdam, A. Wolfgang, 1690, D-HR
    Lyon, Le Roux, 1694, D-Hs
    Rouen, Besongne, 1695, F-Pa
    Lyon, T. Amaulry, 1698, D-Hs
    Paris, Ballard, 1699, F-Pn
    Suivant la copie imprimée à Paris, [Amsterdam] s. n. 1699, F-Pn
    Amsterdam, H. Schelte, 1701, D-Sl
    in: Recueil général des Opera, Paris, Ballard, 1703, F-Pn
    in: Recueil des Opera, Amsterdam, H. Schelte, 1712, D-Tu
    Paris, P. Ribou, 1715, F-Pn
    Paris, Vve Ribou, 1727, F-Pa
    Paris, Ballard, 1741, F-Pa
    Paris, Vve Delormel, 1758, F-Pa
    in: Petite Bibliothèque des Théâtres, Paris, 1785, F-Pn
    in: Répertoire du théâtre français, Paris 1822, F-Pn

Abschriften:	Partition générale: F-Pn Rés F 616; Vm² 49; Vm² 48; F-Po A12f (copié par J. B. Baron, organiste de Lyon); US-Wc Partition réduite: F-AIXm Ms 1702; F-Pn Rés F 617; US-Sp; F-PMeyer
Drucke in Partition générale:	*Proserpine / Tragedie / Mise en Musique / Par Monsieur De Lully, / Sur-Intendant de la Musique du Roy. / [Druckerzeichen Ballards] / A Paris, / Par Christophe Ballard, seul Imprimeur du Roy pour la Musique, ruë Saint Jean de Beauvais, au Mont de Parnasse. / Et se vend à l'Entrée de la Porte de l'Academie Royale de Musique, / au Palais Royal, ruë Saint Honoré. / M.DC.LXXX. / Avec Privilege de Sa Majesté.*

    Seconde édition, Paris, C. Ballard, 1707
    Seconde édition, Paris, C. Ballard, 1714
    Troisième édition, de cinq manieres differentes de la partition générale, Paris, C. Ballard, 1715

Stimmen:	Qu. 21, 22, 28—30; F-Pc Rés F 618 (basse continue); Rés F 619 (basse); ehemals GB-T Ms 23—25 (1703, Philidor, Vokalstimmen), Ms 152—154 (Instrumentalstimmen); F-Pn Vm² 50 (dessus); F-Po Fonds La Salle
Stimmendrucke:	Proserpine, troisième édition, de cinq manieres differentes de la partition générale, Paris, C. Ballard (Dessus de violon, Basse de violon und Basse continue), 1715

Ariendrucke:	Les Airs / de la / Tragedie / de / Proserpine, / Propres à Chanter & à Jouër sur toutes sortes d'instruments, / Par Monsieur De Lulli Sur-Inten-dant de la / Musique du Roi. / The Airs / of the / Tragedy . . . Amster-dam. / Chez Antoine Pointel, dans le Kalver-straat au Rosier, / se vend toutes sortes de Papiers lignés & Musiques 1689 dass. Ballard 1715
Suitendruck:	Ouverture / avec tous les Airs à jouer de / l'Opera de Proserpine / Par / M^r. Baptiste Luly / . . . A Amsterdam / Chez Estienne Roger Marchand libraire [1702]
Szen.-dramatische Parodien, bibliographisch nachgewiesen:	A. R. Lesage, Dorneval, L. Fuzelier: Les noces de Proserpine (30. 3. 1727, Palais Royal) C. S. Favart: Farinette, parodie de Proserpine (9. 5. 1741)
Druck:	C. S. Favart: Pétrine (13. 1. 1759, Umarbeitung der Farinette von 1741), Paris Duchesne 1759
Literatur:	Prunières, Lully, 100; Gros, Quinault, 130 f., 544—552, 614—619; Borrel, Lully, 63; Girdlestone, La tragédie en musique, 82—84; Isherwood, Music in the service, 222—225; Newman, Formal Structure, 145 f.

58/1   Ouverture:

Abschriften:	Qu. 22, 31, 36—38, 41, 45, 46, 48—52, 55, 58, 60—63, 64, 68, 72, 78, 79; F-V Ms mus 165; F-Pc X 108 (Dessus)
Transkriptionen:	d'Anglebert, Pieces de clavecin, 1689 B-Bc 27220, 142 (Cembalo) Les Ouvertures des opera, 1725, 22
Druck:	Ouverture avec tous les Airs, Roger
Weltl. Parodien, hs.:	F-Pa 4043, 239; *Ah! Sortons de Paris* GB-Lbl Egerton 1520, III, 36: *Celebrons ce grand jour*
Drucke:	Par. bach., 1696, 108; *Ah sortons de Paris Maudit pays, méchante ville* (M.D.C), dass. Les Ouvertures des opera, 1725, 22

58/2   Prologue, la Paix. Suite de la Paix:

Abschriften:	Qu. 73—75, 78, 86
Geistl. Parodie:	Desessartz, Nouv. poésies spir., 1733, VII, 40: *Grand Dieu, dont le pou-voir regit tout l'univers*

58/3   Air:
                 Qu. 17, 41, 46, 55: Entrée des Furies; Qu. 37, 44, 47, 58, 64: la Discorde; Qu. 36, 78: Quand briserez-vous nos fers

Abschriften:	Qu. 17, 22, 31, 34, 36—38, 41, 45—50, 52, 54, 55, 58, 61, 63, 64, 71, 72, 74, 78; F-Pc X 108
Druck:	Ouverture avec tous les Airs, Roger

58/4   Bruit de Trompettes:
                               Qu. 41, 60: Bruit de guerre

Abschriften: Qu. 22, 24, 31, 36—38, 41, 45, 48—50, 52, 58, 60, 61, 63, 74, 78; F-Pc
                               X 108

Druck: Ouverture avec tous les Airs, Roger

Weltl. Parodie, hs.:   F-Pa 4843, 241: *Pauvre amant, quitte Venus Et le sauve icy L'étendard de*
                               Bacchus

58/5   Air pour les trompettes:
                               Qu. 36: Fanfare; Qu. 70, 78: Marche

Abschriften: Qu. 22, 24, 31, 36—39, 41, 45, 48—50, 52, 60, 61, 63, 70, 74, 78; F-Pc
                               X 108

Transkription: F-Pc Rés F 844, 141 und 263: Marche de Proserpine (Gitarre)

Druck: Ouverture avec tous les Airs, Roger

58/6   La Victoire, la Victoire et sa suite:

Abschriften: Qu. 22, 24, 50, 73, 74, 76, 78, 86

58/7   La suite de la Victoire et de la Paix:

Abschriften: Qu. 22, 24, 35, 50, 74

58/8   Prelude, la Victoire et la Paix, Choeur:

Abschriften des Prélude: Qu. 22, 35, 37, 38, 45, 48—50, 52, 58, 61, 63, 74; F-V Mus ms 137

Abschriften des Duetts: Qu. 17, 22, 34, 50, 58, 66, 73, 76, 78, 79

Abschriften des Choeur: Qu. 17, 22, 38

Drucke des Duetts: Les Airs de la Tragedie, Pointel, 1689; dass. Ballard, 1715
                               Les Trio, Blaeu, 1691, II

58/9   Gavotte:

Abschriften: Qu. 17, 22, 31, 34, 36—38, 41, 45, 46, 48—50, 52, 58, 60, 61, 63, 72, 74, 78; F-Pc X 108

Weltl. Parodie: Nouv. Par. bach., 1700, II, 19: *Pauvres coeurs Dont la sotte foiblesse* (M.V.)

58/10   Menuet:

Abschriften: Qu. 17, 22, 31, 34, 36—38, 41, 45, 46, 48—50, 52, 58, 60, 61, 63, 72, 74, 78; F-Pc X 108

Transkription: Duo choisis, 1730, II, 182 (A-Dur)

Druck: Ouverture avec tous les Airs, Roger

Weltl. Parodie: Nouv. Par. bach. 1700, I, 178: *Notre vie est tôt ravie Nôtre vie n'est qu'un moment* (M.V.)

58/11   La Félicité et l'Abondance:

Abschriften: Qu. 17, 22, 34, 45, 46, 50, 52, 55, 60, 66, 72—74, 78, 79, 86; F- Pc X 108

Transkription: Duo choisis, 1730, II, 183 (A-Dur)

Drucke: Les Airs de la Tragedie, Pointel, 1689; dass. Ballard, 1715
                    Les Trio, Blaeu, 1691, II
                    Ouverture avec tous les Airs, Roger

58/12   Prelude, la Paix, Choeur:

Abschriften des Prélude: Qu. 22, 35, 38, 48, 52, 61, 72

Abschriften des Air: Qu. 22, 65, 73—75, 78

Druck des Air: Les Airs de la Tragedie, Pointel, 1689, dass. Ballard 1715

Literatur: Le Cerf de la Viéville, Comparaison, I, 79

Abschriften des Choeur: Qu. 22, 36, 37, 50, 51, 60, 72; F-Pc X 108

58/13   Menuet:

Abschriften: Qu. 22, 31, 36—38, 41, 45, 48—52, 55, 58, 60, 61, 63, 66, 70, 72, 74, 78;
                          F-Pc X 108

Transkription: F-Pn Rés 823, 27 (Laute)

Druck: Ouverture avec tous les Airs, Roger

Weltl. Parodien, hs.:   F-V Ms mus 124, II, 19: *Je vivrai sous ton empire Si tu veux me rendre
                          heureux*
                          F-Pa 4843, 241: *Quand je me sens l'humeur sombre Aussitost je cours au
                          vin*

Drucke: Par. bach., 1695, 81, du Fresne, 1696, 49: *Toute la Philosophie Consiste
                          dans ce secret*
                          Par. bach., 1696, 111: *Chasser la mélancolie Chercher toûjours le bon vin;*
                          dass. Nouv. Par. bach., 1700, II, 1

58/14   La Félicité:

Abschriften: Qu. 22, 45, 52, 55, 60, 66, 72, 74, 76, 78, 86; F-Pc X 108

Transkription: F-Pc Rés F 844, 179: Menuet (Gitarre)

Druck: Les Airs de la Tragedie, Pointel, 1689; dass. Ballard, 1715
                          Ouverture avec tous les Airs, Roger

Weltl. Parodien: de Coulanges, 1694, 280, 1698, II, 64: *Que Bacchus est doux à suivre*
                          Par. bach., 1695, 82, 1696, 112, du Fresne, 1696, 49: *Que Bacchus est doux
                          à suivre; Son Empire est sans chagrin*
                          Nouv. Recueil, Raflé, 1695: *N'allez point au bois, Nanette*
                          Nouv. Par. bach., 1700, II, 3: *Que Bacchus est doux à suivre*
                          [F. J. Desoer]: Trois cens fables (1777), II, 76: *Prêtez-moi, je vois conjure,
                          Si nous sommes bons amis*

Geistl. Parodie: Desessartz, Nouv. poésies spir., 1732, III, 36: *Si le Paon a pour partage*

58/15   I, 1, Ceres; Ceres, Cyane, Crinise:

Abschriften: Qu. 60, 73, 75, 78, 79, 83

58/16   I, 2, Ritournelle pour Mercure pendant qu'il vole, Ceres:

Abschriften der Ritournelle: Qu. 17, 22, 34, 38, 49, 50, 52, 59, 61, 72, 79

58/17   Ceres:

L'A= mour qui pour luy m'a = ni = me

Abschriften: Qu. 78, 83

Drucke: Les Airs de la Tragedie, Pointel, 1689; dass. Ballard, 1715

58/18   Ceres:

Je quitte u=ne paix pro = fon = de

Abschriften: Qu. 78, 83

Drucke: Les Airs de la Tragedie, Pointel, 1689; dass. Ballard, 1715

58/19   Ceres:

Les soins d'un a=mour ex = tres = me

Abschriften: Qu. 78, 80, 83

Drucke: Les Airs de la Tragedie, Pointel, 1689; dass. Ballard, 1715

58/20   I, 3, Ceres:

Pour fuir l'a = mour qui vous ap = pel = le

Drucke: Les Airs de la Tragedie, Pointel, 1689; dass. Ballard, 1715

58/21   Ritournelle, Arethuse:

Vai=ne fier = té, foi=ble ri = gueur,

Abschriften der Ritournelle: Qu. 17, 22, 34, 49, 50, 52, 57, 59, 61, 72, 79, 86

Abschriften des Air: Qu. 22, 57, 73, 75, 76, 78, 83

Drucke des Air: Les Airs de la Tragedie, Pointel, 1689; dass. Ballard, 1715
                         (Text) Nouv. Recueil, Raflé, 1697, 11

Geistl. Parodien: Desessartz: Nouv. poésies spir., 1731, II, 40: *Maître des coeurs, ô mon
                         Sauveur;* ebd. III, 15: *Vaine raison, foible vertu*

58/22   I, 4, Ritournelle, Arethuse:

Je vois Al=phée, ô Dieux

Abschriften: Qu. 75, 78, 86

58/23   I, 6, Prelude, Proserpine:

Abschriften des Prélude: Qu. 17, 22, 34, 36—38, 41, 45, 48—52, 58, 60—62, 63, 72, 78, 86; F-V
Ms mus 165; F-Pc X 108

Druck: Ouverture avec tous les Airs, Roger: Air

Abschrift des Air: Qu. 78

58/24   I, 7, Ritournelle, Ceres:
                     Qu. 22: Trio, Chaconne

Abschriften der Ritournelle: Qu. 22, 38, 49, 50, 52, 59, 61, 79

Abschrift des Rezitativs: Qu. 78

58/25   Proserpine, Choeur:

Abschriften: Qu. 22, 50

58/26   Premier Air:
                     Qu. 22: Les Siciliens: Qu. 58: Air des habitans de Sicile

Abschriften: Qu. 22, 31, 36—38, 41, 45, 46, 48—50, 52, 55, 58, 60—64, 66, 72, 78;
F-V Ms mus 137, Ms mus 165; F-Pc X 108

Druck: Ouverture avec tous les Airs, Roger

Weltl. Parodien: Par. bach., 1695, 83, 1696, 113, du Fresne, 1696, Nouv. Par. bach., 1700,
II, 4: *Pour braver une injuste beauté Le jus de la bouteille est enchanté*
(M.R.)

58/27   Second Air:
                     Par. bach., 1696, 114: Menuet

Abschriften: Qu. 22, 31, 36—38, 41, 45, 46, 48—50, 52, 55, 58, 60—64, 66, 72, 78;
F-V Ms mus 137, Ms mus 165; F-Pc X 108

Druck:	Ouverture avec tous les Airs, Roger
Weltl. Parodien:	Par. bach., 1695, 84, 1696, 114, du Fresne, 1696, 50: *L'éclat des grandeurs m'importune Je me moque de la fortune* (M.L.M.D.S.)
	Nouv. Par. bach., 1700, II, 6: *L'éclat des grandeurs importune, Mille ennuy troublent la fortune* (M.V.); dass. S. Vergier, Oeuvres, 1726, 263

58/28   I, 8, Prelude, Proserpine:

Abschriften des Prélude:	Qu. 22, 36—38, 48, 49, 52, 58, 61, 63, 78; F-Pc X 108
Druck:	Ouverture avec tous les Airs, Roger

58/29   Choeur:

Abschriften:	Qu. 22, 35, 50, 72, 86
Literatur:	Le Cerf de la Viéville, Comparaison, II, 118

58/30   II, 1, Ritournelle, Crinise:

Abschriften der Ritournelle:	Qu. 22, 47, 49—52, 55, 59, 61, 79, 86
Druck:	Trios de Differents Auteurs, Babel, II, 103
Abschriften des Air:	Qu. 73, 78

58/31   Alphée:

Abschriften:	Qu. 73, 78
Drucke:	Les Airs de la Tragedie, Pointel, 1689; dass. Ballard, 1715
	(Text) Nouv. Recueil, Raflé, 1697, 12
Weltl. Parodie, hs.:	Chansonnier Maurepas, 12620, 387 (1685): (Sur Claude le Tonnelier de Breteuil, Evêque de Boulogne) *Boulogne en ses festins, m'offre en vain mille plats*

58/32   Alphée:

Abschriften: Qu. 73, 78

Druck: Les Airs de la Tragedie, Pointel, 1689; dass. Ballard, 1715
           (Text) Nouv. Recueil, Raflé, 1697, 13

Weltl. Parodien, hs.:   F-Pa 4842, 279: *Aga Piarrot le terrible accident J'avois fait acheter une fort bonne éclanche,* dass.
           GB-Lbl Egerton 1520, III, 64, dass.
           Par. bach., 1695, 86, 1696, 115, du Fresne, 1696, 52, Nouv. Par. bach., 1700, II, 8

58/33   Crinise, Alphée:

Abschriften: Qu. 73, 75, 79, 86

58/34   II, 2, Alphée:

Abschriften: Qu. 78, 88

Druck: Les Airs de la Tragedie, Pointel, 1689; dass. Ballard, 1715

58/35   Ascalaphe:

Abschriften: Qu. 17, 22, 34, 35, 52, 59, 78, 79, 86; F-B Ms 279.147

Drucke: Les Airs de la Tragedie, Pointel, 1689; dass. Ballard, 1715
           Les Trio, Blaeu, 1690, I

58/36   II, 3, Ritournelle, Alphée:

Abschriften der Ritournelle: Qu. 22, 50, 59, 61, 73, 79

Abschriften des Air: Qu. 73, 75, 76, 78

Drucke: Les Airs de la Tragedie, Pointel, 1689; dass. Ballard, 1715
           (Text) Nouv. Recueil, Raflé, 1697, 113

58/37   II, 4, Ritournelle, Alphée:

Abschriften der Ritournelle: Qu. 22, 59, 61, 72, 86

Abschrift des Air: Qu. 78

58/38   Alphée:

Abschrift: Qu. 78, 75 (nur Arie der Arethuse), 86

Druck: Les Airs de la Tragedie, Pointel, 1689; dass. Ballard, 1715

58/39   Alphée, Arethuse:

Abschriften: Qu. 79, 86

Drucke: Les Airs de la Tragedie, Pointel, 1689; dass. Ballard, 1715
                         Les Trio, Blaeu, 1691, II

58/40   II, 5, Ascalaphe:

Abschriften: Qu. 22, 35, 52, 59, 65, 78, 79, 86; F-B Ms 279.147

                         Les Airs de la Tragedie, Pointel, 1689; dass. Ballard, 1715
                         Les Trio, Blaeu, 1690, I

58/41   II, 7, Ritournelle, Pluton, Ascalaphe:

Abschriften der Ritournelle: Qu. 22, 52, 59, 61, 79, 83, 86, 88

Abschriften des Air: Qu. 75, 78, 88

Druck: Les Airs de la Tragedie, Pointel, 1689; dass. Ballard, 1715

Literatur: Le Cerf de la Viéville, Comparaison, II, 299

58/42   Pluton, Ascalaphe:

Abschriften: Qu. 76, 78, 86, 88

Literatur: Le Cerf de la Viéville, Comparaison, I, 115

58/43   II, 8, Choeur des Nymphes:

Abschriften: Qu. 79, 86

Drucke: Les Airs de la Tragedie, Pointel, 1689; dass. Ballard, 1715
                          Les Trio, Blaeu, 1691, II

58/44   Premier Air:
                          Qu. 22: Rondeau; Qu. 32, 55 etc.: hautbois; Qu. 36: Prelude

Abschriften: Qu. 22, 31, 36—38, 41, 45, 46, 48—50, 52, 55, 57—59, 61—63, 72, 78;
                          F-Pc X 108

Druck: Ouverture avec tous les Airs, Roger

58/45   Proserpine, Choeur des Nymphes:

Abschriften des Air: Qu. 45, 73, 75, 76, 78, 86

Druck: Les Airs de la Tragedie, Pointel, 1689; dass. Ballard, 1715

Abschriften des Choeur: (Text) Nouv. Recueil, Raflé, 1697, 28
                          Qu. 45, 66, 73, 79

Druck: Les Trio, Blaeu, 1691, II

58/46   Proserpine:

Abschriften: Qu. 75, 76

Drucke: Les Airs de la Tragedie, Pointel, 1689; dass. Ballard, 1715
                          Les Trio, Blaeu, 1691, II

Geistl. Parodie: Cantiques, Lyon, 1710, 113: *Douce et chere solitude*

58/47

Second Air:
Qu. 22: Rondeau; Qu. 46: Air d'hautbois; Qu. 36: Les Champs Elysiens;
Qu. 37: Gavotte

Abschriften:

Qu. 22, 31, 36—38, 45, 46, 48—50, 52, 57—59, 61, 63, 66, 72, 79;
F-V Ms mus 165; F-Pc X 108

Druck:

Ouverture avec tous les Airs, Roger

58/48

Choeur, Hautbois:

Abschriften:

Qu. 22, 59, 61, 79

58/49

III, 1, Violons, Choeur:

Abschriften:

Qu. 22, 35, 61

58/50

III, 2, Alphée:

Abschriften:

Qu. 60, 78

Drucke:

Les Airs de la Tragedie, Pointel, 1689; dass. Ballard, 1715

58/51

Alphée:

Abschriften:

Qu. 78, 79 (nur Duett: Le bonheur est partout)

Druck:

Les Airs de la Tragedie, Pointel, 1689; dass. Ballard, 1715

58/52

III, 3, Violons, Choeur:

Abschriften:

Qu. 22, 48, 61

58/53   III, 4, Prelude, Ceres:

Abschriften des Prélude: Qu. 22, 36—38, 48, 49, 52, 58, 61, 63, 72, 86; F-Pc X 108
Druck: Ouverture avec tous les Airs, Roger

58/54   Ritournelle, Ceres:

Abschriften der Ritournelle: Qu. 22, 59, 61, 79, 86

Abschriften des Air: Qu. 22, 76, 78, 79

58/55   III, 7, Ritournelle, Ceres, Choeur:

Abschriften der Ritournelle: Qu. 22, 59, 61, 79

58/56   Ritournelle, Ceres:

Abschriften der Ritournelle: Qu. 22, 59, 61, 76, 79, 86

Abschriften des Air: Qu. 76, 78

58/57   Ritournelle, Ceres:

Abschriften der Ritournelle: Qu. 22, 59, 61, 78, 79

58/58   III, 8, Air:
               Qu. 41, 55, 60: la Colere de Ceres; Qu. 58: Les Habitants de Sicile; Qu. 64:
               Symphonie; Qu. 78: les Furies ou Suivantes de Ceres; Qu. 36: Air détrui-
               sons nos bienfaits; Qu. 48: Air pour les Nymphes

Abschriften: Qu. 22, 36—38, 41, 45, 48—50, 52, 58, 60, 61, 63, 64, 66, 72, 78; F-Pc
                             X 108

Druck: Ouverture avec tous les Airs, Roger

| 58/59 | Ceres, Choeur: |

| Abschriften: | Qu. 22, 35, 38; 50, 76 (nur Choeur) |

| 58/60 | 1680: ohne Titel; 1727: Les Ombres heureuses forment un Concert. Flûtes et Violons: |
| | Qu. 36, 57: Symphonie; Qu. 46, 55, 66, Babel (1690): Les Champs Elysées |

Abschriften:	Qu. 22, 36—38, 45, 46, 48—52, 55, 57, 61—64, 66, 72, 78, 79; F-V Ms mus 165
Transkription:	Duo choisis, 1730, II, 172
Druck:	Trios de Differents Auteurs, Babel, II

| 58/61 | Les Ombres heureuses: |

Abschriften:	Qu. 36, 79
Druck:	Les Trio, Blaeu, 1691, II
Weltl. Parodie:	Concerts par. 1721, 11: *Douces ardeurs, Qui charmez les tendres coeurs*
Literatur:	Le Cerf de la Viéville, Comparaison, II, 299

| 58/62 | Ritournelle, les Ombres heureuses: |

Abschriften:	Qu. 22, 36, 41, 45, 52, 59, 61, 73, 79, 86
Transkription:	Duo choisis, 1730, II, 174
Druck:	Les Trio, Blaeu, 1691, II
Weltl. Parodien:	Par. bach., 1695, 87, 1696, 117, du Fresne, 1696, 52, Nouv. Par. bach., 1700, II, 12: *Ah! que les vendanges sont belles! Que nous passerons d'heureux jours* (M.R.)

| 58/63 | Les Ombres: |

| Abschriften: | Qu. 45, 73, 79 |
| Druck: | Les Trio, Blaeu, 1691, II |

58/64   Ombres heureuses:

O bien=heu=reu=se vi=e! Vous ne nous se=rez

Abschriften: Qu. 45, 79, 86

Druck: Les Trio, Blaeu, 1691, II

58/65   IV, 2, Prelude, Proserpine:

Ma che=re li=ber = té que vous

Abschriften des Prélude: Qu. 22, 73, 75, 76, 86

Druck: Trios de Differents Auteurs, Babel, I

Abschriften des Air: Qu. 76, 78

Druck: Les Airs de la Tragedie, Pointel, 1689; dass. Ballard, 1715

Geistl. Parodien: Les Parodies spirituelles, 1717, 13: *Divine Vérité, que vous avez d'attraits, Quand on vous perd, hélas!*
          Desessartz, Nouv. poésies spir., 1733, VI, 28: *Delices du printemps, vos gracieux attraits ne doivent plus*

58/66   Ascalaphe:

Ai=mez qui vous ai=me rien n'est

Abschriften: Qu. 22, 35, 37, 38, 73, 75, 76, 78, 86; F-Pc X 108

Druck: Les Airs de la Tragedie, Pointel, 1689; dass. Ballard, 1715

Weltl. Parodie: Chansonnier Maurepas 12620, 285 (1683): *Aimez qui vous aime Belle de Riants;* dass. F-La Rochelle Ms 1673, 201

Geistl. Parodie: Desessartz, Nouv. poésies spir., 1730, I, 30: *Chantons la victoire D'un Dieu fait enfant*

58/67   IV, 3, Alphée, Arethuse:

Rien n'est im=pos = si = ble à l'a=mour con=stant

Abschriften: Qu. 17, 34, 35, 78, 79

Druck: Les Airs de la Tragedie, Pointel, 1689; dass. Ballard, 1715

58/68   Proserpine:

Je ne ver=ray ja = mais la lu=mie = re

Abschriften: Qu. 76, 78

58/69   Prelude, Proserpine:

Abschriften des Prélude:	Qu. 22, 36—38, 45, 48—50, 52, 58, 61, 63, 64, 72, 78, 86; F-Pc X 108
Druck:	Ouverture avec tous les Airs, Roger
Abschrift des Air:	Qu. 78, 88
Literatur:	Le Cerf de la Viéville, Comparaison, II, 299

58/70   IV, 5, Pluton, Choeur:

Abschriften:	Qu. 22, 52, 59, 78, 79; F-B Ms 279.147; Qu. 22, 50 (Choeur)
Druck:	Les Trio, Blaeu, 1690, I
Geistl. Parodie:	Desessartz, Nouv. poésies spir., 1737, VIII, 33: *Chassez l'orgueil et la malice loin de nous et de nos climats*

58/71   Premier Air:
                            Qu. 41, 46, 55: Air des Divinitez; Qu. 22, 47: Les Divinitez infernales;
                            Par. bach., 1696, 116: Air serieux

Abschriften:	Qu. 22, 31, 36—38, 41, 45—52, 55, 58, 60, 61, 63, 68, 72; F-V Ms mus 137; F-Pc X 108
Transkription:	F-Pn Rés 1106 (Laute)
Druck:	Ouverture avec tous les Airs, Roger
Weltl. Parodien:	Par. bach., 1695, 85, 1696, 116, du Fresne, 1696, 51: *Ah! finissons nos Chansons Ne songeons qu'à nous défendre* (M.V.) Nouv. Par. bach., 1700, II, 10: *Ah! finissons nos Chansons Ne pensons qu'à nous deffendre* (M.V.); dass. S. Vergier, Oeuvres, 1726, 266

58/72   Second Air, Choeur:
                            Qu. 37: Gigue:

Abschriften:	Qu. 22, 31, 37, 38, 41, 45—52, 55, 57—61, 63, 72, 78, 79, 86
Drucke:	Les Airs de la Tragedie, Pointel, 1689; dass. Ballard, 1715 Les Trio, Blaeu, 1691, II (Text) Nouv. Recueil, Raflé, 1697, 29
Weltl. Parodien:	Par. bach., 1695, 88, 1696, 118, du Fresne, 1696, 53: *Savourons à longs traits Sans chagrin et sans allarmes* (M.R.)

58/73   Choeur:

Abschriften: Qu. 17, 22, 34—38, 41, 46, 48, 50, 52, 55, 58, 60, 78; F-Pc X 108

Drucke: Les Airs de la Tragedie, Pointel, 1689; dass. Ballard, 1715
                              Ouverture avec tous les Airs, Roger
                              (Text) Nouv. Recueil, Raflé, 1697, 110

Weltl. Parodien: Par. bach., 1695, 89, 1696, 119, du Fresne, 1696, 53, Nouv. Par. bach.,
                              1700, II: *Point de soûpirs, Bachique Troupe, De vuider bien une couppe*

58/74   V, 1, Prelude, Pluton:

Abschriften des Prélude: Qu. 22, 36—38, 48, 49, 52, 61, 63, 86; F-B Ms 279.147

Abschrift des Rezitativs: Qu. 78

Druck: Les Trio, Blaeu, 1690, I

58/75   Pluton:

Abschriften: Qu. 22, 35, 52, 59, 78, 79; F-B Ms 279.147

Drucke: Les Airs de la Tragedie, Pointel, 1689; dass. Ballard, 1715
                              Les Trio, Blaeu, 1690, I

58/76   Pluton:

Abschriften: Qu. 22, 35, 79; F-B Ms 279.147

Druck: Les Trio, Blaeu, 1690, I

58/77   Choeur:

Abschriften: Qu. 22, 35

348

58/78   V, 2, Prelude, Ceres:
                                  Qu. 37: Sarabande; Roger: Air

Abschriften des Prélude:	Qu. 22, 36, 37, 49, 52, 61, 63, 73, 86
Druck:	Ouverture avec tous les Airs, Roger
Abschriften des Air:	Qu. 22, 73, 75, 78
Weltl. Parodie:	C. S. Favart, Pétrine, Parodie, 1759, 54: *Ma fille n'est plus sans mes yeux, Helas, tout redouble mes craintes*

58/79   V, 4, Arethuse, Aphée:

Abschriften:	Qu. 76, 79

58/80   V, 5, Ritournelle, Mercure:

Abschriften der Ritournelle:	Qu. 22, 38, 50, 52, 59, 61, 79, 86
Druck:	Trios de Differents Auteurs, Babel, 1
Abschrift des Air:	Qu. 76

58/81   Ceres:

Abschriften:	Qu. 76, 86
Drucke:	Les Airs de la Tragedie, Pointel, 1689; dass. Ballard, 1715 (Text) Nouv. Recueil, Raflé, 1697, 13

58/82   Prelude, Trompettes, Tymballes, Jupiter:

Abschriften des Prélude:	Qu. 22, 24, 31, 36—38, 41, 48—50, 52, 55, 58, 60, 61, 72; F-Pc X 108
Druck:	Ouverture avec tous les Airs, Roger
Abschriften:	Qu. 76, 78
Druck:	Les Trio, Blaeu, 1690, 1

58/83   Jupiter, Choeur:

Abschriften der Arie:	Qu. 22, 49, 59, 79, 86; F-B Ms 279.147
Druck:	Les Trio, Blaeu, 1690, I
Abschriften des Choeur:	Qu. 22, 24, 31, 35, 50, 65, 72

58/84   Premier Air:

Abschriften:	Qu. 22, 36—38, 41, 45, 46, 48—50, 52, 55, 58, 60, 61, 63, 64, 66, 68, 72, 78; F-V Ms mus 137; F-Pc X 108
Transkription:	F-Pn Rés 1106 (Laute)
Druck:	Ouverture avec tous les Airs, Roger
Weltl. Parodie:	Concerts parodiques, 1721, 52: *Les douceurs de la paix* (g-Moll, mit Varianten)

58/85   Second Air:

Abschriften:	Qu. 22, 31, 36—38, 41, 45—50, 52, 55, 58, 60—63, 64, 66, 68, 72, 78; F-V Ms mus 137; F-Pc X 108
Druck:	Ouverture avec tous les Airs, Roger

58/86a   Gigue de Proserpine:

Abschrift:	Qu. 66

58/86b   Marche des Silvains:

Abschrift:	Qu. 66

LWV 59
LE TRIOMPHE DE L'AMOUR

Bezeichnung:	Ballet
Text:	Isaac de Benserade und Philippe Quinault
Erste Aufführung:	21. 1. 1681 in Saint-Germain
Librettodrucke:	*Le Triomphe / de / l'Amour. / Ballet, / Dancé devant Sa Majesté A S. / Germain en Laye le jour de janvier 1681. / A Paris, Ballard, 1681*, F-LYm, F-Pn

Suivant la copie imprimée à Paris, [Amsterdam] s. n. 1681, D-KNub
Suivant la copie imprimée à Paris, [Amsterdam] s. n. 1682, D-HR
in: Le Parnas françois, Anvers, H. Van Dunwaldt, 1683, D-BFb
in: Recueil des Opera, des Balets, Amsterdam, A. Wolfgang 1684, D-Tu
Suivant la copie imprimée à Paris, [Amsterdam] s. n. 1686, US-Wc
s. l. s. n. 1687, F-Pa
Suivant la copie imprimée à Paris, [Amsterdam] s. n. 1687, US-Public Library New York
Imprimé à Paris, on les vend à Anvers, H. Van Dunwaldt, 1687, F-Pn
s. l. s. d. F-Pa
in: Recueil des Opera, Amsterdam, A. Wolfgang, 1690, F-Pn
Suivant la copie imprimée à Paris, [Amsterdam] s. n. 1699, F-Pn
Amsterdam, H. Schelte, 1702, D-F
in: Recueil général des Opera, Paris, Ballard, 1703, F-Pn
Paris, Ballard, 1705, F-Pn, eine Ausgabe vom 11. 9. 1705, eine zweite vom 26. 11. 1705, F-Po
Amsterdam, M.-A. Jordan, 1709, F-Pn
Prolog in: Nouveaux fragments, Paris, 1711, F-Pn
in: Petite Bibliothèque des Théâtres, Paris, 1786, F-Pn

Abschriften:	Partition générale: F-Pn Rés F 640; Vm² 57; F-V Ms mus 84; F-Pa M 939; F-B Ms 13751 (Coppié par Ferré en 1726); US-BE Ms 153; Ms 451
Drucke in Partition générale:	*Le Triomphe / de / L'Amour, / Ballet Royal, / Mis en Musique / Par Monsieur De Lully, Sur-Intendant de la Musique / du Roy. / [Druckerzeichen Ballards] A Paris, / Par Christophe Ballard, seul Imprimeur du Roy pour la / Musique, rüe Saint Jean de Beauvais, au Mont Parnasse. / Et se vend à l'Entrée de la Porte de l'Academie Royale de Musique / rüe Saint Honoré. / M.DC.LXXXI. / Avec Privilege de Sa Majesté.*

Seconde édition revue & corrigée dans un ordre plus exact que la premiere, oeuvre XI, Paris, J.-B.-C. Ballard, 1721

Stimmen:	Qu. 21—23, 29, 30; F-Po (dessus, haute-contre, basse); Matériel (Stimmensatz); ehemals GB-T Ms 23—25 (1703, Philidor, Vokalstimmen), Ms 152—154 (Instrumentalstimmen); F-Pn Vm² 58; F-PMeyer (basse continue)
Ariendruck:	Les Airs / de la / Tragedie / du Triomphe / De l'Amour / Propres à Chanter & à Jouër sur toutes sortes d'instruments, / Par Monsieur De Lulli Sur-Intendant de la / Musique du Roi. / The Airs / of the / Tragedy . . . Amsterdam. / Anthoni Pointel, in de Kalver-straat in de Roozeboom, is alderley gelineert Papier en Musyc te koop. 1688.
Suitendrucke:	Ouverture du Triomphe de l'Amour / avec tous les Airs de Violon Composez Par Monsieur / Lully Secretaire Conseiller du Roy à Paris / se vandent int Musick stuck in de Jonge Roelefs Steeg t Amsterdam Pointel, [1687], einzige Suite in Triobesetzung.

Les airs pour les violons flustes &c. de l'opera le triumphe de l'amour [1696], verschollen; vgl. K. Hortschansky, Die Datierung der frühen Musikdrucke Etienne Rogers, in: Tijdschrift van de Vereniging voor Nederlandse Muziekgeschiedenis, Deel XXII (1971/72), S. 278.

Literatur:	Gros, Quinault, 134 f., 638—643; Silin, Benserade, 393—400; Borrel, Lully, 63; Isherwood, Music in the service, 225 f.; Anthony, French baroque music, 42, 94, 101

59/1   Ouverture:

Abschriften:	Qu. 22, 31, 36—38, 41, 44—52, 55, 58, 60, 62, 64, 68, 71, 72, 78, 79; F-V Ms mus 137, Ms mus 165; S-Uu Vok mus ihs 28: 2b (vierst.); F-Pc X 108 (Dessus)
Transkriptionen:	GB-Lbl Add 39569, 172 (62e suite, Cembalo); B-Bc 27220, 30 (Cembalo) Les Ouvertures des opera, 1725, 24
Druck:	Ouverture du Triomphe de l'Amour avec tous les Airs, Pointel
Weltl. Parodien, hs.:	F-Pa 4843, 267: *Le vin sert toujours* GB-Lbl Egerton 1520, III, 37: *Tout cede à l'amour* Par. bach., 1695, 90, 1696, 120, du Fresne, 1696, 54, Les Ouvertures des opera, 1725, 24: *Tout cede à l'amour*
Geistl. Parodie:	Opera spir., 1710, 24: *Chantez tous Noël, Dans ce jour solennel*

59/2   Venus:

Abschrift:	Qu. 78
Weltl. Parodien, hs.:	Chansonnier Maurepas 12620, 111 (1681): *Gassion que le ciel fit naître,* dass. F-Pa 4842, 315, GB-Lbl Egerton 1519, 132, F-La Rochelle Ms 673, 212

59/3   Ritournelle . . . doucement sans presque toucher les cordes, Venus:

Abschriften:	Qu. 22, 36, 38, 41, 44—49, 50 (Sourdines), 51, 52, 55, 57—60, 62, 64, 66, 71—73, 75, 78, 79; F-Pc X 108 S-Uu Vok mus ihs 28:2b und 18:10 (Stimmen); F-V Ms mus 137, Ms mus 165
Transkription:	Duo choisis, 1728, 62 (mit Varianten)
Drucke:	Ouverture du Triomphe, Pointel Les Airs de la Tragedie, Pointel, 1688 Petite Bibliothèque des Théâtres, 1786, Air Nr. 1
Weltl. Parodien, hs.:	Chansonnier Maurepas 12619, 587 (2. 12. 1679 sic!): *La Gemené, si vôtre epoux;* ebd. 12620, 115, 143, 152, 161, 163, 249, 250; ebd. 12621, 231, 331; ebd. 12622, 255, 269, 271, 303, 413, 465; ebd. 12629, 91, 273; ebd. 12639, 200; ebd. 12640, 54, 245, 247, 261, 289; ebd. 12641, 7, 272, 273, 406, 449; ebd. 12642, 376, 399

F-Pa 4842, 239: *Gens du bel air, n'esperez pas* (viele couplets), dass.
F-La Rochelle Ms 673, 212; GB-Lbl Egerton 1520, III, 40: *Vous estes faite pour l'amour* (32 couplets, Datierungen von 1677), ebd. Egerton 1521, 84: *Dis-moy mon cher Doüartigny;* ebd. Egerton 814, 405: *Italienne de Nation* (viele couplets, mehrfach 1677 datiert); ebd. 472
F-LYm ms 1545, 146 (datiert 1677): *Italienne de Nation,* ebd. 194: *Prélats, Abbés, préparez-vous*

Drucke:	de Coulanges, Recueil, 1694, 117, 1698, II, 15: *On passe le Lys et l'escaut;* ebd. 1694, 119, 1698, II, 17: *Ne me parlez plus de ramparts;* ebd. 1696, 173, II, 171 Par. bach., 1695, 92, 1696, 124, du Fresne, 1695, 55, Nouv. Par. bach., 1700, II, 22: *Tranquilles coeurs, ce n'est qu'à vous Que Bacchus prodigue ses charmes* (M.R.) Nouv. Recueil, Raflé, 1695, 2e Partie: *Arrête-toi, mon cher Tircis;* ebd. 3e Partie: *Prélats, Abbez, preparez-vous;* ebd. 5e Partie: *O Waarde lief, gy laat myn hart;* 6e Partie: *En quel état me suis-je mis* Nouv. Recueil, Raflé, 1697, 19: *Tis een maal nats genoeg gestort,* passim. de Coulanges Recueil, 1694, 50, 1698, 147; 1698, 233—236, 252; Chansons, 1754, *Belles quittez vos beaux habits;* ebd. 165, 166, 273, 288
Geistl. Parodien:	L. Chassain, Cantiques sacrez, 1684, 4: *Chrétien, la premiere action* Cant. spir. d'un Solitaire, 1700, 1: *Mourons à nous incessamment* Noei compôzai l'an MDCC, N° IV: *Cor po no révigôtai* Pellegrin, Noëls, 1702, 109: *O Jour charmant, jour fortuné* ders. Les Pseaumes, 1705, 280: *Divin Seigneur, écoute-moy;* ebd. 335: *Divin Seigneur, je sens en moy;* passim Opera spir., 1710, 53: *Tout beau, Berger, apprenez-moy* Cantiques, Lyon 1710, 130: *Amour sacré, feu consumant* Cantiques, Lille, 1718, 165: *Amis de Dieu, Saints immortels;* ebd. 145: *Chrétiens, la premiere action;* ebd. 226: *J'apprends trop tard à vous aimer* Pellegrin, Chansons, 1722, Rec. III, 73: *Que les Chrêtiens sont aujourd'huy* ders. L'Imitation, 1727, 212: *O mon cher fils, Suivez mes loix* Cantiques, Avignon, 1735, 1: *Esprit Divin, sourço d'amour;* ebd. 306: *Esprit Divin, source d'amour* Recueil de Cantiques, Rouen, 1738, 13: *Amis de Dieu, Saint immortels* Cantiques, Metz, 1761, 5: *Amour Sacré, feu consumant* Pellegrin, Cantiques, Paris, 1811, 13: *Amis de Dieu, Saints immortels*
Timbre:	Tranquilles coeurs, préparez-vous

59/4   Ritournelle, Venus:

Abschriften der Ritournelle:	Qu. 44, 52, 66
Abschriften des Air:	Qu. 73, 78; S-Uu Vok mus ihs 18:10; S-N Fingspong 9094
Druck des Air:	Les Airs de la Tragedie, Pointel, 1688
Weltl. Parodien, hs.:	Chansonnier Maurepas 12620, 113: *Prince Flamand né pour le cocuage;* ebd. 235 (1681): *Gens du bel air, vous qui dans le bel âge* GB-Lbl Egerton 1519, 133: *Prince Valon, né pour le cocuage* F-Pa 4842, 359: *Prince Flamian né pour le cocuage* dass. F-La Rochelle Ms 673, 212 dass. Druck: Nouveau Recueil, 1697, 14

59/5   Premiere Entrée des Graces, des Driades & des Nayades:

Abschriften:	Qu. 22, 31, 36—38, 41, 44—52, 58, 60, 62, 64, 71, 72, 78; S-Uu Vok mus ihs 28:25b (vierst.); F-V Ms mus 165; S-Uu Nordin 1135; F-Pc X 108
Transkription:	Duo choisis, 1728, 63: Air gracieusement
Druck:	Ouverture du Triomphe, Pointel
Weltl. Parodien, Drucke:	Par. bach., 1695, 94, 1696, 127, du Fresne, 1696, 57: *Avalons sans eau Cet excellent vin nouveau* (M.R.) Nouv. Par. bach., 1700, II, 24: *Dieux, aymables Dieux, Avec nous sont en ces lieux* (M.V.); dass. S. Vergier, Oeuvres, 1726, 233 Concerts parodiques, 1721, 76: *Si quelque beauté*

59/6   Menuet pour les Mesmes:

Abschriften:	Qu. 22, 31, 36—38, 41, 44, 45, 48—52, 55, 58, 71, 72; S-Uu Vok mus ihs 28:2b; F-Pc X 108
Transkription:	Duo choisis, 1728, 64
Druck:	Ouverture du Triomphe, Pointel
Weltl. Parodien, hs.:	S-Uu Nordin 1135: *Dagen rinner opp, Solen synes som war bärgat*
Drucke:	Nouv. Par. bach., 1700, II, 26: *Heureux cent fois A qui ce choix sçait plaire* (M.V.)
Geistl. Parodie:	Opera spir., 1710, 73: *Tous nos Bergers, & nos Bergeres*

59/7   Deuxiesme Menuet pour les Mesmes, Venus:
                           Das Menuet ist im Erstdruck der Partitur nicht textiert, jedoch enthält bereits der erste Librettodruck die Verse, die in den handschriftlichen Partituren und in einigen Drucken handschriftlich unterlegt sind.

Abschriften:	Qu. 22, 31, 35—38, 41, 44, 45, 48—50, 52, 58, 60, 67, 71—73, 75, 78; S-Uu Vok mus ihs 18: 10; F-Pc X 108
Transkriptionen:	A-Wm Ms 743, 52v° (Cembalo) Duo choisis, 1728, 65 (darin wird ein weiterer Druck erwähnt: Menuets, Livre II, 74)
Druck:	Les Airs de la Tragedie, Pointel, 1688 Ouverture du Triomphe, Pointel
Geistl. Parodie:	Opera spir., 1710, 73: *Qu'attendons-nous pour en faire de même*

59/8   Entrée des Plaisirs. Premier Air:

Abschriften: Qu. 22, 31, 36—38, 41, 44, 45, 48—50, 52, 55, 58, 60 (zweimal), 62, 64,
                          71, 72; S-Uu Vok mus ihs 28:2b; F-V Ms mus 165; F-Pc X 108

Druck: Ouverture du Triomphe, Pointel

Weltl. Parodien, hs.:   F-Pa 4842, 265: *Laval a dedans l'oeil je ne sçais quoy d'agréable;* dass.
                          GB-Lbl Egerton 814, 273, Egerton 1519 und F-LYm Ms 1545, 25

Drucke: Par. bach., 1695, 95, 1696, 128, du Fresne, 1696, 57, Nouv. Par. bach.,
                          1700, II, 27: *Qu'on ne me parle plus de soûpirs*

59/9   Deux Plaisirs:

Abschriften: Qu. 22, 50, 73, 78

Drucke: Les Airs de la Tragedie, Pointel, 1688
                          (Text) Nouv. Recueil, Raflé, 1697, 22

Weltl. Parodie, Druck: Nouv. Par. bach., 1700, II, 52: *Iris me verse à boire*

Geistl. Parodien: Pellegrin, Cant. spir., 1701, 49: *Dieu veille sur nos jours;* ebd. 52: *Pour-
                          quoy, foible raison, osez-vous mêler;* ebd. 58: *Tout ce que voit le jour*
                          ders. Noëls, Rec. III, 1725, 234: *Trois Rois de l'Orient sont venus en ces
                          lieux;* ebd. Rec. V, 1705, 361: *Aimons un Dieu naissant, renaissons avec
                          luy*
                          ders. Histoire, 1702, 25: *Le ciel dans nos malheurs nous promet son secours;*
                          ebd. 115: *Juda rempli d'amour pour sauver Benjamin;* ebd. 199: *Il faut
                          être soûmis à la loy du Seigneur*
                          ders. Les Pseaumes, 1705, 106: *Non, non, dit le méchant, rien ne doit
                          m'alarmer;* ebd. 205: *Que par tout l'Univers le Seigneur soit chanté;* ebd.
                          264, 277, 321, 374, 412, 497
                          ders. Chansons, 1722, 12: *Heureux qui sçait regler les desseins de son coeur;*
                          ebd. III, 85: *Pourquoy nous attacher aux faux biens d'icy-bas?*
                          ders. L'Imitation, 1727, 468: *Un coeur fidele & pur plaît toûjours à mes
                          yeux;* ebd. 471: *Que j'aime à vous chercher*

59/10   Menuet pour les Plaisirs:
                          Qu. 36, 41, 60, Pointel etc.: Rondeau

Abschriften: Qu. 22, 31, 36—38, 41, 44, 45, 48—50, 52, 55, 58, 60 (zweimal), 64, 72;
                          S-Uu Vok mus ihs 28:2b; V-Ms mus 165; F-Pc X 108

Transkription: F-Pc Rés F 844, 286 (Gitarre)

Druck: Ouverture du Triomphe, Pointel

Weltl. Parodie: Nouv. Par. bach., 1700, II, 28: *Fuy les nobles hazards, Prends le parti
                          de boire;* dass. S. Vergier, Oeuvres, 1726, 237

59/11   Prelude pour Venus et les Plaisirs, Venus:

Non, non il n'est pas pos = si=ble De con = train=dre

Abschriften des Prélude:	Qu. 22, 36—38, 44, 45, 48—50, 52, 62, 72; S-Uu Vok mus ihs 28:2b
Abschriften des Air:	Qu. 22, 73, 78, 79
Druck:	Les Airs de la Tragedie, Pointel, 1688

59/12   Entrée de Mars et de Guerriers. Air:

Abschriften:	Qu. 22, 31, 36—38, 41, 44—52, 55, 58, 60, 64, 71, 72, 78; S-Uu Vok mus ihs 28:2b; F-V Ms mus 165; F-Pc X 108
Druck:	Ouverture du Triomphe, Pointel
Weltl. Parodie:	Les Concerts parodiques, 1725, 23: *Charmante liqueur* (G-Dur)

59/13   Air pour les Amours et les Guerriers:

Abschriften:	Qu. 22, 31, 36—38, 41, 44, 45, 48—52, 55, 58, 60, 62, 64, 72; S-Uu Vok mus ihs 28:2b; F-V Ms mus 165; F-Pc X 108
Transkription:	B-Bc 27220, 70 (Cembalo, Bourrée)
Druck:	Ouverture du Triomphe, Pointel

59/14   Entrée de Mars et des Amours. Air:
                               Qu. 78: Rondeau

Abschriften:	Qu. 22, 31, 36—38, 41, 44—52, 55, 58, 60, 64, 71, 72, 78; S-Uu Vok mus ihs 28:2b; F-V Ms mus 165; F-Pc X 108
Transkription:	B-Bc 27220, 67 (Cembalo, bezeichnet als Trompette)
Druck:	Ouverture du Triomphe, Pointel

59/15   Ritournelle pour Amphitrite, Amphitrite:

Fier = té,   se=vere hon = neur vous def = fen=dez

Abschriften der Ritournelle:	Qu. 22, 44, 45, 50, 52, 59, 79, 83, 84
Transkription:	Duo choisis, 1730, II, 170: Lentement, Prélude (A-Dur)

Druck:	Trio de differents Autheurs, Babel, 1697, I, 27
Abschrift des Air:	Qu. 78
Drucke:	Les Airs de la Tragedie, Pointel, 1688
	Petite Bibliothèque des Théâtres, 1786, Air

59/16   Neptune:

Abschriften:	Qu. 73, 78

59/17   Amphitrite:

Abschrift:	Qu. 78
Drucke:	Les Airs de la Tragedie, Pointel, 1688
	(Text) Nouv. Recueil, Raflé, 1697, 23

59/18   Amphitrite:

Abschrift:	Qu. 78
Druck:	Les Airs de la Tragedie, Pointel, 1688

59/19   Amphitrite et Neptune:

Abschriften:	Qu. 73, 78
Druck:	Les Airs de la Tragedie, Pointel, 1688
Geistl. Parodie:	Pellegrin, Histoire, 1702, Air 34

59/20   Entrée des Dieux Marins et des Nereides:

Abschriften:	Qu. 17, 22, 31, 34, 36—38, 41, 44—46, 48—50, 52, 58, 60, 62, 78; S-Uu
	Vok mus ihs 28:2b; S-N Finspong 1136:1 und 1137; F-Pc X 108
Transkription:	B-Bc 27220 (Cembalo)

59/21 Amphitrite, Neptune:

Abschriften: Qu. 73, 78

Drucke: Les Airs de la Tragedie, Pointel, 1688
(Text) Nouv. Recueil, Raflé, 1697

Weltl. Parodie: Nouv. Par. bach., 1700, II, 30: *Aux charmes de Bacchus voudroit-on s'opposer*

59/22 Menuet pour les Mesmes:

Abschriften: Qu. 17, 22, 31, 34, 36—38, 41, 44, 45, 48—50, 52, 57, 58, 60, 72; S-Uu Vok mus ihs 28:2b

Druck: Ouverture du Triomphe, Pointel

59/23 Troisiesme Air pour les Mesmes:
Qu. 22, 37, 48, 60, Pointel: Menuet

Abschriften: Qu. 17, 22, 31, 34, 37, 38, 41, 44, 45, 48—50, 52, 58, 60, 72; S-Uu Vok mus ihs 28:2b

Druck: Ouverture du Triomphe, Pointel

59/24 Amphitrite:

Abschriften: Qu. 17, 22, 45, 50, 60, 66, 73 (nur das Duett), 78

Drucke: Les Airs de la Tragedie, Pointel, 1688
(Text) Nouv. Recueil, Raflé, 1695

Weltl. Parodien: Nouv. Recueil, Raflé, 1697, 4e Partie, 148

Geistl. Parodien: L. Chassain, Cantiques sacrez, 1684, 15: *Aprochons de ce Roy des Anges;*
ebd. 45: *Voicy le premier des miracles*
ders. Les Hymnes, 1705, 110: *Que les faveurs du Roy des Anges*

59/25 Air pour l'entrée de Borée et des quatre Vents:

Abschriften: Qu. 17, 22, 31, 34, 36—38, 41, 44—50, 52, 55, 58, 60, 64, 71, 72; F-V Ms mus 165; S-Uu Vok mus ihs 28:2b; F-Pc X 108

Transkription: B-Bc 27220, 62 (Cembalo)

Druck: Ouverture du Triomphe, Pointel: Borée. Tres viste

59/26   Gavotte pour Orithie et ses Nymphes:

Abschriften: Qu. 17, 22, 31, 34, 36—38, 41, 44—46, 48—50, 52, 55, 58, 60, 64, 70, 72,
                          78; S-Uu Vok mus ihs 28:2b; F-Pc X 108

Transkriptionen: B-Bc 27220, 64 (Cembalo)
                          GB-Lbl Add 39569, 98 (Cembalo)

Weltl. Parodien, hs.:   F-Pa 4842, 305: *Nous sommes quatre hommes de France*

Drucke: Par. bach., 1695, 96, 1696, 125, du Fresne, 1696, 58, Nouv. Par. bach.,
                          1700, II, 34: *Iris, vous avez la gloire* (M.R.)
                          Concerts parodiques, 1732, IV, 44: *Aimons-nous, belle Silvie*

Geistl. Parodie: Opera spir., 1710, 64: *La Charité, l'Esperance fortifient nôtre Foy*

59/27   ohne Titel
                           Qu. 22, 36, 46, 60, 72, Pointel etc.: Sarabande

Abschriften: Qu. 22, 31, 36—38, 41, 44—46, 48—50, 52, 55, 58, 60, 64, 70, 72;
                          F-V Ms mus 165; GB-Lbl Add 29283, 102; S-Uu Vok mus ihs 28:2b;
                          F-Pc X 108

Druck: Ouverture du Triomphe, Pointel

Weltl. Parodien, Drucke: Par. bach., 1695, 97, 1696, 130, du Fresne, 1696, 58, Nouv. Par. bach.,
                          1700, II, 35: *Le vin chasse l'humeur noire*

59/28   Air pour Borée & quatre Vents qui enlevent Orithie & les Nymphes:
                           Qu. 60: Bourrée

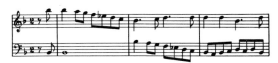

Abschriften: Qu. 22, 31, 36—38, 41, 44—46, 48—50, 52, 55, 58, 60, 64, 72; GB-Lbl
                          Add 29283, 101; S-Uu Vok mus ihs 28:2b; F-Pc X 108

Druck: Ouverture du Triomphe, Pointel

59/29   Ritournelle pour Diane (Flûte d'Allemagne), Diane:

Abschriften der Ritournelle: Qu. 17, 22, 34, 36, 44—46, 50, 52, 59, 66, 79

Abschriften des Air: Qu. 66, 78

Drucke: Les Airs de la Tragedie, Pointel, 1688
                          (Text) Nouv. Recueil, Raflé, 1697, 24

59/30   Entrée des Nymphes de Diane:

Abschriften: Qu. 17, 22, 31, 34, 36—38, 41, 44, 45, 48—50, 52, 58, 60, 62; S-Uu Vok mus ihs 28:2b; F-Pc X 108

Druck: Ouverture du Triomphe, Pointel

Weltl. Parodie: Nouv. Par. bach., 1700, II, 37: *Ami, tu dis voir sans peine les frimats;* dass. S. Vergier, Oeuvres 1726, 250

59/31   Diane:

Abschriften: Qu. 73, 78

Drucke: Les Airs de la Tragedie, Pointel, 1688
                     (Text) Nouv. Recueil, Raflé, 1697, 25

59/32   Deuxiesme Air pour les Nymphes de Diane:
                     Qu. 17, 41: Canaries; Par. bach., 1695, 1696: Gigue

Abschriften: Qu. 17, 22, 31, 34, 36—38, 41, 44, 45, 48—50, 52, 58, 60, 72, 78; F-Pc X 108

Druck: Ouverture du Triomphe, Pointel

Weltl. Parodien, hs.:   Chansonnier Maurepas 12640, 238 (1681): *A Copernic c'est trop faire la guerre*

Drucke: Par. bach., 1695, 98, 1696, 131, du Fresne, 1696, 59, Nouv. Par. bach., 1700, II, 38, Nouv. Recueil de Chansons choisis, 1724 und 1731, II, 198: *A Copernic c'est trop faire la guerre;* dass. S. Vergier, Oeuvres, 1726, 236

Timbre: A Copernic c'est trop faire la guerre

59/33   Diane:

Abschriften: Qu. 17, 22, 34, 73, 75, 78

Drucke: Les Airs de la Tragedie, Pointel, 1688

Weltl. Parodie, hs.:   S-Uu Nordin 1135: *Kann da Casitte, mitt hjärta, min själ* (4. 1. 1692?)

Drucke: Nouv. Recueil, Raflé, 1697, 25: Originaltext und *Le Dieu si fier, si terrible, & si fort*
                     Nouv. Par. bach., 1700, II, 55: *Couchons icy, pouvons-nous estre mieux?*

59/34   Entrée d'Endimion, Premier Air:

Abschriften: Qu. 17, 22, 31, 34, 36—38, 41, 44—46, 48—50, 52, 58, 60, 64, 72; 78;
                               F-V Ms mus 165; F-Pc X 108

Druck: Ouverture du Triomphe, Pointel

59/35   Deuxiesme Air pour Endimion:

Abschriften: Qu. 17, 22, 31, 34, 36—38, 41, 44—46, 48—50, 52, 58, 60, 72

Transkription: GB-Lbl Add 39569, 98

Druck: Ouverture du Triomphe, Pointel

59/36   Prelude pour la Nuit (Sourdines), la Nuit:

Abschriften des Prélude: Qu. 22, 38, 44, 45, 48, 50—52, 56, 59

Abschriften des Air: Qu. 22, 75, 78

Druck: Les Airs de la Tragedie, Pointel, 1688

59/37   La Nuit:

Abschriften: Qu. 22, 73, 75, 78

59/38   Prelude pour Diane, Diane:

Abschriften des Prélude: Qu. 22, 44, 52

Abschrift des Air: Qu. 78

Druck: Les Airs de la Tragedie, Pointel, 1688

59/39   Diane:

Abschriften: Qu. 22, 75, 78

Druck: Les Airs de la Tragedie, Pointel, 1688

59/40   Prelude pour la Nuit, la Nuit:

Abschriften des Prélude: Qu. 22, 38 (transponiert nach G-Dur), 44, 50, 52

Abschriften des Air: Qu. 22, 78

59/41   Entrée des Songes:

Abschriften: Qu. 22, 31, 36—38, 41, 44, 45, 48—50, 52, 58, 72, 78; GB-Lbl Add 29283,
                          103 (Trio); F-Pc X 108

Druck: Ouverture du Triomphe, Pointel

59/42   Entrée des Cariens, lentement:
                                   Qu. 44: Prelude

Abschriften der Entrée: Qu. 22, 41, 44, 50

Abschriften des Air: Qu. 22, 78

59/43   La Nuit:

Abschriften: Qu. 22, 78

Druck: Ouverture avec tous les airs de l'opera de Cadmus, Heus, 1682, Satz 18
                          (2. Teil)

59/44   Choeur des Cariens:

Abschriften: Qu. 22, 50

362

59/45   Choeur des Cariens:

Abschriften: Qu. 22, 36, 50

Druck: Ouverture avec tous les airs de l'opera de Cadmus, Heus, 1682, Satz 18

59/46   Entrée des Cariens:

Abschriften: Qu. 22, 31, 36—38, 41, 44—46, 48—50, 52, 58, 64, 72; F-V Ms mus 165;
                           GB-Lbl Add 29283, 104; F-Pc X 108

Druck: Ouverture du Triomphe, Pointel

59/47   Prelude pour un Indien:

Abschriften: Qu. 22, 37, 44, 48, 52, 55, 60, 65

Druck: Ouverture du Triomphe, Pointel: Prelude de Bacchus

Abschriften des Air: Qu. 22, 55, 73, 75, 78

Drucke des Air: Les Airs de la Tragedie, Pointel, 1688
                           (Text) Nouveau Recueil, Raflé, 1695

Weltl. Parodien: Nouv. Par. bach., 1700, II, 58: *Laquais, maudit laquais, ne m'apprends*
                           jamais l'heure (M. Vault)

59/48   Un Indien:

Abschriften: Qu. 22, 78

Druck: Les Airs de la Tragedie, Pointel, 1688

Geistl. Parodie: Desessartz, Nouv. Poésies spir., 1732, IV, 36 (Air Rondement): *Pécheur,*
                           le Tout-puissant me frappe qu'avec peine

59/49   Deux Indiennes de la suite de Bacchus:

Abschriften: Qu. 75, 78, 79

Drucke: Les Airs de la Tragedie, Pointel, 1688
                           Les Trio, Blaeu, 1691, II
                           (Text) Nouv. Recueil, Raflé, 1697, 11

59/50   L'Indien, Choeur:

Tout res= sent les feux de l'a =mour / Tout res = sent les feux de l'A = mour

Abschriften: Qu. 22, 50 (Choeur), 75 (Air)

59/51   Entrée de Bacchus, d'Indiens, d'Ariane et de Dames Grecques. Premier Air:
               Qu. 37: Prelude

Abschriften: Qu. 22, 31, 36—38, 41, 44—46, 48—50, 52, 58, 60, 72, 78; GB-Lbl Add
                      29283, 104 (Trio); F-Pc X 108

Druck: Ouverture du Triomphe, Pointel

59/52   Menuet pour les Mesmes:

Abschriften: Qu. 22, 31, 36—38, 41, 44—46, 48—50, 52, 58, 60, 72; GB-Lbl Add
                      29283, 105 (Trio); F-Pc X 108

Druck: Ouverture du Triomphe, Pointel

59/53   Chaconne pour les Mesmes:

Abschriften: Qu. 22, 31, 36—38, 41, 44—46, 48—50, 52, 55, 58—60, 62, 64, 78;
                      GB-Lbl Add 29283, 105 (Trio); F-Pc X 108

Druck: Ouverture du Triomphe, Pointel

Weltl. Parodie: Mme de Sainctonge, Poésies, 1696, 134: *Ça du vin, Verse-nous à boire*

59/54   Choeur d'Indiens:

Pour=quoi tant se con = train=dre Pour | gar=der son

Abschriften: Qu. 22, 50, 60

59/55   Deux Indiennes et l'Indien:

Ah!   ce = dons, Ah!   ce = dons, ren=dons
Ah   ce = dons, ren=dons - | nous.

Abschrift: Qu. 79

Druck: Les Trio, Blaeu, 1691, II

59/56   Prelude pour Mercure, Mercure:

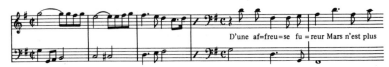

D'une af=freu=se fu=reur Mars n'est plus

Abschriften des Prélude: Qu. 22, 36—38, 44, 48—50

Abschrift des Air: Qu. 78

Druck: Les Airs de la Tragedie, Pointel, 1688

59/57   Ritournelle, Mercure:

Sui=vons l'a=mour, por=tons sa chais=ne

Abschriften der Ritournelle: Qu. 22, 44, 45, 59, 79

Abschriften des Air: Qu. 17, 34, 50, 73, 75, 78

Weltl. Parodie: Nouv. Par. bach., 1700, II, 40: *Suivons Bacchus, cherchons à boire*

59/58   Entrée d'Apollon et de quatre Bergers heroyques:

Abschriften: Qu. 17, 22, 31, 34, 36—38, 41, 44—51, 55 (zweimal), 58, 60, 62, 64, 65, 68, 70—72, 78; F-V Mus ms 165; GB-Lbl Add 29283, 99 (Trio); F-Pc X 108

Transkriptionen: F-Pn Rés F 844, 262 (Gitarre)
d'Anglebert, Pieces de clavecin, Paris 1689
GB-Lbl Add 39569, 95 (Cembalo)

Drucke: Ouverture du Triomphe, Pointel
R. A. Feuillet: Recueil de Dances, 1700, 60

Weltl. Parodien, Drucke: Par. bach., 1695, 99, 1696, 132, du Fresne, 1696, 59, Nouv. Par. bach., 1700, II, 42: *Que le jus de la treille* (M.R.)

Geistl. Parodien: Pellegrin, Noëls, Rec. V, 1709, 328: *Pour un Dieu qui nous aime, Brûlons tous d'un zele extrême*
Desessartz, Nouv. poésies spir., 1733, III, 4 (Air gracieux & marqué): *L'Aquilon se retire, le doux souffle du zéphire* (d-Moll)

59/59   Deuxiesme Air pour les Mesmes:

Abschriften: Qu. 17, 22, 31, 34, 36—38, 41, 44—46, 48—51, 55, 58, 60, 64, 66, 68, 72; F-Pc X 108

Druck: Ouverture du Triomphe, Pointel

59/60   Entrée de Pan, d'Arcas et de Silvains, Ritournelle pour les hautbois:

Abschriften: Qu. 17, 22, 34, 37, 44, 45, 49, 50, 59, 72, 79

Transkription: Duo choisis, 1730, II, 171: Legerement. Air.

59/61   Arcas, Choeur:

Abschriften: Qu. 22, 50

59/62   Entrée de Pan et des quatre Silvains. Premier Air:

Abschriften: Qu. 17, 22, 31, 34, 36—38, 41 (zweimal), 44, 45, 48—50, 58, 78; F-Pc X 108

Druck: Ouverture du Triomphe, Pointel

59/63   Chanson pour Arcas:

Abschrift: Qu. 78

Druck: Les Airs de la Tragedie, Pointel, 1688

59/64   Second Air pour les Mesmes:

Abschriften: Qu. 17, 22, 31, 34, 36, 38, 41, 44—50, 58, 60, 64, 71, 72; GB-Lbl Add 29283, 100 (Trio); F-Pc X 108

Druck: Ouverture du Triomphe, Pointel

59/65   Entrée de Flore, de Zephire, de Nymphes de Flore, et des Zephires. Premier Air:
                   Qu. 22, 37, 72: Gavotte

Abschriften: Qu. 22, 31, 36—38, 41, 44, 45, 47—50, 58, 72; GB-Lbl Add 29283, 102 (Trio); F-Pc X 108

Druck: Ouverture du Triomphe, Pointel

59/66	ohne Titel Qu. 22, 36, 37, 55, 60, 72: Bourrée

Abschriften:	Qu. 22, 31, 36—38, 41, 45, 48—50, 55, 58, 60, 64, 72, 78; GB-Lbl Add 29283, 102; F-Pc X 108
Transkription:	A-Wm Ms 743, 49vᵒ (Cembalo)
Druck:	Ouverture du Triomphe, Pointel

59/67	Air chanté par une Nymphe de Flore: Qu. 22: Bourrée

Abschriften:	Qu. 22, 60, 73, 78
Druck:	Les Airs de la Tragedie, Pointel, 1688
Weltl. Parodien:	Par. bach., 1696, 136, Mme de Sainctonge, Poésies, 1696, 136, Nouv. Par. bach., 1700, II, 50: *Décoëffons les bouteilles Et faisons des merveilles*

59/68	Prelude pour l'Amour (Tailles ou Flûtes d'Allemagne), l'Amour:

Abschriften des Prélude:	Qu. 17, 22, 34, 37, 38, 41, 44, 45, 48—52
Abschriften des Air:	Qu. 73, 75, 78
Drucke:	Les Airs de la Tragedie, Pointel (Text) Nouv. Recueil, Raflé, 1697, 93 Petite Bibliothèque des Théâtres, 1786, 3e Air

59/69	Premier Air pour la Jeunesse:

Abschriften:	Qu. 17, 22, 31, 34, 36—38, 41, 44—52, 55, 58, 60, 64, 68, 71, 72; F-V Ms mus 165; F-Pc X 108
Transkription:	GB-Lbl Add 39569, 98 (Cembalo)
Druck:	Ouverture du Triomphe, Pointel
Weltl. Parodie:	Nouv. Par. bach., 1700, II, 45: *Je cherchois autrefois les douceurs de l'amour* (M.V.); dass. S. Vergier, Oeuvres, 1726, 238

59/70	La Jeunesse:

Abschriften:	Qu. 17, 22, 34, 60, 71

Transkription:	F-Pn Rés 823 (Laute)
Drucke:	Les Airs de la Tragedie, Pointel, 1688
	Petite Bibliothèque des Théâtres, 1686, 4e Air
Weltl. Parodien, hs.:	Chansonnier Maurepas 12620, 123 (1681): *Laisse-là la Certain, ragraffe ton pourpoint* (an Lully gerichtet, der ein Auge auf die Cembalistin M.-F. Certain geworfen haben soll); ebd. 124: *La vieille Certain se fâche Que Brunet soit mon mignon* (soll von Lully stammen); ebd. *Il court un bruit par la ville;* ebd. 145, 349; ebd. 12621, 99 (1686): *Que fait à Chantilly Condé ce grand héros*
	F-Pa 4842, 335: *Ne m'importunez plus, souvenir du devoir,* dass.
	GB-Lbl Egerton 1520, III, 61 (de Coulanges)
Drucke:	Par. bach., 1695, 101, 1696, 134, du Fresne, 1696, 61: *Personne n'a douté que le grand Saint Martin* (M.D.L.F.)
	Nouv. Par. bach., 1700, II, 47: *Qu'en ce charmant repas*
	de Coulanges, Recueil, 1694, 49, 1698, 138, Chansons, 1754, 63 (L'Adieu des Etats de Bretagne): *Puis qu'enfin aujourd'hui finissent les Etats;* 1698, II, 233 und 1754, 273: *Laisse-moi vivre en paix, souvenir du devoir*
Geistl. Parodie:	Desessartz, Nouv. poésies spir., Rec. V, 1733, 38: *On se livre aux plaisirs qu'interdit la raison*

59/71   Deuxiesme Air pour les Mesmes:

Abschriften:	Qu. 17, 22, 31, 34, 36—38, 41, 44—46, 48—50, 52, 55, 58, 60, 72, 86; GB-Lbl Add 29283, 99 (Trio); F-Pc X 108
Transkription:	GB-Lbl Add 39569, 99
Druck:	Ouverture du Triomphe, Pointel

59/72   Prelude pour Jupiter, Jupiter, Choeur:

Abschriften des Prélude:	Qu. 22, 37, 38, 44, 45, 48—50, 52
Abschriften des Air:	Qu. 78 (Air), 22, 50 (Choeur)

LWV 60
PERSEE

Bezeichnung:	Tragédie en Musique
Text:	Philippe Quinault
Erste Aufführung:	18. 4. 1682 im Palais Royal

Librettodrucke:	*Persée, / Tragedie / representée / Par l'Academie Royale / de Musique. / Le dix-septiéme Avril 1682. / Ballard, 1682*, F-Pn
	Suivant la copie imprimée à Paris, [Amsterdam] s. n. 1682, D-Mth
	in: Le Parnas françois, Anvers, Dunwaldt, 1683, D-BFb
	in: Recueil des Opera, des Balets, Amsterdam, A. Wolfgang, 1684, D-Mth
	Imprimée à Paris, on les vend à Anvers, H. Van Dunwaldt, 1685, D-F
	Suivant la copie imprimée à Paris, [Amsterdam] s. n. 1685, D-BÜ
	Suivant la copie imprimée à Paris, [Amsterdam] s. n. 1687, F-Pn
	s. l. s. n. 1687, F-LYm
	Imprimée à Paris, on les vend à Anvers, H. Van Dunwaldt, 1688, F-Pn
	Suivant la copie imprimée à Paris, [Amsterdam] s. n. 1690, US-Wc
	in: Recueil des Opera, Amsterdam, A. Wolfgang, 1690, D-HR
	Lyon s. n. 1696 oder 1697, F-LYm, Titelblatt fehlt
	Suivant la copie imprimée à Paris, Amsterdam s. n. 1699, F-Pn
	in: Recueil général des Opera, Paris, Ballard, 1703, F-Pn
	Paris, Ballard, 1703, F-Pn
	Amsterdam, H. Schelte, 1707, D-F
	Paris, Ballard, 1710, F-Po
	Paris, Vve Ribou, 1722, F-Po
	Paris, Ballard, 1737, F-Pa
	Paris s. n. 1746, F-Pa
	Paris, Ballard, 1747, F-Pn
	Paris, Ballard, 1770, F-Pa
	in: Spectacles . . . sur les Théâtres de Choisi et de Fontainebleau, Paris, Ballard, 1770, F-Po
	in: Petite Bibliothèque des Théâtres, Paris 1786, F-Pn
	in: Répertoire du théâtre français, Paris 1822, F-Pn
Abschriften:	Partition générale: F-Pn Vm² 64; Vm² 62; B-Br Ms II 4050 (copié par Philidor); F-NS; F-Po A 14d; F-B Ms Z507 (achevé de copier par Ferré le 7 Fevrier 1728); US-BE Ms 149, Ms 449
	Partition réduite: F-PMeyer; US-BE Ms 765
Druck in Partition générale:	*Persée, / Tragedie / Mise / en Musique, / Par Monsieur de Lully, Escuyer, Conseiller / Secretaire du Roy, Maison, Couronne de / France & de ses Finances, & Sur-Intendant / de la Musique de Sa Majesté* [Druckerzeichen Ballards] / *A Paris, / Par Christophe Ballard, seul Imprimeur du Roy pour la Musique, rüe Saint Jean de Beauvais, au Mont-Parnasse. / Et se vend / A la Porte de l'Academie Royale de Musique, rüe Saint Honoré. / M.DC.LXXXII. / Avec Privilege de Sa Majesté.*
Drucke in Partition réduite:	Seconde édition, Paris, s. n. (gravée par H. de Baussen), 1710
	Nouvelle édition, Paris, J.-B.-C. Ballard, 1719
	Seconde édition oeuvre XII, Paris, J.-B.-C. Ballard, 1722
	Nouvelle édition, Amsterdam, Pierre Mortier, s. d.
	Nouvelle édition, Amsterdam, Michel Charles le Cène, s. d.
Stimmen:	Qu. 21, 22, 28—30; F-Po (basse de violon); ehemals GB-T Ms 26—30 (1703, Philidor, Vokalstimmen), Ms 155—156 (dessus, basse continue); F-Po Matériel (Stimmensatz); F-Pn Vm² 63 (dessus); F-Mc 56 (basse continue); F-Po Fonds la Salle
Ariendruck:	Les Airs / de la / Tragedie / De Persée. / Propres à chanter & à Jouer sur toutes sortes d'Instruments. / Par Monsieur De Lully, Sur Intendant de la / Musique du Roy. / The Airs, / of the / Tragedy . . . Amsterdam / by Anthony Pointel . . . 1688.
	In einer kleinen Annonce des Ballard-Druckes von 1742, *Fragmens d'Opera: ou Choix de Recits . . . extraits de Roland, d'Armide . . .* werden *d'autres Fragments d'Opera, in-12. sous le titre, d'airs détachés de . . . Persée . . . qu'on vend separément, chacun 36 sols* erwähnt, die verschollen sind.

Suitendrucke:	Ouverture avec tous les airs de Violon de l' / opera de / Persée fait à paris par Monsr. Jan Baptiste Lully / Conseiller e. Sur Intendant de la Musique du Roy. / Imprimée à Amsterdam par Jean Philip Heus 1682.
	Ouverture / avec tous les Airs à jouer de / l'Opera de Persée / Par / M^r. Baptiste Luly / . . . A Amsterdam / Chez Estienne Roger Marchand libraire [1702]
Szen.-dramatische Parodien, bibliographisch nachgewiesen bzw. handschriftlich:	Anonym: Persée le cadet (4. 2. 1709, Foire de Saint-Germain, Troupe de Dolet & de la Place)
	A. R. Lesage: Apollon à la Foire, pièce à la muette avec les écriteaux (1711, gedruckt in: V. Barberet, Le Sage et le Théatre de la Foire, Nancy 1887, Appendix)
	Carolet: Persée le cadet (geschrieben zwischen dem 14. 2. und 21. 3. 1737, nicht aufgeführt, Ms F-Pn)
	Carolet: Le Mariage en l'air, Parodie de Persée (21. 3. 1737, Foire de Saint-Laurent, Ms F-Pn)
	Anonym: Polichinelle Persée (1737, Foire de Saint-Germain, durch die Marionettes de Bienfait, Ms F-Pn)
	Anonym: Arlequin Persée, Parodie Pantomime (Februar 1747, Foire de Saint-Germain, durch die Troupe des Acteurs Pantomimes)
Druck:	L. Fuzelier: Arlequin Persée (18. 12. 1722, Théâtre italien und Foire de Saint Laurent) in: Les Parodies du nouveau théâtre italien 1738, Zusammenfassung in: Mercure 1722, Dezember, S. 147
Literatur:	Gros, Quinault, 139 f., 535 f., 578—584, 619—622; Borrel, Lully, 64 f.; Girdlestone, La tragédie en musique, 84—90; Isherwood, Music in the service, 286—288; Newman, Formal Structure, 146 f.

60/1   Ouverture:

Abschriften:	Qu. 22, 31, 36—38, 41, 44—52, 55, 58, 60, 62, 64, 66, 68, 72, 78, 79; F-V Ms mus 165; F-Pc X 108 (Dessus)
Transkriptionen:	GB-Lbl Add 39569, 110 (Cembalo)
	Ouvertures des opera, 1725, 26
Drucke:	Ouverture avec tous les airs, Heus, 1682
	Ouverture avec tous les Airs, Roger
Weltl. Parodie:	Ouvertures des opera, 1725, 26: *Ah! cédons aux feux d'un coeur amoureux*

60/2   Prologue, Phronime et Megatyme:

Abschriften:	Qu. 74, 78, 86

60/3   Phronime et Megatyme:

Abschriften:	Qu. 74, 78
Druck:	Les Trio, Blaeu, 1691, II

60/4   Choeur des suivants et suivantes de la Vertu:

Abschriften: Qu. 52, 73, 74, 86

Druck: Les Trio, Blaeu, 1691, II

60/5   Air pour les hautbois. Passepied, Megatyme, Phronime:

Abschriften: Qu. 22, 31, 36—38, 41, 44—46, 48—52, 55, 58—60, 64, 66, 72, 74, 75, 78, 79, 86; F-V Ms mus 165; S-Sk S 173; F-Pc X 108

Drucke: Les Airs de la Tragedie De Persée, Pointel, 1688
                         Les Trio, Blaeu, 1691, II
                         Trios de Differents Auteurs, Babel, I

Weltl. Parodien, hs.:   F-Pa 4843, 245: *La noble famille du grand dieu Bacchus*

Drucke: Nouv. Par. bach., 1700, II, 61: *Pour nous satisfaire dans ce monde-cy*
                         (M. Vault)
                         Les Par. du Nouv. Théâtre it., 1731, I, 172, 1738, II, 95: *Rouën, Cracovie,*
                         Valence, & Madrid

Geistl. Parodien: Pellegrin, Cant. spir., 1701, 77: *La grace est charmante, Suivons tous ses*
                         pas; ebd. 115: *Faut-il que l'on aime Ce monde trompeur;* ebd. 1706, 331:
                         Renonçons aux charmes Qui sont dans ces lieux; ebd. 1706, Rec. V, 423:
                         Sauveur de mon ame Qu'ay-je fait pour toy?
                         ders. Noëls, 1725, Rec. III, 175: *Prenons nos musettes Et nos chalumeaux;*
                         ebd. 1709, Rec. V, 340: *Tu vois notre hommage, Adorable Roy*
                         ders. Histoire, 1702, 241: *Quelle indigne flame Pour le faux appas;* ebd.
                         338: *En vain dans le monde On voit mille attraits*
                         ders. Les Pseaumes, 1705, 142: *L'ardeur qui m'enflamme Me fait une loi;*
                         ebd. 500: *O Peuple fidéle Du céleste Roy*
                         ders. Chansons, 1722, Rec. III, 96: *Le monde nous tente, Il fait bien du*
                         bruit
                         ders. L'Imitation, 1727, 29: *Tous les biens du monde;* ebd. 31: *Dés qu'il*
                         nous arrive; ebd. 215: *Du haut de ma gloire;* ebd. 218: *Cessez de vous*
                         plaindre De trop de rigueurs

60/6   Marche pour les suivants de la Fortune:

Abschriften: Qu. 22, 31, 36—38, 41, 44—46, 48—50, 52, 55, 58, 60, 72, 74, 78; F-Pc
                         X 108

Drucke: Ouverture avec tous les airs, Heus, 1682
                         Ouverture avec tous les Airs, Roger

60/7   La Fortune, la Vertu:

Abschriften: Qu. 74, 79, 86

Druck: Les Trio, Blaeu 1691, II

60/8   Choeur des suivants de la Vertu:

Abschriften: Qu. 22, 38, 50, 74

60/9   La Fortune, la Vertu:

Abschriften: Qu. 74, 79

Druck: Les Trio, Blaeu, 1691, II

60/10   Air:
                         Qu. 22, 48, 56, 58, Heus, Roger etc.: Rondeau; Qu. 36, 78: Chaconne en
                         rondeau

Abschriften: Qu. 22, 31, 36—38, 41, 44, 45, 48—52, 55, 56, 58, 60, 64, 72, 74, 78;
                         F-Pc X 108

Drucke: Ouverture avec tous les airs, Heus, 1682
                         Ouverture avec tous les Airs, Roger

60/11   Menuet, la Fortune et la Vertu:
                         Qu. 22, 48, 58 etc.: Rondeau; Qu. 52, 58: Trio

Abschriften: Qu. 22, 31, 36—38, 44—46, 48—52, 55, 57—59, 72—74, 79, 86; F-Pc
                         X 108

Drucke: Ouverture avec tous les airs, Heus, 1682
                         Les Airs de la Tragedie, Pointel, 1688
                         Les Trio, Blaeu, 1691, II
                         Trios de Differents Auteurs, Babel, II, 75
                         Ouverture avec tous les Airs, Roger

60/12   Choeur:

Heu = reuse   in = tel = li = gen = ce, Douce et

Abschriften: Qu. 22, 38, 50, 72, 74, 86; F-Pc X 108

60/13   I, 1, Cephé:

Je crains que Ju = non ne re = fu = se

Abschriften: Qu. 78, 86
Literatur: Le Cerf de la Viéville, Comparaison, I, 103

60/14   Cassiope:

Par un cru = el cha = sti = ment, les   Dieux

Abschriften: Qu. 78, 86
Weltl. Parodie: Les Par. du Nouv. Théâtre it., 1738, II, 90 (Originaltext, gesungen auf
                        M. Lapalisse est mort)

60/15   Cephée:

Les Dieux pu = nis = sent la fier = té,

Abschriften: Qu. 22, 35, 52, 59, 73, 75, 78, 79; GB-Lbl Add 31677, 6 (Kopie von J.-J.
                        Rousseau); F-B Ms 279.147
Drucke: Les Airs de la Tragedie, Pointel, 1688
                        Les Trio, Blaeu, 1690, I
Geistl. Parodien: Desessartz, Nouv. poésies spir., 1730, I, 17: *Tremblez, mortels audacieux
                        Qui foulez sous vos pieds;* ebd. 1733, V, 35: *Le ciel punit l'iniquité*

60/16   Cassiope, Merope, Cephée:

O Dieux! O Dieux qui pu=nis=sez l'au = da = ce!

Abschriften: Qu. 35, 79
Druck: Les Trio, Blaeu, 1691, II
Literatur: Le Cerf de la Viéville, Comparaison, I, 71

60/17   I, 2, Merope:

Je goû= tois u=ne paix heu = reu = se,

Abschriften: Qu. 78, 88
Druck: Les Airs de la Tragedie, Pointel, 1688

60/18   Merope:

Mon vain=queur en=core au=jour d'huy

Abschriften: Qu. 73, 75, 86, 88

Druck: Les Airs de la Tragedie, Pointel, 1688
                        (Text) Nouv. Rec., Raflé, 1695

Weltl. Parodien, hs.:   F-Pa 4842, 341: *Sont cela toutes les douceurs*

Geistl. Parodien: L. Chassain, Cant. sacrez, 1684, 27: *Herodes de rage enflamé Veut que dans
                        Bethleem tous les mâles périssent*
                        Pellegrin, Noëls, 1702: *Malheureux, peux-tu te flatter*
                        ders. Les Pseaumes, 1705, 60: *Roy des Cieux voyez mes douleurs*
                        ders. Chansons, 1722, 19: *Malheureux, peux-tu te flatter*
                        Desessartz, Nouv. poésies spir., 1731, II, 67 (Chaconne): *En vos mains,
                        Seigneur, est mon sort*

60/19   Cassiope, Merope:

Le temps seul peut gue=rir les maux

Abschrift: Qu. 88

Drucke: Les Airs de la Tragedie, Pointel, 1688
                        Les Trio, Blaeu, 1691, II

60/20   I, 3, Ritournelle, Merope:

Ah! je gar=de=ray bien mon coeur

Abschriften: Qu. 22, 44, 45, 52, 59, 72, 73, 75, 78, 79, 88; US-Sp ML 96 A 75; F-Pn
                        Rés 684

Drucke: Les Airs de la Tragedie, Pointel, 1688
                        (Text) Nouv. Rec., Raflé, 1695

Geistl. Parodie: Opera spir., 1710, 12: *Ah! Seigneur, tarissez nos pleurs*

60/21   I, 4, Ritournelle, Andromede, Phinée:

Cro=yez-moy, cro=yez-moy,

Abschriften: Qu. 22, 44, 52, 59, 79, 86, 88

Druck: Les Airs de la Tragedie, Pointel, 1688

60/22   Merope:

Vous e=stes tous deux ay=ma=bles,

Abschriften: Qu. 78, 86, 88

Geistl. Parodie: Pellegrin, Les Pseaumes, 1705, 363: *Seigneur, je mettray ma gloire A chanter tes doux bien-faits*

60/23   Phinée:

Non, non je ne puis souf=frir qu'il par=tage

Abschriften: Qu. 17, 22, 34, 35, 38, 52, 59, 65, 73, 75, 78, 79, 86, 88; F-B-Ms 279.147; US-Sp ML 96 A 75

Drucke: Les Airs de la Tragedie, Pointel, 1688
                          Les Trio, Blaeu, 1690, I

Weltl. Parodien: Les Par. du Nouv. Théâtre it., 1731, I, 176; ebd. 1738, II, 99

Literatur: Le Cerf de la Viéville, Comparaison, I, 65

60/24   Phinée:

Vous sui=vez à re=gret la gloire

Abschriften: Qu. 17, 22, 34, 35, 38, 52, 59, 78, 79, 86, 88; F-B Ms 279.147

Drucke: Les Airs de la Tragedie, Pointel, 1688
                          Les Trio, Blaeu, 1690, I

60/25   Merope, Andromede, Phinée:

Ah que l'a=mour cau=se d'al=lar=mes!

Abschriften: Qu. 17, 34, 35, 73, 75, 79, 86, 88; GB-Lbl Add 31677, 6 (Kopie von J.-J. Rousseau)

Drucke: Les Airs de la Tragedie, Pointel, 1688
                          Les Trio, Blaeu, 1691, II

Literatur: Le Cerf de la Viéville, Comparaison, I, 71

60/26   Jeux Junoniens, premier Air:
                          Qu. 17, 46, 47, 60: Marche; Qu. 22, 48: Rondeau

Abschriften: Qu. 17, 22, 31, 34, 36—38, 41, 44—50, 52, 53, 55, 58, 60, 72, 78; F-V Ms mus 137; F-Pc X 108

Transkription:	F-Pc Rés F 844, 217 (Gitarre)
Drucke:	Ouverture avec tous les airs, Heus, 1682 Ouverture avec tous les Airs, Roger
Weltl. Parodien:	Par. bach., 1695, 103 (D-Dur), 1696, 138, du Fresne, 1696, 62: *Mettons nostre gloire à bien aimer & bien boire* (M.R.) Nouv. Par. bach., 1700, II, 66: *Doux charme des peines, Doux soutien des chaînes* (M.V.); dass. S. Vergier, Oeuvres, 1726, 267

60/27   I, 5, Ritournelle, Cassiope:

Abschriften:	Qu. 22, 44, 59, 78, 86

60/28   Choeur de spectateurs:

Abschriften:	Qu. 17, 22, 34, 35, 38, 50, 60, 65
Drucke:	Ouverture avec tous les airs, Heus, 1682 Ouverture avec tous les Airs, Roger
Zitiert:	Les Par. du Nouv. Théâtre it., 1731, I, 167; ebd. 1738, II, 91 (Air 137)

60/29   Second Air:

Abschriften:	Qu. 17, 22, 31, 34—38, 41, 44—50, 52, 54, 55, 58, 60, 64, 65, 71, 72, 78; F-Pc X 108
Drucke:	Ouverture avec tous les airs, Heus, 1682 Ouverture avec tous les Airs, Roger
Weltl. Parodien:	Par. bach., 1695, 105, 1696, 140, du Fresne, 1696, 63: *Puisque par un arrest du destin Il n'est que trop certain* (M.R.) Concerts parodiques, 1732, IV, 45: *Le temps qui fuit*

60/30   Troisieme Air:
                Qu. 22, 36: Bourrée

Abschriften:	Qu. 17, 22, 31, 34, 36—38, 41, 44—46, 48—50, 52, 58, 60, 64, 72, 78; F-V Ms mus 165; F-Pc X 108
Drucke:	Ouverture avec tous les airs, Heus, 1682 Ouverture avec tous les Airs, Roger
Weltl. Parodien:	Par. bach., 1695, 106, 1696, 141, du Fresne, 1696, 64: *Quand j'ay bû ma bouteille Je fais l'amour à merveille* (M.R.)

60/31   I, 6, Prelude, trois Ethiopiens:

Abschriften des Prélude: Qu. 22, 36—38, 44, 45, 48—50, 52, 58, 64, 72; F-V Ms mus 165; F-Pc X 108

Drucke: Ouverture avec tous les airs, Heus, 1682
                     Ouverture avec tous les Airs, Roger

60/32   II, 1, Ritournelle, Cassiope:

Abschriften der Ritournelle: Qu. 22, 44, 52, 72, 79

Abschrift des Rezitativs: Qu. 78

60/33   Merope:

Druck: Les Airs de la Tragedie, Pointel, 1688

60/34   II, 3, Cephée:

Abschriften: Qu. 22, 52, 59, 78, 79, 86; F-B Ms 279.147

Drucke: Les Trio, Blaeu, 1690, I
                     (Text) Nouv. Rec., Raflé, 1695

60/35   Merope, Cassiope, Cephée:

Abschrift: Qu. 79

Druck: Les Trio, Blaeu, 1691, II

60/36   II, 4, Ritournelle, Merope:

Abschriften der Ritournelle: Qu. 22, 44, 52, 59, 79, 86

Abschriften des Rezitativs: Qu. 75, 78, 88

Drucke: Les Airs de la Tragedie, Pointel, 1688
                     (Text) Nouv. Rec., Raflé, 1695

60/37   II, 5, Prelude, Andromede:

Abschriften des Prélude: Qu. 22, 37, 44, 50

Abschriften des Air: Qu. 22, 73, 78, 86; US-Sp ML96A75

Druck: Les Airs de la Tragedie, Pointel, 1688

Geistl. Parodien: Pellegrin, Les Pseaumes, 1705, 527: *Triste Israel, quelle douleur. Tes enfants les plus chers sont reduits en poussiere*
Cant. spir., Avignon, 1735, 107: *O Peccadours, vautres mechants, Que dins vouestrei peccas vivés en assuranço;* ebd. 368: *Coeurs endurcis, esprits hautains, Qui meprisés de Dieu*

60/38   Andromede:

Abschriften: Qu. 22, 73, 75, 78

Drucke: Les Airs de la Tragedie, Pointel, 1688
Petite Bibliothèque des Théâtres, 1786, Air

60/39   Andromede, Merope:

Abschrift: Qu. 79

Drucke: Les Airs de la Tragedie, Pointel, 1688
Les Trio, Blaeu, 1691, II

60/40   Andromede:

Abschriften: Qu. 73, 75, 78

Druck: Les Airs de la Tragedie, Pointel, 1688

60/41   Andromede, Merope:

Abschriften: Qu. 79, 86

Drucke: Les Airs de la Tragedie, Pointel, 1688
Les Trio, Blaeu, 1691, II

60/42   II, 6, Persée:

Bel=le Prin=ces=se en=fin vous souf=frez ma pre=sen=ce

Abschrift:	Qu. 86
Druck:	Les Airs de la Tragedie, Pointel, 1688
Weltl. Parodie, hs.:	Chansonnier Maurepas 12640, 172 (1679, sic!) *Mons. de Vivonne, Mons. de Vivonne, Pourquoi aller donc en mer*
Druck:	Les Par. du Nouv. Théâtre it., 1739, II, 111 (Air 141)

60/43   Andromede, Persée:

Ah vo=stre pe=ril est ex=trê=me!

Abschriften:	Qu. 79, 86
Drucke:	Les Airs de la Tragedie, Pointel, 1688 Les Trio, Blaeu, 1691, II

60/44   Entrée des Cyclopes:
                             Par. bach.: Air des Guerriers; Qu. 72: Gavotte

Abschriften:	Qu. 22, 31, 36—38, 41, 44, 46, 48—50, 52, 55, 58, 60, 72; F-Pc X 108
Drucke:	Ouverture avec tous les airs, Heus, 1682 Ouverture avec tous les Airs, Roger
Weltl. Parodien, hs.:	F-Pa 4843, 245: *La jeunesse, la delicatesse et tous les appas* GB-Lbl Egerton, 1519, 253: *Qu'en furie l'on jure et l'on crie*
Drucke:	Par. bach., 1695, 109, 1696, 145, du Fresne, 1696, 65, Nouv. Par. bach., 1700, II, 72: *La Meduse à la Cornemuse Inspire au buveur;* (2e couplet) *Qu'en furie L'on peste & l'on crie* (1700: *Qu'en furie l'on jure & l'on crie*); dass. Vergier, Oeuvres, 1726, 268
Timbre:	Qu'en furie l'on jure (F-Pa 4843 etc.)

60/45   Entrée des Nymphes guerrieres:

Abschriften:	Qu. 17, 22, 31, 34, 36—38, 41, 44, 45, 47—50, 52, 58, 72, 78; F-V Ms mus 137; F-Pc X 108
Drucke:	Ouverture avec tous les airs, Heus, 1682 Ouverture avec tous les Airs, Roger
Weltl. Parodien:	Par. bach., 1695, 108, 1696, 142, du Fresne, 1696, 65: *Hé quoy! Vous refusez de boire quand je boy?* Nouv. Par. bach., 1700, II, 68: *Pourquoy traitez-vous de folie cette pudeur*
Zitiert:	Les Parodies du Nouv. Théâtre it., 1738, II, 119

60/46   II, 9, Une nymphe guerriere:

Abschriften: Qu. 78; US-Sp ML 96 A 75

Drucke: Les Airs de la Tragedie, Pointel, 1688
                          (Text) Nouv. Rec., Raflé, 1695

60/47   II, 10, Entrée des divinitez infernales:
                         Qu. 36, 47: Les démons; Qu. 71: Air pesamment; Par. bach.: Air des
                         Cyclopes

Abschriften: Qu. 22, 31, 36—38, 41, 44—50, 52, 55, 58, 60, 71, 78; F-V Ms mus 137

Drucke: Ouverture avec tous les airs, Heus, 1682
                          Ouverture avec tous les Airs, Roger

Weltl. Parodien, hs.:   GB-Lbl Egerton 1520, IV, 122: *Réveillons-nous mes chers camarades*

Drucke: Par. bach., 1695, 107, 1696, 144, du Fresne, 1696, 64, Nouv. Par. bach.,
                          1700, II, 70: *Réveillons-nous, mes chers camarades*

Zitiert: Les Par. du Nouv. Théâtre it., 1738, II, 121

60/48   Une Divinité infernale:

Abschriften: Qu. 22, 35, 65, 78, 79; F-B Ms 279.147; US-Sp ML96A75

Druck: Les Trio, Blaeu, 1690, I

60/49   Mercure, Choeur:

Abschriften des Choeur: Qu. 22, 35, 38, 50, 86

Drucke: Ouverture avec tous les airs, Heus, 1682
                          Ouverture avec tous les Airs, Roger

60/50   III, 1, Prelude, Meduse:

Abschriften des Prélude: Qu. 22, 37, 41, 44, 45, 48, 49, 52, 88; F-Pc X 108

Drucke:	Ouverture avec tous les airs, Heus, 1682
	Ouverture avec tous les Airs, Roger
Abschriften des Air:	Qu. 22, 78, 88
Literatur:	Encyclopédie, 1751 ff., Art. Expression

60/51   Euriale, Meduse, Stenone:

Abschrift:	Qu. 88
Druck:	Les Trio, Blaeu, 1691, II
Weltl. Parodie:	Théâtre de la Foire, 1721, III, 57 (Air 204): *Ah! qu'il est doux pour notre rage de pouvoir faire ici tapage*

60/52   Euriale, Meduse, Stenone:

Abschriften:	Qu. 22, 59, 79; GB-Lbl Add 37501
Druck:	Les Trio, Blaeu, 1691, II

60/53   Meduse:

Abschriften:	Qu. 22, 78, 86, 88

60/54   Mercure:
                   Qu. 22: Sommeil; Qu. 56: Sommeil de Renaud

Abschriften:	Qu. 22, 44, 56, 59, 66, 79, 86, 88; F-B Ms 279.147
Druck:	Les Trio, Blaeu, 1690, I
Zitiert:	Les Parodies du Nouv. Théâtre it., 1738, II, 127

60/55   Euriale, Meduse, Stenone:

Abschriften:	Qu. 22, 38, 66, 79, 86, 88
Druck:	Les Trio, Blaeu, 1691, II
Weltl. Parodie:	Théâtre de la Foire, 1721, III, 57 (Air 202): *Non, non, non, non, ce n'est que pour la colere*

60/56   III, 4, Prelude, Persée:

Abschriften des Prélude: Qu. 22, 36—38, 41, 44, 45, 48—50, 52, 58, 72, 78, 88; F-Pc X 108

Drucke: Ouverture avec tous les airs, Heus, 1682
                        Ouverture avec tous les Airs, Roger

60/57   Entrée des Fantosmes:
                 Qu. 72: Les Lutins

Abschriften: Qu. 22, 31, 36—38, 41, 44—46, 48—50, 52, 53, 55, 58, 64, 71, 72, 88;
                        F-V Ms mus 167; F-Pc X 108

60/58   Euriale, Stenone:

Abschriften: Qu. 22, 35, 88

60/59   IV, 1, Choeur:

Abschriften: Qu. 22, 35, 38, 44, 50; F-Pc X 108

Drucke: Ouverture avec tous les airs, Heus, 1682
                        Ouverture avec tous les Airs, Roger: Prelude

60/60   IV, 2, Phinée, Merope:

Abschriften: Qu. 73, 86, 88

Literatur: Le Cerf de la Viéville, Comparaison, I, 73

60/61   Phinée:

Abschriften: Qu. 78, 86

Weltl. Parodien, hs.:   M. Marais, Journal, Avril 1723: *Que le ciel pour Basset est prodigue en miracles!* (Journal, Genf, 1967, II, 442 f.)
                        GB-Lbl Egerton 817, 546 (1742): *Que le Ciel pour Broglie est prodigue en miracles*

60/62	Gay, Phinée: Qu. 37: La Tempeste

Abschriften:	Qu. 22, 35, 37, 88; US-Sp ML 96 A 75; S-N Finspong 9096:16 (Air) Qu. 75, 78; 73 (Duett)
Druck:	Les Airs de la Tragedie, Pointel, 1688
Zitiert:	Les Par. du Nouv. Théâtre it., 1738, II, 134
Literatur:	Le Cerf de la Viéville, Comparaison, I, 62, II, 303

60/63	IV, 3, Prelude, deux Ethiopiens, Idas:

Abschriften:	Qu. 22, 35, 44

60/64	L'Ethiopien, Phinée, Idas:

Abschrift:	Qu. 35
Druck:	Les Trio, Blaeu, 1691, II

60/65	Phinée:

Abschriften:	Qu. 17, 22, 34, 35, 38, 52, 59, 65, 73, 75, 78, 79, 86, 88; GB-Lbl Add 31677,8 (Kopie von J.-J. Rousseau); US-Sp ML 96 A 75
Drucke:	Les Airs de la Tragedie, Pointel, 1688 Les Trio, Blaeu, 1690, I
Geistl. Parodie:	Desessartz, Nouv. poésies spir., 1733, VII, 10: *A ton gré, Dieu puissant,* *s'elevent les orages*

60/66	IV, 5, Ritournelle, Andromede:

Abschriften der Ritournelle:	Qu. 22, 44, 59, 79, 86
Abschriften des Air:	Qu. 78; US-Sp ML 96 A 75

60/67   Choeur d'Ethiopiens:

Abschriften: Qu. 22, 35, 50

60/68   IV, 6, Choeur:

Abschrift: Qu. 50

60/69   Choeur:

Abschriften: Qu. 22, 50; F-Pc X 108

Drucke: Ouverture avec tous les airs, Heus, 1682
                           Ouverture avec tous les Airs, Roger

Literatur: Le Cerf de la Viéville, Comparaison, I, 76

60/70   Gay, Choeur:

Abschriften: Qu. 22, 38; F-Pc X 108

Drucke: Ouverture avec tous les airs, Heus, 1682
                           Ouverture avec tous les Airs, Roger

Literatur: Le Cerf de la Viéville, Comparaison, I, 76

60/71   Gigue:

Abschriften: Qu. 22, 31, 36—38, 41, 44—46, 48—52, 55, 58, 60, 71, 72, 78; F-Pn Vm^7
                           3555; F-Pc X 108

Drucke: Ouverture avec tous les airs, Heus, 1682
                           Ouverture avec tous les Airs, Roger

Weltl. Parodien, hs.:   F-Pa 4843, 246: *Je renonce à votre amour Sans retour*

Drucke: Par. bach., 1695, 111, 1696, 147, du Fresne, 1696, 66, Nouv. Par. bach.,
                           1700, II, 74: *Vous voulez trop aimable Silvie, Me défendre de boire*
                           souvent

Menuet, un Ethiopien:

Abschriften:	Qu. 22, 31, 36—38, 41, 44—46, 48, 50, 52, 55, 58, 60, 71, 72, 78, 86; US-Sp ML 96 A 75; F-Pc X 108
Transkription:	Duo choisis, 1728, 21
Drucke:	Ouverture avec tous les airs, Heus, 1682 Les Airs de la Tragedie, Pointel, 1688 Ouverture avec tous les Airs, Roger
Weltl. Parodien, hs.:	Chansonnier Maurepas 12643, 31 (1698, sur l'abbé Baltazar): *Les trois plus grands boug . . . qu'on renomme Sont Socrate, Alexandre, & Cesar* GB-Lbl Egerton 817, 457 (1739, par l'abbé d'Artagnon sur Mr. Bauche) *Mon honneur alloit faire naufrage Si j'avois un autre accusateur*
Drucke:	Par. bach., 1695, 113 (C-Dur), 1696, 149, du Fresne, 1696, 67, Nouv. Par. bach., 1700, II, 76: *Ma raison alloit faire naufrage Si l'Amour eût été le plus fort* (M.R.) Les Par. du Nouv. Théâtre it., 1731, I, 171, II, 180; ebd. 1738, II, 94 (Air 56): *Souscrivez, ma soeur, car on y gagne* J. Lebas, Festin Joyeux, 1738, II, 91: *Etant crus d'abord on les desosse*
Geistl. Parodien:	L. Chassain, Cant. sacrez, 1684, 79: *Nous lisons qu'aux pompes nuptiales* Opera spir., 1710, 72: *Allons tous pour voir dans cette Etable*

Rondeau, un Ethiopien, Choeur:
Qu. 36, 37, 48, Par. bach.: Menuet

Abschriften:	Qu. 22, 31, 36—38, 41, 44—46, 48—50, 52, 55, 58, 60, 66, 71, 72, 78, 86; F-Pc X 108
Drucke:	Ouverture avec tous les airs, Heus, 1682 Les Airs de la Tragedie, Pointel, 1688 Ouverture avec tous les Airs, Roger (Text) Nouv. Rec., Raflé, 1695
Weltl. Parodien:	Par. bach., 1695, 114, 1696, 150, du Fresne, 1696, 68, Nouv. Par. bach., 1700, II, 78: *Prenez du vin, amants sensibles* (M.R.) Théâtre de la Foire, 1724, IV, 56 (Air 92); ebd. 1731, VIII, 251 Les Par. du Nouv. Théâtre it., 1731, I, 171; ebd. 1738, II, 95 (Air 26): *A Mildelbourg, Groningue, Gene*
Geistl. Parodien:	L. Chassain, Cant. sacrez, 1684, 187: *Jesus est couronné d'épines* Pellegrin, Cant. spir., 1701, 162: *Ah! quel bonheur Un Dieu nous aime* ders. Noëls, 1702, N°. 5: *Ah! quel bonheur . . .* Opera spir., 1710, 28: *Eveillons-nous, Bergers, je vous prie* Cant. spir., Lille, 1718, 126: *Ah! quel bonheur . . .* Desessartz, Nouv. poésies spir., 1731, II, 24: *L'entendez-vous qui vous appelle* Cant. spir., Paris, 1738, 17: *Brulons d'ardeur, brulons sans cesse* ˙ Barlés, Cant. spir., 1740, 89: *Brulons d'ardeur;* dass. Cant. spir., Avignon, 1743, 137

Cant. spir., Avignon, 1759, 128
Cant. spir., Metz, 1761, 76: *Amour Divin, brûlez nos ames*
Cant. spir., Sens, 1761, 109: *Brulons d'ardeur;* dass.
Cant. spir., Avignon, 1815, 54
Pellegrin, Cant. spir., Reims, 1811, 75: *Amour Divin*
ders. Cant. spir., 1811, 68: *Amour Divin*

60/74   IV, 6, Cephé, Choeur:

Abschriften:	Qu. 22, 37, 38, 50, 59, 65, 73, 79, 86, F-B Ms 279.147; (Choeur) Qu. 22, 72; F-Pc X 108
Druck:	Les Trio, Blaeu, 1690, I
Geistl. Parodie:	Desessartz, Nouv. poésies spir., 1733, VII, 27: *Pour nous faire adorer ses souveraines*

60/75   V, 1, Prelude, Merope:

Abschriften:	Qu. 22, 44; (Air) Qu. 75, 78, 86; US-Sp ML 96 A 75

60/76   V, 3, Prelude, le grand Prestre, Choeur:

Abschriften des Prélude:	Qu. 22, 36—38, 41, 44, 49, 52, 72, 78; F-V Ms mus 137; (Air) Qu. 86; US-Sp ML 96 A 75
Drucke:	Ouverture avec tous les airs, Heus, 1682 Ouverture avec tous les Airs, Roger
Abschriften des Air und Choeur:	Qu. 22, 78
Druck des Textes:	Nouv. Rec., Raflé, 1695
Literatur:	Le Cerf de la Viéville, Comparaison, III, 70

60/77   Air pour les Sacrificateurs:
          Par. bach.: Sarabande

Abschriften:	Qu. 22, 31, 36—38, 41, 44—46, 48, 50, 52, 55, 58, 60, 62, 66, 78; F-V Ms mus 137; F-Pc X 108
Drucke:	Ouverture avec tous les airs, Heus, 1682 Ouverture avec tous les Airs, Roger
Weltl. Parodien:	Par. bach., 1695, 115, 1696, 152, du Fresne, 1696, 68, Nouv. Par. bach., 1700, II, 80: *Mon Iris est aimable & belle* (M.V.); dass. S. Vergier, Oeuvres, 1726, 239

60/78   V, 5, Violons, Phinée:

Qu. 36, 50, 78: Prelude; Qu. 44: Symphonie; Heus, Roger: Air

Abschriften des Prélude: Qu. 22, 31, 35, 36, 38, 44, 50, 78
Drucke: Ouverture avec tous les airs, Heus, 1682
                       Ouverture avec tous les Airs, Roger

60/79   Violons, Cephé:

Abschrift: Qu. 86

Drucke der Instrumental-
einleitung: Ouverture avec tous les airs, Heus, 1682
                       Ouverture avec tous les Airs, Roger

Abschrift des Rezitativs: Qu. 78

60/80   V, 8, Choeur:

Abschriften: Qu. 22, 35, 50

60/81   Prelude, Persée, Choeur:

Abschriften: Qu. 22, 36—38, 44, 45, 48, 49, 52, 72, 78, 86; US-Sp ML96 A75; F-Pc
                       X 108

Drucke: Ouverture avec tous les airs, Heus, 1682
                       Ouverture avec tous les Airs, Roger
                       Petite Bibliothèque des Théâtres, 1786, Air

60/82   Passacaille:

Abschriften: Qu. 22, 31, 36—38, 41, 44—52, 55, 58—60, 62, 64, 66, 68, 72, 78;
                       GB-Och Ms 1128; F-Pc X 108

Transkription: A-Wm Ms 743, 57 (Cembalo)

Drucke: Ouverture avec tous les airs, Heus, 1682
                       Ouverture avec tous les Airs, Roger

60/83

Choeur:

He = ros vic=to= ri = eux   An=dro=mede

Abschriften: Qu. 22, 50

60/84   Air:

Abschriften: Qu. 22, 31, 36—38, 44—46, 48—50, 52, 55, 58, 60, 62, 64, 66, 72, 78;
                               F-Pc X 108

Drucke: Ouverture avec tous les airs, Heus, 1682
                               Ouverture avec tous les Airs, Roger

LWV 61
PHAETON

Bezeichnung:	Tragédie en Musique
Text:	Philippe Quinault
Erste Aufführung:	6. 1. 1683 in Versailles

Librettodrucke: *Phaéton, / Tragedie / en Musique, / Representée / Par l'Academie Royale /
                               de Musique, / Devant Sa Majesté à Versailles, le sixiéme jour / de Janvier
                               mil six cens quatre-vingts-trois. / Paris, Ballard, 1683*, F-Pn
                                    Suivant la copie imprimée·à Paris, [Amsterdam] s. n. 1683, D-BFb
                                    in: Le Parnas françois, Anvers, H. Van Dunwaldt, 1683, D-BFb
                                    in: Recueil des Opera, des Balets, Amsterdam, A. Wolfgang, 1684,
                                    D-Mth
                                    Suivant la copie imprimée à Paris, Amsterdam, A. Wolfgang, 1688,
                                    D-Mth
                                    Amsterdam, A. Magnus, 1686 oder 1687, Ndl. Übersetzung von
                                    T. Arendsz (nach Prunières, Acis et Galatée, Amsterdam 1933, S. 14)
                                    Sur l'imprimé de Paris, s.l.s.n. 1687, F-Pa
                                    Imprimé à Paris, on les vend à Anvers, H. Van Dunwaldt, 1687, F-Pn
                                    Lyon, T. Amaulry, 1688, F-LYm
                                    Paris, Ballard, 1688, F-Pa
                                    Lyon, T. Amaulry, 1689, F-Pn
                                    in: Recueil des Opera, des Balets, Amsterdam, A.Wolfgang, 1690, D-HR
                                    Lyon, T. Amaulry, 1698, D-Hs
                                    Amsterdam, H. Schelte, 1698, D-HR
                                    Suivant la copie imprimée à Paris, [Amsterdam] s. n. 1699, F-Pn
                                    Paris, Ballard, 1702, F-Pa
                                    Amsterdam, H. Schelte, 1702, D-F
                                    in: Recueil général des Opera, Paris, Ballard, 1703, F-Pn
                                    Paris, Ballard, 1710, F-Pn
                                    Amsterdam, H. Schelte, 1712, D-F
                                    Paris, Vve Ribou, 1721, F-Pa
                                    Paris, Ballard, 1722, F-Po
                                    in: Recueil des Opera, La Haye, G. de Voys, 1726, D-F

388

	Paris, Ballard, 1730, F-Pn
	Paris, Ballard, 1742, F-Pn
	(Prolog) in: Recueil de Comedies et Ballets représentés sur le Theâtre des petits Appartemens, Paris s. n. 1749, F-Po
	(Prolog) Paris, Ballard, 1753, F-Pn
	in: Petite Bibliothèque des Théâtres, Paris, 1786, F-Pn
	in: Répertoire du théâtre français, Paris 1822, F-Pn
Abschriften:	Partition générale: F-Pn Rés F 610; Vm² 67; Vm² 65; Vm² 66; F-Po A15b; A15c; ehemals GB-T Ms 272; GB-LKc (Foucault); F-C Ms 1068; Ms 1049; F-AIXm, Ms 1526 (1726, am Ende notiert eine Parodie der Ouvertüre und die Chaconne aus dem Ballet d'Alcidiane, die im 4. Akt gespielt wurde); F-B Ms 13752 (Coppié par Ferré); F-V Ms mus 106; Ms mus 107; F-C Ms 1050 (vierstimmig notierte Instrumentalsätze); S-St
	Partition réduite: F-B Ms Z 511 (La Monnoye, 1693); F-PMeyer; F-B Ms Z 510; F-AG II, 167; F-TLm Cons 33; US-BE Ms 767 (ohne Text); Ms 766
Drucke in Partition générale:	*Phaeton, / Tragedie / Mise / en Musique, / Par Monsieur de Lully, Escuyer, Conseiller / Secretaire du Roy, Maison, Couronne de / France & de ses Finances, & Sur-Intendant / de la Musique de Sa Majesté.* [Druckerzeichen Ballards] / *A Paris, / Par Christophe Ballard, seul Imprimeur du Roy pour la Musique, rüe Saint Jean de Beauvais, au Mont-Parnasse. / Et se vend / A la Porte de l'Academie Royale de Musique, rüe Saint Honoré. / M.DC. LXXXIII. / Avec Privilege de Sa Majesté.*
	Troisieme édition, Amsterdam, Pierre Mortier, 1711
	Troisieme édition, Amsterdam, Michel Charles le Cène [ca. 1722]
Drucke in Partition réduite:	Seconde édition, Paris, s. n. (gravée par H. de Baussen), 1709
	Seconde édition, Paris, J.-B.-C. Ballard, (gravée par H. de Baussen), 1718
	Seconde édition, oeuvre XIII, Paris, J.-B.-C. Ballard, 1721
	Paris, J.-B.-C. Ballard, 1738
Stimmen:	Qu. 21, 22, 25, 28—30; ehemals GB-T Ms 26—30 (1703, Philidor, Vokalstimmen), Ms 155—156 (dessus, basse continue), F-Pn Vm² 72 und 72 bis (dessus), F-Po Fonds La Salle
Ariendruck:	Extrait / de / l'Opera / de / Phaëton / Ou Recueil des plus beaux endroits à chanter, à une, deux & / trois voix, avec les Accompagnemens, Préludes, / & Ritournelles. / A Amsterdam, aux Dépens de Mr. de Champerreux & se vend chez Estienne Roger, . . . [1706]
Suitendrucke:	Ouverture avec tous les airs de Violons de l'opera / de Phaeton fait à paris par Monsʳ. Baptist de / Lully Conseiller Secretaire et sur intendant de la Musique du Roy. / Imprimée à Amsterdam par Philip Heus 1683.
	Les / Simphonies / à 4. / Avec les Airs / Et Triots, / de / Phaeton / Mise en Musique / Par Monsr. de Lully. / [Stimmbezeichnung] / A Amsterdam, / Par A. Pointel [ca. 1687—1700]
	Ouverture / Avec tous les Airs à jouer de / l'Opera de / Phaeton / par / Mʳ. Baptiste Luly / . . . a Amsterdam chez / Estienne Roger Marchand / Libraire [1697]
Szen.-dramatische Parodien, bibliographisch nachgewiesen bzw. handschriftlich:	Anonym: Phaéton (6. oder 7. 2. 1710, Foire de Saint-Germain)
	Carolet: Polichinelle Phaéton, ou le Cocher maladroit (Februar 1731, Foire de Saint-Germain, durch die Marionettes de Bienfait, Ms F-Pn)
	Anonym: Le Messager du Mans, parodie de Phaéton (1743, Ms F-Pn)
Drucke:	J. Palaprat: Arlequin Phaéton (4. 2. 1692, Comédiens italiens) in: Le Théâtre de Gherardi, Amsterdam 1701, Paris 1717, Amsterdam 1721
	Macharty, l'abbé: Arlequin Phaéton (11. 12. 1721, Théâtre italien) in: Les Parodies du Nouveau Théâtre italien 1738, Besprechung im Mercure 1721, Dezember S. 90

P. F. Biancolelli, J.-A. Romagnesi: Arlequin Phaéton (22. 2. 1731, Théâtre italien), Paris, Delatour, 1731 und in: Les Parodies du Nouveau Théâtre italien 1738, Zusammenfassung im Mercure 1731, März, S. 577—591
J. Bailly: Phaéton (1730 oder 1742/43) in: Oeuvres de Théâtre, Paris, Nyon, 1768
Anonym: Phaéton, parodie en un acte, s.n.s.d.

Literatur: Le Cerf de la Viéville, Comparaison, II, 181; Gros, Quinault, 142 f., 531 f., 622—624; Borrel, Lully 65 f.; Girdlestone, La tragédie en musique, 91—98; Anthony, French baroque music, 68 f.; Newman, Formal Structure, 147

61/1   Ouverture:

Abschriften: Qu. 22, 31, 36—38, 41, 45, 46, 48—52, 55, 58, 60, 61, 62 (zweimal), 64, 68, 71, 72, 78, 79; F-R(m); F-V Ms mus 165; F-Pc X 108 (Dessus)

Transkriptionen: A-Wm Ms 743, 56 (Cembalo)
F-Pc Rés F 844, 320 (Gitarre)
Ouvertures des opera, 1725, 28

Drucke: Ouverture avec tous les airs, Heus, 1683
Les Simphonies à 4, Pointel
Ouverture avec tous les Airs, Roger

Weltl. Parodien, hs.:   F-Pa 4843, 235: *Au pied d'un côteau Près d'un riant hameau*
F-Aixm Ms 1526: *Trompeuses grandeurs Je crains vos vains honneurs*

Drucke: Par. bach., 1695, 116, 1696, 153, du Fresne, 1696, 69: *Au pied d'un côteau Pres d'un riant hameau* (M.D.N.); dass.
Ouvertures des opera, 1725, 28
Les Par. nouv., 1731, II, 122: *Trompeuses grandeurs Je crains . . .*

61/2   Prologue, Troupe de Compagnes d'Astrée dansante, Menuet:

Abschriften: Qu. 22, 31, 36—38, 41, 45, 48—50, 52, 55, 58, 60, 61, 64, 72, 74; F-V Ms mus 165; S-Uu Vok mus ihs 18:11; F-Pc X 108

Transkription: F-Pc Rés F 844, 321 (Gitarre)

Drucke: Ouverture avec tous les airs, Heus, 1683
Les Simphonies à 4, Pointel
Ouverture avec tous les Airs, Roger

61/3   Troupe de Compagnes d'Astrée chantante:

Abschriften: Qu. 22, 36, 41, 45, 46, 51, 52, 55, 57, 66, 72—74, 76, 78—80, 86; S-Uu Vok mus ihs 18:11

Transkription: Duo choisis, 1730, II, 157

Drucke:	Les Simphonies à 4, Pointel Les Trio, Blaeu, 1691, II Extrait de l'Opera de Phaeton, Roger (Text) Nouv. Rec., Raflé, 1697, 6
Weltl. Parodien:	Phaeton, parodie (1743), F-Pn Th[B] 627, 25: *D'un doux hymen goûtez les charmes*
Geistl. Parodien:	Pellegrin, Cant. spir., 1701, 9: *Au Tout-puissant je me confesse;* ebd. 20: *Il n'est qu'un Dieu dont la parole;* ebd. 23: *Prends garde aux jours qu'avec justice;* ebd. 103: *Quand notre coeur se porte au crime;* ebd. 109: *Dieu tout charmant, Dieu tout de tendresse;* ebd. 140: *Quand nous voyons que Dieu nous aime;* ebd. 142: *Malgré l'excés de notre crime;* ebd. 177: *De la vertu voicy l'azile;* ebd. 179: *La charité vive, éclatante;* ebd. 192: *Malgré l'enfer mon coeur espere;* ebd. 206: *Heureux mortels, un Dieu nous aime;* ebd. 1706, 263: *Où courez-vous, vierge adorable;* ebd. 294: *Agneau sacré, Dieu qui t'immole;* ebd. Rec. III, 301: *Venez, chrétien, à mon école;* ebd. 346: *Que le demon est redoutable;* ebd. Rec. IV, 386: *Malheur à nous, riches du monde;* ebd. Rec. V, 411: *C'est le Seigneur, c'est le seul Maître;* ebd. Rec. VI, 448: *Que tous les coeurs se réjouissent* ders. Noëls, 1725, Rec. III, 162: *L'Arcange Gabriel, Fille du Ciel;* ebd. 240: *Divin Enfant, aimable Maître;* ebd. Rec. V, 1709, 318: *Triste Sion, séche tes larmes;* ebd. Rec. VII, 1728, 507: *Quel appareil dans le saint Temple* ders. Histoire, 1702, 17: *De nos travaux les premiers gages;* ebd. 96: *A la faveur même d'un songe;* ebd. 127, 132, 216, 235, 293, 295, 359, 483 ders. Les Pseaumes, 1705, 1: *Heureux celui qui fuit le crime;* ebd. 91: *Heureux sont ceux de qui les crimes;* ebd. 108: *Vous qui vivez dans l'indigence;* ebd. 183: *Dieu protecteur de l'innocence;* ebd. 206: *Que le Seigneur vange sa gloire;* ebd. 246: *Peuple cheri, prête l'oreille;* ebd. 490: *Il faut chanter mon divin Maître;* ebd. 506: *Sacré sejour de la lumiere* Exercices et cantiques, Toulouse, Henault, s. d., 85: *Dans ce tems où Dieu nous anime* H. d'Andichon, Noëls choisis, Toulouse, s. d., 46: *Que l'Univers se réjouisse* Cant. spir., Lille, 1718, 16: *Que le démon est redoutable;* ebd. 110: *Dieu Tout-puissant, je vous implore;* ebd. 118: *Malgré l'enfer mon coeur espére;* ebd. 240: *Quand nôtre coeur se porte au crime* Pellegrin, Chansons, 1722, Rec. II, 8: *Dieu Tout-puissant . . .;* ebd. Rec. III, 66: *Vous qui cherchez la nuit obscure* ders. Les Proverbes, 1725, 3: *Faux éclairez, dont les Ecoles* Cant. spir., Avignon, 1735, 43: *Que vouestre etat es deplorable! Pensas-ly bien, ô peccadours* Cant. spir., 1782, 48: *Malgré l'enfer, mon coeur espere* Vgl. H. Poulaille, La grande et belle Bible des Noëls anciens, XVIIe et XVIIIe siècles, 1950, 458—460

61/4	Ritournelle, Astrée:

Abschriften der Ritournelle:	Qu. 22, 50, 61, 74, 79, 86; F-R(m); US-Sp ML96A75; S-Uu Vok mus ihs 18:11
Drucke:	Les Simphonies à 4, Pointel Extrait de l'Opera de Phaeton, Roger
Abschriften des Air:	Qu. 73—75, 78, 80; F-R(m)

Drucke:	Extrait de l'Opera de Phaeton, Roger (Text) Nouv. Rec., Raflé, 1695
Weltl. Parodien:	de Coulanges, Recueil, 1698, 145: *Hé quoy! mon aimable Bergere* Théâtre de la Foire, 1721, II (Air 174), 330
Geistl. Parodien:	A.H.P.E.L.D.L., Cant. spir., Lyon, 1692, 5: *Dans cette paisible retraite* *Dieu fait ressentir ses attraits* L. Chassain, Les hymnes, 1705, 16: *Dans cette agreable demeure, Vous de* *qui la terre enrichie;* ebd. 103

61/5   Astrée:

Abschriften:	Qu. 60, 74, 78, 80; F-R(m); F-V Ms mus 165; S-Uu Vok mus ihs 18:11
Drucke:	Extrait de l'Opera de Phaeton, Roger (Text) Nouv. Rec., Raflé, 1697, 113

61/6   Troupe d'Astrée dansante, Menuet:

Abschriften:	Qu. 22, 31, 36—38, 41, 45, 48—50, 55, 58, 60, 61, 74; S-Uu Vok mus ihs 18:11; F-Pc X 108
Drucke:	Ouverture avec tous les airs, Heus, 1683 Les Simphonies à 4, Pointel Ouverture avec tous les Airs, Roger

61/7   Troupe de Compagnes d'Astrée chantante:

Abschriften:	Qu. 22, 36, 38, 41, 45, 51, 55, 57, 58, 60, 66, 73, 74, 76, 78—80, 86; S-Uu Vok mus ihs 18:11; F-Pc X 108
Transkription:	F-Pc Rés F 844, 149 (Gitarre)
Drucke:	Ouverture avec tous les airs, Heus, 1683 Les Simphonies à 4, Pointel Les Trio, Blaeu, 1691, II Ouverture avec tous les Airs, Roger Extrait de l'Opera de Phaeton, Roger (Text) Nouv. Rec., Raflé, 1695
Weltl. Parodien:	Par. bach., 1695, 118, du Fresne, 1696, 70: *Dans ces lieux tout rit sans* *cesse* (M.D.N.) Par. bach., 1696, 155: *Dans ces lieux buvons sans cesse* (M.R.) Nouv. Par. bach., 1700, II, 82: *Dans ces lieux tout rit sans cesse* Théâtre de la Foire, 1721, I, (Air 115) 237; ebd. II (Air 115), 256; ebd. III (Air 155), 74; ebd. V (Air 61), 5; IX, 2e partie, 291 Phaeton parodie, s.n.s.d., F-Pn Th^B 627: *Que la joie et la tendresse* S. Vergier, Oeuvres, 1726, 264: *En tous lieux la Trompette sonne* Les Parodies du Nouv. Théâtre it., 1731, II, 176; ebd. 1738, III, 4, Noten, 26 J. Lebas, Festin joyeux, 1738, II, 155: *Pour la farce il faudra faire*

Geistl. Parodien:	Pellegrin, Cant. spir., 1701, 47: *Au Demon de la colere* ders. Noëls, 1702, 44: *Qu'en ces lieux tout retentisse* ders. Histoire, 1702, 135: *Admirons la providence;* ebd. 366: *Deplorons notre esclavage;* ebd. 460: *On apprête un grand banquet* ders. Les Pseaumes, 1705, 114: *Tu sçais bien Dieu que j'adore;* ebd. 398: *Aydez-moy, mon divin Maître;* ebd. 524: *Le Seigneur a vu mes l'armes;* ebd. 531: *Je prétens, mon divin Pere;* ebd. 554: *Roy des Cieux, vôtre tendresse* ders. Les Proverbes, 1725, 108: *Dieu gouverne la nature* Desessartz, Nouv. poésies spir., 1733, VII, 31: *Dans le monde un homme sage*

61/8   Prelude, Choeur:

Abschriften:	Qu. 22, 32, 35, 37, 38, 55, 60, 65, 74, 86; F-R(m); F-B Ms 279.147; Qu. 59 (nur Choeur)
Drucke:	Ouverture avec tous les airs, Heus, 1683 Ouverture avec tous les Airs, Roger Les Trio, Blaeu, 1690, I (nur Choeur) Extrait de l'Opera de Phaeton, Roger
Weltl. Parodien:	Par. bach., 1695, 119, 1696, 156, du Fresne, 1696, 71: *Que l'on apporte des bouteilles, Nous ferons des merveilles* (M.D.) Théâtre de la Foire, 1721, III, (Air 273), 431

61/9   Saturne:

Abschriften:	Qu. 73, 74, 78, 82, 86; F-R(m); F-B Ms 279.147; S-Sk S 239
Drucke:	Les Trio, Blaeu, 1690, I Extrait de l'Opera de Phaeton, Roger
Weltl. Parodien:	Par. bach., 1696, 157: *Ce grand Dieu qui merite une gloire eternelle* Théâtre de la Foire, 1737, IX, 2e partie, 311: *Je protege en ces lieux une troupe fidelle*
Geistl. Parodie:	Desessartz, Nouv. poésies spir., 1732, III, 17: *Ecoutons les conseils que nous donne un Roi sage*

61/10   Saturne:

Abschriften:	Qu. 22, 35, 59, 65, 74, 78, 79, 86; F-R(m); F-B Ms 279.147; S-Sk S 239
Drucke:	Les Simphonies à 4, Pointel Les Trio, Blaeu, 1690, I Extrait de l'Opera de Phaeton, Roger
Geistl. Parodien:	L. Chassain, Cant. sacrez, 1684, 340: *Chantons de Jesus la Naissance* Desessartz, Nouv. poésies spir., 1732, III, 18: *Mais quand sur vous, pompes mondaines*

61/11   Ritournelle, Saturne:

L'en=vie en vain fré=mit de voir

Abschriften: Qu. 59, 74, 79, 86; F-B Ms 279.147

Drucke: Les Simphonies à 4, Pointel
                      Les Trio, Blaeu, 1690, I
                      Extrait de l'Opera de Phaeton, Roger

Geistl. Parodie: Desessartz, Nouv. poésies, spir., 1732, III, 18: *Peut-on voir sans frémir*
                      tous les maux qu'il se cause?

Literatur: Le Cerf de la Viéville, Comparaison, I, 78

61/12   Astrée:

Sui=vons ce hé = ros,   sui=vez - nous, Jeux

Abschriften: Qu. 74, 76, 86

Druck: Extrait de l'Opera de Phaeton, Roger

Geistl. Parodie: Pellegrin, Les Pseaumes, 1705, 330: *Mon ame c'est le temps d'éclatter*

61/13   Choeur:

Jeux in=no = cens, ras=sem=blez - vous,

Abschriften: Qu. 22, 35, 38, 74

61/14   Air pour les suivants de Saturne:
                      Qu. 60: les suivants de la fortune

Abschriften: Qu. 22, 31, 36—38, 41, 45—50, 58, 60—62, 72, 74, 78; F-R(m); F-Pc
                      X 108

Transkription: F-Pc Rés F 844, 322 (Gitarre)

Drucke: Ouverture avec tous les airs, Heus, 1683
                      Les Simphonies à 4, Pointel
                      Ouverture avec tous les Airs, Roger

61/15   Air pour les suivants d'Astrée et de Saturne:
                      Qu. 22, 44, 60 etc. Bourrée

Abschriften: Qu. 22, 31, 36—38, 41, 45—50, 58, 60—62, 64, 72, 74, 78; F-R(m); F-Pc
                      X 108

Transkriptionen:	F-Pc Rés F 844, 322 (Gitarre)
	A-Wm Ms 743, 55 (Cembalo)
	Duo choisis, 1730, II, 159
Weltl. Parodien:	Par. bach., 1695, 124, 1696, 158, du Fresne, 1696, 73, Nouv. Par. bach., 1700, II, 84: *Ami, veux-tu m'en croire Divertissons-nous à boire* (M.M.)

61/16   Choeur des suivantes d'Astrée:

Abschriften:	Qu. 22, 35, 45, 60, 66, 74, 78, 79, 86
Transkription:	Duo choisis, 1728, 91
Drucke:	Les Simphonies à 4, Pointel
	Les Trio, Blaeu, 1691, II
	Extrait de l'Opera de Phaeton, Roger
Weltl. Parodien:	Par. bach., 1695, 120, 1696, 159, du Fresne, 1696, 71, Nouv. Par. bach., 1700, II, 88: *Amis, buvons sans crainte Il faut nous rassembler* (M.D.N.)

61/17   Saturne, Astrée, Choeur:

Abschriften:	Qu. 35, 38, 65, 73, 74, 76, 78, 82, 86; F-R(m); Qu. 22 (Choeur); S-Sk S239
Druck:	Extrait de l'Opera de Phaeton, Roger
Geistl. Parodie:	Desessartz, Nouv. poésies spir., 1732, IV, 8: *Dieu qui rend tout heureux, se suffit à lui même*

61/18   I, 1, Prelude, Lybie:

Abschriften des Prélude:	Qu. 22, 37, 50, 61, 76; F-R(m); US-Sp ML96A75; S-Sk S 239
Drucke:	Les Simphonies à 4, Pointel
	Extrait de l'Opera de Phaeton, Roger
Abschriften des Air:	Qu. 22, 73, 75, 76, 78, 80, 86; F-R(m)
Druck:	Extrait de l'Opera de Phaeton, Roger

61/19   I, 2, Ritournelle, Theone:

Abschriften:	Qu. 22, 59, 61, 79; 80, 86 (nur Air); F-R(m)
Druck:	Extrait de l'Opera de Phaeton, Roger

61/20   Theone:

Abschriften:	Qu. 78, 80; F-R(m); US-Sp ML96A75
Druck:	Extrait de l'Opera de Phaeton, Roger
Literatur:	F-LYm Ms 1260: Avis salutaire touchant l'opera

61/21   Lybie et Theone:

Abschriften:	Qu. 79, 80, 86; F-R(m)
Drucke:	Les Trio, Blaeu, 1691, II
	Extrait de l'Opera de Phaeton, Roger
	(Text) Nouv. Rec., Raflé, 1697, 93

61/22   I, 3, Theone:

Abschriften:	Qu. 22, 75, 86; F-R(m)
Drucke:	Extrait de l'Opera de Phaeton, Roger
	(Text) Nouv. Rec., Raflé, 1697, 112
Weltl. Parodien, hs.:	F-Pa 4843, 238: *Dans votre humeur coquette Vous me contez fleurette* GB-Lbl Egerton 1519, 106: *J'ay beau boire sans cesse, La soif toujours me presse*
Drucke:	Par. bach., 1695, 121, 1696, 160, du Fresne, 1696, 72, Nouv. Par. bach., 1700, II, 89: *J'ai beau boire sans cesse* (M.R.)
Geistl. Parodien:	Pellegrin, Les Pseaumes, 1705, 79: *Seul Maître que j'adore, Venez, je vous implore;* ebd. 151: *Que châcun vienne apprendre*

61/23   I, 5, Protée et sa suite, Protée:

Abschriften des Prélude:	Qu. 22, 35, 37, 38, 41, 45, 46, 49—51, 59—61, 66, 79, 86; F-B Ms 279.147; F-R(m); US-Sp ML96A75; S-Uu Vok mus ihs 18:11; S-Sk S239
Transkription:	Duo choisis, 1730, II, 158
Drucke:	Ouverture avec tous les airs, Heus, 1683
	Les Simphonies à 4, Pointel
	Ouverture avec tous les Airs, Roger
	Extrait de l'Opera de Phaeton, Roger
Abschriften des Air:	Qu. 22, 51, 52, 59, 66, 73, 78, 79, 82; F-R(m)

Geistl. Parodien:	L. Chassain, Cant. sacrez, 1684, 78: *Un serviteur prudent & plein de zele* Desessartz, Nouv. poésies spir., 1732, IV, 24: *Heureux qui sans cesse médite*
Zitiert:	Phaéton, parodie (1743), F-Pn Th^B 627, 9

61/24

I, 5, Prelude, Protée:
Qu. 56: Sommeil de Phaeton

Pre=nez soin sur ces bords des trou=peaux

Abschriften:	Qu. 22, 35, 51, 52, 56, 59, 61, 78, 79, 86; F-R(m)
Drucke:	Les Simphonies à 4, Pointel Extrait de l'Opera de Phaeton, Roger
Geistl. Parodie:	Desessartz, Nouv. poésies spir., 1732, IV, 25: *Dans un calme profond la vertu nous fait vivre*
Zitiert:	Les Par. du Nouv. Théâtre it., 1738, IV, Air 290

61/25

I, 7, Air:
Qu. 49: Air des Tritons; Qu. 32, 60: Marche; Qu. 36, 48, 64: Prelude;
Qu. 46: Entrée de Protée; Qu. 22: Triton éveillant Protée

Abschriften des Prélude:	Qu. 22, 31, 36—38, 41, 45—52, 57—61, 64, 71, 72, 78, 79; F-R(m); F-V Ms mus 165; F-Pc X 108
Transkription:	A-Wm Ms 743, 55v° (Cembalo)
Drucke:	Ouverture avec tous les airs, Heus, 1683 Les Simphonies à 4, Pointel: Air à deux choeurs d'instruments Ouverture avec tous les Airs, Roger
Weltl. Parodien, hs.:	GB-Lbl Egerton 1520, III, 40: *En tous lieux la trompette raisonne* (Vergier)
Drucke:	Par. bach., 1695, 122, 1696, 161, du Fresne, 1696, 72, Nouv. par. bach., 1700, II, 90: *En tous lieux la trompette raisonne* (1695, 1696: M.D.N.; 1700: M.V.) Concerts parodiques, 1725, II, 6: *A qui tient Philis* Les Par. nouv., 1731, II, 71: *Que d'appas, que de gentillesses*

61/26

Triton:

Que Pro = tée a = vec nous par = ta = ge

Abschriften:	Qu. 73, 78, 86
Druck:	Extrait de l'Opera de Phaeton, Roger

61/27   Rondeau:
                         Qu. 36, 37, 46 etc. Gavotte

Abschriften: Qu. 22, 31, 36—38, 41, 45, 46, 48—50, 52, 58, 60—62, 72, 78; F-Pc X 108
Transkription: A-Wm Ms 743, 55v° (Cembalo)
Drucke: Ouverture avec tous les airs, Heus, 1683
                         Les Simphonies à 4, Pointel
                         Ouverture avec tous les Airs, Roger

Weltl. Parodien, hs.:   Chansonnier Maurepas 12641, 220 (1690): *Nous sommes quatre hommes*
                         de France d'un merite sans pareil; dass.
                         GB-Lbl Egerton 1520, III, 40

Drucke: Par. bach., 1695, 123, 1696, 162, du Fresne, 1696, 73, Nouv. Par. bach.,
                         1700, II, 92: *Amis que peut-on mieux faire Que de boire en ce charmant*
                         sejour (M.R.)
                         Les Par. nouv., 1731, II, 74: *Je n'écoute jamais la sagesse*

61/28   Triton:

Abschriften: Qu. 22, 60, 78, 86; US-Sp ML96A75
Druck: Extrait de l'Opera de Phaeton, Roger
Weltl. Parodien: Par. bach., 1696, 163: *Le bon vin est necessaire, La sagesse austere* (Me
                         DS.) dass.
                         Mme de Sainctonge, Poésies, 1696, 137

61/29   Prelude, Triton:
                         Qu. 41, 55: Symphonie de Protée; Qu. 60: Le changement de Protée;
                         Qu. 22: Protée disparoît et se transforme en tigre, en arbre . . .

Abschriften: Qu. 22, 31, 38, 41, 52, 55, 60, 61; F-V Ms mus 137; Qu. 78 (nur Air)
Drucke: Ouverture avec tous les airs, Heus, 1683
                         Ouverture avec tous les Airs, Roger

61/30   I, 8, Prelude, Protée:

Abschriften: Qu. 22, 35, 37, 52, 78, 86; US-Sp ML96A75
Weltl. Parodie: Phaéton, parodie (1743), F-Th^B 627, 13: *Le sort de Phaéton se decouvre*
                         à mes yeux
Zitiert: Les Par. du Nouv. Théâtre it., 1738, IV (Air 289), 287
Literatur: Le Cerf de la Viéville, Comparaison, I, 106

61/31   II, 1, Ritournelle, Clymene:

Abschriften der Ritournelle: Qu. 22, 49, 52, 59, 61

61/32   II, 2, Ritournelle, Theone:

Abschriften der Ritournelle:	Qu. 22, 45, 49, 52, 59, 61, 79, 86; F-R(m); US-Sp ML96A75
Druck:	Extrait de l'Opera de Phaeton, Roger
Abschriften des Air:	Qu. 22, 73, 75, 76, 78, 80; F-R(m)
Druck:	Extrait de l'Opera de Phaeton, Roger
Literatur:	Le Cerf de la Viéville, Comparaison, I, 168

61/33   II, 3, Ritournelle, Lybie:

Abschriften der Ritournelle:	Qu. 22, 52, 59, 61, 79, 86; F-R(m); US-Sp ML96A75
Druck:	Extrait de l'Opera de Phaeton, Roger
Abschriften des Air:	Qu. 22, 78, 80, 82
Druck:	Extrait de l'Opera de Phaeton, Roger
Weltl. Parodien, hs.:	F-Pa 4843, 237: *Que le pucelage est un petit trou charmant;* dass. GB-Lbl Egerton 1519, 106
Literatur:	Le Cerf de la Viéville, Comparaison, II, 281 Grimarest, Traité du Recitatif, 1707, 220

61/34   Lybie:

Abschriften:	Qu. 75, 80, 86; F-R(m)
Druck:	Extrait de l'Opera de Phaeton, Roger

61/35   Theone, Lybie:

Abschriften:	Qu. 75, 79, 80, 86; F-R(m)
Drucke:	Les Simphonies à 4, Pointel: Trio Les Trio, Blaeu, 1691, II Extrait de l'Opera de Phaeton, Roger

61/36   II, 4, Epaphus, Lybie:

Abschriften: Qu. 76, 80, 82; S-N Finspong 1138:1

Druck: Extrait de l'Opera de Phaeton, Roger

Literatur: Le Cerf de la Viéville, Comparaison, I, 73

61/37   II, 5, Prelude:
                    Qu. 45, Par. bach.: Marche de Merops

Abschriften: Qu. 17, 22, 34—38, 41, 45—50, 52, 55, 58, 60, 61, 65, 78; F-V Ms mus
                    137; US-Sp ML96A75; F-Pc X 108

Drucke: Ouverture avec tous les airs, Heus, 1683
                    Les Simphonies à 4, Pointel
                    Ouverture avec tous les Airs, Roger
                    Extrait de l'Opera de Phaeton, Roger

Weltl. Parodien: Par. bach., 1695, 125, 1696, 163, du Fresne, 1696, 74: *Malheureux mortel,*
                    Crois-tu d'être immortel (M.D.L.F.)

61/38   Merops:

Abschriften: Qu. 78, 82, 86; F-B Ms 279.147

Drucke: Les Trio, Blaeu, 1690, I
                    Extrait de l'Opera de Phaeton, Roger

Geistl. Parodie: Desessartz, Nouv. poésies spir., 1733, V, 6: *Vous par qui tout mortel reçoit*
                    la vie et l'être

61/39   Merops, Choeur:

Abschriften: Qu. 17, 22, 34, 35, 52, 59, 65, 78, 79, 86; F-B Ms 279.147; Qu. 50, 60
                    (Choeur)

Drucke: Les Trio, Blaeu, 1690, I
                    Extrait de l'Opera de Phaeton, Roger

Weltl. Parodien: Les Moines Comédie en Musique, 1709, 36: *Non, n'oublions jamais, Ny*
                    Dom Prieur ny ses bienfaits
                    Théâtre de la Foire, 1724, V, 140: *Que de tous côtez l'on entende Le nom*
                    de Romulus retentir jusqu'aux toits

Geistl. Parodie: Desessartz, Nouv. poésies spir., 1731, II, 9 und 1733, V: *Que de tous*
                    côtés on entende le nom du Tout puissant

61/40   Chaconne:

Abschriften:	Qu. 17, 22, 31, 34, 36—38, 41, 45—52, 55, 58—62, 64, 66, 68, 72, 78; F-Pn Vm⁷ 3555; S-N Finspong 1138:1; F-Pc X 108

Abschriften: Qu. 17, 22, 31, 34, 36—38, 41, 45—52, 55, 58—62, 64, 66, 68, 72, 78; F-Pn Vm^7 3555; S-N Finspong 1138:1; F-Pc X 108

Transkriptionen: d'Anglebert, Pieces de clavecin, 1689 (Cembalo)
GB-Lbl Add 39569, 192 (Cembalo)
A-Wm Ms 743, 58v° (Cembalo)

Weltl. Parodien, hs.:   F-Pa 4843, 235: *Amis le verre en main Que chacun s'arme soudain;* dass.

Drucke: Par. bach., 1695, 126 (M.L.M.), 1696, 165; de Coulanges, Recueil, 1694, 240, 1698, II, 239, Chansons, 1754, 276 (in einer Fußnote ist festgehalten, daß der Text nicht von de Coulanges stammt)

Geistl. Parodie: Opera spir., 1710, 29: *Bergeres, & Bergers, Sortez tous de vos Vergers*

61/41   Gay. Petit Air pour les mesmes:
                    Qu. 47: Les indiens; Qu. 58, 78: Gigue; Qu. 22: Passepied; Heuss: Petit air pour les Egyptiens

Abschriften: Qu. 17, 22, 31, 34, 36—38, 41, 45—50, 52, 55, 58, 60, 61, 72, 78; F-V Ms mus 137; F-Pc X 108

Drucke: Ouverture avec tous les airs, Heus, 1683
Les Simphonies à 4, Pointel
Ouverture avec tous les Airs, Roger

61/42   III, 1, Ritournelle, Theone:

Abschriften der Ritournelle: Qu. 22, 52, 59, 61, 76, 79, 86; F-R(m); US-Sp ML96A75

Druck: Extrait de l'Opera de Phaeton, Roger

Abschriften des Air: Qu. 22, 73, 76, 78, 80; F-R(m)

Druck: Extrait de l'Opera de Phaeton, Roger

Weltl. Parodien, hs.:   GB-Lbl Egerton 817, 17 (1724): *Soyés assurée de ma flame Et croyés que mon ame;* ebd. (Parodie der ganzen Szene, 1742), 537: *Ah! cher Louison, est-il possible Que vous soyés sensible*

Druck: Théâtre de la Foire, 1724, V, 115 (Air 121): *Ah! Romulus, est il possible Que vous soyez sensible*

Geistl. Parodien: Pellegrin, Les Pseaumes, 1705, 463: *Maître des Cieux, je vous implore Seul Maître que j'adore*
Desessartz, Nouv. poésies spir., 1733, VI, 12: *O quel Abîme de sagesse, d'amour et de tendresse*

Literatur: Le Cerf de la Viéville, Comparaison, I, 159

61/43   III, 2, Phaeton:

Abschriften: Qu. 22, 78, 86

Druck: Extrait de l'Opera de Phaeton, Roger

61/44   Epaphus:

Abschrift: Qu. 86

Druck: Extrait de l'Opera de Phaeton, Roger

Weltl. Parodie: Chansonnier Maurepas 12626, 399 (1710, on feint que l'abbé Massieu, cy
                       devant Jesuite . . . et Rousseau . . . se rencontrent au coin de la rue):
                       Songez-vous ce qu'estoit mon pere Osez-vous braver ma colere

61/45   Epaphus:

Abschriften: Qu. 22, 35, 59, 78, 79, 86; F-B Ms 274.147

Drucke: Les Simphonies à 4, Pointel: Trio
                       Les Trio, Blaeu, 1690, I
                       Extrait de l'Opera de Phaeton, Roger

Geistl. Parodie: Desessartz, Nouv. poésies spir., 1732, III, 3: *Grand Dieu, ton pouvoir
                       formidable Fait trembler la terre et les Cieux*

61/46   Phaeton, Epaphus:

Abschrift: Qu. 86

Druck: Extrait de l'Opera de Phaeton, Roger

Weltl. Parodie: Les Par. du Nouv. Théâtre it., 1738, IV (Air 294), 300

Literatur: Le Cerf de la Viéville, Comparaison, I, 113

61/47   III, 4, Marche:
                       Qu. 46, 55, 60: Marche des peuples qui portent des presents à Isis
                       Qu. 47: Marche des sacrificateurs

Abschriften: Qu. 22, 31, 36—38, 41, 45—50, 52, 55, 58, 60, 61, 64, 72; F-V Ms mus
                       137, Ms mus 165; F-Pc X 108

Drucke:	Ouverture avec tous les airs, Heus, 1683
	Les Simphonies à 4, Pointel
	Ouverture avec tous les Airs, Roger
Weltl. Parodie:	GB-Lbl Egerton 1521, 176: *Ah! que l'amour seroit un doux mistere si les amants estoient misterieux;* vgl. 61/57

61/48

Rondeau. Menuet:

Abschriften:	Qu. 22, 31, 36—38, 41, 45, 46, 48—52, 58, 60—62, 68, 71, 72, 78; F-V Ms mus 137, Ms mus 165; F-Pc X 108
Transkriptionen:	F-Pc Rés F 844, 42 und 167 (Gitarre)
	F-Pn Rés 1106 (Laute)
Drucke:	Ouverture avec tous les airs, Heus, 1683
	Les Simphonies à 4, Pointel
	Ouverture avec tous les Airs, Roger
Weltl. Parodien:	Par. bach., 1695, 129, 1696, 169, du Fresne, 1696, 77: *Ah! qu'il est doux, Trop aimable Silvie* (M.R.)

61/49

Merops:

Abschriften:	Qu. 78, 82, 86
Druck:	Extrait de l'Opera de Phaeton, Roger

61/50

III, 5, Entrée des Furies:

Abschriften:	Qu. 22, 31, 36—38, 41, 45—50, 52, 55, 58, 60, 61, 64, 71, 72, 78; F-V Ms mus 165; F-Pc X 108
Drucke:	Ouverture avec tous les airs, Heus, 1683
	Les Simphonies à 4, Pointel
	Ouverture avec tous les Airs, Roger

61/51

III, 6, Clymene:

Abschriften:	Qu. 22, 78, 86
Literatur:	Le Cerf de la Viéville, Comparaison, I, 106

61/52　　　　　　　　Prelude, Clymene:

Le Dieu semble a=prou=ver le ser=ment

Abschriften des Prélude:　Qu. 22, 36—38, 41, 45, 46, 48—50, 52, 60, 61, 71, 72; F-V Ms mus 137

Drucke:　　　　　　　Ouverture avec tous les airs, Heus, 1683
　　　　　　　　　　Ouverture avec tous les Airs, Roger

61/53　　　　　　　　IV, 1, Ritournelle, Choeur des Heures du jour:

Sans le Dieu qui nous é = clai = re

Abschriften der Ritournelle:　Qu. 22, 36, 37, 45, 49, 51, 52, 59, 61, 71, 72, 79, 86

Drucke:　　　　　　　Ouverture avec tous les airs, Heus, 1683
　　　　　　　　　　Les Simphonies à 4, Pointel
　　　　　　　　　　Trios de Differents Auteurs, Babel, I, 57
　　　　　　　　　　Ouverture avec tous les Airs, Roger
　　　　　　　　　　Extrait de l'Opera de Phaeton, Roger

Abschriften des Choeur:　Qu. 22, 51, 73, 79, 82

Drucke:　　　　　　　Les Simphonies à 4, Pointel
　　　　　　　　　　Les Trio, Blaeu, 1691, II
　　　　　　　　　　Extrait de l'Opera de Phaeton, Roger

Weltl. Parodie:　　　Théâtre de la Foire, 1724, V, 66: *Le Cocher qui nous fait braire, N'a rien fait qui n'ait sû plaire*

61/54　　　　　　　　Une des Heures du jour:

O Dieu de la clar = té! Vous ré = glez

Abschriften:　　　　Qu. 73, 78, 80, 82, 86; US-Sp ML96A75

Druck:　　　　　　　Extrait de l'Opera de Phaeton, Roger

61/55　　　　　　　　Choeur des Heures du jour:

Sans le Dieu qui nous é = clai = re, Sans le

Abschrift:　　　　　Qu. 51

Drucke:　　　　　　　Ouverture avec tous les airs, Heus, 1683
　　　　　　　　　　Ouverture avec tous les Airs, Roger

61/56   L'Automne:

C'est par vous, ô So = leil! Que le Ciel

Abschriften:	Qu. 22, 51, 52, 59, 65, 73, 78, 79, 82, 86; F-B Ms 279.147; US-Sp ML96A75
Drucke:	Les Simphonies à 4, Pointel Les Trio, Blaeu, 1690, I Extrait de l'Opera de Phaeton, Roger
Weltl. Parodie:	Nouv. Rec., Raflé, 1697, 81: *C'est par vous, ô Bacchus, que le teint s'allume*
Geistl. Parodie:	Desessartz, Nouv. poésies spir., 1733, V, 44: *Adorons du Seigneur le nom saint et terrible*

61/57   Premier Air. Le Printemps et sa suite:

Abschriften:	Qu. 17, 22, 31, 34, 36—38, 41, 45—50, 55, 58, 60, 61, 64, 68, 72, 78; F-V Ms mus 137, Ms mus 165; F-R(m)
Transkription:	GB-Lbl Add 39569, 87 (Cembalo)
Drucke:	Ouverture avec tous les airs, Heus, 1683 Les Simphonies à 4, Pointel Ouverture avec tous les Airs, Roger
Weltl. Parodien, hs.:	F-Pa 4843, 237: *Ah! quel amour seroit un doux mystere;* vgl. 61/47
Drucke:	Par. bach., 1695, 130, 1696, 170, du Fresne, 1696, 77: *Dans ce repas Quels sont vos ennuis* (M.R.)

61/58   Second Air:
                             Qu. 22, 55, etc.: Menuet

Abschriften:	Qu. 17, 22, 31, 34, 36—38, 41, 45, 46, 48—50, 55, 58, 60, 61, 68, 72, 78; F-V Ms mus 137; F-R(m); F-Pc X 108
Transkription:	A-Wm Ms 743, 47vᵒ (Cembalo)
Drucke:	Ouverture avec tous les airs, Heus, 1683 Les Simphonies à 4, Pointel Ouverture avec tous les Airs, Roger
Weltl. Parodien:	Par. bach., 1695, 131, 1696, 171, du Fresne, 1696, 78, Nouv. Par. bach., 1700, II, 93: *Rions, chantons jusqu'à l'aurore, Sans nous lasser buvons tour à tour* (M.R.) de Coulanges, Chansons, 1754, 230 (Aux peuples de la Duché de Chalne): *Peuples, courez à la machine Pour voir un miracle nouveau*

61/59	Une des Heures, Choeur:

Abschriften:	Qu. 17, 22, 31, 34, 35, 36, 38, 41, 45, 58, 60, 66, 86; F-Pc X 108
Drucke:	Ouverture avec tous les airs, Heus, 1683
	Les Simphonies à 4, Pointel
	Ouverture avec tous les Airs, Roger
	Extrait de l'Opera de Phaeton, Roger
Geistl. Parodien:	Petite Bibliothèque des Théâtres, 1786, Air
	Pellegrin, Cant. spir., 1706, Rec. IV, 371: *Pour les Chrétiens Que peut le monde?*
	ders. Histoire, 1702, 538: *Quelle est ta foi, Illustre Etienne?*
	ders. Les Pseaumes, 1705, 318: *Rassemblez-vous Peuples du monde*
	ders. L'Imitation, 1727, N°. 41: *Quelle est ta foi . . .*

61/60	Choeur:

Abschriften:	Qu. 17, 22, 31, 34, 35, 38, 72, 86

61/61	Choeur:

Abschriften:	Qu. 17, 22, 32, 35, 38, 52, 55, 60, 82, 86; F-R(m)
Drucke:	Ouverture avec tous les airs, Heus, 1683
	Ouverture avec tous les Airs, Roger
Literatur:	Le Cerf de la Viéville, Comparaison, II, 118

61/62	V, 1, Ritournelle, Clymene:

Abschriften:	Qu. 22, 59—61, 79; (Air) Qu. 78, 82

61/63	V, 2, Epaphus:

Abschriften:	Qu. 22, 80, 82, 86; F-R(m)
Druck:	Extrait de l'Opera de Phaeton, Roger
Literatur:	Le Cerf de la Viéville, Comparaison, II, 140

61/64 V, 3, Lybie:

Abschriften: Qu. 76, 78, 80, 82, 86; F-R(m); US-Sp ML96A75; S-N Finspong 9096:13

Druck: Extrait de l'Opera de Phaeton, Roger

Geistl. Parodien: Pellegrin, Histoire, 1702, N°. 38: *Ah! quel amour extrême! Pour nous rendre la vie un Dieu court au trépas;* dass. L'Imitation, 1727

61/65 Lybie, Epaphus:

Abschriften: Qu. 22, 35, 60, 66, 73, 75, 76, 78, 80, 86; F-R(m); S-Sk S 239

Druck: Extrait de l'Opera de Phaeton, Roger

Weltl. Parodie: Théâtre de la Foire, 1731, VIII, 236: *Hélas, une chaîne si belle Sera douce éternelle*

Geistl. Parodien: Opera spir., 1710, 17: *Venez, ô Sagesse éternelle*
Desessartz, Nouv. poésies spir., 1732, III, 44: *Hélas cette flamme cruelle sera donc éternelle;* ebd. 1733, VII, 53: *Hélas cette chaîne cruelle sera-t-elle éternelle*

61/66 Prelude, Merops, Clymene, Choeur:

Abschriften des Prélude: Qu. 35, 38, 61

Drucke: Ouverture avec tous les airs, Heus, 1683
Ouverture avec tous les Airs, Roger
Extrait de l'Opera de Phaeton, Roger

Abschriften des Duetts und des Choeur: Qu. 22, 38, 76, 80

Drucke: Ouverture avec tous les airs, Heus, 1683
Ouverture avec tous les Airs, Roger
Extrait de l'Opera de Phaeton, Roger
Les Parodies du Nouv. Théâtre it., 1738, IV, Air 89

Bemerkung: Als Duett erscheint dieser Satz bereits nach 61/62

61/67 Bourrée pour les Egyptiens:
Qu. 48: Gavotte

Abschriften: Qu. 22, 31, 36—38, 41 (Persée-Suite), 45, 46, 48—50, 52, 53, 55, 58, 60—62, 64, 66, 71, 72, 78; F-Pc X 108

Transkriptionen:	A-Wm Ms 743, 53 (Cembalo) Duo choisis, 1730 II, 154
Drucke:	Ouverture avec tous les airs, Heus, 1683 Les Simphonies à 4, Pointel Ouverture avec tous les Airs, Roger
Weltl. Parodien:	Par. bach., 1695, 132, 1696, 172, du Fresne, 1696, 79, Nouv. Par. bach., 1700, II, 94: *Ah! que le jus bachique Reveille bien mes desirs*

61/68   Second Air:
Qu. 22, 36, 37, 61 etc.: Gigue

Abschriften:	Qu. 22, 31, 36—38, 41, 45, 46, 48—50, 52, 53, 55, 58, 60—62, 66, 72, 78; F-Pc X 108
Drucke:	Ouverture avec tous les airs, Heus, 1683 Les Simphonies à 4, Pointel Ouverture avec tous les Airs, Roger

61/69   Une Bergere egyptienne:

Abschriften:	Qu. 22, 45, 60, 73, 75, 76, 78, 86; US-Sp ML96A75
Drucke:	Extrait de l'Opera de Phaeton, Roger Petite Bibliothèque des Théâtres, 1786, Air (Text) Nouv. Rec., Raflé, 1695
Weltl. Parodien, hs.:	F-Pa 4843, 237: *Pour un nez tout brillant de la gloire Qui rejaillit du beau teint de Bacchus*
Geistl. Parodien:	Pellegrin, Noëls, 1702, 103: *Ce beau jour a pour nous trop de charmes;* ebd. 1725, Rec. III, 197: *Ce beau jour doit finir nos allarmes* ders. Histoire, 1702, Nº 37: *Que le Ciel nous prépare de charmes!* dass. L'Imitation, 1727 Desessartz, Nouv. poésies spir., 1733, VII, 22: *Il conserve toujours sa verdure*

61/70   V, 5, Choeur:

Abschriften:	Qu. 22, 35, 86

61/71   V, 6, La Déesse de la terre:

Abschriften:	Qu. 78, 86
Druck:	Extrait de l'Opera de Phaeton, Roger

Choeur:

Abschriften:	Qu. 22, 35, 86
Drucke:	Ouverture avec tous les airs, Heus, 1683 Ouverture avec tous les Airs, Roger
Literatur:	Le Cerf de la Viéville, Comparaison, II, 14

LWV 62
DE PROFUNDIS

Bezeichnung:	Motet
Erste Aufführung:	Mai 1683

Abschriften:	F-Pc Rés F 665; Rés F 989; Rés F 1110; F-Pn Vm³ 1040; F-V Ms mus 6 (partition réduite); D-B Mus ms 13260; DDR-Dl(b) Ms 1827-D-1 und D-2; B-BR Ms II 3847; ehemals GB-T Ms 1402—1405, 1416—1419, jetzt F-Pn Rés F 1712 (Stimmen); F-Pn Vm¹ 1049; Vm¹ 1050; Rés F 1714; F-LYm 133719 und 133721
Stimmendruck:	*Motets / à deux choeurs / Pour la Chapelle du Roy. / Mis en Musique / Par Monsieur De Lully Escuyer, Conseiller Secretaire du Roy, / Maison, Couronne de France & de ses Finances, & Sur-Intendant / de la Musique de Sa Majesté / [Stimmenbezeichnung] / A Paris / Par Christophe Ballard . . . 1684*
Druck des Textes:	*Motets et Elévations Pour la Chapelle du Roy, Ballard, 1703*
Literatur:	La Laurencie, Lully, 130; Prunières, Lully, 87

LWV 63
AMADIS

Bezeichnung:	Tragédie en Musique
Text:	Philippe Quinault
Erste Aufführung:	18. 1. 1684 im Palais Royal

Librettodrucke:	*Amadis / Tragedie / en Musique, / Representée / Par l'Academie Royale /* *de Musique / On la vend / A Paris, Ballard, 1684,* F-Pn
	Suivant la copie imprimée à Paris, [Amsterdam] s. n. 1684, US-NH
	Amsterdam, A. Magnus, 1687, Ndl. Übersetzung, F-Pn
	Suivant la copie imprimée à Paris, [Amsterdam] s. n. 1687, US-Public Library New York
	Imprimé à Paris, on les vend à Anvers, H. Van Dunwaldt, 1687, F-Pn
	in: Recueil des Opera, Amsterdam, A. Wolfgang, 1688, D-Hs
	Paris, Ballard, 1689, F-Pa
	in: Recueil des Opera, Amsterdam, A. Wolfgang, 1690, F-Pn
	in: Recueil des Opera, Amsterdam, A. Wolfgang, 1695, D-Hs
	Bruxelles s. n. 1695 (nach Gros)
	Suivant la copie imprimée à Paris, [Amsterdam] s. n. 1699, F-Pn
	Paris, Ballard, 1701, F-Pn
	Amsterdam, H. Schelte, 1701, D-Sl
	Paris, Ballard, 31. 5. 1701, F-Pn
	in: Recueil général des Opera, Paris, Ballard, 1703, F-Pn
	Amsterdam, H. Schelte, 1704, D-BFb
	Paris, Ballard, 1705 (nach Gros)
	Paris, Ballard, 1708, F-Po
	in: Recueil des Opera, Amsterdam, H. Schelte, 1712, D-HR
	Paris, P. Ribou, 1718, F-Pn
	La Haye, G. de Voys, 1725, D-F
	in: Recueil des Opera, La Haye, G. de Voys, 1726, D-F
	Paris, Ballard, 1731, F-Po
	Paris, Ballard, 1740, F-Pn
	Paris, Vve Delormel, 1759, F-Pn
	Paris, Vve Delormel, 1771, F-Pa
	in: Petite Bibliothèque des Théâtres, Paris, 1786, F-Pn
	in: Répertoire du théâtre français, Paris, 1822, F-Pn
Abschriften:	Partition générale: F-Po A16f II; A16c; A16d; F-LYm Ms 27335 (David scripsit); F-TLm Cons 47 (Sicard relieur du palais); Cons 271; F-B Ms 13753 (Coppié par Ferré); US-Sp; GB-CKc Ms 210
	Partition réduite: F-B Ms Z511 (1693, La Monnoye); F-Pn Vm² 75; F-A Ms 535; US-Sp; F-C Ms 1067; F-Mc 49; F-PMeyer; F-Pn L 5462 (2); US-BE Ms 767 (ohne Text); Ms 766
Druck in Partition générale:	*Amadis, / Tragedie, / Mise / en Musique / Par Monsieur de Lully, Escuyer,* *Conseiller / Secrétaire du Roy, Maison, Couronne de / France, & de ses* *Finances, & Sur-Intendant / de la Musique de Sa Majesté. / [Drucker-* *zeichen Ballards] / A Paris, / Par Christophe Ballard, seul Imprimeur du* *Roy pour la Musique, / ruë Saint Jean de Beauvais, au Mont-Parnasse. /* *Et se vend A la Porte de l'Academie Royale de Musique, ruë Saint* *Honoré. / M.DC.LXXXIV. / Avec Privilege de Sa Majesté.*
Drucke in Partition réduite:	Seconde édition, Paris, s. n. (gravée par H. de Baussen), 1711 Nouvelle édition, Paris, J.-B.-C. Ballard, 1719 Nouvelle édition, oeuvre XIV, Paris, J.-B.-C. Ballard, 1725
Stimmen:	Qu. 21—23, 25, 28—30, ehemals GB-T Ms 31—35 (1703, Philidor, Vokal- stimmen), Ms 157—160 (Instrumentalstimmen); F-Pn Vm² 76 (dessus); F-B Ms Z508 (basse continue); F-AG II, 327—328 (Stimmensatz des Pro- logs); F-Po Fonds La Salle; F-AG II, 168 bis (Stimmensatz mit Varianten und Neuvertonungen einzelner Stücke); S-SK (dessus)
Ariendruck:	Les plus beaux airs à chanter de l'opéra d'Amadis, Roger [ca. 1708—1712]; dieser Druck ist nur noch in dem Katalog Rogers von 1716 nachzuweisen, vgl. Lesure, Bibliographie des Editions musicales publiées par Estienne Roger et Michel-Charles Le Cène, Paris, 1969, S. 172

Suitendrucke:	Ouverture / avec tous les airs de Violons / de l'Opera d'Amadis / fait à Paris par Mons / Baptist de Lully / Imprimée à Amsterdam par Jean Philip Heus 1684. (Stich von B. Overbeek und P. Schenk) Tous les Airs de violon / de l'Opera D'Amadis / Composez par Monsieur / de Lully, Escuier, / Conseiller Secretaire / du Roy & / Imprimée à Amsterdam / par Antoine Pointel [1687] Ouverture / Avec tous les Airs à jouer de / l'Opera / D'Amadis / Par / Mr. Baptiste Luly / . . . à Amsterdam / Chez Estienne Roger Marchand Libraire [1702]
Szen.-dramatische Parodien, bibliographisch nachgewiesen bzw. handschriftlich:	Carolet: Polichinelle Amadis (1732, Foire de Saint-Germain, durch die Marionettes de Bienfait, Ms F-Pn) J.-A. Romagnesi, Riccoboni fils: Amadis, Musik von Blaise (19. 12. 1740, Théâtre italien), Zusammenfassung Mercure 1740, Dezember II, S. 2930
Drucke:	J. F. Regnard: Naissance d'Amadis (1694) in: Le Théâtre italien de Gherardi, Amsterdam 1701, Paris 1717, Amsterdam 1721 P. F. Biancolelli, J.-A. Romagnesi: Arlequin Amadis (27. 11. 1731 Théâtre italien) in: Les Parodies du Nouveau Théâtre italien 1738, Zusammenfassung im Mercure 1735, Dezember, I, S. 2853—2870, II, S. 2930 Anonym: Amadis Gaulé (1741) s. l. 1741 A.-J. Labbet, abbé de Morambert: Amadis, parodie nouvelle (31. 12. 1759) Paris, Cailleau, 1760 (fehlt bei Carmody)
Bemerkung:	Die Dédicace an Ludwig XIV. wurde von Jean de la Fontaine formuliert.
Literatur:	La Laurencie, Lully, 158 f.; Prunières, Lully, 101; Gros, Quinault, 144 f., 537—539, 565—569; Girdlestone, La tragédie en musique, 98—103; Isherwood, Music in the service, 212—214, 229—235; Newman, Formal Structure, 147—153

63/1	Ouverture:

Abschriften:	Qu. 17, 22, 31, 34, 36—38, 41, 45, 46, 48—52, 55, 58, 60—64, 68, 78, 79; F-V Ms mus 165; F-Pc X 108 (Dessus)
Transkription:	Ouvertures des opera, 1725, 30
Drucke:	Ouverture avec tous les airs Heus, 1684 Tous les Airs de violon, Pointel Ouverture avec tous les Airs, Roger
Weltl. Parodie:	Ouvertures des opera, 1725, 30: *En vain, contre un amant l'on veut faire un serment*

63/2	Prologue, Prelude, Urgande: Qu. 22, 36, 72, 78: Sommeil

Abschriften:	Qu. 17, 22, 34—37, 48, 50, 72, 73, 75, 76, 78, 84; F-LYm 133644; S-Skma Alströmer-saml.; F-Pc X 108

Weltl. Parodien:	Par. bach., 1695, 133, 1696, 173, du Fresne, 1696, 79, Nouv. Par. bach., 1700, II, 95: *Ah! je vois la nuit qui s'approche*
	Gherardi, Théâtre, 1717, VI, 73: *Ah je sens l'amour qui me grille*
	Nouv. Recueil de chansons, 1724 und 1731, II, 26: *Ah! je vois la nuit . . .*
	Théâtre de la Foire, 1737, IX, 2e partie, 3: *Ah j'entends un bruit*
Geistl. Parodien:	Pellegrin, Noëls, 1702, Air 27
	Opera spir., 1710, 33: *Ah j'entends un bruit qui s'avance*

63/3   Urgande, Alquif, Choeur:

Abschriften des Duetts:	Qu. 22, 73, 76, 84
Abschriften des Choeur:	Qu. 17, 22, 34, 35, 48, 50, 60, 71, 72, 76, 78, 84; F-LYm 133644
Weltl. Parodien:	Par. bach., 1695, 134, 1696, 174, du Fresne, 1696, 80, Nouv. Par. bach., 1700, II, 95, Nouv. Recueil de chansons, 1724 und 1731, II, 28: *Garçons empressés à nous plaire Vous qui suivez icy tous nos commandemens*
	Théâtre de la Foire, 1737, IX, 2e partie, 4: *Esprits empressés*
Geistl. Parodien:	Pellegrin, Noëls, 1702: *O Toy qui d'un coeur tout de glace*
	ders. Chansons, 1722, 20: *O Toy qui d'un coeur . . .*; dass.
	Cant. spir., 1726, 58
	Desessartz, Nouv. poésies spir., 1731, II, 6: *Chantons la puissance et la gloire du souverain*

63/4   Premier Air:

Abschriften:	Qu. 17, 22, 31, 34, 36—38, 41, 45—52, 55, 58, 60—64, 71, 72, 78; F-V Ms mus 165; F-Pc X 108
Transkriptionen:	F-Pc Rés F 844, 236 (Gitarre)
Drucke:	A-Wm Ms 743, 46v° (Cembalo)
	Ouverture avec tous les airs, Heus, 1684
	Tous les Airs de violon, Pointel
	Ouverture avec tous les Airs, Roger
Weltl. Parodien:	Par. bach., 1695, 140, 1696, 180, du Fresne, 1696, 81, Nouv. Par. bach., 1700, II, 101, Nouv. Recueil de chansons, 1724 und 1731, II, 33: *Vous m'ordonnez, Iris, de ne plus boire*
	Les Par. Nouv., 1732, 60: *Lors qu'avec toy dans les plaisirs*

63/5   Second Air. Gigue:

Abschriften:	Qu. 17, 22, 31, 34, 36—38, 41, 45—50, 52, 55, 58, 60, 61, 63, 64, 71, 72, 78; F-V Ms mus 165; F-Pc X 108
Drucke:	Ouverture avec tous les airs, Heus, 1684
	Tous les Airs de violon, Pointel
	Ouverture avec tous les Airs, Roger

63/6   Une des suivantes d'Urgande:

Abschriften:	Qu. 17, 22, 34, 60, 73, 78, 84; S-Skma Alströmer saml.
Transkription:	F-Pc Rés F 844, 150 (Gitarre)
Druck:	(Text) Nouv. Rec., Raflé, 1695
Weltl. Parodien, hs.:	F-Pa 4842, 361: *Les plaisirs nous suivront desormais Vous allez voir vos desirs satisfaits;* ebd. 4843, 275: *Quand j'étois gros Jeannot*
Drucke:	Gherardi, Théâtre, 1717, V, Air A 2: *Les plaisirs vous suivront* Théâtre de la Foire, 1737, IX, 2e partie, 4: *Les plaisirs . . .*
Geistl. Parodien:	Pellegrin, Histoire, 1702, 414: *Produisons des fruits dignes de nous;* dass. L'Imitation, 1727 hs.: S-Uu Nordin 1135: *Jesu Christe Guds enfödde Son* (1. 9. 1700)

63/7   Urgande:

Abschriften:	Qu. 84; F-LYm 133644; S-N Finspong 9096:13
Weltl. Parodien:	Par. bach., 1695, 136, du Fresne, 1696, 80, Nouv. Par. bach., 1700, II, 103, Nouv. Recueil de chansons, 1724 und 1731, II, 35: *Lorsque Bacchus étoit inconnu dans le monde*

63/8   Urgande, Alquif:

Abschriften:	Qu. 17, 22, 34, 35, 36, 50, 78, 84; S-Skma Alströmer saml.
Weltl. Parodien:	Par. bach., 1695, 137, 1696, 177, du Fresne, 1696, 81, Nouv. Par. bach., 1700, II, 105, Nouv. Rec. de chansons, 1724 und 1731, II, 38: *Ce n'est qu'à des magots (cagots) Qui pendant la nuit noire* Gherardi, Théâtre, 1717, V, A 3: *C'est à luy d'enseigner aux filles ignorantes*

63/9   Alquif:

Abschriften:	Qu. 17, 22, 34, 35, 52, 59, 78, 79, 84; F-B Ms 279.147; S-Skma Alströmer saml.
Druck:	Les Trio, Blaeu, 1690, I

63/10 Urgande, Alquif, Choeur:

Tout l'u=ni = vers ad = mi = re ses ex =ploits

Abschriften: Qu. 17, 22, 34, 35, 50, 78, 83; S-Skma Alströmer saml.

Drucke: Ouverture avec tous les airs, Heus, 1684
Ouverture avec tous les Airs, Roger

63/11 Les Suivants d'Alquif et d'Urgande témoignent leur joie en chantant et en
dansant:
Qu. 22, 36, 63, 71: Rondeau; Qu. 41, 60: Menuet

Abschriften: Qu. 17, 22, 31, 34, 36—38, 41, 45, 48, 50—52, 54, 58, 60, 61, 63, 71, 72;
F-Pc X 108

Transkription: F-Pc Rés F 844, 257 (Gitarre)

Drucke: Ouverture avec tous les airs, Heus, 1684
Tous les Airs de violons, Pointel
Ouverture avec tous les Airs, Roger

Weltl. Parodie: Les Par. nouv., 1732, 82: *Dans mes plaisirs, soumis à l'habitude*

63/12 Choeur:

Sui=vons l'a = mour, C'est lui qui nous me = ne

Abschriften: Qu. 17, 34, 35, 36, 41, 45, 48, 50, 52, 54, 58, 60, 66, 71—73, 76, 78, 84;
F-Pc X 108

Drucke: Ouverture avec tous les airs Heus, 1684
Tous les Airs de violon, Pointel
Ouverture avec tous les Airs, Roger
Petite Bibliothèque des Théâtres, 1786, Air
(Text) Nouv. Rec., Raflé, 1695

Weltl. Parodien, hs.: F-Pa 4842, 339: *L'on entendit la jeune Climene;* dass.
GB-Lbl Egerton 1520, III, 63

Drucke: Par. bach., 1695, 138, 1696, 178, du Fresne, 1696, 81, Nouv. Par. bach.,
1700, II, 108, Nouv. Rec. de chansons, 1724 und 1731, II, 41: *Suivons
Bacchus, c'est lui qui nous mene*
Gherardi, Théâtre, 1717, V, A 4: *Suivez l'amour, ce dieu vous appreste*
Théâtre de la Foire, 1721, II (Air 150) 122; ebd. V, (Air 95) 80
J. Lebas, Festin Joyeux, 1738, II, 133: *Prenez d'un pain des tranches de
mie;* ebd. 135: *Otez tête et jambe de tortue;* ebd. 137: *De farce il faudra
qu'on la garnisse;* ebd. 139: *Desossez une carpe bien grosse*
[F. J. Desoer], Trois cens Fables (1777, L'ignorant et le sçavant): *Deux
habitans d'une même ville*
Anonym, Phaéton, parodie, s.n.s.d. F-Pn Th^B 627, II, 5: *Vous le trouvez
digne de vous plaire;* ebd. 48: *De ce beau jour gardons la memoire*

Geistl. Parodien:	A.H.P.E.L.D.L., Cant. spir., Lyon, 1692, 9: *Suivons Jesus, c'est lui qui nous mene* Pellegrin, Cant. spir., 1701, 170: *Suivons Jesus, c'est lui qui nous mene;* ebd. 202: *Par ses bienfaits un Dieu nous console;* ebd. 1706, Rec. V, 431: *Que de perils partout nous menacent!* ders. Noëls, 1702: *De l'Eternel chantons la victoire* ders. Histoire, 1702, 139: *Vous qui bravez un Dieu dans son Temple;* ebd. 233: *Que d'Absaloms on voit sur la terre!;* ebd. 303: *Lorsque le monde assiege nos ames* ders. Les Pseaumes, 1705, 124: *Dans mes malheurs mon ame constante;* ebd. 191: *Vous qui voulez m'ôter l'esperance;* ebd. 288: *Divin Seigneur que vôtre tendresse;* ebd. 303: *Maître des Cieux, Seigneur redoutable;* ebd. 505: *Dieu regne seul, craignons sa puissance;* ebd. 555: *Dieu tout puissant, Seigneur adorable* Cantiques, Lyon 1710, 143: *Cedons mon ame à Jesus qui me presse* Opera spir., 1710, 56: *Suivons Jesus, n'ayons d'autres envies* Cant. spir., Lille 1718, 122: *Suivons Jesus-Christ, c'est lui qui nous mene* Pellegrin, Les Proverbes, 1725, 92: *Quand vous voulez quitter votre frere* Barles, Cant. spir., 1740, 59: *Sainte cité, demeure charmante* Cant. spir., Avignon, 1743, 92: *Sainte cité . . .;* dass.: Cant. spir., Reims, 1751, 19; dass.: Cant. spir., Avignon, 1759, 86; dass.: Cant. spir., Sens, 1761, 71 Cant. spir., Reims, 1811, 86: *Etre éternel, beauté toujours nouvelle;* dass.: Pellegrin, Cant. spir., 1811, 83
63/13	Urgande, Alquif:

Abschriften:	Qu. 17, 22, 35, 50, 60, 75, 76, 78, 84; S-Skma Alstörmer saml.
Weltl. Parodien:	Par. bach., 1695, 139, 1696, 179, du Fresne, 1696, 81, Nouv. Par. bach., 1700 II, 110, Nouv. Recueil de chansons, 1724 und 1731, II, 47: *Buvez à rouge bord Je suis prêt* (M.R.) Nouv. Rec., Raflé, 1695: Originaltext und: *Croissez, jeunes tetons, paroissez Paroissez promptement*
Geistl. Parodien:	Opera spir., 1710, 17: *Venez, aimables enfants* Desessartz, Nouv. poésies spir., 1733, VII, 7: *Brillez, prés et gazons*
63/14	I, 1, Amadis:

Abschrift:	Qu. 78
Weltl. Parodie:	Théâtre de la Foire, 1731, VII (Air 121) 219: *Je me rends dans ces lieux*

415

63/15   Amadis:

| Abschriften: | Qu. 73, 75, 78 |
| Weltl. Parodie: | Chansonnier Maurepas 12620, 229: *Croyez-moy, Filles de la Cour* |

63/16   Amadis:

| Abschriften: | Qu. 73, 75, 78 |
| Weltl. Parodien: | Théâtre de la Foire, 1731, VIII, (Air 92), 230: *Fut-il jamais amant . . .* |

63/17   Florestan:

| Abschriften: | Qu. 22, 35, 52, 59, 73, 78, 79; F-B Ms 279.147 |
| Druck: | Les Trio, Blaeu, 1690, I |

63/18   I, 2, Ritournelle, Corisande, Florestan:

| Abschriften: | Qu. 22, 76, 78, 79; F-LYm 133644 |

63/19   Corisande:

| Abschrift: | Qu. 78 |
| Literatur: | Le Cerf de la Viéville, Comparaison, I, 66 |

63/20   I, 3, Florestan:

| Abschriften: | Qu. 22, 52, 59, 78, 79; F-B Ms 279. 147 |
| Druck: | Les Trio, Blaeu, 1690, I |

63/21   I, 3, Corisande, Oriane, Florestan:

Abschriften: Qu. 78, 79

Druck: Les Trio, Blaeu, 1691, II, 13

63/22   I, 4, Marche pour le Combat de la Barriere:

Abschriften: Qu. 24, 31, 36—38, 45, 46, 48—50, 52, 58, 61, 63, 72, 78; F-Pc X 108

Drucke: Ouverture avec tous les airs, Heus, 1684
                       Tous les Airs de violon, Pointel
                       Ouverture avec tous les Airs, Roger

63/23   Premier Air des Combattants:

Abschriften: Qu. 22, 24, 36—38, 41, 45, 48—50, 52, 61, 63, 72; F-Pc X 108

Drucke: Ouverture avec tous les airs, Heus, 1684
                       Tous les Airs de violon, Pointel
                       Ouverture avec tous les Airs, Roger

63/24   Second Air:
                          Qu. 22, 36, Pointel: Réjouissance; Qu. 72: le Triomphe

Abschriften: Qu. 22, 24, 36—39, 41, 45, 46, 48—50, 52, 61, 72, 78; F-Pc X 108

Drucke: Ouverture avec tous les airs, Heus, 1684
                       Tous les Airs de violon, Pointel
                       Ouverture avec tous les Airs, Roger

Weltl. Parodien: Nouv. Par. bach., 1700, II, 112: *Quand l'éloignement, ou quand la soif*
                       (M.V.); dass. S. Vergier, Oeuvres, 1726, 241
                       Les Par. nouv., 1732, 98: *J'ay sçû triompher de mon amour*

63/25   Choeur:

Abschriften: Qu. 22, 24, 35, 50, 52, 73, 75, 78

63/26   II, 1, Prelude: Arcabonne:

A=mour que veux-tu de moi?

Abschriften des Prélude:	Qu. 22, 37, 38, 45, 48—50, 52, 61, 63, 72, 78, 88
Drucke:	Ouverture avec tous les airs, Heus, 1684 Tous les Airs de violon, Pointel Ouverture avec tous les Airs, Roger
Abschriften des Air:	Qu. 22, 73, 76, 78; F-Psg 2355
Weltl. Parodien, hs.:	Chansonnier Maurepas, 12620, 289 (1683): (sur Fr.-M. Le Tellier, mqs. de Louvois) *Dieu Mars que veux-tu de moy;* dass.: ebd. 327 F-Pa 4842, 307: *Bacchus quand j'étois à toy* GB-Lbl Egerton 1520, III, 49: *O Mars que veux-tu de moy,* dass.: GB-Lbl King's 332, 86 (1699) F-La Rochelle Ms 673, 221: *Non, ne t'oppose point au penchant qui m'entraîne*
Drucke:	Nouv. Rec., Raflé, 1695, Originaltext; 1ere partie: *Tircis que veux-tu de moi?;* ebd. 5e partie: *Mama ik vergaa van pijn* de Coulanges, Recueil, 1698, 178: *Fievre je suis sous ta loy* Nouv. Par. bach., 1700, II, 114: *Laquais, garde l'eau pour toi* de Coulanges, Chansons, 1754, 245: *Fievre, je suis sous ta loi*
Geistl. Parodien:	Pellegrin, Cant. spir., 1701: *Peché, dangereux vainqueur, Pourquoy presses-tu mon coeur?;* ebd. 1706, Rec. V, 436: *Quel est ce superbe coeur Armé contre le Seigneur?* ders. Noëls, 1725, Rec. III, 231: *Quels cris font mugir les airs? Ce lieu ressemble aux enfers.* ders. Chansons, 1722, 21: *Mortels, malheureux mortels Songez aux feux éternels.*

63/27   II, 2, Arcalaus:

L'a=mour n'est qu'u = ne vaine er = reur

Abschriften:	Qu. 22, 35, 52, 59, 76, 78, 79, 88; F-Psg 2355; F-B Ms 279.147
Druck:	Les Trio, Blaeu, 1690, I

63/28   Arcabonne, Arcalaus:

Ir=ri = tons no=tre bar = ba = ri = e   E=cou=tons
Ir=ri=tons no=tre bar = ba = ri = e   E=cou=tons no=tre sang qui   cri=

Abschriften:	Qu. 76, 78, 88; F-Psg 2355
Literatur:	Grandval, Essai sur le bon goût, 1732, 39

63/29   II, 3, Symphonie pour Arcalaus, Arcalaus:

Dans un pie = ge fa = tal son mau=vais sort

Abschriften der Symphonie: Qu. 17, 22, 34, 41, 48, 52, 55, 61, 88
Drucke: Ouverture avec tous les airs, Heus, 1684
                            Ouverture avec tous les Airs, Roger

63/30   II, 4, Prelude, Amadis:

Bois é = pais re=dou=ble ton om=bre

Abschriften: Qu. 22, 52, 61, 73, 75, 76, 78; F-Psg 2355
Druck: Petite Bibliothèque des Théâtres, 1786, Air
Weltl. Parodie: Théâtre de la Foire, 1724, IV (Air 131), 313
Geistl. Parodie: Cant. spir., Avignon, 1735, 158: *Diou tout boüen, ô grand Diou qu'adori Dins ma grando miseri implori;* ebd. 194: *Luen de vous, moun Diou, my languissi*
Literatur: Le Cerf de la Viéville, Comparaison, II, 138, 283, 286; Grimarest, Traité du Recitatif, 1707, 204

63/31   II, 5, Ritournelle, Corisande:

O for = tu = ne cru = el = le

Abschriften: Qu. 22, 61, 78; F-Psg 2355
Druck: Les Trio, Blaeu, 1691, II

63/32   II, 6, Amadis combat contre Arcalaus, Arcalaus:

Es =prits in = fer = naux il est temps

Abschriften: Qu. 17, 22, 34, 41, 48; F-Pc X 108

63/33   II, 7, Air pour les Démons et les Monstres:

Abschriften: Qu. 17, 22, 31, 34, 36—38, 41, 45—50, 52, 54, 55, 58, 60, 61, 63, 64, 71, 72, 78; F-V Ms mus 165; F-Pc X 108
Drucke: Ouverture avec tous les airs, Heus, 1684
                    Tous les Airs de violon, Pointel
                    Ouverture avec tous les Airs, Roger

63/34   II, 7, Prelude, Choeur:
                              Qu. 17, 46: Symphonie de flûtes; Qu. 22: Trio; Qu. 41, 55: Symphonie des enchantements

Abschriften:	Qu. 17, 22, 31, 34, 36—38, 41, 45, 46—48, 50—52, 55, 57, 59, 61, 63, 72, 78, 79
Drucke:	Ouverture avec tous les airs, Heus, 1684
	Les Trio, Blaeu, 1691, II
	Tous les Airs de violon, Pointel
	Trios de Differents Auteurs, Babel, I, 18
	Ouverture avec tous les Airs, Roger
Abschriften des Choeur:	Qu. 17, 22, 36, 41, 55, 73, 76, 78, 79
Druck:	Les Trio, Blaeu, 1691, II

63/35   Deux Bergers:

Abschriften:	Qu. 17, 22, 34, 41, 46, 50—52, 57, 72, 79
Drucke:	Tous les Airs de violon, Pointel
	Les Trio, Blaeu, 1691, II

63/36   Choeur:

Abschriften:	Qu. 17, 22, 34, 36, 37, 41, 45, 46, 48, 50—52, 55, 57—59, 66, 68, 70—73, 75, 76, 78, 79; F-Psg 2355; F-LYm 133644; S-Sk S 173 und 175; F-Pc X 108
Transkriptionen:	F-Pc Rés F 933 (Cembalo)
	Duo choisis, 1728, 50
Drucke:	Ouverture avec tous les airs, Heus, 1684
	Tous les Airs de violon, Pointel
	Les Trio, Blaeu, 1691, II
	Trios de Differents Auteurs, Babel, I
	Ouverture avec tous les Airs, Roger
	(Text) Nouv. Rec., Raflé, 1695
Weltl. Parodien, hs.:	F-Pa 4842, 349: *Vous que l'amour désespere Par des tourmens rigoureux*
	GB-Lbl Egerton 1520, III, 49: *Vous qui dans le Mezentere Sentés vents impetueux*

Drucke:	Par. bach., 1695, 141, 1696, 181, du Fresne, 1696, 82, Nouv. Par. bach., 1700, II, 116: *Dans ce repas agreable L'Amour vient boire avec nous* Les Moines, Comédie en Musique, 1709, 39: *Vous ne devez plus pretendre Qu'au soin de vous rendre heureux* Théâtre de la Foire, 1721, I, Air 162; ebd. 1737, IX, 171 de Coulanges, Chansons, 1754, 246: *Vous qui dans le Mézentaire Avez vents impétueux*
Geistl. Parodien:	Pellegrin, Cant. spir., 1701, 111: *Ah! faut-il qu'un Dieu vous aime Et que vous ne l'aimiez pas?;* ebd. 223: *Source brillante et féconde* ders. Noëls, 1702: *C'est un Dieu qui vient de naître; Il a sçu briser vos fers;* ebd. 1725, Rec. III, 203: *Ne répandons plus de larmes Ne poussons plus de soûpirs* ders. Histoire, 1702, 237: *Vous qui regnez sur la terre, Voyez la mort d'un Saint Roy* Opera spir., 1710, 52: *Nous devons à sa naissance* Cant. spir., Lille, 1718, 157: *Source brillante et féconde* Pellegrin, Chansons, 1722, 26: *Si-tôt que Dieu vous appelle* Desessartz, Nouv. poésies, spir., 1732, IV, 26: *Quelle voix se fait entendre Dans le secret de mon coeur* Cant. spir., Avignon, 1743, 33: *Source divine et féconde;* dass. Cant. spir., Sens, 1761, 26

63/37   Amadis:

Est-ce vous O=ri = a = ne? O Ciel

Abschriften: Qu. 22, 73, 75, 78

63/38   III, 1, Prelude, Choeur de Captifs et de Geôliers:

Ciel fi = nis= sez nos pei = nes

Abschriften des Prélude: Qu. 22, 35, 38, 45, 48, 49, 52, 61, 63, 78

63/39   Un Geôlier:

Tel s'em=pres=se d'ap=pe=ler la mort

Abschriften: Qu. 22, 35, 52, 59, 79; F-B Ms 279.147

Druck: Les Trio, Blaeu, 1690, I

63/40   Choeur de Captifs et Captives:

O mort que vous ê = tes len = te

O mort que vous ê=tes len = te, o mort

Abschriften: Qu. 22, 35, 78

63/41   III, 2, Prelude, Arcabonne:

Abschriften: Qu. 22, 35—38, 41, 45, 48—50, 52, 58, 60, 61, 63, 64, 72, 78; F-V Ms
            mus 165; F-Pc X 108

Drucke: Ouverture avec tous les airs, Heus, 1684
            Tous les Airs de violon, Pointel
            Ouverture avec tous les Airs, Roger

63/42   Prelude, Choeur:

Abschriften des Prélude: Qu. 22, 35, 37, 38, 45, 48, 50, 61, 63

Drucke: Ouverture avec tous les airs, Heus, 1684
            Tous les Airs de violon, Pointel
            Ouverture avec tous les Airs, Roger

63/43   Arcabonne:

Abschriften: Qu. 60, 76, 78

Literatur: Le Cerf de la Viéville, Comparaison, I, 41—42

63/44   Prelude, Arcabonne:

Abschriften: Qu. 22, 37, 48, 52, 61, 76, 78

63/45   Prelude, L'Ombre d'Ardan:

Abschriften: Qu. 22, 37, 76, 78

Weltl. Parodien: Nouv. Rec., Raflé, 1695 (Originaltext, gesungen auf das Vaudeville *Pierre
            Bagnolet*)
            Théâtre de la Foire, 1728, VI, (Air 105) 287

63/46   Prelude, Arcabonne:

Abschriften des Prélude: Qu. 22, 37, 38, 45, 48—50, 52, 61, 63

Drucke: Ouverture avec tous les airs, Heus, 1684
           Ouverture avec tous les Airs, Roger

63/47   III, 4, Ritournelle, Arcabonne:

Abschriften der Ritournelle: Qu. 22, 52, 59, 61, 63, 78, 79

63/48   Prelude, Choeur:

Abschriften: Qu. 22, 35, 38, 48—50, 61, 78

Drucke: Ouverture avec tous les airs, Heus, 1684
           Ouverture avec tous les Airs, Roger

63/49   Premier Air:

Abschriften: Qu. 22, 31, 36—38, 41, 45, 46, 48—50, 55, 58, 60—64, 72, 78; F-Pc X 108

Drucke: Ouverture avec tous les airs, Heus, 1684
           Tous les Airs de violon, Pointel: Centrez
           Ouverture avec tous les Airs, Roger

63/50   Second Air:

Abschriften: Qu. 22, 31, 36—38, 41, 45, 46, 48—50, 52, 55, 58, 60, 61, 63, 64, 72;
                F-Pc X 108

Drucke: Ouverture avec tous les airs, Heus, 1684
           Tous les Airs de violon, Pointel
           Ouverture avec tous les Airs, Roger

63/51   IV, 1, Ritournelle, Arcalaus:

Par mes en=chan=te=mens O=ri=ane est cap=

Abschriften: Qu. 22, 38, 45, 49, 52, 59, 61, 78, 79

63/52   Arcalaus:

Ne per=met=tons pas qu'elle ig = no=re

Abschriften: Qu. 22, 59, 79; F-B Ms 279.147
Druck: Les Trio, Blaeu, 1690, I

63/53   IV, 3, Oriane:

Je veux ha = ïr   tou = jours   un a = mant

Abschriften: Qu. 76, 78; F-Psg 2355

63/54   IV, 5, Ritournelle, Arcabonne, Arcalaus:

Quel plai= sir quel plai = sir de   voir

Abschriften: Qu. 22, 59, 61, 78, 79; F-LYm 133644

63/55   IV, 6, Prelude, Urgande:

Je sou=mets à mes   loix l'En=fer

Abschriften des Prélude: Qu. 22, 36—38, 41, 45—52, 55, 58, 60, 61, 63, 78; F-V Ms mus 137; F-Pc
                            X 108

Drucke: Ouverture avec tous les airs, Heus, 1684
                            Tous les Airs de violon, Pointel: Air
                            Ouverture avec tous les Airs, Roger

Weltl. Parodien: Par. bach., 1695, 143, 1696, 183, du Fresne, 1696, 83: *Ah! ne m'en parlez
                            plus, Ce sont des discours superflus*

Abschriften des Rezitativs: Qu. 76, 78; F-Psg 2355

63/56   Urgande, deux suivantes d'Urgande:

Trem = blez, trem = blez / Trem = blez, trem = blez   re=con=nais=sez

Abschriften: Qu. 55, 60, 76, 78, 79; F-Psg 2355

424

63/57   Menuet pour les suivantes d'Urgande:

Abschriften   Qu. 36—38, 41, 45, 46, 48—52, 55, 58, 60, 61, 63, 72; F-V Ms mus 137

Drucke: Ouverture avec tous les airs, Heus, 1684
                              Tous les Airs de violon, Pointel
                              Ouverture avec tous les Airs, Roger

Weltl. Parodie: Les Par. nouv., 1732, 107: *Dieux! que mon coeur enchanté*

63/58   Deux suivantes d'Urgande:

Abschriften: Qu. 22, 46, 47, 50, 51, 55, 57, 60, 70, 72, 73, 75, 76, 78, 79

Transkription: Duo choisis, 1728, 20

Drucke: Ouverture avec tous les airs, Heus, 1684
                              Les Trio Blaeu, 1691, II
                              Trios de Differents Auteurs, Babel, II
                              Ouverture avec tous les Airs, Roger

Weltl. Parodie: Nouv. Par. bach., 1700, II, 123: *Gens affamez de perdrix et de caille*

Geistl. Parodien: Pellegrin, Cant. spir., 1706, 256: *Ah! quel transport, charitable Mere*;
                              ebd. Rec. III, 299: *Chrestiens ingrats, fils indignes d'un Pere*; ebd. Rec. IV,
                              361: *Coeurs accablez sous le poids de vos crimes*; ebd. Rec. V, 429: *Le
                              Roy des Cieux est present dans son Temple*
                              ders. Noëls, 1725, Rec. III, 181: *Heureux mortels, vôtre Dieu vient de
                              naître*
                              Pellegrin, Histoire, 1702, 77: *Coeurs infectez du poison de l'envie*
                              ders. Les Pseaumes, 1705, 19: *Dieu d'Israël, mon unique espérance*; ebd.
                              39: *Dieu tout-puissant exaucez ma priére*; ebd. 221: *Divin Seigneur, c'est
                              en vous que j'espere*; ebd. 492: *Rassemblons-nous pour chanter nôtre
                              Maître*
                              Opera spir., 1710, 23: *Mortels, cessez de répandre des larmes*
                              Cant. spir., Lille, 1718, 239: *Chrêtiens ingrats, fils indignes d'un Pere*
                              Pellegrin, Chansons, 1722, 15: *Dieu de bonté, ma derniere esperance*; ebd.
                              24: *C'est pour jamais que je quitte le monde*

63/59   Prelude, Arcalaus:

Abschriften des Prélude: Qu. 22, 35, 37, 38, 45, 48—50, 52, 61, 63, 71, 72; F-V Ms mus 165

Drucke: Ouverture avec tous les airs, Heus, 1684
                              Tous les Airs de violon, Pointel
                              Ouverture avec tous les Airs, Roger

Abschriften des Duetts: Qu. 22, 78

63/60

V, 1, Prelude, Urgande:

A=pol=li = don par un pou=voir ma = gi=que

Abschriften: Qu. 22, 37, 38, 41, 45, 48—50, 52, 61—63

Drucke: Ouverture avec tous les airs, Heus, 1684
Tous les Airs de violon, Pointel
Ouverture avec tous les Airs, Roger

63/61

V, 2, Oriane:

Fer=mez-vous pour ja = mais

Abschriften: Qu. 22, 73, 75, 78, 84; S-Skma Alströmer saml.

63/62

Oriane, Amadis:

Ma dou = leur eut é = té mor = tel = le

Ma dou = leur eut é = té mor = tel = le, hé = las

Abschrift: Qu. 79

Druck: Les Trio, Blaeu, 1691, II

63/63

Amadis, Amadis et Oriane:

Je vous pro = mets de n'é = tein=dre /   Je vous pro = mets

Abschriften: Qu. 76, 78, 79, 84

63/64

V, 4, Symphonie, Urgande:

Il est temps de vous ar=rê = ter

Abschriften: Qu. 17, 22, 34, 50, 52, 59, 61, 79

63/65

Prelude, une des Héroines:

Fi=de=les coeurs,

Abschriften: Qu. 22, 37, 38, 45, 48, 50, 52, 61, 63, 72, 78

63/66	V, 5, Choeur:

A la fin l'a=mour cou = ron = ne

Abschriften:	Qu. 22, 35, 50
63/67	Chaconne:

Abschriften:	Qu. 22, 31, 36—38, 41, 45, 46, 48—52, 55, 58—64, 72, 78; F-Pc X 108
Transkriptionen:	F-Pc Rés F 844, 228 (Gitarre) GB-Lbl Add 39569, 154 (Cembalo)
Drucke:	Ouverture avec tous les airs, Heus, 1684 Tous les Airs de violon, Pointel Ouverture avec tous les Airs, Roger
Weltl. Parodien, hs.:	Chansonnier Maurepas 12643, 165 (1701): *Dans Paris la grande ville Vivoit au temps jadis;* F-V Ms mus 262 F-Pa 4843, 273: *Pour chasser l'humeur noire*
Drucke:	Par. bach., 1695, 144, du Fresne, 1696, 84: *Pour bannir l'humeur noire Yvrognes mes amis* Nouv. Rec., Raflé, 1697: *Pour bannir l'humeur noire . . .* (Paroles sur la Chaconne d'Amadis qui se chantent aux Italiens à la Toison Ridicule. Par Arlequin Jason & Colombine Medée) *Le burlesque Jason A conquis la toison*
63/68	Le grand Choeur:

Chan=tons tous en ce jour la gloi = re

Abschriften:	Qu. 22, 35, 78
Weltl. Parodien, hs.:	Chansonnier Maurepas 12620, 367 (1684, parodie de la Chaconne chantante): *Chantons tous en ce jour Ce qu'on fait à la cour;* ebd. 369 (1684, sur du Maine, Comte du Bourg): *Chantons tous en ce jour La gloire de du Bourg* (Henry de Senecterre Duc de la Ferté, Pair de France); ebd. 12641, 318 (1691): *Plaignons tous aujourd'huy Le malheur de Joly*

LWV 64
MOTETS A DEUX CHOEURS

Bezeichnung:	Motets
Stimmendruck:	*Motets / à deux choeurs / Pour la Chapelle du Roy. / Mis en Musique / Par Monsieur De Lully Escuyer, Conseiller Secretaire du Roy, / Maison, Couronne de France & de ses Finances, & Sur-Intendant / de la Musique de Sa Majesté / [Stimmbezeichnung] / A Paris / Par Christophe Ballard . . . 1684*

64/1	Dies Irae:

Abschriften:	F-Pc Rés F 664; Rés F 989; Rés F 1110; D 7218; F-Pn Vm¹ 1040; F-V Ms mus 6 (Partition réduite); F-Pn Vm¹ 1049; Rés F 1714; F-LYm 133719; GB-Lbl Ms 31559; F-Pn Rés 697 (Basse continue, Philidor) D-B Ms mus 13260; B-BR Ms II 3847; GB-Lbl Add 31559; DDR-Dl(b) Ms 1827-D-1 und D-2
Druck des Textes:	Motets et Elévations Pour la Chapelle Du Roy, Ballard, 1703
Literatur:	Dubos, Réflexions critiques, III, 332

64/2	Benedictus:

Abschriften:	F-Pc Rés F 667; Rés F 1110; F-Pn Vm¹ 1040; Vm¹ 1043; D-B Mus ms 13260; D-Dl(b) 1827-D-1; B-BR Ms II 3847; ehemals GB-T Ms 1402—1405, 1416—1419, jetzt F-Pn Rés F 1712; F-LYm 133719 und 133721 Qu. 51, 55: Ritournelle du Benedictus

LWV 65
ROLAND

Bezeichnung:	Tragédie en Musique
Text:	Philippe Quinault
Erste Aufführung:	8. 1. 1685 in Versailles, Grande Ecurie
Librettodrucke:	*Roland, / Tragedie / en Musique, / Representée / Par l'Academie Royale / de Musique, / Devant Sa Majesté à Versailles le huitiéme janvier, Paris, Ballard, 1685*, F-Pn
	Suivant la copie imprimée à Paris, [Amsterdam] s. n. 1685, D-Mth
	Amsterdam, A. Magnus, 1686, F-Pn, Ndl. Übersetzung von T. Arendsz
	Suivant la copie imprimée à Paris, [Amsterdam] s. n. 1687, F-LYm
	in: Recueil des Opera, des Balets, Amsterdam, A. Wolfgang, 1688, D-Mth
	in: Recueil des Opera, Amsterdam, A. Wolfgang, 1690, F-Pn
	Lyon, T. Amaulry, 1692, F-Pa
	Suivant la copie imprimée à Paris, [Amsterdam] s. n. 1693, D-Sl
	Anvers, B. Foppens, 1693, F-Pn
	Lyon s. d., F-LYm
	Marseille, P. Mesnier, 1694 (nach Gros)

Suivant la copie imprimée à Paris, [Amsterdam] s. n. 1699, F-Pn
s.l.s.d. D-Hs
in: Recueil des Opera, Amsterdam, H. Schelte, 1701, D-Sl
in: Recueil général des Opera, Paris, Ballard, 1703, F-Pn
Paris, Ballard, 1705, F-Pa
in: Recueil des Opera, Amsterdam, H. Schelte, 1708, D-Tu
Paris, Ballard, 1709, F-Pn
Paris, P. Ribou, 1716, F-Pn
La Haye, G. de Voys, 1724, D-F
in: Recueil des Opera, La Haye, G. de Voys, 1726, D-F
Paris, P. Ribou, 1727, F-Pa
Paris, Ballard, 1728, F-Pn
in: Recueil des Opera, Lyon, A. Delaroche, 1740, F-LYm
Paris, Ballard, 1743, F-Pn
Paris, Ballard, 1744, F-Pn
Lyon, Rigollet, 1749, F-LYm
Paris, Vve Delormel, 1755, F-Pa
in: Petite Bibliothèque des Théâtres, Paris, 1787, F-Pn
in: Répertoire du théâtre français, Paris, 1822, F-Pn

Abschriften:	Partition générale: F-Pn Vm² 82; F-V Ms mus 105; F-C Ms 2124; F-Po (écrite à la main par J. L.xxx Paris 1735) Partition réduite: F-Pn Vm² 83; US-Wc; F-PMeyer; F-B Ms Z 504; US-Wc 297532/22
Drucke in Partition générale:	*Roland, / Tragedie / mise / en Musique, / Par Monsieur de Lully, Escuyer, Conseiller / Secretaire du Roy, Maison, Couronne de / France & de ses Finances, & Sur-Intendant / de la Musique de Sa Majesté. / [Drucker-zeichen Ballards] / A Paris, / Par Christophe Ballard, seul Imprimeur du Roy pour la Musique, / ruë Saint Jean de Beauvais, au Mont-Parnasse. / Et se vend / A la Porte de l'Academie Royale de Musique, ruë Saint Honoré. / M.DC.LXXXV. / Avec Privilege de Sa Majesté.* Amsterdam, Pierre Mortier, 1711 Troisieme édition, Amsterdam, Michel Charles le Cène, s. d.
Drucke in Partition réduite:	Seconde édition, Paris s. n. (gravée par H. de Baussen), 1709 Seconde édition, J.-B.-C. Ballard (gravée par H. de Baussen), 1716 Seconde édition, oeuvre XV, Paris, J.-B.-C. Ballard, 1733
Stimmen:	Qu. 21, 22, 25, 28—30; ehemals GB-T Ms 31—35 (1702, Philidor, Vokal-stimmen), Ms 157—160 (Instrumentalstimmen); F-Pn Vm² 84 (dessus)
Ariendrucke:	Les Airs à chanter / de / L'Opera de Roland, / mises / en musique, / Par Monsieur de Lully, Escuyer, Conseiller Secretaire du Roy, Maison, Cou-ronne / de France & de ses Finances, & Sur-Intendant de la Musique de sa Majesté. / Imprimé à Amsterdam, par Jean Philippe Heus. Anno 1685. Recueil, / De tous les / plus beaux Airs de / L'Opera / de / Roland / Propre pour toutes sortes / de Voix, Et d'In- / struments. / Se vendent chez Anthoine Pointel, dans le Jonge Roelof- / steech / in't Musicq-stuck, tot Amsterdam [ca. 1685—1686] Fragmens / d'Opera: ou / Choix de Recits, Duo et Trio, / extraits / de Roland, d'Armide, / & d'Issé; / Pour exercer les voix de Dessus, / de Bas-Dessus, d'Haute-Contre, de Taille, & de Basse-Taille; Avec & sans Accompagnemens. / ... Ballard, 1742.
Suitendruck:	Ouverture / Avec tous les Airs à jouer de / l'Opera de / Roland / par / Mr. Baptiste Luly / . . . A Amsterdam / Chez Estienne Roger Marchand Libraire [1704]

Szen.-dramatische Parodien, bibliographisch nachgewiesen:	Anonym: Pierrot Roland (3. [?] 2. 1709, durch Troupe de la Veuve Maurice)
	L. Fuzelier: Pierrot furieux, ou Pierrot Roland (3. 2. 1717, Foire de Saint-Germain, mindestens 24 Aufführungen, nach Parfaict, 1743, 15. 3. 1718, im Jeu de Paume d'Orléans in Saint-Germain, „succés brillant")
	Anonym: Polichinelle Gros-Jean (1744, Foire de Saint-Germain, durch die Marionettes de Bienfait)
Drucke:	Anonym: Roland furieux in: Théâtre Italien, Amsterdam, 1697, Supplément, vol. III (nach Grout)
	P. F. Biancolelli, J.-A. Romagnesi: Arlequin Roland (31. 12. 1727, Théâtre italien) in: Les Parodies du Nouveau Théâtre italien 1731 und 1738 und s. l. s. d., Zusammenfassung im Mercure 1727, Dezember II, S. 2945—2956
	C.-F. Panard, A. Sticotti, Roland, parodie nouvelle (20. 1. 1744) s. l. s. d. und Paris, Prault, 1744 sowie in: Panard, Théâtre et Oeuvres diverses 1758, I (13 Aufführungen)
	J. Bailly: Bolan, ou le Médecin amoureux (27. 12. 1755, Théâtre italien), Paris, Prault, 1756
	J. Bailly: Roland, parodie nouvelle, s. l. s. d.
Bemerkung:	Die Dédicace an Ludwig XIV. wurde von Jean de la Fontaine formuliert.
Literatur:	Le Cerf de la Viéville, Comparaison, II, 299; La Laurencie, Lully, 161—163; Prunières, Lully, 101 f.; Gros, Quinault, 150 f., 536 f., 569—572, 629—632; Borrel, Lully, 66 f.; Girdlestone, La Tragédie en musique, 103—112; Isherwood, Music in the service, 235 f.; Anthony, French baroque music, 72—74; Newman, Formal Structure, 153 f.

65/1	Ouverture:

Abschriften:	Qu. 22, 31, 36—38, 41, 45—52, 55, 58, 60—64, 66, 68, 72, 78; F-V Ms mus 165; F-Psg Ms 2345; F-Pc X 108 (Dessus)
Transkriptionen:	GB-Lbl Add 39569, 134, 21e suite
	Ouvertures des opera, 1725, 32
Drucke:	Recueil De tous les plus beaux Airs, Pointel
	Ouverture avec tous les Airs, Roger
	Fragments d'Opera, Ballard, 1742
Weltl. Parodie:	Ouverture des opera, 1725, 32: *L'éclatante grandeur Dans l'amoureux mistere*

65/2	Prologue, Demogorgon:

Abschriften:	Qu. 22, 73, 74, 78, 82
Druck:	Fragments d'Opera, Ballard, 1742

65/3   La principale Fée et Demogorgon:

Abschriften:	Qu. 22, 35, 73—75, 78, 82
Druck:	Recueil De tous les plus beaux Airs, Pointel

65/4   Premiere Entrée. Menuet:

Abschriften:	Qu. 22, 31, 36—38, 41, 45, 48—50, 52, 53, 60, 61, 63, 72, 74; F-Pc X 108
Weltl. Parodien, Drucke:	Par. bach., 1695, 155, 1696, 186, du Fresne, 1696, 92, Nouv. Par. bach., 1700, II, 126: *Iris, est-il un coeur qui ne vous cede* (M. Vergier); dass. S. Vergier, Oeuvres, 1726, 265

65/5   Second Menuet:

Abschriften:	Qu. 22, 31, 36—38, 41, 45, 48—50, 52, 53, 58, 60, 61, 63, 72, 74
Weltl. Parodie:	Nouv. Par. bach., 1700, II, 126: *Plaire aux yeux d'un Buveur, C'est ma Gloire*

65/6   Choeur des Fées:

Abschriften:	Qu. 22, 36, 43, 47, 50, 51, 57, 62, 73, 74, 82; F-Pc X 108
Drucke:	Recueil De tous les plus beaux Airs, Pointel Les Trio, Blaeu, 1691, II Trios de Differents Auteurs, Babel, II, 128
Weltl. Parodien, Drucke:	Par. bach., 1695, 153, 1696, 184, du Fresne, 1696, 91: *Jadis les plaisirs de table Pour les immortels étoient faits* (M.D.L.R.) Bailly, Boland, ou le Médecin amoureux, Paris, 1756, 125: *Que l'ardeur qui nous enflamme s'augmente & dure à jamais*
Geistl. Parodie:	Opera spir., 1710, 69: *Allons tous voir dans l'Etable Ce rare & precieux Enfant*

65/7   Prelude, la principale Fée:

Abschriften des Prélude:	Qu. 37, 38, 48, 49, 61, 74
Abschrift des Air:	Qu. 82
Druck des Air:	Les Airs à chanter, Heus, 1685

65/8   Demogorgon:

Du cé = le = bre Ro = land re=nou=vel=lons l'hi = stoi = re

Abschriften:	Qu. 22, 35, 52, 59, 74, 78, 82; F-B Ms 279.147
Druck:	Les Trio, Blaeu, 1690, I

65/9   Demophon, premiere Fée:

Al= lons, al = lons faire en = ten=dre nos voix

Abschriften:	Qu. 22, 38, 50—52, 74, 78, 82

65/10   Demogorgon:

Il a=voit mis aux fers la Dis = corde

Abschriften:	Qu. 22, 35, 52, 59, 74, 78
Druck:	Les Trio, Blaeu, 1690, I

65/11   Seconde Entrée. Les Genies et les Fées font un essay de Danses:
                          Qu. 46 etc., Roger, Druck 1709: Gigue

Abschriften:	Qu. 22, 31, 36—38, 41, 45—48, 49, 50, 52, 55, 58, 60, 61—63, 72, 74, 78; F-V Ms mus 165; F-Pc X 108
Drucke:	Ouverture avec tous les Airs, Roger Recueil de Dances, composées par M. Feuillet, Paris, 1700, 8: Gigue
Weltl. Parodie:	Recueil d'airs serieux, 1717, 30: *Sortons tous de ce maudit pays*
Geistl. Parodie:	Desessartz: Nouv. poésies spir., 1733, VI, 17: *Donnez-vous sans partage* (a-Moll)

65/12   Gavotte:

Abschriften:	Qu. 22, 31, 36—38, 41, 45—48, 49, 50, 52, 55, 58, 60, 61, 63, 64, 72, 74, 78; F-V Ms mus 137, Ms mus 165; F-Pc X 108
Druck:	Ouverture avec tous les Airs, Roger
Weltl. Parodien:	Par. bach., 1695, 156, 1696, 187, du Fresne, 1696, 92: *Quand j'ai bû mon coeur est intrepide*

65/13

Une Fée chante ce qui suit, Et les Choeurs des Genies et des Fées luy répondent:

Abschriften:	Qu. 22, 35, 36, 38 (mit Double), 41, 45, 47, 48, 50, 52, 55, 58, 60, 64, 66, 72—75, 78; F-Pn Rés 684; F-V Ms mus 165; F-Pc X 108
Transkriptionen:	F-Pc Rés F 844, 222 (Gitarre, a-Moll) GB-Lbl Add 39569, 135 (Cembalo)
Drucke:	Les Airs à chanter, Heus, 1685 Recueil De tous les plus beaux Airs, Pointel Ouverture avec tous les Airs, Roger Fragments d'Opera, Ballard, 1742
Weltl. Parodien, hs.:	Chansonier Maurepas 12620, 429: *C'est le Roy qui te menace Ah! Lully songe à changer*
Drucke:	Par. bach., 1696, 188, Nouv. Par. bach., 1700, 128: *Je vois que je ne puis plaire Au beau sex feminin* (M.D.L.) Nouv. Recueil, Raflé, 1695, 6e partie: Originaltext und *C'est Bacchus qui me protege* Théâtre de la Foire, 1721, III, Air 236: *C'est la Foire qui menace que d'Auteurs sont en danger*
Geistl. Parodien:	Pellegrin, Cantiques, 1701, 81: *Le peril qui nous menace Doit toûjours nous allarmer;* ebd. 154: *C'est l'Enfer qui nous menace* ders. Noëls, Rec. V, 1709, 387: *Adorons le divin maître* ders. Histoire, 1702, 264: *N'ayons pas recours au monde* L. Chassain, Les Hymnes, 1705, 127: *Sion, le Dieu du Firmament* Opera spir., 1710, 52: *C'est Jesus qui vient de naître* Pellegrin, Cantiques, 1726, 67: *Le peril qui nous menace* ders. Imitation 1727, N° 22 (Air)

65/14

La principale Fée, Demogorgon, Choeur:

Abschriften des Duetts:	Qu. 35, 50, 65, 73, 74, 82
Druck:	Les Airs à chanter, Heus, 1685
Abschriften des Choeur:	Qu. 22, 55, 65, 82

65/15

I, 1, Prelude, Angelique:

Abschriften des Prélude:	Qu. 22, 38, 49, 52, 61
Abschriften des Air:	Qu. 73, 75, 78, 80, 82
Drucke:	Les Airs à chanter, Heus, 1685 Recueil De tous les plus beaux Airs, Pointel

65/16   I, 2, Ritournelle, Angelique, Temire:

Abschriften der Ritournelle: Qu. 22, 52, 59, 61

Abschriften des Rezitativs: Qu. 78, 80, 82

65/17   Temire:

Abschriften: Qu. 78, 80

Druck: Les Airs à chanter, Heus, 1685

65/18   I, 3, Prelude, Medor:

Abschriften: Qu. 22, 73, 75, 78, 80

Druck: Les Airs à chanter, Heus, 1685

Geistl. Parodie: Pellegrin, Les Pseaumes, 1705, 469: *Dieu de bonté, Tu me vois agité*

65/19   I, 5, Angelique, Temire:

Abschriften: Qu. 22, 73, 75, 78

Druck: Les Airs à chanter, Heus, 1685

Literatur: Le Cerf de la Viéville, Comparaison, III, 229

65/20   I, 5, Temire:

Druck: Recueil De tous les plus beaux Airs, Pointel

65/21   I, 6, Ziliante. Troupe d'Insulaires Orientaux. Marche:

Abschriften: Qu. 22, 31, 36—38, 41, 45—48, 49—52, 55, 58, 60, 61, 63, 64, 68, 72, 78;
                    F-V Ms mus 137, Ms mus 165; F-Pc X 108

Transkription:	GB-Lbl Add 39569, 164 (Cembalo)
Druck:	Ouverture avec tous les Airs, Roger
Wiederverwendet:	*Arlequin Roland,* in: Les Parodies du Nouveau Théâtre italien, 1738, III, 377: La marche des Danseurs

65/22

Ziliante portant un brasselet à Angelique:

Abschriften:	Qu. 73, 78, 82
Weltl. Parodien:	Nouv. Par. bach., 1700, II, 131: *Au puissant Dieu Bacchus je dois ma delivrance* Théâtre de la Foire, 1721, III, Air 235: *Au genereux Cousin je dois ma delivrance* Les Parodies du Nouveau Théâtre italien, 1731, III, Air 323 Bailly, Boland ou le Médecin amoureux, 1756, 110: *Au grand art de Bolan je dois enfin la vie*
Zitiert in:	Les Parodies du Nouveau Théâtre italien, 1738, III, 377, Air 224 C.-F. Panard, A. Sticotti: Roland, Paris, 1744, 11 C.-F. Panard, Théâtre et Oeuvres diverses, 1763, I, 11
Geistl. Parodien:	Opera spir., 1710, 63: *A ce Dieu nouveau né, Quels honneurs doit-on rendre* Desessartz: Nouv. poésies spir., 1732, III, 12: *Lorsque du firmament l'amour vous fait descendre Dieu Créateur*

65/23

Ziliante, Choeur:

Abschriften:	Qu. 22, 35, 37, 38, 50—52, 55 (Choeur), 60, 65, 66, 73, 78, 82; F-V Ms mus 137
Drucke:	Les Airs à chanter, Heus, 1685 Recueil De tous les plus beaux Airs, Pointel
Weltl. Parodien:	Théâtre de la Foire, 1728, VI, 249: *Triomphons, pillons la Foire* P. F. Biancolelli, J.-A. Romagnesi, Arlequin Roland, in: Les Parodies du Nouveau Théâtre italien, 1738, III, 378, Air 225: *Recevez, belle Angelique, Recevez tous ces présents* bzw. *Belle Angelique, enfin je vous trouve* C.-F. Panard, A. Sticotti, Roland, Paris, 1744, 12: *Recevez, charmante Reine, Recevez avec bonté cet oiseau,* dass.: C.-F. Panard, Théâtre et Oeuvres diverses, 1763, I, 12
Geistl. Parodien:	La grande et grosse Bible de Noëls, Melun s. d., 152: *Vous pouvez, Grace, sans peine Triompher de tous nos coeurs* Desessartz, Nouv. poésies spir., 1732, III, 13: *Triomphez dans votre gloire, Triomphez Dieu tout puissant*

65/24   Air (1685: ohne Titel)

Abschriften:	Qu. 22, 31, 36—38, 41, 45—48, 49—52, 55, 58, 60, 61, 63, 64, 66, 72; F-V Ms mus 137, Ms mus 165; F-Pc X 108
Transkription:	GB-Lbl Add 39569, 165 (Cembalo)
Druck:	Ouverture avec tous les Airs, Roger

65/25   Deux Insulaires, Chanson:

Dans nos cli = mats sans cha = grin

Abschriften:	Qu. 47, 57, 73; F-Pn Rés 684
Drucke:	Recueil De tous les plus beaux Airs, Pointel Les Trio, Blaeu, 1691, II Trios de Differents Auteurs, Babel, II, 108
Weltl. Parodien:	Nouv. Par. bach., 1700, I, 136: *Dans ce repas Ne songeons qu'à rire* (C-Dur)

65/26   II, 1, Ritournelle, Temire:

Un char= me dan=ge=reux dans ces bois

Abschriften der Ritournelle:	Qu. 22, 37, 38, 49, 52, 58, 61, 72; F-Pc X 108
Druck:	Ouverture avec tous les Airs, Roger
Abschriften des Air:	Qu. 36, 58, 82
Druck:	Les Airs à chanter, Heus, 1685 Recueil De tous les plus beaux Airs, Pointel
Weltl. Parodie der ganzen Szene:	Saint Evremond, Oeuvres, 1753, V, 73 ff.

65/27   Angelique:

C'est la fon = tai = ne de la hai = ne

Abschrift:	Qu. 78

65/28   Temire, une Suivante, un Suivant:

Non, non, non, non, on ne peut trop plain= dre,

Abschrift:	Qu. 82
Drucke:	Recueil De tous les plus beaux Airs, Pointel Les Trio, Blaeu, 1691, II

65/29   II, 2, Roland:

Abschriften: Qu. 78, 88

Weltl. Parodie: Patu et Portelance, Les Adieux du goût, Paris, 1754, 22: *Est-ce Dieu du Goût que je vois en ce lieux*

65/30   Roland:

Abschriften: Qu. 22, 35, 52, 59, 78, 88; F-B Ms 279.147

Druck: Les Trio, Blaeu, 1690, I

65/31   Temire:

Abschriften: Qu. 78, 88

Weltl. Parodie: Bailly, Boland ou le Médecin amoureux, 1756, 114 (von T. 13 ab)

65/32   Roland:

Abschriften: Qu. 22, 35, 52, 59, 78, 88; F-B Ms 279.147

Drucke: Recueil De tous les plus beaux Airs, Pointel
Les Trio, Blaeu, 1690, I

65/33   II, 3, Angelique:

Abschriften: Qu. 73, 78, 82

Drucke: Les Airs à chanter, Heus, 1685
Recueil De tous les plus beaux Airs, Pointel

Literatur: Le Cerf de la Viéville, Comparaison, I, 66

65/34   II, 4, Ritournelle, Medor:

Abschriften: Qu. 22, 45, 52, 72, 73, 78

Druck: Recueil De tous les plus beaux Airs, Pointel

65/35   Medor:

Abschriften: Qu. 22, 78

Druck: Recueil De tous les plus beaux Airs, Pointel

65/36   Medor:

Abschrift: Qu. 78

Druck: Recueil De tous les plus beaux Airs, Pointel

65/37   Angelique:

Abschriften: Qu. 73, 78

Druck: Recueil De tous les plus beaux Airs, Pointel

65/38   Medor:

Abschrift: Qu. 78

Druck: Recueil De tous les plus beaux Airs, Pointel

65/39   II, 5, Angelique, Medor:

Abschrift: Qu. 22

Druck: Les Trio, Blaeu, 1691, II

65/40	Entrée, Gavotte:

Abschriften:	Qu. 22, 31, 36, 37, 38 (mit Double), 41, 45—48, 49, 50, 52, 55, 58, 61, 63, 64, 72; F-V Ms mus 165
Druck:	Ouverture avec tous les Airs, Roger
Weltl. Parodien, hs.:	Chansonnier Maurepas 12642, 267 (1696): *Godart a dans sa famille Dix Enfants se portant bien* F-Pa 4842, 343: *La Mere Certain se fache Que Brunet est beau garçon;* 5e couplet: *Tant que Lully fut en vie* F-LYm Ms 1545: *La Mere Certain se fache*
Drucke:	Par. bach., 1695, 157, du Fresne, 1696, 92: *Lorsque Roland en furie Vit precipiter sa fin* Par. bach., 1696, 189, Nouv. Par. bach., 1700, II, 142: *Dieux! que mon trouble est extrême;* dass. S. Vergier, Oeuvres, 1726, 249
Geistl. Parodien:	Pellegrin, Les Proverbes, 1725, 126: *Si tu veux sauver ton ame, Fuis l'approche des pécheurs* Desessartz, Nouv. poésies spir., 1733, VII, 25: *La grandeur ni la richesse Ne font point un sort heureux* (g-Moll)

65/41	Deux Amantes contentes:

Abschriften:	Qu. 45, 73, 78
Drucke:	Recueil De tous les plus beaux Airs, Pointel Les Trio, Blaeu, 1691, II
Weltl. Parodien:	Mme de Sainctonge, Poésies, 1696, 143: *Qui goûte de ce vin, Ne sçauroit se deffendre* Nouv. Par. bach., 1700, II, 144: *Que Bacchus est divin, Qui pourroit se deffendre* Bailly, Boland ou le Médecin amoureux, 1756, 98: *Des beaux jours que l'on perd, Non, rien ne dédommage*
Literatur:	Le Cerf de la Viéville, Comparaison, I, 73

65/42	Second Air:

Abschriften:	Qu. 22, 31, 36—38, 41, 45—46, 48—52, 55, 58, 61—63, 64, 72; F-Pc X 108
Druck:	Ouverture avec tous les Airs, Roger

65/43   Choeur:

Que pour ja = mais un noeud char=mant

Abschriften:	Qu. 22, 45, 50
Druck:	Recueil De tous les plus beaux Airs, Pointel

65/44   III, 1, Ritournelle, Medor, Temire:

Non, je n'en=tends vos con=seils

Abschriften der Ritournelle: Qu. 22, 36, 45—47, 49, 50, 52, 55, 59, 61, 72, 78

65/45   Medor:

S'il faut que ma fé = li = ci = té

Abschriften:	Qu. 73, 78
Druck:	Recueil De tous les plus beaux Airs, Pointel

65/46   Medor:

Je n'o=sois pas es = pe = rer le bien

Abschrift:	Qu. 78
Druck:	Recueil De tous les plus beaux Airs, Pointel

65/47   III, 2, Prelude, Roland:

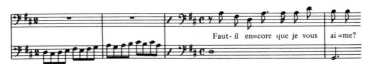

Faut- il en=core que je vous ai =me?

Abschriften: Qu. 78, 82, 88

65/48   Roland:

J'a=ban=don=ne ma gloire et la lais=se ter = nir

Abschriften:	Qu. 22, 52, 59, 73, 78, 88; F-B Ms 279.147
Drucke:	Recueil De tous les plus beaux Airs, Pointel Les Trio, Blaeu, 1690, I
Literatur:	Le Cerf de la Viéville, Comparaison, I, 65

65/49   Roland:

Peut - être un soû=pir si ten = dre

Abschriften: Qu. 22, 52, 59, 88

65/50   Roland:

En des lieux é = car = tez dans u=ne paix

Abschriften: Qu. 22, 52, 59, 78, 88; F-B Ms 279.147

Druck: Les Trio, Blaeu, 1690, I

Geistl. Parodie: Desessartz, Nouv. poésies spir., 1737, VIII, 11: *Qui pourra desormais troubler ma paix profonde*

65/51   III, 4, Angelique:

Me = dor,   je   trem= ble pour nos jours,

Abschrift: Qu. 73

65/52   Angelique, Medor:

Je   ne veux que vô=tre coeur, C'est l'u=nique

Drucke: Recueil De tous les plus beaux Airs, Pointel
Les Trio, Blaeu, 1691, II

65/53   Medor, Angelique:

Vous me quit=tez,   Et je de = meu= re

Abschriften: Qu. 73, 78

65/54   Angelique, Medor:

Vi= vons,   l'a = mour nous y con = vi = e   Vi=vons, vi = vons

Abschrift: Qu. 78

Drucke: Recueil De tous les plus beaux Airs, Pointel
Les Trio, Blaeu, 1691, II

65/55   III, 6, Les Peuples de Catay rendent hommage à Medor, Air:
         Qu. 22, 36, 44, 61, 78: Gigue; Qu. 61: Loure

  Abschriften: Qu. 22, 31, 34, 36—38, 41, 45—46, 48, 49, 50, 52, 55, 58, 60, 61 (zweimal),
            63, 72, 78

  Druck: Ouverture avec tous les Airs, Roger

65/56   Chaconne, gay:

  Abschriften: Qu. 22, 31, 34, 36—38, 41, 45—46, 48—52, 55, 58—63, 64, 72, 78; F-Pc
            X 108

  Druck: Ouverture avec tous les Airs, Roger

65/57   Choeur:

  Abschriften: Qu. 22, 35, 38

65/68   Un Suivant:

  Abschriften: Qu. 22, 59; F-B Ms 279.147

  Druck: Les Trio, Blaeu, 1690, I

65/59   Choeur:

  Abschrift: Qu. 22

  Drucke: Recueil De tous les plus beaux Airs, Pointel
            Les Trio, Blaeu, 1691, II

65/60   IV, 1, Ritournelle, Roland:

Abschriften der Ritournelle: Qu. 22, 36, 41, 45, 49, 50, 52, 59, 61, 63, 84, 88

65/61

IV, 2, Prelude, Roland:

Ah!   J'at=ten=dray long= temps

Abschriften:	Qu. 22, 35, 37, 45, 52, 75, 78, 80, 88; F-V Ms mus 165; US-BE Ms 766
Druck:	Les Airs à chanter, Heus, 1685
Zitiert:	P. F. Biancolelli, A. Sticotti, Arlequin Roland, in: Les Parodies du Nouveau Théâtre italien, 1738, III, 393, Air 227 C.-F. Panard, A. Sticotti, Roland, 1744, 33 J. Bailly, Boland ou le Médecin amoureux, 1756, 130 C.-F. Panard, Théâtre et Oeuvres diverses, 1763, 33
Geistl. Parodie:	Desessartz, Nouv. poésies spir., 1732, III, 42: *Ah douloureux exil, dois-tu durer encore*
Literatur:	J. L. le Gallois de Grimarest, Traité du Récitatif, 1707, 204 f.

65/62

Roland:

Ce que je lis m'ap=prend

Abschriften:	Qu. 22, 61, 80, 88
Zitierte Passagen:	C.-F. Panard, A. Sticotti, Roland, 1744, 34 C.-F. Panard, Théâtre et Oeuvres diverses, 1763, 34

65/63

Hautbois:
Qu. 22, 45: Trio; Qu. 41, 46, Roger etc.: Menuet

Abschriften:	Qu. 22, 31, 36—39, 41, 45, 46, 49, 50, 52, 58, 59, 61, 63, 72; F-Pc X 108
Transkription:	Duo choisis, 1728, 4: Qu'il est doux d'aimer
Druck:	Ouverture avec tous les Airs, Roger
Weltl. Parodien:	Par. bach., 1695, 159, 1696, 191, du Fresne, 1696, 94, Nouv. Par. bach., 1700, II, 146: *Qu'il est doux d'aimer Qu'il est doux de boire*

65/64

Roland:

J'en=tends   un   bruit   de   Mu = si = que cham=

Abschriften:	Qu. 22, 35, 37, 65, 66, 78, 88
Drucke:	Les Airs à chanter, Heus, 1685 Recueil De tous les plus beaux Airs, Pointel
Weltl. Parodie:	C. S. Favart, Tircis et Doristée, Pastorale, Parodie d'Acis et Galatée, 1759: *Je vois tomber le rival qui m'outrage*
Geistl. Parodie:	Desessartz, Nouv. Poésies spir., 1732, III, 43: *A mes désirs tout devient favorable*

65/65　　　　　　　　　　Une Nôce de Village. Le Marié. Marche, Choeur:

Quand on vient dans ce boc = ca = ge

Abschriften:	Qu. 22, 31, 35—38, 41, 45—46, 48—50, 52, 55, 58, 61, 63, 66, 78; F-Pc X 108
Drucke:	Recueil De tous les plus beaux Airs, Pointel Ouverture avec tous les Airs, Roger Fragments d'Opera, Ballard, 1742
Weltl. Parodien, hs.:	F-Pa 4843, 243: *Ah! si la froidure Dure, Croy-moy, prenons au lieu de fourure* Patu et Portelance, Les Adieux du Goût, 1754, 23: *J'éprouvai mille rigueurs*
Geistl. Parodie:	Desessartz, Nouv. poésies spir., 1732, III, 25: *N'écoutons que la sagesse, Si nous voulons vivre heureux*

65/66　　　　　　　　　　Menuet:

Abschriften:	Qu. 22, 31, 36, 37, 38 (mit Double), 41, 45, 46, 49, 50, 52, 55, 58, 61, 63, 72; F-Pc X 108
Druck:	Ouverture avec tous les Airs, Roger
Weltl. Parodien, hs.:	F-Pa 4843, 243: *Cher amy, que la vendange est belle*
Drucke:	Par. bach., 1695, 160, 1696, 192, du Fresne, 1696, 94, Nouv. Par. bach., 1700, II, 147: *C'est le plaisir le plus agréable Que celuy qui dure le plus*

65/67　　　　　　　　　　Entrée de Pastres, de Pastourelles, de Bergers et de Bergeres:
　　　　　　　　　　　　　　Qu. 36: Les noces de village; Roger: Air champestre

Abschriften:	Qu. 22, 31, 36—38, 45, 48, 49, 50, 52, 58, 60, 61, 63, 64, 72, 78; F-V Ms mus 137, Ms mus 165; F-Pc X 108
Druck:	Ouverture avec tous les Airs, Roger

65/68　　　　　　　　　　Un Pastre et une Pastourelle:

Vi = vez en paix, Vi = vez en paix, A = mants

Drucke:	Recueil De tous les plus beaux Airs, Pointel Les Trio, Blaeu, 1691, II

65/69   IV, 4, Hautbois, Coridon:

Abschriften: Qu. 22, 34, 45, 49, 52, 59, 61, 75, 82

Weltl. Parodien, hs.:   Chansonnier Maurepas 12620, 377 (1684): *Courtebourne est riche et fut belle*
                          F-Pa 4843, 243: *J'aimeray toujours ma bouteille*

65/70   Coridon:

Abschrift: Qu. 78

Druck: Recueil De tous les plus beaux Airs, Pointel

65/71   Belise:

Abschrift: Qu. 78

Druck: Recueil De tous les plus beaux Airs, Pointel

65/72   IV, 5, Tersandre:

Abschriften: Qu. 22, 78

Drucke: Les Airs à chanter, Heus, 1685
                          Recueil De tous les plus beaux Airs, Pointel

Weltl. Parodie: C.-F. Panard, A. Sticotti, Roland, 1744, 42: *Allez, laissez-nous, soins fâcheux*, dass.
                          C.-F. Panard, Théâtre et Oeuvres diverses, 1763, 44

65/73   Tersandre:

Abschriften: Qu. 75, 82

65/74   IV, 6, Roland:

Abschriften: Qu. 35, 75, 78; B-Bc 17.159, Recueil d'Airs italiens, de Cantates françoises . . . Borkeloo, 1706, 30 (gedrucktes Titelblatt, Noten hs.)

Drucke: Les Airs à chanter, Heus, 1685
                     Recueil De tous les plus beaux Airs, Pointel
                     Petite Bibliothèque des Théâtres, 1787 (Noten)

65/75   Prelude, Roland:

Abschriften: Qu. 22, 37, 38, 45, 48, 52, 61, 63, 64

65/76   V, 1, Prelude, Astolfe:

Abschriften: Qu. 22, 34, 36—38, 45—46, 48—50, 52, 55, 60, 61, 64, 68, 78; F-V Ms mus 165

65/77   Logistille:

Abschriften: Qu. 22, 78

Druck: Recueil De tous les plus beaux Airs, Pointel

65/78   Symphonie, Logistille:
                     Qu. 64: Les Fées de Roland; Qu. 34, 52, 60 etc.: La Logistille

Abschriften: Qu. 22, 34, 36—38, 41, 45, 50—52, 54, 55, 57, 60 (zweimal), 61, 63
                     64, 70—72, 78; F-V Ms mus 165; B-Bc 17.159, Recueil d'Airs italiens

Transkriptionen: F-Pc Rés F 844, 133 (Gitarre)
                     d'Anglebert, Pieces de clavecin, 1689: Ritournelle des Fées de Roland. Lentement

Druck: Duo choisis, 1728, 2

Weltl. Parodie, hs.: F-V Ms mus 272, 41: *Pour bien exprimer les feux De mon coeur amoureux,*

Druck: dass.: Les Parodies nouvelles, 1730, 21

65/79   V, 2, Prelude, Logistille:

Abschriften des Prélude:	Qu. 22, 36—38, 41, 45—48, 50—52, 55, 61, 63, 64, 68, 72, 78, F-V Ms mus 137
Abschriften des Air:	Qu. 22, 78, 80

65/80   V, 3, Prelude, Logistille, Roland:

Abschriften des Prélude:	Qu. 22, 35, 37, 49, 50, 63, 66
Abschriften des Duetts:	Qu. 35, 52, 66, 78
Drucke:	Les Airs à chanter, Heus, 1685 J. Hawkins, A General History of the Science and Practice of Music (1776), Reprint New York, 1963, II, 649 f.

65/81   Choeur:

Abschriften:	Qu. 22, 35, 50

65/82   Air. Rondeau:

Abschriften:	Qu. 22, 31, 36, 37, 38 (mit Double), 41, 45—46, 48—50, 52, 55, 58, 60—63, 72, 78; F-Pc X 108
Druck:	Ouverture avec tous les Airs, Roger

65/83   Second Air:

Abschriften:	Qu. 22, 31, 36—38, 41, 45—46, 48—50, 52, 55, 58, 60, 62, 63, 72, 78; F-V Ms mus 137; F-Pc X 108
Druck:	Ouverture avec tous les Airs, Roger

65/84   Choeur:

Abschriften:	Qu. 22, 35, 38, 50, 66
Weltl. Parodie:	Théâtre de la Foire, 1728, VI, 31, Air 17 (Umkehrung des Melodieverlaufs)

LWV 66
MARCHES

66/1

Marche de Savoye faite par M. de Lully qui est un present du portrait de son Altesse enrichy de diamans valant mille Louis qui luy fut porté par son ambassadeur:

Abschriften:

F-V Ms mus 186; F-Pc Rés F 671; Qu. 24, 43

66/2

Second Air des hautbois:

Abschriften:

F-V Ms mus 186; F-Pc Rés F 671; Qu. 24, 43

66/3

L'Assemblée, Air des hautbois:

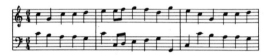

Abschriften:

F-V Ms mus 186; F-Pc Rés F 671; Qu. 24, 43

66/4

Second Air des hautbois:

Abschriften:

F-V Ms mus 186; F-Pc Rés F 671; Qu. 24, 43

66/5

La Retraite pour le Regiment de Savoye, pour les hautbois:

Abschriften:

F-V Ms mus 186; F-Pc Rés F 671; Qu. 24, 43

LWV 67
QUARE FREMUERUNT

Bezeichnung: Motet

Erste Aufführung: 19. 4. 1685 in Versailles

Abschriften: F-Pc Rés F 669; Rés F 989; F-Pn Rés Vma ms 574; Vm¹ 1170; Vm¹ 1046 (Stimmen); D-B Mus ms 13260; B-BR Ms II 3847; ehemals GB-T Ms 1402—1405 und 1416—1419 (Stimmen), jetzt F-Pn Rés F 1712

Literatur: Dangeau, Journal, I, 109

LWV 68
IDYLLE SUR LA PAIX

Bezeichnung: Idylle

Text: Jean Racine

Erste Aufführung: 16. 7. 1685 in Sceaux bei Colbert de Seignelay

Librettodrucke: *Idylle sur la Paix pour estre chanté dans l'orangerie de Sceaux*, s.l.s.n. F-Pn Rés Ye 1100 (Druckerlaubnis vom 27. 6. 1685)
Idylle sur la Paix et Eglogue de Versailles, divertissements representez . . . par l'Academie royale de musique, s.l.s.d. F-Pn Rés Yf 2182.
L'Idylle et les Festes de l'Amour et de Bacchus, Paris, Ballard, 1689, F-Pn Rés Yf 1158

Abschriften: Partition générale: F-Pn Rés F 596; Rés F 660; Rés F 595; Rés 680 (copié par Le Roux); F-Po A18b; F-Pn Vm² 86; F-B Ms Z 505 (copié par Ferré en 1728); F-Dc Ms 82 (II); S-Uu Vok mus ihs 60
Partition réduite: F-PMeyer; US-NH (Philidor); F-LYm Ms 27267; Ms 133631; Ms 133667; US-BE Ms 770

Druck in Partition générale: *Idylle / sur la Paix, / Avec l'Eglogue / de Versailles, / et plusieurs Pieces de Symphonie, / Mises en Musique / Par Monsieur De Lully, Escuyer, Conseiller / Secretaire du Roy, Maison, Couronne de France & de ses Finances, / & Sur-Intendant de la Musique de Sa Majesté. / [Druckerzeichen Ballards] A Paris, / Par Christophe Ballard, seul Imprimeur du Roy pour la Musique, / ruë Saint Jean de Beauvais, au Mont-Parnasse. / Et se vend / A la Porte de l'Academie Royalle de Musique ruë Saint Honoré. / M.DC.LXXXV. / Avec Privilege de Sa Majesté.*

Stimmen: Qu. 21, 22, 29, 30; F-Po A3d (haute-contre de violon); ehemals GB-T Ms 36—40 (1703, Philidor, Vokalstimmen), Ms 161—163 (Instrumentalstimmen); F-Mc 61 (basse continue)

68/1   Ouverture:

Abschriften:	Qu. 22, 38, 41, 44—46, 48—53, 55, 56, 60, 62, 64, 68, 78; F-V Ms mus 137, Ms mus 165;; F-Pc X 108 (Dessus)
Transkription:	Ouvertures des opera, 1725, 34
Weltl. Parodie:	Ouvertures des opera, 1725, 34: *Sur ce rivage on entend dans les airs, De nos Bergers les doux concerts*

68/2   Licidas:

Abschriften:	Qu. 22, 35, 38, 50; F-V Ms mus 137
Geistl. Parodie:	A.H.P.E.L.D.L., Cant. spir., Lyon, 1692, 12: *Un Dieu naissant vient contenter nos voeux*

68/3   Licidas, Amarillis:

Druck:	Les Trio, Blaeu, 1691, II, 32

68/4   Menuet:

Abschriften:	Qu. 22, 38, 41 (auch in der *Roland*-Suite), 45, 48, 50, 78; F-Pc X 108

68/5   Prelude, Silvandre:

Abschriften:	Qu. 22, 38, 44, 45, 48, 50, 64

68/6   Ritournelle, Philis:

Abschrift:	Qu. 22

68/7   Choeur:

Un He= ros, des mor= tels l'a=mour

Abschriften: Qu. 22, 50

68/8   Silvandre:

Son bras est   craint du Cou= chant

Abschriften: Qu. 22, 38

Druck: Trios de Differents Auteurs, Babel, II, 105

Geistl. Parodie: Desessartz, Nouv. poésies spir., 1732, III, 3: *Grand Dieu, tout tremble à la voix menaçante*

68/9   Gavotte:

Abschriften: Qu. 22, 38, 41, 45, 46, 48, 50, 58, 78

68/10   Astrée, Choeur:

Chan=tons Ber = gers,   et nous ré=jou= is = sons

Abschriften: Qu. 22, 38, 50

68/11   Loure:

Abschriften: Qu. 22, 38, 41, 44—46, 48, 50, 52, 55, 58, 60, 62, 78; F-Pc X 108

68/12   Celimene:

De ces   lieux l'é=clat et les at = traits

Abschriften: Qu. 22, 38, 44, 45, 50, 52

68/13   Cloris, Choeur:

Il veut bien quel = que=fois vi = si = ter

Abschriften: Qu. 22, 50, 52

| 68/14 | Menuet: |
| | Qu. 55: Menuet en trio |

| Abschriften: | Qu. 22, 38, 41, 44, 46, 48, 50, 55, 58, 78; F-Pc X 108 |
| Transkription: | Duo choisis, 1728, 71 |

| 68/15 | Prelude, Flore, Choeur: |

| Abschriften: | Qu. 22, 38, 44, 45, 48, 50, 52, 64; F-V Ms mus 165 |

| 68/16 | Gay, Choeurs: |

Abschriften:	Qu. 22, 50, 60, 65; F-V Ms mus 137
Literatur:	Le Cerf de la Viéville, Comparaison, II, 118 f.
	D. Bouhours, La maniere de bien penser dans les ouvrages d'esprit, nouv. éd. 1715. 223

LWV 69
LE TEMPLE DE LA PAIX

Bezeichnung:	Ballet
Text:	Philippe Quinault
Erste Aufführung	20. 10. 1685 in Fontainebleau
Librettodrucke:	*Le Temple / de la Paix, / Ballet dansé devant Sa Majesté, à Fontainebleau le 15 d'octobre 1685, Paris, Ballard, 1685,* F-Pn
	Imprimée à Paris, on les vend à Anvers, H. Van Dunwaldt, 1685, D-Mth
	Suivant la copie imprimée à Paris, [Amsterdam] s. n. 1686, US-Public Library New York
	Suivant la copie imprimée à Paris, [Amsterdam] s. n. 1687, D-Mbs
	in: Recueil des Opera, des Balets, Amsterdam, A. Wolfgang, 1688, D-Mth
	in: Recueil des Opera, Amsterdam, A. Wolfgang, 1690, F-Pn
	Suivant la copie imprimée à Paris, [Amsterdam] s. n. 1697, D-Sl
	Suivant la copie imprimée à Paris, [Amsterdam] s. n. 1699, F-Pn
	in: Recueil général des Opera, Paris, Ballard, 1703, F-Pn
	in: Recueil des Opera, Amsterdam, H. Schelte, 1708, D-Tu
	La Haye, G. de Voys, 1719, D-F
	in: Recueil des Opera, La Haye, G. de Voys, 1726, D-F
	in: Petite Bibliothèque des Théâtres, Paris 1787, F-Pn

Abschriften:	Partition générale: F-A Ms 1202; US-BE Ms 150
	Partition réduite: US-NH (Philidor); F-PMeyer
Druck in Partition générale:	*Ballet / du Temple / de la Paix. / Dansé devant Sa Majesté à Fontaine-bleau. / Mis en Musique / Par Monsieur De Lully, Conseiller / Secretaire du Roy, Maison, Couronne de France, & de ses Finances, & Sur-Intendant de la Musique de Sa Majesté. / [Druckerzeichen Ballards] / A Paris, / Par Christophe Ballard, seul Imprimeur du Roy pour la Musique, / rüe Saint Jean de Beauvais, au Mont-Parnasse. / Et se vend / A la Porte de l'Academie Royalle de Musique rüe Saint Honoré. / M.DC.LXXXV. Avec Privilege de Sa Majesté.*
Stimmen:	Qu. 21, 22, 25, 28—30; F-Po A20b (haute-contre); ehemals GB-T Ms 41—45 (1703, Philidor, Vokalstimmen), Ms 164—167 (Instrumentalstimmen), jetzt F-Pn Rés F 1699; F-Pn Vm² 90 (dessus); F-Mc 64 (basse continue)
Suitendrucke:	Le Temple / de / la Paix. / Ballet / Dansé devant sa Majesté / à Fontaine-bleau / t. Amsterdam Au Rosier. int Musick-Stuk / t Amsterdam [ca. 1687 bis 1700]
	Ouverture / avec tous les Airs à jouer de / l'Opera du Temple de la Paix / Par / Mr. Baptiste Luly / . . . Chez Estienne Roger Marchand libraire [1703]
Literatur:	Isherwood, Music in the service, 279 f.; Anthony, French baroque music, 42, 103

69/1	Ouverture:

Abschriften:	Qu. 22, 31, 36, 38, 41, 45, 46, 48—51, 55, 58, 60—62, 64, 68, 72, 78; F-V Ms mus 165; F-Pc X 108 (Dessus)
Transkription:	Ouvertures des opera, 1725, 38
Druck:	Le Temple de la Paix, Amsterdam
	Ouverture avec tous les Airs, Roger
Weltl. Parodie:	Ouvertures des opera, 1725, 38: *Belle Iris, mon coeur de la plus severe ardeur se sent enflammé*

69/2	Climene:

Abschriften:	Qu. 22, 35, 36, 41, 45, 46, 48—51, 55, 57, 58, 60, 61, 65, 72—75, 78; F-Pn Rés 684; F-Pc X 108
Transkription:	GB-Lbl Add 39569, 90 (Cembalo)
Druck:	Trios de Differents Auteurs, Babel, II (d-Moll)
Weltl. Parodien:	Par. bach., 1695, 169, 1696, 201, du Fresne, 1696, 100, Mme de Sainctonge, Poésies, 1696, 138, Nouv. Par. bach., 1700, II, 156: *Préparons-nous pour la plus douce guerre*
	Théâtre de la Foire, 1721, I, Air 113; II, (Air 113), 103: *Préparons-nous à vuider nos bouteilles;* ebd. 338; III (Air 113), Zitat, 54; ebd. 1737, IX, 37; ebd. II. partie, 161
	J. Lebas, Festin Joyeux, 1738, XLI: *Reveille-toi, belle Muse assoupie;* ebd. XLIII: *Plusieurs plats de rosts à choisir;* ebd. II, 65: *Après avoir farci les tourterelles*

Pellegrin, Cant. spir., 1701, 26: *Qu'à mon Sauveur j'ay de graces à rendre;* ebd. 106: *Gardons-nous bien qu'à poursuivre le crime;* ebd. 218: *Ah! que le Ciel à nos voeux est propice;* ebd. 244: *Nous vous chantons invincibles Apôtres;* ebd. 1706, 260: *O Vierge Sainte, à la Loy tres-fidelle;* ebd. 296: *Saints Confesseurs, dont la vie éclatante;* ebd. Rec. IV, 378: *Ne doutons point des celestes Oracles;* ebd. Rec. VI, 464: *Jerusalem, leve-toi, le Ciel brille*

ders. Noëls, 1702: *Rassemblons-nous dans ces douces retraites;* ebd. 36: *Préparons-nous pour la feste nouvelle Courons lors qu'un Dieu nous appelle;* ebd. 1709, Rec. V, 377: *Suivons trois Rois animez d'un beau zele;* ders. Histoire, 1702, 106: *Du bon Jacob admirons la tendresse;* ebd. 269: *En voyageurs nous marchons sur la terre;* ebd. 446: *Dans un desert allons voir Jean Baptiste;* ebd. 533: *Sur les enfers une entiere victoire*

ders. Les Pseaumes, 1705, 3: *D'où peut venir cette horrible tempête?;* ebd. 35: *Maître du ciel, de la terre & de l'onde;* ebd. 98: *Puisque le ciel à mes voeux est propice;* ebd. 135: *Juge immortel, embrassez ma défense;* ebd. 147: *Peuples divers, publiez la victoire;* ebd. 187: *Dieu d'Israel, votre sainte clémence;* ebd. 229: *Quel sort heureux! Que le ciel est propice;* ebd. 267: *Animez-vous d'une sainte allegresse;* ebd. 310: *Assemblons-nous pour chanter les loüanges;* ebd. 378: *Tendres enfans celébrez, vôtre Maître;* ebd. 388, 409, 453, 495, 503, 533, 546

Opera spir., 1710, 78: *Disposons-nous pour entrer dans l'Etable*

H. d'Andichon, Noëls choisis, Toulouse s. d., 27: *Rassemblons-nous dans ces douces retraites*

Cant. spir., Rodez s. d., 41: *Ah que fa bon d'estré foro del vicé*

Cant. spir., 1718, 41: *Rassemblons-nous dans ces douces retraites;* ebd. 148: *Ah! que le ciel à nos voeux est propice;* ebd. 187: *O Vierge sainte, à la loy trés-fidelle*

Cant. spir., Nantes, 1721, 57: *Ah! qu'il fait bon triompher de ses vices;* ebd. 70: *Que de tresors enrichissent mon ame;* ebd. 114: *O jour heureux, qui bannit la tristesse;* ebd. 70: *Nous vous chantons invincibles Apôtres*

Pellegrin, Chansons, 1722, Rec. II, 12: *Que de trésors enrichissent mon ame!*

ders. Les Proverbes, 1725, 86: *Les vains honneurs, les richesses du monde;* ebd. 103: *L'excés du vin fait souvent que notre ame*

ders. L'Imitation, 1727, 223: *Divin Seigneur, à vos pieds je confesse;* ebd. 226: *Il faut mon ame, il faut sur toutes choses;* ebd. 230: *Plus je connois le bonheur où j'aspire;* ebd. 297: *O mon cher fils, quelque mal qui te presse;* ebd. 299: *Que tous vos soins, vos plaisirs, ou vos peines*

Cant. spir., Paris, Lottin, 1732, Rec. I, 16: *Qu'heureux est l'homme à la fin de la vie;* ebd. 1733, II, 15: *Loin du Pasteur en brebis égaré;* ebd. 78: *Ah, qu'il est doux de sortir de ses vices;* ebd. 1728 (sic!), Rec. III, 9: *Adore un Dieu, sois à lui sans partage*

Cant. spir., Avignon, 1735, 145: *Hurous aqueou qu'es dou môde defouero;* ebd. 180: *O Que sa bouen estre fovero dou via?;* ebd. 281: *Fouero chagrin, fouero plours & tristesso*

Recueil de Cant., Rouen, 1738, 3: *Esprit divin, descendez sur la terre;* ebd. 32: *Séchons nos yeux à l'aspect de Marie;* ebd. 53: *Ah! que le ciel à nos voeux est propice*

Barles, Cant. spir., 1740, 16: *Il n'est qu'un Dieu qui seul est adorable*

Cant. spir., Avignon, 1743, 30: *Ah que le Ciel à nos voeux est propice*

Cant. spir., Avignon, 1759, 105: *Ah qu'il est doux de sortir de ses vices*

Cant. spir., Sens, 1761, 23: *Ah que le Ciel à nos voeux est propice;* ebd. 39: *Il n'est qu'un Dieu qui seul est adorable;* ebd. 89: *Ah! qu'il est doux de sortir de ses vices*

Cant. spir., Metz, 1761, 66: *Assemblons-nous pour la Fête nouvelle* ebd. 42: *Séchons nos yeux à l'aspect de Marie;* ebd. 3: *Esprit divin, descendez sur la terre*

Cant. spir., Reims, 1811, 7: *Esprit divin descendez sur la terre;* ebd. 43: *Séchons nos yeux à l'aspect de Marie;* ebd. 66: *Assemblons-nous pour la Fête nouvelle*
Cant. spir., Avignon, 1815, 25: *Heureux celui qui sortit de la vie*
Pellegrin, Cant. spir., 1811, 3: *Esprit divin, descendez sur la terre;* ebd. 42: *Séchons nos yeux à l'aspect de Marie;* ebd. 61: *Rassemblons-nous pour la Fête nouvelle*

69/3   Silvandre:

Abschriften: Qu. 73, 74, 78; F-Pn Rés 684

69/4   Silvandre:

Abschriften: Qu. 22, 74, 75, 78; F-Pn Rés 684

69/5   Silvie:

Abschriften: Qu. 50, 57, 59, 73—75, 78; F-Pn Rés 684

Geistl. Parodien: Pellegrin, Cant. spir., 1701, 229: *Nous luy devons un soin reconnoissant;* ebd. 1706, 304: *Chrêtiens qui dans cette vie*
ders. Noëls, 1725, Rec. III, 226: *Grand Dieu qui venez de naître*
ders. Histoire, 1702, 357: *L'Enfer contre nous anime*
ders. Les Pseaumes, 1705, 136: *Seigneur, malgré nos miséres;* ebd. 312: *Chantez un nouveau cantique;* ebd. 540: *Seigneur malgré ma misere*
Cant. spir., Lille, 1718, 175: *Chantons l'admirable Mere*
Pellegrin, Chansons, 1722, 22: *Si nous sentons des allarmes;* ebd. II, 27: *Du fond d'un affreux abîme*
Cant. spir., Reims, 1751, 65: *Chantons l'admirable Mere*

69/6   Entrée de Bergers et Bergeres:

Abschriften: Qu. 22, 31, 36, 38, 41, 45, 46, 48—51, 55, 58, 60—62, 64, 72, 74, 78; F-V Ms mus 165; S-VX Mus ms 6; F-Pc X 108

Drucke: Le Temple de la Paix, Amsterdam
Ouverture avec tous les Airs, Roger

69/7 Rondeau:

Abschriften: Qu. 22, 31, 36, 38, 41, 45, 46, 48—50, 55, 58, 60—62, 64, 72, 74, 78; F-Pc X 108

Drucke: Le Temple de la Paix, Amsterdam
Ouverture avec tous les Airs, Roger

69/8 Deux Bergers:

Char=mant re = pos d'u = ne vie in=no=

Abschriften: Qu. 50, 57, 72—74, 78; F-Pn Rés 684

69/9 Prelude, Alcipe:

Le Prin=ce qui pour=suit

Abschriften des Prélude: Qu. 22, 36, 38, 45, 48—50, 58, 61, 64, 72, 74; F-Pc X 108
Abschriften des Air: Qu. 64, 78

69/10 Amyntas, Choeur:

Que ce Roy vain=queur a de gloi = re,

Abschriften: Qu. 22, 35, 38, 58, 72—74, 78

Weltl. Parodie: Par. bach., 1696, 204: *Belle Iris, vos yeux ont la gloire*

69/11 Prelude, Silvie:

Pour ren=dre son Em = pire   heu=reux

Abschriften des Prélude: Qu. 22, 49, 74
Abschriften des Air: Qu. 73, 74, 78

69/12 Alcimedon:

En=tre les au=tres roys ce roy vic = to=rieux

Abschriften: Qu. 22, 35, 38, 73, 74, 78

69/13   Gigue:

Abschriften: Qu. 22, 31, 36, 38, 41, 45, 46, 48—50, 55, 58, 60—62, 64, 72, 78; F-V Ms mus 165; F-Pc X 108

Drucke: Le Temple de la Paix, Amsterdam
Ouverture avec tous les Airs, Roger

69/14   Menuet:

Abschriften: Qu. 22, 31, 36, 38, 41, 45, 46, 48—50, 55, 58, 60—61, 72, 78; F-Pc X 108

Drucke: Le Temple de la Paix, Amsterdam
Ouverture avec tous les Airs, Roger

Weltl. Parodien: GB-Lbl Egerton 1519, 254: *J'aime à voir une eau claire et pure*

Drucke: Par. bach., 1695, 170, 1696, 202, du Fresne, 1696, 101, Nouv. Par. bach., 1700, II, 158: *J'aime à voir une eau claire et pure* (M.V.); dass. S. Vergier, Oeuvres, 1726, 240

69/15   Menuet:

Abschriften: Qu. 22, 31, 36, 38, 41, 45, 46, 48—50, 55, 58—61, 72; F-Pc X 108

Drucke: Le Temple de la Paix, Amsterdam
Ouverture avec tous les Airs, Roger

Weltl. Parodien: Par. bach., 1695, 171, 1696, 203, du Fresne, 1696, 101, Nouv. Par. bach., 1700, II, 159: *Voy ce vin qui petille* (M.V.)

69/16   (Partiturdruck) ohne Titel
Qu. 22, 31, 41, 48, 55, 58, 60: Loure; Qu. 49, 61: Air; Amsterdamer Suitendrucke: Gigue

Abschriften: Qu. 22, 38, 41, 45, 48—50, 55, 58, 60—62, 72; F-Pc X 108

Drucke: Le Temple de la Paix, Amsterdam
Ouverture avec tous les Airs, Roger

Weltl. Parodien, hs.:   Chansonnier Maurepas 12621, 224 (1688): *Nous avons pleine vendange Prince d'Orange;* dass.
GB-Lbl Egerton 1520, IV, 123

Drucke: Par. bach., 1695, 172, 1696, 205, du Fresne, 1696, 101: *Nous avons pleine vendange* (M.R.)

69/17　　　　　　　　Daphnis, Choeur:

Abschriften:　　　　　Qu. 22, 38, 58, 74, 78

69/18　　　　　　　　Silvie:

Abschriften:　　　　　Qu. 22, 45, 74, 78

69/19　　　　　　　　Prelude, Climene:

Abschriften des Prélude:　　Qu. 22, 49, 58, 62, 74

Abschriften des Air:　　　Qu. 22, 74, 75, 78

69/20　　　　　　　　Choeur:

Abschriften:　　　　　Qu. 22, 38, 50, 74

69/21　　　　　　　　Prelude, Silvandre, Daphnis:

Abschriften des Prélude:　　Qu. 22, 38, 45, 48—50, 58, 61, 62, 64; F-V Ms mus 165

69/22　　　　　　　　Philene:

Abschriften:　　　　　Qu. 73, 75, 78

69/23　　　　　　　　Choeurs:

Abschriften:　　　　　Qu. 22, 45, 50, 58, 66, 78

Weltl. Parodien:　　　　Par. bach., 1695, 173, 1696, 206, du Fresne, 1696, 102, Mme de Sainctonge, Poésies, 1696, 142, Nouv. Par. bach., 1700, II, 160: *Ménageons, chers amis, les plaisirs*

Geistl. Parodien: Pellegrin, Cant. spir., 1701, 78: *Nous marchons ici bas comme en pelerinage*
                        ders. Noëls, 1725, Rec. III, 189: *Que chacun avec moi s'avance vers la Crêche*
                        ders. Histoire, 1702, 274: *Que Tobie est heureux! quel sort digne d'envie!;*
                        ebd. 530: *Vous qui pour être heureux venez dans le saint Temple*
                        ders. Les Pseaumes, 1705, 169: *Puissant Maître des Cieux, exauce ma prière;* ebd. 549: *Du grand Dieu d'Israel chantons l'amour extrême*
                        Cant. spir., Lille, 1718, 211: *Nous marchons ici-bas comme en pelerinage*
                        Pellegrin, Chansons, 1722, Rec. II, 19: *Deplorable pécheur, quelle fureur t'anime;* ebd. Rec. III, 80: *Renoncez aux plaisirs dont vôtre ame est ravie*

69/24   Entrée des Basques:

Abschriften: Qu. 22, 31, 38, 41, 45, 46, 48—50, 55, 58, 60—62, 64, 71, 72, 78; F-V Ms mus 103, Ms mus 165; F-Pc X 108

Drucke: Le Temple de la Paix, Amsterdam
                        Ouverture avec tous les Airs, Roger

69/25   Un Biscayen et une Biscayenne:

Abschriften: Qu. 22, 50, 72, 78
Transkription: Duo choisis, 1728, 93
Druck: Petite Bibliothèque des Théâtres, 1787, Air

69/26   Canaries:

Abschriften: Qu. 22, 31, 38, 41, 45, 46, 48—50, 58, 60, 61, 64, 66, 72, 78; F-V Ms mus 103, Ms mus 165; F-Pc X 108

Drucke: Le Temple de la Paix, Amsterdam
                        Ouverture avec tous les Airs, Roger

69/27   Canaries:

Abschriften: Qu. 22, 31, 38, 41, 45, 46, 48—50, 58, 60, 61, 72, 78; F-V Ms mus 103; F-Pc X 108

Drucke: Le Temple de la Paix, Amsterdam
                        Ouverture avec tous les Airs, Roger

69/28   Prelude, Silvie:

Abschriften: Qu. 22, 73, 75, 78, 81

69/29   Silvie, Daphnis, Choeur:

Abschriften: Qu. 78; 22, 50 (Choeur)

69/30   Entrée de Bretons et Bretonnes, Passepied:

Abschriften: Qu. 22, 31, 38, 39, 41, 45, 46, 48—50, 58, 61, 71, 72, 78
Transkription: Duo choisis, 1730, II, 166
Drucke: Le Temple de la Paix, Amsterdam
                    Ouverture avec tous les Airs, Roger
Weltl. Parodie, hs.: Chansonnier Maurepas 12640, 438 (1686): *Va t'en coucher, Mon Iris, je
                    veux boire;* dass.
                    GB-Lbl Egerton 1520, IV, 110 (La Fond)
Druck: Nouv. Par. bach., 1700, II, 161: *Laquais verse-nous Du vin dans nos
                    verres*

69/31   Passepied, hautbois:

Abschriften: Qu. 22, 31, 38, 39, 41, 45, 46, 48—50, 57—61, 71, 72; F-Pc X 108
Transkription: Duo choisis, 1730, II, 167
Drucke: Le Temple de la Paix
                    Ouverture avec tous les Airs, Roger

69/32   Menuet:

Abschriften: Qu. 22, 31, 38, 41, 45, 46, 48—50, 58, 60, 61, 66, 72; F-Pc X 108
Drucke: Le Temple de la Paix
                    Ouverture avec tous les Airs, Roger

69/33	Deux Bretonnes:

Abschriften:	Qu. 45, 50, 59, 66, 72, 78
Transkription:	Duo choisis, 1730, II, 165
Druck:	Petite Bibliothèque des Théâtres, 1787, Air

69/34	Menuet, hautbois:

Abschriften:	Qu. 22, 31, 38, 41, 45, 48, 50, 58, 59, 61, 72
Drucke:	Le Temple de la Paix, Amsterdam
	Ouverture avec tous les Airs, Roger

69/35	Climene:

Abschriften:	Qu. 75, 78

69/36	Silvandre, Climene, Silvie, Choeur:

Abschriften:	Qu. 22, 50, 78

69/37	Rondeau: Entrée des Sauvages de l'Amerique:
	Roger: Gigue; Qu. 60: Marche

Abschriften:	Qu. 22, 31, 38, 41, 45, 46, 48—50, 60 (zweimal), 61, 62, 64, 65, 72
	(Qu. 38, 45, 49, C-Dur)
Drucke:	Le Temple de la Paix, Amsterdam
	Ouverture avec tous les Airs, Roger

69/38	Un Sauvage:

Abschriften:	Qu. 22, 50, 60, 65, 73, 78
Weltl. Parodien:	Par. bach., 1696, 208, Nouv. Par. bach., 1700, II, 162: *Nous avons pratiqué*

69/39   Second Air des Americains:

Abschriften:	Qu. 22, 31, 35, 38, 41, 45, 46, 48—50, 60, 61, 64, 71, 72; F-V Ms mus 165
Drucke:	Le Temple de la Paix, Amsterdam Ouverture avec tous les Airs, Roger
Weltl. Parodien, hs.:	GB-Lbl Egerton 1520, IV, 110: *Cher ami que j'aime à voir ta face*
Drucke:	Par. bach., 1695, 174, 1696, 207, du Fresne, 1696, 102: *Cher ami, que j'aime à voir* (M.D.L.F.) Nouv. Par. bach., 1700, II, 165: *Cher voisin, que j'aime à voir ta face* (M. V.); dass. S. Vergier, Oeuvres, 1726, 242

69/40   Choeur des Americains:

Abschriften:	Qu. 22, 38, 41, 46, 50, 60 (zweimal), 65, 72, 78
Transkription:	Duo choisis, 1728, I, 66
Drucke:	Le Temple de la Paix, Amsterdam Ouverture avec tous les Airs, Roger
Weltl. Parodie:	Nouv. Par. bach., 1700, II, 166: *Dans ces lieux il faut que tout ressente* (M.V.)

69/41   Prelude, Licidas:

Abschriften:	Qu. 22, 61 (Prelude); 73, 78, 81 (Air)

69/42   Alcipe:

Abschriften:	Qu. 75, 78; F-Pn Rés 684

69/43   Prelude, un Africain:

Abschriften:	Qu. 22, 61 (Prelude); 22, 73, 78 (Air)

69/44 Choeur:

Chan=tons tous sa va= leur tri=om= phan=te

Abschriften: Qu. 22, 38, 50

69/45 Chaconne:

Abschriften: Qu. 22, 31, 38, 41, 45, 46, 48—50, 55 (zweimal), 56, 58, 59, 61, 62, 64, 72, 78; F-Pc X 108

Drucke: Le Temple de la Paix, Amsterdam
Ouverture avec tous les Airs, Roger

LWV 70
PLUSIEURS PIECES DE SYMPHONIE
NOCE DE VILLAGE, AIRS POUR MADAME LA DAUPHINE

70/1 Pavane:

Abschriften: Qu. 30, 38, 43—46, 48, 50, 55, 58, 60, 69; F-Pc X 108

Drucke: Im Anschluß an *Idylle sur la Paix* und *La Grotte de Versailles,* 1685
P. Collasse, *Ballet des Saisons,* 1695 und 1700
La Boccane avec la Theorie de la Danse, s.l.s.d., Bearbeitung für Piano,
F-Po A I D musique 395(5)

Wiederverwendet: P. Collasse, *Ballet des Saisons, 1695*

70/2 Gigue:

Abschriften: Qu. 30, 38, 43, 44, 45, 48, 50, 55, 58; F-Pc X 108

Drucke: Im Anschluß an *Idylle sur la Paix* und *La Grotte de Versailles,* 1685
P. Collasse, *Ballet des Saisons,* 1695 und 1700

Wiederverwendet: P. Collasse, *Ballet des Saisons, 1695*

70/3   Menuet:

Abschriften: Qu. 30, 38, 44, 45, 48, 50, 58; F-Pc X 108

Drucke: Im Anschluß an *Idylle sur la Paix* und *La Grotte de Versailles,* 1685
                                   P. Collasse, *Ballet des Saisons,* 1695 und 1700

Wiederverwendet: P. Collasse, *Ballet des Saisons,* 1695

70/4   Menuet:

Abschriften: Qu. 30, 38, 44, 45, 48, 50, 58; F-Pc X 108

Drucke: Im Anschluß an *Idylle sur la Paix* und *La Grotte de Versailles,* 1685
                                   P. Collasse, *Ballet des Saisons,* 1695 und 1700

Wiederverwendet: P. Collasse, *Ballet des Saisons,* 1695

70/5   Chaconne pour Madame la Princesse de Conty:

Abschriften: Qu. 22, 30, 38, 43—48, 50 (zweimal), 53, 55, 56, 58, 60, 64, 66, 78;
                                   F-Pn Vm^7 3555, 48; F-Pc X 108

Transkription: Duo choisis, 1728, 74

Drucke: Im Anschluß an *Idylle sur la Paix* und *La Grotte de Versailles,* 1685
                                   P. Collasse, *Ballet des Saisons,* 1695 und 1700

Wiederverwendet: P. Collasse, *Ballet des Saisons,* 1695

Literatur: Le Cerf de la Viéville, Comparaison, II, 122

70/6   Passepied:

Abschriften: Qu. 30, 38, 44, 45, 50, 58, 69

Drucke: Im Anschluß an *Idylle sur la Paix* und *La Grotte de Versailles,* 1685
                                   P. Collasse, *Ballet des Saisons,* 1695 und 1700

Wiederverwendet: P. Collasse, *Ballet des Saisons,* 1695

70/7   Passepied:

Abschriften: Qu. 30, 38, 44, 45, 50, 58, 69

Drucke: Im Anschluß an *Idylle sur la Paix* und *La Grotte de Versailles,* 1685
                                   P. Collasse, *Ballet des Saisons,* 1695 und 1700

Wiederverwendet: P. Collasse, *Ballet des Saisons,* 1695

LWV 71
ARMIDE

Bezeichnung:	Tragédie en Musique
Text:	Philippe Quinault
Erste Aufführung:	15. 2. 1686 im Palais Royal

Librettodrucke:

Armide, / Tragedie / en Musique, / Representée / Par l'Academie Royale / de Musique, Paris, Ballard, 1686, F-Po F-Pn

Suivant la copie imprimée à Paris, [Amsterdam] s. n. 1686, D-Mth
Imprimé à Paris, on les vend à Anvers, H. Van Dunwaldt, 1686, D-Tu
Avignon, Lemolt, 1687, F-A
in: Recueil des Opera, Amsterdam, A. Wolfgang, 1688, D-Mth
Lyon s. n. 1689, F-LYm
Roma, N. Corallo, 1690, frz. Text und ital. Übersetzung (nach Gros)
in: Recueil des Opera, Amsterdam, A. Wolfgang, 1690, F-Pn
Suivant la copie imprimée à Paris, [Amsterdam] s. n. 1693, D-HR
Marseille, P. Mesnier, 1694 (nach Gros)
Lyon, T. Amaulry, 1698, F-Pn
Suivant la copie imprimée à Paris, [Amsterdam] s. n. 1699, F-Pn
Amsterdam, H. Schelte s. d. D-F
s.l.s.d. 1700, dt. Übersetzung, D-BÜ
Paris, Ballard, 1703, F-Pn
in: Recueil général des Opera, Paris, Ballard, 1703, F-Pn
in: Recueil des Opera, Amsterdam, H. Schelte, 1708, D-Tu
Paris, P. Ribou, 1713, F-Pn
Paris, P. Ribou, 1714, F-Pn
Paris, P. Ribou, 1724, F-Pn
in: Recueil des Opera, Lyon, A. Delaroche, 1740, F-LYm
Lyon, A. Delaroche, 1742, F-Pa
Paris, Ballard, 1745, F-Pn
Paris, Ballard, 1746, F-Pn (7. 1. 1746)
Paris, Ballard, 1746, F-Pn (10. 2. 1746, Versailles)
Lyon, Rigollet, 1750, F- Pa
Paris, Delormel, 1761, F-Pn
in: Nachrichten, Hamburg, 1767, dt. Übersetzung, D-OLl
in: Petite Bibliothèque des Théâtres, Paris 1787, F-Pn
in: Répertoire du théâtre français, Paris 1822, F-Pn

Abschriften:

Partition générale: F-LYm Ms 27279 (datiert 1686); F-Re Ms 2523; F-TLm Cons 47 (Sicard relieur du palais); GB-CKc Ms 18 (15. 1. 1711); I-Bc; F-V Ms mus 207; US-Sp; F-B Ms Z 506 (1724, Ferré); S-Skma Alstörmer saml.
Partition réduite: F-Pn Vm² 95; Vm² 96; Rés 681 (1725, Philidor); Rés 682; F-PMeyer; US-NH (Philidor); F-Pn Rés 687; F-Po A21e; F-LYm Ms 27257; F-B Ms Z 504; US-Sp; US-BE Ms 767 (ohne Text); Ms 771

Druck in Partition générale:

Armide, / Tragedie / Mise / en Musique, / Par Monsieur De Lully, Escuyer, Conseiller / Secretaire du Roy, Maison, Couronne de France & de ses Finances, / & Sur-Intendant de la Musique de Sa Majesté. / [Druckerzeichen Ballards] / A Paris, / Par Christophe Ballard, seul Imprimeur du Roy pour la Musique, / ruë Saint Jean de Beauvais, au Mont-Parnasse. / Et se vend / A la Porte de l'Academie Royalle de Musique ruë Saint Honoré. / M.DC.LXXXVI. / Avec Privilege de Sa Majesté.

Drucke in Partition réduite:

Seconde édition, Paris (gravée par H. de Baussen), s.n., 1710
Seconde édition, Paris, C. Ballard (gravée par H. de Baussen), 1713
Seconde édition, Paris, J.-B.-C. Ballard, 1718
Nouvelle édition, oeuvre XVIII, Paris, J.-B.-C. Ballard, 1725

Stimmen:	Qu. 21, 22, 25, 28—30; F-Po (1er, 2e dessus); ehemals GB-T Ms 36—40 (1703, Philidor, Vokalstimmen), Ms 161—163 (Instrumentalstimmen); F-Pn Vm² 97 (dessus); F-Po Matériel (Stimmensatz); F-C Ms 1047 (Stimmensatz zum 2. Akt); F-Pa M 938 (dessus, Exzerpte)
Ariendruck:	Fragmens / d'Opera: ou / Choix de Recits, Duo et Trio, / extraits / de Roland, d'Armide, / & d'Issé; / Pour exercer les Voix de Dessus, / de Bas-Dessus, d'Haute-Contre, de Taille, & de Basse-Taille; Avec & sans Accompagnemens. / . . . Ballard 1742
Suitendrucke:	Ouverture Chaconne / & tous les autres Airs à joüer de / l'Opera / D'Armide / par / Mr. Baptiste Luly / . . . A Amsterdam / Aux depens d'Estienne Roger Marchand Libraire / Nᵒ 19 [1708—1712] Recueil / De tous les Airs à Joüer sur le Violon sur la Flute / de l'Opera D'Armide, / Fait par Monsieur de Lully . . . / Suivant la Copie du grand Livre de Paris. / à Amsterdam / imprimé chez Jean Stichter, dans le Kalver-Straat, pour Nicolas de Rosier [s. d.], S-Uu
Szen.-dramatische Parodien, bibliographisch nachgewiesen:	Anonym: Armide (nicht aufgeführt, Nachweis bei d'Argenson)
Drucke:	M. Dufresny: L'Opéra de campagne (1692) in: Le Théâtre de Gherardi, Amsterdam, 1701, Paris, 1717, Amsterdam 1721 J. Bailly, J.-A. Romagnesi: Armide (21. 1. 1725, Théâtre italien) Paris, Flahault, 1725 und in: Les Parodies du Nouveau Théâtre italien 1731 und 1738, Zusammenfassung im Mercure 1725, Januar, S. 351—352 P. Laujon: Armide (11. 1. 1762, Théâtre italien), Paris, Duchesne 1762
Literatur:	Le Cerf de la Viéville, Comparaison I, 167 f., II, 9—13; La Laurencie, Lully, 164—167; Prunières, Lully, 102; Gros, Quinault, 160—166, 532 f., 572—577, 632—637; Borrel, Lully, 67—69; Girdlestone, La tragédie en musique, 112—121; Isherwood, Music in the service, 208 f., 236 f.; Anthony, French baroque music, 80 f., 104 f.; Newman, Formal Structure, 154 f.

71/1	Ouverture:

Abschriften:	Qu. 22, 31, 37, 38, 41, 45, 47—52, 55, 58, 60—62, 64, 68, 78; F-V Ms mus 165; F-Pc X 108 (Dessus)
Transkriptionen:	Recueil de tous les Airs, N. Rosier Ouvertures des opera, 1725, 40
Druck:	Ouverture Chaconne & Tous les autres Airs, Roger
Weltl. Parodie:	Ouvertures des opera, 1725, 40: *Tôt, tôt, laquais, Verse du vin, Je veux m'enivrer de ta main*

71/2	Prologue, la Gloire:

Abschriften:	Qu. 74, 75, 78
Geistl. Parodie:	Desessartz, Nouv. poésies spir., 1733, VII, 18: *Le Tout-puissant est avec nous. Esperons*

71/3   Choeur:

Chan = tons, chan=tons la dou=ceur   Chan= tons, chan=tons la dou=ceur

Abschriften: Qu. 22, 35, 74, 78

71/4   La Gloire et la Sagesse:

D'une es = ga = le ten=dres = se, Nous ai = mons

Druck: Les Trio, Blaeu, 1691, II

71/5   La Gloire, la Sagesse:

Dis=pu = tons seu=le = ment à qui sçait mieux

Abschrift: Qu. 74

Druck: Les Trio, Blaeu, 1691, II, 71

71/6   Choeur:

Dès qu'on le voit pa = roi=stre

Abschriften: Qu. 22, 50, 74

71/7   Entrée:

Abschriften: Qu. 22, 31, 37, 38, 41, 45, 46, 48—50, 52, 55, 58, 61, 62, 64, 66, 68, 74, 78; F-V Ms mus 165; F-Pc X 108

Transkription: Recueil de tous les Airs, N. Rosier

Druck: Ouverture Chaconne & Tous les autres Airs, Roger

71/8   Menuet:

Abschriften: Qu. 22, 31, 37, 38, 41, 45, 46, 48—50, 52, 55, 58, 59, 61, 66, 74, 78; F-V Ms mus 165; F-Pc X 108

Transkription: Recueil de tous les Airs, N. Rosier

Druck: Ouverture Chaconne & Tous les autres Airs, Roger

71/9   Rondeau:
                      Qu. 37, 48, 58, 76 etc.: Gavotte

Abschriften: Qu. 22, 31, 37, 38, 41, 45, 48—50, 52, 58, 60, 61, 64, 74, 76, 78;
                      F-V Ms mus 165; F-Pc X 108

Transkription: Recueil de tous les Airs, N. Rosier

Druck: Ouverture Chaconne & Tous les autres Airs, Roger

Weltl. Parodie: Nouv. Par. bach., 1700, II, 169: *Si l'Amour vous fait souffrir, Il faut
                      boire pour vous guerir* (M.V.); dass. S. Vergier, Oeuvres, 1726, 243

71/10   Prelude, La Sagesse:

Abschriften: Qu. 22, 61, 74, 76; (Air) Qu. 78

71/11   Choeur:

Abschriften: Qu. 22, 50, 74, 78

71/12   Entrée:

Abschriften: Qu. 22, 31, 37, 38, 41, 45, 48—50, 52, 55, 58, 60—62, 74, 78; F-Pc X 108

Transkription: Recueil de tous les Airs, N. Rosier
                      Ouverture Chaconne & Tous les autres Airs, Roger

71/13   Menuet:

Abschriften: Qu. 22, 31, 37, 38, 41, 45, 48—50, 52, 55, 58, 60, 61, 64, 74, 78; F-Pc
                      X 108

Transkriptionen: A-Wm Ms 743, 55 (Cembalo)
                      Recueil de tous les Airs, N. Rosier

Druck: Ouverture Chaconne & Tous les autres Airs, Roger

71/14   Menuet:

Abschriften: Qu. 22, 31, 37, 38, 41, 45, 48—50, 52, 55, 57—61, 74, 78; F-Pc X 108

Transkription: Recueil de tous les Airs, N. Rosier

Druck: Ouverture Chaconne & Tous les autres Airs, Roger

71/15   La Sagesse, la Gloire, Choeur:

Abschriften: Qu. 22, 35, 50, 73, 74, 78; F-B Ms 279.147

Transkription: Recueil de tous les Airs, N. Rosier

Drucke: Les Trio, Blaeu, 1690, I
                              Ouverture Chaconne & Tous les autres Airs, Roger

Geistl. Parodien: A.H.P.E.L.D.L., Cant. spir., Lyon, 1692, 9: *Chantons les grandeurs nonpareilles D'un Seigneur si doux & si bon*
                              L. Chassain, Les hymnes, 1705, 95: *Jettez, ô Bonté souveraine Sur nous les yeux de vôtre amour*

71/16   I, 1, Ritournelle, Phenice:

Abschriften der Ritournelle: Qu. 22, 38, 45, 52, 59, 61, 62, 78

Transkription: Recueil de tous les Airs, N. Rosier

Drucke: Trios de Differents Auteurs, Babel, II, 123
                              Ouverture Chaconne & Tous les autres Airs, Roger

Abschriften des Air: Qu. 73, 75, 78, 80

71/17   Phenice, Sidonie:

Abschriften: Qu. 73, 80

Druck: Les Trio, Blaeu, 1691, II

71/18   Armide:

Abschriften: Qu. 78, 80

Literatur: Le Cerf de la Viéville, Comparaison, I, 167

71/19 Prelude, Armide:

Un songe af=freux m'in=spire u=ne fu=reur

Abschriften: Qu. 22, 76, 78, 80

Literatur: Le Cerf de la Viéville, Comparaison, I, 168

71/20 I, 2, Hidraot:

Ar=mi=de que le sang qui m'u=nit a=vec vous

Abschrift: Qu. 78

Geistl. Parodie: Desessartz, Nouv. poesies spir., 1733, VI, 14: *Ecoute, Peuple ingrat, ce que dit le Seigneur. Ne t'ai-je pas formé*

Zitiert: (*Je vois de pres la mort*) Théâtre de la Foire, 1721, II, Air 213

71/21 Armide:

La chaî - ne de l'hy=men

Abschriften: Qu. 22, 73, 75, 78

71/22 Hidraot:

Pour vous, quand il vous plaît tout l'En = fer

Abschriften: Qu. 22, 52, 59, 73, 78; F-B Ms 279.147

Druck: Les Trio, Blaeu, 1690, I

Geistl. Parodie: Desessartz, Nouv. poésies spir., 1733, VI, 15: *Malgré tant de bienfaits tu méprises ma loi*

71/23 Hidraot:

Bor=nez - vous vos de=sirs à la gloi = re cru=el = le

Abschriften: Qu. 22, 35, 52, 59, 73, 75, 78; F-B Ms 279.147

Drucke: Les Trio, Blaeu, 1690, I
Fragmens d'Opera, Ballard, 1742: Recit

Geistl. Parodie: Desessartz, Nouv. poésies spir., 1738, VIII, 9: *Voulez-vous au Seigneur assurer la conquête*

71/24   I, 3, Air:
Qu. 47, 78; Les Peuples d'Amas; Qu. 76, Druck 1725: Marche

Abschriften:	Qu. 22, 31, 37, 38, 41, 45—50, 52, 55, 58, 60—62, 66, 76, 78; F-Pc X 108
Transkription:	Recueil de tous les Airs, N. Rosier
Druck:	Ouverture Chaconne & Tous les autres Airs, Roger

71/25   Hidraot:

Abschriften des Air:	Qu. 22, 35, 37, 52, 65, 66, 73, 75, 76, 78, 80; F-B Ms 279.147
Drucke:	Les Trio, Blaeu, 1690, I Fragmens d'Opera, Ballard, 1742: Recit
Geistl. Parodie:	Desessartz, Nouv. poésies spir., 1731, II, 12: *Quel est cet enfant adorable, Qui naît dans une étable*
Abschriften des Choeur:	Qu. 22, 49 (neue Dessus-Stimme), 50, 51, 78
Druck:	Fragmens d'Opera, Ballard, 1742

71/26   Rondeau:
Qu. 41, 46, 47, 60 etc.: Sarabande en Rondeau

Abschriften:	Qu. 22, 31, 37, 38, 41, 45—52, 55, 58, 60—62, 64, 66, 78; F-V Ms mus 165; F-Pc X 108
Transkriptionen:	A-Wm Ms 743, 54vº (Cembalo) Recueil de tous les Airs, N. Rosier
Druck:	Ouverture Chaconne & Tous les autres Airs, Roger

71/27   Phenice, Choeur:

Abschriften des Air:	Qu. 35, 66, 78; S-Skma Alströmer saml.
Druck:	Fragmens d'Opera, Ballard, 1742
Weltl. Parodie, hs.:	F-Pa 4843, 278: *Suivons Ulisse et chantons sa victoire*
Geistl. Parodien:	Cant. spir., Lyon, 1710, 55: *Celeste Epoux, pour qui mon coeur soûpire;* ebd. 75: *Je vous saluë, incomparable Reine;* ebd. 88: *Etre Eternel, beauté toujours nouvelle;* ebd. 95: *Le monde en vain, par ses biens et ses charmes;* ebd. 154: *O Doux banquet, où par un saint mélange*

Abschriften des Choeur:	Qu. 22, 66, 76, 78
Transkription:	Recueil de tous les Airs, N. Rosier
Drucke:	Ouverture Chaconne & Tous les autres Airs, Roger
	Fragmens d'Opera, Ballard, 1742

71/28 Sarabande. Rondeau:

Abschriften:	Qu. 22, 31, 37, 38, 41, 45—52, 55, 58, 60—62, 66, 78; F-V Ms mus 165; F-Pc X 108
Transkriptionen:	Recueil de tous les Airs, N. Rosier
	Duo choisis, 1730, II, 164
Druck:	Ouverture Chaconne & Tous les autres Airs, Roger

71/29 Sidonie, Choeur:

Que la dou = ceur d'un tri = omphe

Abschriften:	Qu. 22, 35, 66, 76, 78; S-Skma Alströmer saml.
Transkription:	Recueil de tous les Airs, N. Rosier
Drucke:	Ouverture Chaconne & Tous les autres Airs, Roger
	Fragmens d'Opera, Ballard, 1742

71/30 I, 4, Armide, Hidraot, Choeur:

Pour=sui=vons, pour=sui = vons jus=qu'au tré=pas l'en= ne = my

Abschriften:	Qu. 50, 52, 66, 76, 78
Weltl. Parodie:	Théâtre de la Foire, 1721, I, 136, Air 110, II, Air 110

71/31 II, 1, Artemidore:

In=vin=ci = ble He = ros, c'est par vo = stre cou = ra =ge

Abschrift:	Qu. 78

71/32 Artemire:

Fu= yez les lieux où regne Ar= mi= de

Abschrift:	Qu. 78
Geistl. Parodie:	L. Chassain, Les hymnes, 1705, 23: *Unité de Trois, noble Essence, Dont les soins reglent l'Univers*

71/33   II, 2, Prelude, Hidraot:

Ar=re=stons-nous i = cy, c'est dans ce lieu fa=

Abschriften:	Qu. 17, 22, 34, 37, 38, 48, 52, 64, 78; F-V Ms mus 165
Transkription:	Recueil de tous les Airs, N. Rosier
Druck:	Ouverture Chaconne & Tous les autres Airs, Roger

71/34   Prelude, Armide, Hidraot:

Es= prits   de   haine et

Es= prits de haine   et   de   ra = ge

Abschriften des Prélude:	Qu. 17, 22, 34, 35, 37, 38, 52, 61, 76, 78; F-V Ms mus 137
Transkription:	Recueil de tous les Airs, N. Rosier
Druck:	Ouverture Chaconne & Tous les autres Airs, Roger
Abschriften des Duetts:	Qu. 17, 22, 73, 76, 78

71/35   II, 3, Prelude, Sourdines, Renaud:
                      Qu. 37, 56: Le Sommeil de Renaud; Qu. 17, 52: Prelude du Sommeil;
                      F-V Ms mus 137: Symphonie

Plus j'ob = ser=ve ces   lieux, et

Abschriften:	Qu. 17, 22, 34, 37, 38, 45, 48, 52, 56, 61, 64, 73, 75, 76, 78, 80; F-V Ms mus 137, Ms mus 165; S-N Finspong 1138:1
Transkription:	Recueil de tous les Airs, N. Rosier
Drucke:	Ouverture Chaconne & Tous les autres Airs, Roger Fragmens d'Opera, Ballard, 1742
Weltl. Parodien, hs.:	F-Pa 4843, 279: *Plus j'observe Rose et plus je le desire* (sic!), *La broche tourne lentement*
Druck:	Gherardi, Théâtre, 1716, IV, 55: *Plus j'observe ce rôt et plus je le désire*, *La broche tourne lentement* (Dufresny, l'Opera de campagne, 1692)

71/36   II, 4, La nymphe:

Au temps heu = reux   où l'on sçait   plai=re

| Abschriften: | Qu. 22, 78 |
| Druck: | Petite Bibliothèque des Théâtres, 1787, Air |

71/37   Prelude, Sourdines, Choeur:

Ah! quelle er = reur!

Abschriften des Prélude:	Qu. 17, 22, 34, 35, 37, 59, 61, 78
Abschrift des Air:	Qu. 78
Druck des Air:	Les Trio, Blaeu, 1691, II

71/38   Premier Air, Sourdines:
                       Qu. 57: Sommeil, Qu. 52, 61: Sourdines, Qu. 41, 46, 60: Air du Sommeil

Abschriften:	Qu. 17, 22, 31, 34, 37, 41, 45, 46, 48—50, 52, 57, 60, 61, 64, 78; F-V Ms mus 165
Transkription:	Recueil de tous les Airs, N. Rosier
Druck:	Ouverture Chaconne & Tous les autres Airs, Roger

71/39   Second Air, Gravement, Sourdines:

Abschriften:	Qu. 17, 22, 31, 34, 37, 38, 41, 45—52, 55, 58, 60—62, 64, 68, 78; F-V Ms mus 165; F-Pc X 108
Transkriptionen:	d'Anglebert, Pieces de clavecin, 1689 (Cembalo) F-Pc Rés F 933, 1 (Cembalo) GB-Lbl Add 39569, 91 (Cembalo) Recueil de tous les Airs, N. Rosier Duo choisis, 1728, 46
Druck:	Ouverture Chaconne & Tous les autres Airs, Roger
Weltl. Parodie, hs.:	GB-Lbl Egerton 1519, 129: *C'en est fait je m'en vais te quitter, Tous les appas ne sçauroient m'arrester*

71/40   II, 5, Prelude, Armide:

En = fin il est en ma puis = san=ce

Abschriften des Prélude:	Qu. 22, 37, 38, 45, 48—50, 52, 60, 64, 76, 78
Transkription:	Recueil de tous les Airs, N. Rosier
Druck:	Ouverture Chaconne & Tous les autres Airs, Roger
Abschriften des Air:	Qu. 73, 75, 76, 78
Drucke:	J.-Ph. Rameau, Observations sur notre instinct pour la musique, 1754, 80—89 (mit Varianten) d'Alembert, Elemens de musique, 1752

Weltl. Parodien, hs.:	F-Pa 4843, 279: *Ce mépriseur d'appas, ce glacé jouvenceau. Il me vit sans aimer*
Drucke:	Gherardi, Théâtre, 1716, IV: *Enfin il est en ma puissance Ce mépriseur d'appas, ce glacé jouvenceau (Dufresny, l'Opera de campagne, 1692)* Les Par. du Nouv. Théâtre it., 1738, III, 25: *Enfin il est en mon pouvoir*
Literatur:	Le Cerf de la Viéville, Comparaison, I, 83 J.-Ph. Rameau, Observations sur notre instinct, 1754, 70—125

71/41   Prelude, Armide:

Ve=nez, ve = nez se=con = der mes de=sirs

Abschriften des Prélude:	Qu. 22, 37, 38, 45, 48—50, 76
Transkription:	Recueil de tous les Airs, N. Rosier
Druck:	Ouverture Chaconne & Tous les autres Airs, Roger
Abschriften des Air:	Qu. 60, 75, 76, 79

71/42   III, 1, Prelude, Armide:

Ah!   si la li=ber=té

Abschriften:	Qu. 22, 52, 75, 76, 78; S-N Finspong 1138:1

71/43   III, 3, Viste, Armide:

Ve=nez,   ve=nez,   Haine im=pla=ca=ble

Abschriften:	Qu. 22, 37, 49, 76, 78
Transkription:	Recueil de tous les Airs, N. Rosier
Druck:	Ouverture Chaconne & Tous les autres Airs, Roger

71/44   Prelude, la Haine:

Je re = sponds à tes voeux, ta   voix

Abschriften:	Qu. 22, 52, 78

71/45   Prelude, la Haine, Choeur:

[sic!]   Plus on con=noît l'A = mour

Abschriften:	Qu. 22, 35, 49, 50, 75, 76, 78

71/46   Entrée de la Haine:

Abschriften:	Qu. 22, 31, 37, 38, 45, 46, 48—50, 52, 58, 61, 62, 64, 78; F-V Ms mus 137, Ms mus 165; F-Pc X 108
Transkription:	Recueil de tous les Airs, N. Rosier
Druck:	Ouverture Chaconne & Tous les autres Airs, Roger

71/47   La Haine, Choeur:

Abschriften:	Qu. 22, 78 (Choeur) Qu. 50, 78

71/48   Air:

                         Qu. 41: Air des Démons; Roger: Air pour la suite de la Haine; Qu. 60: Gigue pour les Gorgones

Abschriften:	Qu. 22, 31, 37, 38, 41, 45, 46, 48—50, 52, 53, 58, 60—62; F-V Ms mus 137; F-Pc X 108
Transkription:	Recueil de tous les Airs, N. Rosier
Druck:	Ouverture Chaconne & Tous les autres Airs, Roger
Weltl. Parodien:	Chansonnier Maurepas 12621, 21 (1686, sur Louison et Fauchon Moreau, chanteuses de l'Opéra): *Les deux Moreau sont deux tigresses La Rochois n'eut jamais de foiblesses:* dass. F-Pa 4842, 333 und GB-Lbl Egerton 1520, IV, 122
Zitiert:	Gherardi, Théâtre, 1717, IV, 55

71/49   Armide:

Abschriften:	Qu. 22, 76

71/50   IV, 1, Prelude, Ubalde, le Chevalier Danois:

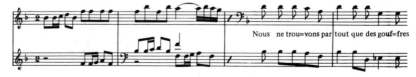

Abschriften:	Qu. 22, 35, 38, 45, 48, 49

71/51   Air:
                               Roger: Les Demons

Abschriften: Qu. 22, 37, 38, 41, 45, 46, 48, 50, 52, 55, 58, 61, 62, 78; F-Pc X 108

Transkription: Recueil de tous les Airs, N. Rosier

Druck: Ouverture Chaconne & Tous les autres Airs, Roger

Weltl. Parodie: Nouv. Par. bach., 1700, II, 171: *Que la solitude pour moy est detestable,*
                      Dans un noir chagrin elle m'ensevelit (M.V.)

71/52   IV, 2, Lucinde, Choeur:

Abschriften: Qu. 78; (Choeur) Qu. 22, 35, 49, 52; F-Pc X 108

Transkription: (Choeur) Recueil de tous les Airs, N. Rosier

Drucke: Petite Bibliothèque des Théâtres, 1787, Air
                      (Choeur) Ouverture Chaconne & Tous les autres Airs, Roger

71/53   Gavotte:
                               Roger, Rosier: Les Habitants Champêtres

Abschriften: Qu. 22, 31, 37, 38, 41, 45, 48—50, 52, 58, 61, 64, 78; F-V Ms mus 165;
                      F-Pc X 108

Transkription: Recueil de tous les Airs, N. Rosier

Druck: Ouverture Chaconne & Tous les autres Airs, Roger

Weltl. Parodie: Nouv. Par. bach., 1700, II, 172: *Palsangué me veux-tu croire, Ennuyerons-*
                      nous de ce vin (M.V.); dass. S. Vergier, Oeuvres, 1726, 269

71/54   Canaries:

Abschriften: Qu. 22, 31, 37, 38, 41, 45, 48—50, 52, 58, 61, 78; F-Pc X 108

Transkription: Recueil de tous les Airs, N. Rosier

Druck: Ouverture Chaconne & Tous les autres Airs, Roger

71/55   Lucinde, le Chevalier:

Abschrift: Qu. 78

Druck: Les Trio, Blaeu, 1691, II

71/56   IV, 3, Prelude, le Chevalier:

Abschriften des Prélude: Qu. 22, 38, 45, 48—50, 52, 61, 64

71/57   Ubalde:

Abschriften: Qu. 22, 52, 59, 78; F-B Ms 279.147

Druck: Les Trio, Blaeu, 1690, I

71/58   Ubalde:

Abschriften: Qu. 22, 35, 52, 59, 78; F-B Ms 279.147

Druck: Les Trio, Blaeu, 1690, I

71/59   V, 1, Ritournelle, Renaud, Armide:

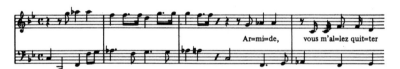

Abschriften: Qu. 22, 38, 49, 50, 52, 59, 61, 76, 78

71/60   Armide, Renaud:

Abschriften: Qu. 73, 76, 78

Druck: Les Trio, Blaeu, 1691, II

Zitiert: Les Par. du Nouv. Théâtre it., 1738, III, 40

71/61   Passacaille:

Abschriften: Qu. 17, 22, 31, 34, 37, 38, 41, 45—52, 54—56, 58—62, 64, 66, 68, 71, 78; F-Pc X 108

Transkriptionen:	d'Anglebert, Pieces de Clavecin, 1689
	F-Pc Rés F 933 (Cembalo)
	F-Pc Rés F 844, 110 (Cembalo)
	GB-Lbl Add 39569 (Cembalo)
	A-Wm Ms 743, 44 (Cembalo)
	E-Mn Mus 1360, f⁰ 217v⁰—220 (1709, von Martin Antonio, Viola da Gamba, Cembalo, Basse de Violon)
Drucke:	Ouverture Chaconne & Tous les autres Airs, Roger
	Gaudran, Nouv. Recueil de danse de bal, s. d., 79: Passacaille pour une femme dancée par Mlle Subligny en Angleterre de l'opera d'Armide
Weltl. Parodien:	F-Pa 4843, IV, 277: *Amis, fuyons tous l'Amour Malheureux qui luy fait la cour*
Drucke:	Par. bach., 1695, 176, 1696, 210, du Fresne, 1696, 103: *Amis fuyons tous l'Amour*

71/62   Un Amant fortuné, Choeur:

Abschriften:	Qu. 17, 22, 34, 45, 60, 66, 73, 75, 76, 78
Transkription:	F-Pc Rés F 844, 93 (Gitarre)
Weltl. Parodien, hs.:	Chansonnier Maurepas 12621, 19 (1686, sur les chanteuses et danseuses de l'Opera): *L'opera nous fournit des Maîtresses On n'en trouve point là de tigresses;* ebd. 165 (1687, sur de Roucy, femme du Cᵗᵉ de Lamet): *Amans gueux n'allez plus chez Lamette;* ebd. 12643, 76 (1712): *Ah! riches tout vous est favorable;* F-Pa 4842, 321: *Amans gueux n'allez plus chez . . .*
Drucke:	Par. bach., 1695, 180, 1696, 214, du Fresne, 1696, 106, Nouv. Par. bach., 1700, II, 173: *Les buveurs ont choisi pour azile Ce sejour agreable & tranquille* (M.R.)
	L'abbé L'Attaignant, Poésies, 1766, II, 203 (a-Moll): *C'est à tort que tu me fais un crime, Cher ami, d'un courroux legitime*
Geistl. Parodien:	Pellegrin, Histoire, 1702, 69: *C'est en vain que le monde nous presse;* dass. L'Imitation, 1727, Noten (d-Moll)
	Desessartz, Nouv. poésies spir., 1733, VII, 32: *Qu'il est beau d'oublier la vengeance*
	L'abbé L'Attaignant, Cant. spir., 1762, 55: *Les vertus ont choisi pour azile Ce séjour respectable & tranquille*

71/63   Flûtes, un Amant fortuné, Choeur:

Abschriften:	Qu. 22, 66, 73, 76, 78

71/64   Renaud:

Abschriften:	Qu. 17, 22, 34, 75, 78

479

71/65   Prelude, Ubalde:

Abschriften des Prélude:	Qu. 22, 45, 49, 59
Weltl. Parodie:	Concerts parodiques, 1730, III, 37: *Vous de mon coeur soulagez la langueur*
Abschrift des Rezitativs:	Qu. 76

71/66   V, 4, Armide:

Abschriften:	Qu. 73, 76, 78
Weltl. Parodie:	Les Par. du Nouv. Théâtre it., 1738, III, 44 (neues Metrum der gleichen Melodie)
Literatur:	Le Cerf de la Viéville, Comparaison, I, 83

71/67   Prelude, Armide:

Abschriften:	Qu. 17, 22, 34, 48, 52, 73, 75, 76, 78, 80
Transkription:	Duo choisis, 1728, 46
Literatur:	Le Cerf de la Viéville, Comparaison, II, 14

71/68   Prelude, Armide:
                              Qu. 60: Prelude du palais brisé

Abschriften:	Qu. 17, 22, 34, 45, 48, 52, 60, 61, 73, 76
Transkription:	Recueil de tous les Airs, N. Rosier
Druck:	Ouverture Chaconne & Tous les autres Airs, Roger

71/69   Prelude:

Abschriften:	Qu. 17, 22, 34, 45, 48—50, 52, 60, 61
Transkription:	Recueil de tous les Airs, N. Rosier
Druck:	Ouverture Chaconne & Tous les autres Airs, Roger

LWV 72
AIRS POUR LE CARROUSEL DE MONSEIGNEUR

Erste Aufführung: 28. 5. 1686

Literatur: Dangeau, Journal, I, 341; Mémoires de l'Abbé de Choisy, hrsg. von G. Mongrédien, 1966, 138; Mémoires du duc de Sourches, hrsg. von N. Dufourcq, 13; C. Titcomb, Carrousel Music at the Court of Louis XIV, in: Essays on Music, Fs A. Th. Davison, Cambridge (Mass.) 1957

72/1 Prelude du Carrousel:
Qu. 24: Concert de trompettes, hautbois et timballes

Abschriften: F-V Ms mus 186; F-Pc Rés F 671; Qu. 24, 43

72/2 Menuet:

Abschriften: F-V Ms mus 186; F- Pc Rés F 671; Qu. 24, 43

72/3 Gigue:

Abschriften: F-V Ms mus 186; F-Pc Rés F 671; Qu. 24, 43

72/4 Gavotte pour les trompettes et hautbois:

Abschriften: F-V Ms mus 186; F-Pc Rés F 671; Qu. 22, 24, 55, 69

Weltl. Parodien, hs.: Chansonnier Maurepas 12641, 27 (1687, sur Acis et Galatée): *Ma foy vôtre Galathée Et le sot berger Acis*
F-Pa 4842, 200 (Air 274): *La bonne Galatée Et le sot Berger Acis* (14 couplets)
GB-Lbl Egerton 1520, III, 99: *Ma foy votre Galatée;* dass. Egerton 814, 486 (dort mit neuer Melodie im 3/4-Takt) und F-LYm Ms 1545, 210

Druck: La Clef des chansonniers 1717, II, 108: *Ma maîtresse est infidelle, Ma foy j'en suis fort content*

LWV 73
ACIS ET GALATEE

Bezeichnung:	Pastorale heroïque
Text:	Jean Galbert de Campistron
Erste Aufführung:	6. 9. 1686 in Anet
Librettodrucke:	*Acis et Galatée, Pastoral héroique en musique représenté pour la premiere fois dans le Château d'Anet devant Monseigneur le Dauphin par l'Academie royale de musique, Paris, Ballard, 1686,* F-Pn

Suivant la copie imprimée à Paris, [Amsterdam] s. n. 1686, F-Pn
Imprimé à Paris, on les vend à Anvers, H. Van Dunwaldt, 1687, D-Tu
in: Recueil des Opera, Amsterdam, H. Wolfgang, 1688, D-Mbs
Hamburg s. n. 1689, D-Hs, mit dt. Inhaltsangabe
in: Recueil des Opera, Amsterdam, A. Wolfgang, 1690, F-Pn
[Amsterdam], H. Schelte, 1695, D-F
[Hamburg], 1695, D-Hs, dt. Übersetzung
s.l.s.d. D-HV, dt. Übersetzung
Paris, Ballard, 1702, F-Pa
in: Recueil général des Opera, Paris, Ballard, 1703, F-Pn
Paris, Ballard, 1704, F-Pa
Paris, Ballard, 1717, F-Pa
Paris, P. Ribou, 1718, F-Pa
Paris, Vve Ribou, 1725, F-Pa
Paris, Ballard, 1734, F-Pa
Paris, Delormel, 1742, F-Pa
Paris, Ballard, 1744, F-Pn
in: Recueil de Comedies et Ballets représentées sur le Théâtre des petits Appartemens, Paris s. n. 1749, F-Po
Paris, Vve Delormel, 1752, F-Pn
Paris s. n. 1759, F-Pn
Paris, Delormel, 1762, F-Pn

Abschriften:	Partition générale: F-Pn Rés 679 (Copié par Le Roux); F-TLm Rés Cons 50; F-Po A22b 1—3; CH-Zz (zwei Exemplare); F-Nm Ms 550 Partition réduite: F-PMeyer; F-TLm Rés Cons 51
Druck in Partition générale:	*Acis / et Galatée, / Mise en Musique / Par Monsieur De Lully, / Sur-Intendant de la Musique du Roy. / [Druckerzeichen Ballards] / A Paris, Par Christophe Ballard, seul Imprimeur / du Roy pour la Musique, rüe S. Jean de Beauvais / au Mont Parnasse. / Et se vend, / A la Porte de l'Academie Royalle de Musique, rüe S. Honoré. / M.DC.LXXXVI. / Avec Privilege de Sa Majesté.*
Stimmen:	Qu. 21, 22, 25, 28—30; ehemals GB-T Ms 41—45 (1703, Philidor, Vokalstimmen), Ms 164—167 (Instrumentalstimmen), jetzt F-Pn Rés F 1699; F-Mc (basse continue); F-Po Fonds La Salle
Ariendruck:	Airs à jouer, et à chanter; / extraits / D'Acis, et Galatée, / Pastorale-Heroique, / Remise au théâtre en août 1744, prix en blanc 36 s. / . . . J.-B.-C. Ballard 1744
Suitendruck:	Ouverture Passacaille / & Tous les autres Airs à joüer de / l'Opera / D'Acis & Galatée / par / Mr. Baptiste Luly / . . . A Amsterdam / Aux depens d'Estienne Roger Marchand Libraire / No 20 [1708—1712]
Szen.-dramatische Parodien, Drucke:	C. S. Favart, C. F. Panard, P. Laujon: Tircis et Doristée, parodie d'Acis et Galatée (4. 9. 1752, Théâtre italien und Opéra comique), Paris, Delormel, 1752, La Haye, Scheurleer, 1753, nouvelle édition, Paris, Duchesne, 1759

Literatur: Le Cerf de la Viéville, Comparaison, III, 4; La Laurencie, Lully, 166—
                  168; Prunières, Lully, 103, 108; Borrel, Lully, 69; Girdlestone, La tragé-
                  die en musique, 125, 137, 316; Isherwood, Music in the service, 237 f.

73/1   Ouverture:

Abschriften: Qu. 17, 22, 31, 34, 38, 41, 45, 46, 48—52, 55, 58, 60—62, 64, 68, 72, 78;
                  F-V Ms mus 165; F-Pc X 108 (Dessus)

Transkription: Ouvertures des opera, 1725, 42

Druck: Ouverture Passacaille & Tous les autres Airs, Roger

Weltl. Parodie: Ouvertures des opera, 1725, 42: *Ne nous quittons pas dans ce repas,*
                  Buvons amis

73/2   Prologue, Diane:

Abschrift des Prélude: Qu. 22, 48, 61

Abschrift des Air: Qu. 78

73/3   Prelude, un Silvain:

Abschriften des Prélude: Qu. 22, 35, 48, 61

Abschriften des Air: Qu. 73, 78

73/4   Diane, Choeur:

Abschriften: Qu. 73, 78; (Choeur) Qu. 17, 22, 34, 50

73/5   Premiere Entrée. Menuet:

Abschriften: Qu. 22, 31, 38, 41, 45, 46, 48—50, 52, 58, 60, 61, 72, 78; F-Pc X 108

Drucke: Ouverture Passacaille & Tous les autres Airs, Roger
                  Airs à jouer, et à chanter, 1744

73/6   1686: ohne Titel; Premier Rigaudon:

Abschriften:	Qu. 22, 31, 38, 41, 45, 46, 48—50, 52, 58, 60, 61, 72, 78; F-Pn Vm⁷ 3555; F-Pc X 108

Abschriften: Qu. 22, 31, 38, 41, 45, 46, 48—50, 52, 58, 60, 61, 72, 78; F-Pn Vm^7 3555; F-Pc X 108

Transkriptionen: Das Klavierbuch der Christiane Charlotte Amalia Trolle (1702) hrsg. von U. Haensel, Neumünster 1974, 43
Duo choisis, 1728, 22 (D-Dur)

Drucke: Ouverture Passacaille & Tous les autres Airs, Roger
J. Playford, The Dancing Master, London, 1703, 150
Airs à jouer, et à chanter, 1744

Weltl. Parodien, hs.:   Chansonnier Maurepas 12621, 95 (1686, sur une bague que Louis Joseph Duc de Vendôme . . . Pair de France . . . donna à Lully): *Je porte au doigt L'Anneau que le vieux Vendôme;* ebd. 101 (1686, sur Martinet, bourgeois de Paris, faiseur de chansons): *Si Martinet Ne met rien en lumiere C'est qu'il craint de Lignieres;* ebd. 133 (1687, sur la mort de Lully): *Baptiste est mort Adieu la simphonie;* ebd. 155 (1687, sur ce que Louis étant devenu devot fait enfermer quantité de filles de joie): *L'Amour pleurant Dit je me desespere;* ebd. 332 (1689, sur la Fond, Lieutenant du Roy): *La Fond est mort, Dans les bras de sa garce;* ebd. 12622, 405 (1693): *Paul Pelisson Est mort en philosophe;* ebd. 495 (1693, sur Claude Le Peletier ministre): *C'est un pupu Que Peletier ministre* (pupu-hupes, oiseaux sales et puants); ebd. 12624, 313 (1698): *Pointis fripon Fripon à triple étage*
F-Pa 4842, 297: *Belle Dondon Que tout le monde admire* (24 couplets)
GB-Lbl Egerton 1520, III, 95: *Estre discret Amoureux sincere*
GB-Lbl Egerton 816, 222: *J'ay tout perdu Les Boüillons sont en France;* ebd. Egerton 817, 30 (1724): *Proserpine vilain Caïn;* ebd. 31: *A l'air il mit le cul de sa princesse*

Drucke: Par. bach., 1695, 181, 1696, 215, du Fresne, 1696, 107, de Coulanges, Recueil, 1698, 196: *J'avois cent francs, J'avois cent francs pour boire* (M.D.C.)
Nouv. Rec., Raflé, 1695: *Amy, sçais-tu le mal qui me possede?*
Nouv. Par. bach., 1700, II, 177: *La nuit, le jour, Je songe à vous Aminte* (M.D.L.)
Les Moines, Comédie en Musique, 1709, 48: *Le Procureur de nôtre Monastere*
de Coulanges, Recueil, 1694, 108, 1698, 291, Chansons, 1754, 143: (A M. le Cardinal et Mme la Duchesse de Bouillon) *J'ai tout perdu Les Boüillons sont en France;* Recueil, 1694, 269 und 1754, 292 (composé par un officier de Marine): *Dans nos vaisseaux Que de beautés ensemble!;* Recueil, 1694, 269 und 1754, 293: *Loin de vos yeux En paix sur le rivage;* ebd. 256: *J'avois cent francs*
La Monnoye, Oeuvres 1770, 201: *Lorsque Briquelle Epousa Péronnelle*

Geistl. Parodien: Cant. spir. d'un solitaire, 1698, 1700, 12: *Je sens qu'Amour veut faire son entrée dedans mon coeur*
La Monnoye: Noei tô nôva, 1701, 11: *Vote bontai, Gran Dei, vo fai don parre*

Timbre: J'avois cent francs

73/7   Air gay. Second Rigaudon:

Abschriften: Qu. 22, 31, 38, 41, 46, 48—50, 52, 60, 61, 72, 78; F-Pn Vm⁷ 3555; F-Pc
                        X 108

Transkriptionen: Das Klavierbuch der Christiane Charlotte Amalia Trolle (1702) hrsg. von
                        U. Haensel, Neumünster 1974, 43
                        Duo choisis, 1728, 23 (D-Dur)

Drucke: Ouverture Passacaille & Tous les autres Airs, Roger: Air de Diane
                        Airs à jouer, et à chanter, 1744

Weltl. Parodien, hs.:   GB-Lbl Egerton 1520, III, 95: *Estre jeune et volage, voir tout avec
                        mépris*
                        Nouv. Par. bach., 1700, II, 179: *Je prefere ma pinte, A toutes les dou-
                        ceurs*

Drucke: Théâtre de la Foire, 1721, II, 175 (Air 156): *Mais ce soir Isabelle Cou-
                        ronne mon amour*

Geistl. Parodie: La Monnoye, Noei tô nôvea, 1701, 11: *Meù vaurò, ce me sanne*

73/8   Marche de Comus:
                        Qu. 60: Gavotte; Qu. 47: L'abondance

Abschriften: Qu. 17, 22, 31, 34, 38, 41, 45—50, 52, 55, 58, 60, 61, 64, 72, 78; F-V Ms
                        mus 165; F-Pc X 108

Drucke: Ouverture Passacaille & Tous les autres Airs, Roger
                        Airs à jouer, et à chanter, 1744

Weltl. Parodien, hs.:   F-Pa 4843, IV, 257: *Cher ami que mon ame est ravie*
                        GB-Lbl Egerton 1519, 109: *Belle Iris je brise enfin ma chaisne* (F-Dur)

Drucke: Par. bach., 1695, 185, 1696, 217, du Fresne, 1696, 108, Nouv. Par. bach.,
                        1700, II, 180: *Cher ami que mon ame est ravie* (M.V.); dass. S. Vergier,
                        Oeuvres, 1726, 210
                        Les Par. nouv., 1732, 55: *Cher ami . . .*

73/9   L'Abondance:

Abschrift: Qu. 78
Druck: Airs à jouer, et à chanter, 1744

73/10   L'Abondance, Diane, Comus, Choeur:

Abschriften: Qu. 22, 35, 50, 73
Druck: Airs à jouer, et à chanter, 1744

73/11   Air:
                         Qu. 60: Gigue

          Abschriften: Qu. 17, 22, 31, 34, 38, 41, 45, 46, 48—50, 52, 55, 58, 60, 61, 64, 72; F-V
                         Ms mus 165; F-Pc X 108

          Druck: Ouverture Passacaille & Tous les autres Airs, Roger

73/12   Prelude, Apollon:

          Abschriften: Qu. 17, 22, 34, 38, 45, 48—50, 52, 61, 72; F-Pc X 108; (nur Air) Qu. 78

          Druck: Ouverture Passacaille & Tous les autres Airs, Roger

73/13   Comus, Choeur:

          Abschriften: Qu. 17, 22, 34, 35, 41, 49, 55, 60, 78

          Druck: Ouverture Passacaille & Tous les autres Airs, Roger

73/14   Air:

          Abschriften: Qu. 17, 22, 31, 34, 38, 41, 45—50, 52, 55, 58, 61, 72, 78; F-Pc X 108

          Druck: Ouverture Passacaille & Tous les autres Airs, Roger: Air grave

73/15   Menuet:
                         Qu. 47: Rondeau

          Abschriften: Qu. 17, 22, 31, 34, 38, 41, 45—50, 52, 58, 61, 64, 72, 78; F-Pc X 108;
                         F-V Ms mus 165

          Drucke: Ouverture Passacaille & Tous les autres Airs, Roger
                         Airs à jouer, et à chanter, 1744

73/16

I, 1, Prelude, Acis:

C'est en vain qu'en ces   lieux

Abschriften: Qu. 22, 52, 61, 73, 75, 76, 78, 81

73/17

I, 2, Teleme:

La char = man=te Scyl = la,   l'hon=neur

Abschriften: Qu. 17, 34, 73, 75
Druck: Airs à jouer, et à chanter, 1744

73/18

I, 3, Prelude, Acis:

Fau=dra- t'il en = cor   vous at = ten=dre

Abschriften: Qu. 22, 78

73/19

I, 4, Ritournelle, Galatée:

J'ay crû trou=ver   i = cy   la Nim=phe

Abschriften der Ritournelle: Qu. 22, 38, 59, 61

73/20

I, 5, Galatée:

Ah! qu'un a=mant dont la   plain = te

Druck: Airs à jouer, et à chanter, 1744

73/21

Flûtes, Scylla:
Qu. 22: Trio; Qu. 17, 61: Symphonie; Qu. 38, 45, 59: Air; Qu. 58: Concert de flûtes

Mais quels con=certs se font en = ten=dre

Abschriften: Qu. 17, 22, 34, 35, 38, 45, 48—52, 58, 59, 61, 72, 78; F-Pc X 108

73/22

I, 6, Aminte:

Que   l'a=mour qui nous en = chaî = ne

Abschriften: Qu. 35, 51

73/23   Aminte, Choeur:

L'A = mour dans ces beaux |lieux   L'A = mour dans ces beaux |lieux

Abschriften: Qu. 17, 22, 34, 35, 50, 51, 72

73/24   Premier Air:
             Qu. 22: Gigue; Qu. 47: Les Bergers et les Bergeres; Roger: Adagio

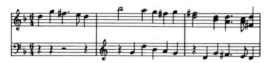

Abschriften: Qu. 17, 22, 31, 34, 41, 45—52, 55, 58, 61, 72; F-Pc X 108
Druck: Ouverture Passacaille & Tous les autres Airs, Roger

73/25   Aminte, Choeur:

Que les plus ga=lan=tes   fê= tes /   Que les plus ga=lan=tes   fê=tes

Abschriften: Qu. 22, 34, 37, 51, 52
Druck: Airs à jouer, et à chanter, 1744

73/26   Air:
             Qu. 22, 60: Gigue:

Abschriften: Qu. 17, 22, 31, 34, 38, 41, 45—50, 52, 55, 58, 60, 61, 72; F-Pc X 108
Druck: Ouverture Passacaille & Tous les autres Airs, Roger

73/27   Marche pour l'entrée de Polipheme:

Abschriften: Qu. 22, 31, 38, 45, 46 (D-Dur), 48—50, 52, 55 (D-Dur), 60 (D-Dur), 61
Druck: Ouverture Passacaille & Tous les autres Airs, Roger

73/28   I, 8, Polipheme:

Tout ce que vous vo = yez   re=con=noist mon pou =voir

Abschriften: Qu. 22, 73, 76
Druck: Ouverture Passacaille & Tous les autres Airs, Roger

488

73/29

I, 8, Polipheme:

Je suis au com=ble de mes voeux

| Abschriften: | Qu. 22, 76, 78 |
| Literatur: | Le Cerf de la Viéville, Comparaison, III, 277 |

73/30

II, 1, Ritournelle, Acis:

Quoy vous a=vez pro=mis

| Abschriften: | Qu. 22, 38, 47, 49, 50, 52, 59, 61, 76; (Air) Qu. 76 |

73/31

Acis:

Im=mor=tels ha=bi=tans des Cieux

| Abschriften: | Qu. 73, 75, 76 |

73/32

II, 5, Chaconne:

Abschriften:	Qu. 22, 31, 37, 38, 41, 45—48, 50—52, 55, 58, 60, 61, 64, 66, 68, 70—72, 78; F-V Ms mus 165; F-Pc X 108
Transkriptionen:	d'Anglebert, Pieces de Clavecin, 1689 GB-Lbl Add 39569, 70 (Cembalo) Duo choisis, 1728, 18
Drucke:	Ouverture Passacaille & Tous les autres Airs, Roger Airs à jouer, et à chanter, 1744
Weltl. Parodien:	Par. bach., 1695, 184, 1696, 219, du Fresne, 1696, 109, Nouv. Par. bach., 1700, II, 185: *Si je ne puis toucher l'inhumaine Je ne puis plus souffrir tant de maux superflus* (M.M.) Le Tribut de la Toilette, *Je voudrois être aux yeux de Nanette Rose au jasmin afin de parer son beau sein*
Geistl. Parodien:	A.H.P.E.L.D.L., Cant. spir., Lyon 1692, 11: (sur l'air: Si je n'ay pû flechir l'inhumaine) *Je ne veux plus vivre dans la gêne Où le monde trompeur m'a longtemps retenu* Desessartz, Nouv. poésies spir., 1732, IV, 22: *Ah loin de toi divine sagesse* (B-Dur)
Literatur:	Le Cerf de la Viéville, Comparaison, II, 62, III, 286

73/33   Galatée:

Abschriften:	Qu. 22, 58, 60, 73, 75, 76, 78, 81; US-Sp ML96A75; S-Skma Alströ-mer saml.; S-Uu Vok mus ihs 19:7; S-N Finspong 9096:7
Druck:	Airs à jouer, et à chanter, 1744
Weltl. Parodien, hs.:	Chansonnier Maurepas 12622, 95 (1691, le pape Alexandre VIII censura au lit de la mort . . . les propositions soutenuës par le Clergé de France): *Ottobuon qu'on croyoit Pape d'importance Fit assembler les Cardinaux* F-Pa 4843, 257: *Une grosse beauté dérange la cervelle Et fait pousser de gros soupirs*
Geistl. Parodie:	Pellegrin, Les Pseaumes, 1705, 473: *Ecoutez mes clameurs, seul Maître que j'adore*

73/34   II, 6, Marche:

Abschriften:	Qu. 22, 31, 38, 41, 45, 46, 48—50, 52, 55, 60, 61, 65; F-Pc X 108
Drucke:	Ouverture Passacaille & Tous les autres Airs, Roger Airs à jouer, et à chanter, 1744

73/35   Polipheme, Choeur:

Abschriften:	Qu. 22, 35, 50, 60, 65, 72, 78
Drucke:	Ouverture Passacaille & Tous les autres Airs, Roger Airs à jouer, et à chanter, 1744
Weltl. Parodie, hs.:	GB-Lbl Egerton, 1521, 102: *Voulez-vous jeune brunette, Voulez-vous jeune brunette venir dans le beau valon*
Literatur:	Le Cerf de la Viéville, Comparaison, II, 189

73/36   Polipheme:

Abschriften:	Qu. 22, 35, 52, 59, 73, 78
Druck:	Airs à jouer, et à chanter, 1744

73/37   Choeur:

Abschriften: Qu. 22 ,50, 78

73/38   Second Air, Entrée des Ciclopes:
                               Partitur F-Po A 22a und Gaudran: Loure; Qu. 22: Gigue

Abschriften: Qu. 22, 31, 38, 41, 45—50, 52, 55, 58, 60, 61, 64, 72, 78; F-V Ms mus 165;
                               F-Pc X 108

Drucke: Ouverture Passacaille & Tous les autres Airs, Roger
                               Gaudran, Nouv. Recueil de danse de bal, s. d. II, 87: Loure dancée par
                               Mrs Blondy et Marcel à Galatée

Weltl. Parodien: Par. bach., 1696, 221, Nouv. Par. bach., 1700, II, 188: *J'avois juré de
                               n'aimer jamais, Iris je voulois vivre en paix*

73/39   II, 7, Polipheme:

Abschriften: Qu. 22, 35, 73, 76, 78

Druck: Airs à jouer, et à chanter, 1744

73/40   III, 1, Symphonie, le Prestre:

Abschriften: Qu. 22, 38, 49, 52, 59, 61, 73; F-B Ms 279.147; S-Skma Alströmer saml.

73/41   Choeur:

Abschrift: Qu. 22

73/42   III, 5, Prelude, Polipheme:

Quel che=min ont-ils pris ces a=mans

Abschriften des Prélude: Qu. 22, 35, 38, 45, 48—50, 52, 61; (Air) S-Skma Alströmer saml.

Druck: Ouverture Passacaille & Tous les autres Airs, Roger

Abschriften des Air: Qu. 22, 78

73/43   III, 6, Polipheme:

Il est mort l'in = so = lent, j'ay trom = pé

Abschriften: Qu. 22, 78; S-Skma Alströmer saml.

Druck: Airs à jouer, et à chanter, 1744

73/44   III, 7, Prelude, Galatée:

En= fin j'ay dis = si= pé la crain=te

Abschriften des Prélude: Qu. 22, 45, 48, 52, 64, 72, 76, 83; F-V Ms mus 165; US-Sp ML96A75;
            S-N Finspong 9096:7

Drucke: Ouverture Passacaille & Tous les autres Airs, Roger
            Airs à jouer, et à chanter, 1744

Abschriften des Air: Qu. 22, 73, 76, 78, 81

Druck: Airs à jouer, et à chanter, 1744

73/45   Prelude, Galatée:

Que ne puis-je ex=pi = rer a= prés ce coup

Abschriften: Qu. 22, 52, 76, 78, 81

Druck: Airs à jouer, et à chanter, 1744

73/46   III, 8, Prelude, Neptune:

Je sors de mes grot=tes pro = fon=des

Abschriften des Prélude: Qu. 22, 38, 45, 49, 50, 52, 76

Abschriften des Air: Qu. 22, 76, 78; S-Skma Alströmer saml.

Druck: Airs à jouer, et à chanter, 1744

73/47   Choeur:

Nous ac=cou=rons au seul bruit de ta voix   A = cis, vi = vez de=sor=mais

Abschriften: Qu. 22 (2. Teil), 50

73/48   III, 9, Prelude, Neptune:

Que vo=tre sàng se change

Abschriften: Qu. 22, 49, 50

73/49   Air:

Abschriften: Qu. 22, 31, 38, 41, 45, 46, 48—50, 52, 55, 58, 60, 61, 72, 78; F-Pc X 108

Transkriptionen: F-Pn Rés 1106, 34 (Laute)
                     F-Pc Rés F 844, 62 (Gitarre)

Druck: Ouverture Passacaille & Tous les autres Airs, Roger

Weltl. Parodien, hs.:   GB-Lbl Egerton, 1519, 253: *Je fus autrefois enflammé, & même mon coeur charmé*

Drucke: Par. bach., 1695, 186, 1696, 222, du Fresne, 1696, 110, Nouv. Par. bach., 1700, II, 191: *Je fus autrefois enflammé;* dass. S. Vergier, Oeuvres, 1726, 211

73/50   Passacaille:

Abschriften: Qu. 22, 31, 37, 38, 41, 45—52, 55, 58, 59, 61, 62, 64, 72, 78; F-Pc X 108

Druck: Airs à jouer, et à chanter, 1744

Weltl. Parodie: S-Uu Vok mus ihs 40:3: Den som Kiärlekens söta Lag lyder (Stimmen)

73/51   Une Nayade, Choeur:

Sous ses loix l'a = mour veut qu'on jou = is = se

Abschriften: Qu. 22, 35, 45, 73, 75, 76, 78

Druck: Airs à jouer, et à chanter, 1744

73/52   Flûtes, une Nayade:

Vous qui cro = yez l'A=mour u=ne foi = bles=se

Abschriften: Qu. 22, 49, 73, 76, 78

Drucke: Les Trio, Blaeu, 1691, II, 22
                            Airs à jouer, et à chanter, 1744

73/53   Violons, premiere Nayade, Choeur:

Ten=dres coeurs\con=ser = vez l'es = pe = ran=ce

Abschriften: Qu. 22, 73, 78

Druck: Airs à jouer, et à chanter, 1744

73/54   Flûtes, seconde Nayade:

De = sor =mais on doit ai=mer sans crain=te

Abschriften: Qu. 22, 73, 75, 78

Druck: Airs à jouer, et à chanter, 1744

LWV 74
ACHILLE ET POLIXENE

Bezeichnung:	Tragédie en Musique
Text:	Jean Galbert de Campistron
Erste Aufführung:	7. oder 23. 11. 1687 im Palais Royal
Librettodrucke:	*Achile et Polixene, Tragedie en Musique, représentée par l'Academie Royale de Musique, Paris, Ballard, 1687,* F-Pn (Ouvertüre und erster Akt von Lully, Prolog und Akte II—V von P. Collasse)

       Suivant la copie imprimée à Paris, [Amsterdam] s. n. 1687, F-Pn
       Suivant la copie imprimée à Paris, Amsterdam, A. Wolfgang 1688, D-Tu
       Imprimé à Paris, on les vend à Anvers, H. Van Dunwaldt, 1688, D-F
       s.l.s.n. 1692, D-Hs, dt. Übersetzung von C. H. Postel
       Amsterdam, H. Schelte, 1701, D-Sl
       in: Recueil général des Opera, Paris, Ballard, 1703, F-Pn
       Paris, Ballard, 1712, F-Pn
       in: Recueil des Opera, La Haye, G. de Voys, 1726, D-F

Abschriften: keine

Drucke in Partition générale:	*Achille / et / Polixene, / Tragedie / Dont le Prologue & les quatre der- niers Actes ont esté mis en Musique / Par P. Collasse, / Maistre de Musi- que de la Chapelle du Roy. / Et le premier Acte par feu Mʳ de Lully, Conseiller Secretaire du Roy, / & Sur-Intendant de la Musique de la Chambre de Sa Majesté. / A Paris, / Par Christophe Ballard, seul Impri- meur du Roy pour la Musique, / rüe S. Jean de Beauvais, au Mont Par- nasse. / Et se vend / A la Porte de l'Academie Royalle de Musique, rüe S. Honoré. / M.DC.LXXXVII.*
	Amsterdam, A. Pointel, 1688
Stimmen:	Qu. 21, 29. Ehemals GB-T Ms 46—50 (1703, Philidor, Vokalstimmen), Ms 168—170 (Instrumentalstimmen)
Bemerkung:	Lully komponierte vor seinem Tode nur noch die Ouverture und den 1. Akt. Es scheint jedoch ungewöhnlich, daß im 1. Akt, unterbrochen durch ein Air, eine Chaconne und eine Passacaille aufeinanderfolgen, so daß sich die Frage erhebt, ob nicht Pascal Collasse, der die übrigen Akte vertonte, die Instrumentalsätze in dieser Reihenfolge anordnete.
Literatur:	Girdlestone, La tragédie en musique, 137 f.; Isherwood, Music in the ser- vice, 333 f.

74/1   Ouverture:

Abschriften: Qu. 22, 38, 41, 46, 51, 62, 64; F-V Ms mus 165; F-Pc X 108

74/2   I, 1, Patrocle:

74/3   Patrocle:

74/4   I, 2, Prelude, Achille:

Abschrift: Qu. 22

74/5   I, 4, Prelude, Venus:

Abschriften: Qu. 22, 38

74/6   Chaconne:

Abschriften: Qu. 22, 38

74/7   Venus:

Vous, Di = vi = ni = tez   ai = ma = bles,

74/8   I, 5, Venus et les Graces, Air:

Abschriften: Qu. 22; F-V Ms mus 137; F-Pc X 108

Weltl. Parodien: Par. bach., 1695, 189, 1696, 225, du Fresne, 1696, 112: *Ah! pauvres amants qu'il est court Le plaisir que nous fait goûter l'Amour* (M.R.)
Concerts parodiques, 1721, 34: *Ecoutez la voix des plaisirs* (C-Dur)

74/9   Passacaille:
Qu. 46: Chaconne; Qu. 64: Passacaille d'Achille, derniere Piece de M. de Lully

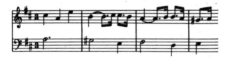

Abschriften: Qu. 22, 38, 41, 46, 51, 60, 64; F-Pc X 108

Transkription: GB-Lbl Add 39569, 244 (Cembalo)

74/10   Une Grace:

Grand Hé = ros, Le Ciel vous est pro = pi = ce

74/11   Deux Graces et un Plaisir:

Quel mor = tel o =sa ja =mais pré = ten = dre

74/12   I, 7, Prelude, Achille:

Ma =nes de ce guer = rier dont je pleu=re le   sort

Abschrift: Qu. 22

496

LWV 75
NICHT DATIERBARE INSTRUMENTALWERKE

75/1   La Generalle de la Garde françoise:

Abschriften: F-V Ms mus 168; F-Pc Rés F 671

75/2   Premier Air de la Marche françoise pour les hautbois faite par M. de
Lully pour M. le Comte de Sery:

Abschriften: F-V Ms mus 168; F-Pc Rés F 671; Qu. 17, 43, 69

75/3   Second Air:

Abschriften: F-V Ms mus 168; F-Pc Rés F 671; Qu. 17, 43, 69

75/4   Air:

Abschriften: F-V Ms mus 168; F-Pc Rés F 671

75/5   La descente des armes (batterie de tambour zu einem Air von A. Danican
Philidor):

Abschriften: F-V Ms mus 168; F-Pc Rés F 671

75/6   Air (Marche):

Abschriften: F-V Ms mus 168; F-Pc Rés F 671

75/7   Air (Marche):

Abschriften: F-V Ms mus 168; F-Pc Rés F 671

75/8   Air (Marche):

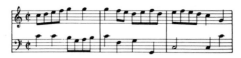

Abschriften: F-V Ms mus 168; F-Pc Rés F 671; Qu. 43

Bemerkung: In Ms mus 168: Philidor l'ainé en a fait les parties, Mr. de Lully ne les ayant pas voulu faire.

75/9   Air (Marche):

Abschriften: F-V Ms mus 168; F-Pc Rés F 671

Bemerkung: In Ms mus 168: Les Parties par Philidor l'ainé.

75/10   Air (Marche):

Abschriften: F-V Ms mus 168; F-Pc Rés F 671; Qu. 24, 43

75/11   Air des hautbois:

Abschriften: Qu. 22, 43: Retraite des mousquetaires
F-V Ms mus 168; F-Pc Rés F 671; Qu. 22, 43

75/12   Marche des Gardes de la Marine faite par Mr. de Lully pour Mr. de Fusica capitaine de lad. compagnie. Air des hautbois:
Qu. 43: Marche des Gardes de Marine du département de Toulon

Abschriften: F-V Ms mus 168; F-Pc Rés F 671; Qu. 43

75/13   Marche des fusilliers:

Abschrift: F-V Ms mus 168

75/14   Marche des dragons de Monterey. Air des hautbois:

Abschriften: F-V Ms mus 168; F-Pc Rés F 671; Qu. 43, 69

75/15   Marche des dragons du Roy:

Abschriften: F-V Ms mus 168; F-Pc Rés F 671; Qu. 22, 69, 70

75/16   Air des Hautbois:

Abschrift: F-V Ms mus 168

Bemerkung: In Philidors Abschriften der *Partitions de plusieurs Marches,* in denen die
                             meisten Märsche Lullys enthalten sind, befinden sich auch die Sätze 32/10
                             und 11, die offenbar auch als Militärmusik verwendet wurden.

75/17   Marche:

Abschrift: Qu. 17

75/18   Marche du Prince d'Orange:

Abschrift: Qu. 17

Weltl. Parodie: Théâtre de la Foire, 1737, IX (Air 81), 198: *Je demeure avec vous d'accord
                             Qu'il fera le diable d'abord*

Literatur: Le Cerf de la Viéville, Comparaison, I, 131

Bemerkung: Nach Le Cerf de la Viéville schrieb Lully diesen Marsch für Wilhelm III.
                             von Oranien.

75/19   Allemande:

Abschriften: F-Pn Rés 1397; Qu. 36, 43, 46, 55, 58, 60, 69

Transkription: F-Pc Rés F 844, 191 (Gitarre)

Druck: Suittes faciles pour une flute ou un violon et basse continue, Amsterdam,
                             Roger, [1703], 2

Bemerkung: Der vorliegende Satz und die folgenden Kompositionen waren vermutlich
                             auch in den beiden verlorenen Bänden der Collection Philidor (Bd. 25,
                             Symphonies und Bd. 55, Airs de danse en partition à 6 parties) enthalten.
                             In Rogers Druck sind die Notenwerte auf die Hälfte reduziert und je-
                             weils zwei Takte zu einem zusammengefaßt.

75/20   Allemande:

Abschriften: Qu. 43, 46, 58

75/21   Allemande:

Abschriften: Qu. 43, 46

75/22   Courante:

Abschriften: Qu. 69; F-Pn Vm⁷ 3555

75/23   Courante:

Abschriften: Qu. 69; F-Pc Vm⁷ 3555

75/24   La belle Courante:

Abschriften: Qu. 17, 69

Transkription: d'Anglebert, Pieces de clavecin, 1689 (Cembalo, mit einem Double)

75/25   Courante:

Abschrift: Qu. 17

75/26   Courante:

Abschrift: Qu. 17

75/27   Courante:

Abschrift: Qu. 17

75/28   Courante:

Abschrift: Qu. 17

75/29   Courante:

Abschriften: Qu. 17; F-Pn Vm⁷ 3555

75/30   Courante:

Abschriften: Qu. 17; F-Pn Vm⁷ 3555

75/31   Courante:

Abschrift: F-Pn Vm⁷ 3555

75/32   Courante:

Abschriften: Qu. 22; F-Pn Vm⁷ 3555

75/33   Courante:

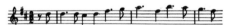

Abschrift: F-Pn Vm⁷ 3555

75/34   Courante:

Abschrift: F-Pn Vm⁷ 3555

75/35   Courante:

Abschrift: F-Pn Vm⁷ 3555
Druck: Philidor, Suite de Danses Pour le Violon, 1699, 10

75/36   Sarabande:

Abschrift: Qu. 17

75/37   Sarabande:

Abschrift: Qu. 17

75/38   Sarabande:

Abschriften: Qu. 43, 46, 58

75/39   Sarabande:
                                 Qu. 18: La Bourrée Sarabande

Abschriften: Qu. 18, 40 (8e divertissement)

75/40   Bourrée:

Abschrift: Qu. 17

75/41   Bourrée:

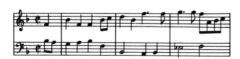

Abschrift: Qu. 43, 46, 58

75/42   Chaconne:

Abschriften: F-Pn Rés 1397; Qu. 22, 43

75/43

Chaconne italienne:

Abschrift:

Qu. 46

75/44

Chaconne:

Abschrift:

Qu. 56

75/45

La bourse:

Abschriften:

Qu. 43, 46, 50; 69 (nur im Inhaltsverzeichnis erwähnt)

75/46

Air:
Qu. 55: Air donné par M. le comte de Brionne; Qu. 43: L'Amitié de M. le comte de Brionne; Qu. 46, 69: L'Air de M. le comte de Breanne; Qu. 60: Air de Mr de Lully

Abschriften:

Qu. 43, 46, 55, 60 (zweimal), 69

75/47

Trio:

Abschrift:

Qu. 39

75/48

Air de trompette:

Abschrift:

Qu. 39

75/49

Air:

Abschrift:

Qu. 39

75/50	Menuet:

Abschrift:	Qu. 39
75/51	La Trivelinade:

Abschriften:	Qu. 40, 46, 55, 58, 60, 69
75/52	Gigue:

Transkription:	d'Anglebert, Pieces de clavecin, 1689 (Cembalo)
75/53	Air:

Transkription:	F-Pc Rés F 844, 60 (Gitarre)
75/54	Air:

Weltl. Parodie:	Les Par. nouv., 1732, 79: *Amis, que ce vin de Champagne Chasse d'icy le chagrin*
75/55	Chaconne:

Abschriften:	Qu. 22; F-Pc X 108

LWV 76
NICHT DATIERBARE WELTLICHE VOKALWERKE

76/1	Ritournelle, Ingratte Bergere:

Text:	Le Président de Périgny

Abschriften:	Qu. 18, 40
Druck:	VII. Livre d'airs de differents autheurs, Paris, Ballard, 1664, 4 (Text) Airs et Vaudevilles, 1665, 20; Bacilly, Recueil, 1666, 107 (M. le Président de Périgny)

76/2   Ritournelle, Air espagnol:

Aun=que pro=di=goas mon=strais del o=ro

Abschrift:	Qu. 40
Bemerkung:	Der verlorene Band 27 der Collection Philidor enthielt *Pièces italiennes et espagnoles de differents auteurs.* Unter den Autoren waren neben Lully auch La Barre und Luigi Rossi. Vermutlich gehörte das vorliegende Air espagnol zu den von Lully geschaffenen Gelegenheitskompositionen, die der in Verlust geratene Band enthielt.

76/3   Ritournelle, Scoca pur tutti:

Sco=ca   pur   tutt'j tuoi   stra=li

Abschriften der Ritournelle:	Qu. 17, 40, 43, 46, 55, 60, 69; GB-Lbl Add 31425, 11
Druck:	Trios de Differents Auteurs, Babel, 1697, II, N°. 9
Abschriften des Air:	Qu. 40; GB-Lbl Add 33235 (c-Moll, im 6/4-Takt notiert)
Drucke:	Airs Italiens composez par les plus celebres Autheurs . . . Recueillis par les Sieurs Fossard & Philidor l'aisné, Iere Partie, Paris, Ballard, 1695, 57 (F-V MSK 1a) Recueil des meilleurs Airs italiens, Qui ont été publiés depuis quelques années, Paris, Ballard, 1708 (B-Bc)
Weltl. Parodien:	d'Urfey, Songs Compleat, Pleasant and Divertive; set to Musick, London, 1719, I, 221: *Life's short Hours, too fast are hasting, Sweet Amours can never, never be lasting;* dass. Wit and Mirth. Pills to Purge Melancholy, London, 1719, I, 221
Literatur:	Le Cerf de la Viéville, Comparaison, II, 184 Mme de Sévigné, Correspondance, hrsg. v. R. Duchêne, II, 8
Bemerkung:	Sowohl d'Urfey als auch le Cerf betonen die Berühmtheit dieses Airs. Nach Le Cerf wurde es für eines der *divertissemens du petit coucher* geschrieben.

76/4   Chanson de Baptiste:

A   la   fin   pe=tit   Des = far=ges vous f . . . . . pour un   es = cu

Abschrift:	GB-Lbl Egerton 1519, 22

76/5   D'un beau pêcheur la pêche malheureuse (Vaudeville):

D'un beau pê=cheur la   pêche mal=heu = reu = se

Geistl. Parodien: Pellegrin: Histoire, 1702, 169: *Du Tout-puissant la vangeance terrible;*
ebd. 376: *Pour adorer l'idole de ce monde;* ebd. 386: *Jeunes beautez, ne livrez pas vos ames;* ebd. 441: *Par le Hebreux la Pâque est celebrée;* ebd. 453, 479, 528
ders. Cantiques spir., 1701 (Airs gravés)
ders. Les Pseaumes, 1705, 50: *Divin Seigneur, ce n'est qu'à vôtre grace;* ebd. 380: *O l'heureux jour, où le peuple fidéle*
ders. Cant. spir., 1726, 57: *Mere d'un Dieu que l'univers adore*
ders. Imitation, 1727, 193: *O mon cher fils;* ebd. 195
Cant. spir., Sens, 1761, 55: *Le Dimanche est pour rendre notre hommage*
Cant. spir., Paris, 1782, 76: *Le monde, en vain, par ses biens et ses charmes*

76/6   Canon à cinq parties de Monsieur de Lully:

Un   ten=dre   coeur, rem = pli d'ar = deur, sans   ton   se=cours

Druck: Concerts parodiques, 1725, II, 78

Bemerkung: Es ist nicht auszuschließen, daß dieser Kanon von einem der Söhne Lullys stammt.

76/7   Courage, Amour, la paix est faite:

Text: Isaac de Benserade

Abschriften: Qu. 43, 58, 60, 69

Druck: (Text) Bacilly, Recueil, 1661, 2

76/8   Italienische Arie: Non vi è più bel piacer:

Literatur: Le Cerf de la Viéville, Comparaison, I, 93, II, 184

Bemerkung: Die Musik dieser Arie ist nicht erhalten.

76/9   Menuet: Le Printemps, aimable Silvie:

Abschrift des Textes: Pierre Perrin, Recueil de Paroles en Musique, 32 (F-Pn Ms fr 2208)

Bemerkung: Die Musik zu diesem Air ist verloren. Sein Text sowie der der folgenden Stücke wurde von Perrin verfaßt.

76/10   Air: Tous les jours cent jeunes Bergeres:

Abschrift des Textes: Pierre Perrin, Recueil de Paroles en Musique, 29 (F-Pn Ms fr 2208)

76/11   Menuet: Viens, mon aymable Bergere, sur la fougere:

Abschrift des Textes: Pierre Perrin, Recueil de Paroles en Musique, 28 (F-Pn Ms fr 2208)

Bemerkung: Die Musik dieses Menuet ist nicht erhalten.

76/12   Qui les sçaura, mes secrettes amours?

Text:	Pierre Perrin (Recueil de Paroles en musique, F-Pn Ms fr 2208)
Drucke:	VII. Livre d'airs de differents autheurs, Paris, Ballard, 1664 (Text) Bacilly, Recueil, 3e partie, 1666, 233 (Air de Mrs. Baptiste et Mou-linié)
Bemerkung:	Nach Bacilly wurde das Air von Lully und Moulinié komponiert.

76/13   Air:

Abschriften:	F-Pn Rés Vma ms 958; Qu. 55, 69

76/14   Air à boire:

Abschrift:	F-Pn Rés Vmf ms 11

76/15   Air:

Abschrift:	F-Pn Rés Vma ms 958, 183

76/16   La langueur des beaux yeux De la jeune Silvie:

Druck:	(Text) Bacilly, Recueil, 3e partie, 1666, 140
Bemerkung:	Musik verschollen.

76/17   On dit que vos yeux sont trompeurs:

Text:	M. le Président de Périgny
Druck:	(Text) Bacilly, Recueil, 3e partie, 1666, 160
Bemerkung:	Nach Bacilly wurde das Air von Lully und Mollier komponiert. Musik verschollen.

76/18   Que vous connoissez peu trop aimable Climene:

Text:	Ph. Quinault
Druck:	(Text) Bacilly, Recueil, 3e partie, 1666, 237
Bemerkung:	Musik verschollen.

76/19	Si je n'ay parlé de ma flamme:
Text:	S. M.
Druck:	(Text) Bacilly, Recueil, 3e partie, 1666, 269
Bemerkung:	Musik verschollen.
76/20	En ces lieux je ne voy que des promenades:
Text:	J.-B. Lully
Druck:	(Text) Bacilly, Recueil, 1668, 157; 1680, 157
Weltl. Parodie:	Bacilly, Recueil, 1668, 157; 1680, 157: *Jouissez tous les jours de vos promenades* (M.L.P.M.)
Bemerkung:	Musik verschollen.
76/21	Ah qu'il est doux de se rendre:
Text:	Ph. Quinault
Druck:	(Text) Bacilly, Recueil, 1668, 196; 1680, 196
Bemerkung:	Musik verschollen.
76/22	J'ai fait serment, cruelle, De suivre une autre loy:
Text:	Ph. Quinault
Druck:	(Text) Bacilly, Recueil, 1668, 227; 1680, 227
Bemerkung:	Musik verschollen.
76/23	Le Printemps ramene la verdure:
Text:	M. M.
Druck:	(Text) Bacilly, Recueil, 1668, 264; 1680, 264
Bemerkung:	Musik verschollen.
76/24	Depuis que l'on soûpire Sous l'amoureux empire:
Text:	Ph. Quinault
Druck:	(Text) Bacilly, Recueil, 1668, 475; 1680, 475
Bemerkung:	Musik verschollen.
76/25	Sans mentir on est bien miserable:
Text:	anonym
Druck:	(Text) Bacilly, Recueil, 1671, 275
Bemerkung:	Musik verschollen.
76/26	Venerabilis barba capucinorum (air à boire):
Abschrift:	Recueil d'airs sérieux et à boire, F-Pn Y 296

LWV 77
NICHT DATIERBARE GEISTLICHE WERKE

Bemerkungen:

Zu den Petits Motets LWV 77/1—13: In der Literatur ist bisher der Catalogue General de tous les Vieux Ballets von Philidor aus dem Jahre 1729 (Bibliothek in Avignon) unbeachtet geblieben. In diesem Katalog stellt Philidor fest: *M. de Lully a fait ces 10 petits Mottets pour les Dames de l'Assomption à Paris.* Durch diese Mitteilung und die eigenhändige Kopie dieser 10 Petits Motets aus dem Jahre 1688 (F-Pn Rés Vmb ms 6, zusammen mit Motetten Carissimis, Roberts u. a.) ist der Hinweis in Brossards handschriftlichem Catalogue, 298, die Motetten stammten von Lullys Schüler Jean-Baptiste Fr. Lallouette, widerlegt. Dank der Hilfe von M. Dominique Julia, der in einem ausführlichen Brief vom 2. 5. 1979 zahlreiche Quellen über diesen Orden im 17. und 18. Jahrhundert aufzählen konnte (Hinweise in den einschlägigen Nachschlagewerken über religiöse Orden fehlen leider) können folgende ergänzende Details mitgeteilt werden: Der Couvent des filles de l'Assomption wurde am 6. 9. 1622 in Paris gegründet und bestand in der Rue Saint Honoré, Nummer 263 (vgl. dazu Jacques Hillairet, Dictionnaire historique des rues de Paris, Paris, 1693, II, 430). Das Kloster war ein beliebter Zufluchtsort für Witwen, verlassene Ehefrauen etc. Nach H. Sauval (Histoire et Recherches des Antiquités de la Ville de Paris, 1724) war der Orden bekannt durch eine hervorragende Musikpflege. So erwähnt er die sonnabendliche Kirchenmusik, der ein zahlreiches Publikum beizuwohnen pflegt, *tant certaines religieuses savoient bien conduire leur voix.* Diese Mitteilung wird bestätigt durch Germain Brice, der 1725 in seinem Buch *Description de la ville de Paris* bemerkt, *parmi ces religieuses il y en a quelques-unes qui ont la voix belle, ce qui attire un grand concours principalement aux ténebres. Le profit des chaises qu'on loue très cher ces jours-là est fort considerable et produit beaucoup.*
Über die von Philidor genannten Petits Motets hinaus enthalten die Abschriften weitere Stücke, die stilistisch den gesicherten Lully-Motetten eng verwandt sind. Sie wurden deshalb unter den Motetten Lullys aufgenommen.

Literatur:

W. P. Cole, The Motets of J.-B. Lully, Diss. Univ. of Michigan, 1967

77/1

Anima Christi:

Abschriften:

F-Pc Rés F 668; Rés F 989; F-Pn Rés Vma ms 574; Rés Vmb ms 6 (Stimmen, Kopie Philidors von 1688); Vm¹ 1170; F-B Ms 13733; ehemals GB-T Ms 1431, jetzt F-Pn Rés 1713; D-B Mus ms 13260; B-BR Ms II 3847, II

Bemerkung:

Diese Motette wird von Philidor in dessen Katalog von 1729 (Avignon) erwähnt.

77/2

Ave coeli munus:

Text:

Pierre Perrin

Abschriften:	F-Pc Rés F 668; Rés F 989; F-Pn Rés Vma ms 574; Rés Vmb ms 6 (Stimmen); Vm¹ 1170; F-B Ms 13733; ehemals GB-T Ms 1431, jetzt F-Pn Rés F 1713; D-B Mus ms 13260; B-BR Ms II 3847, II; DDR-Bs Mus ms Teschner 89, 13
Bemerkung:	Diese Motette wird in Philidors Katalog (Avignon) erwähnt.

77/3   Dixit Dominus:

Abschriften:	F-Pc Rés F 668; Rés F 989; F-Pn Rés Vma ms 574; Rés Vmb ms 6 (Stimmen); Vm¹ 1170; F-B Ms 13733; ehemals GB-T Ms 1430, jetzt F-Pn Rés F 1713; D-B Mus ms 13260; B-BR Ms II 3847, II
Bemerkung:	Diese Motette wird in Philidors Katalog (Avignon) erwähnt.

77/4   Domine salvum fac:

Abschrift:	F-Pn Rés Vma ms 574; B-BR Ms II 3847, II

77/5   Exaudi Deus deprecationem:

Abschrift:	B-BR Ms II 3847, II

77/6   Iste Sanctus:

Abschrift:	ehemals GB-T Ms 1431, 47—53, jetzt F-Pn Rés F 1713

77/7   Laudate pueri dominum:

Abschriften:	F-Pc Rés F 668; Rés F 989; F-Pn Rés Vma ms 574; Rés Vmb ms 6 (Stimmen); Vm¹ 1170; F-B Ms 13733; ehemals GB-T Ms 1430, jetzt F-Pn Rés F 1713; D-B Mus ms 13260; B-BR Ms II 3847, II
Bemerkung:	Diese Motette wird in Philidors Katalog (Avignon) erwähnt.

77/8   Magnificat anima mea:

Abschrift: B-BR Ms II 3847, II

77/9   O dulcissime Domine:

Abschriften: F-Pc Rés F 668; Rés F 989; F-Pn Rés Vma ms 574; Rés Vmb ms 6 (Stim-
              men); Vm¹ 1170; F-B Ms 13733; ehemals GB-T Ms 1430, jetzt F-Pn Rés
              F 1713; D-B Mus ms 13260; B-BR Ms II 3847, II

Bemerkung: Diese Motette wird in Philidors Katalog (Avignon) erwähnt.

77/10   Omnes gentes plaudite:

Abschriften: F-Pc Rés F 668; Rés F 989; F-Pn Rés Vma ms 574; Rés Vmb ms 6 (Stim-
              men); Vm¹ 1170; F-B Ms 13733; ehemals GB-T Ms 1431, jetzt F-Pn Rés
              F 1713; D-B Mus ms 13260; B-BR Ms II 3847, II

Bemerkung: Diese Motette wird in Philidors Katalog (Avignon) erwähnt.

77/11   O sapientia in misterio:

Abschriften: F-Pc Rés F 668; Rés F 989; F-Pn Rés Vma ms 574; Rés Vmb ms 6 (Stim-
              men); Vm¹ 1170; F-B Ms 13733; ehemals GB-T Ms 1431, jetzt F-Pn Rés
              F 1713; D-B Mus ms 13260; B-BR Ms II 3847, II

Bemerkung: Diese Motette wird in Philidors Katalog (Avignon) erwähnt.

77/12   Regina coeli:

Abschriften: F-Pc Rés F 668; Rés F 989; F-Pn Rés Vma ms 574; Rés Vmb ms 6 (Stim-
              men); Vm¹ 1170; F-B Ms 13733; ehemals GB-T Ms 1431, jetzt F-Pn Rés
              F 1713; D-B Mus ms 13260; Mus ms 13260/5 (neuer Text: Cor meum eia
              laetare)

Bemerkung: Diese Motette wird in Philidors Katalog (Avignon) erwähnt.

77/13   Salve Regina:

Abschriften: F-Pc Rés F 668; Rés F 989; F-Pn Rés Vma ms 574; Rés Vmb ms 6 (Stimmen); Vm¹ 1170; F-B Ms 13733; ehemals GB-T Ms 1430, jetzt F-Pn Rés F 1713; D-B Mus ms 13260; B-BR Ms II 3847, II; DDR-Bs Mus Teschner 89, 17

Bemerkung: Diese Motette wird in Philidors Katalog (Avignon) erwähnt.

77/14   Domine salvum fac regem (Grand Motet):

Abschriften: F-Pc Rés F 668; Rés F 989; F-Pn Rés Vma ms 574; Rés Vmb ms 6 (Stimmen); Vm¹ 1170; F-B Ms 13733; ehemals GB-T Ms 1431, jetzt F-Pn Rés F 1713; D-B Mus ms 13260; B-BR Ms II 3847, II

Bemerkung: Diese Motette wird in Philidors Katalog (Avignon) erwähnt.

77/15   Exaudiat te Dominus (Grand Motet):

Abschriften: F-Pc Rés F 669; F-Pn Rés Vma ms 574; Vm¹ 1170; Vm¹ 1048 (Stimmen); ehemals GB-T Ms 1402—1405, 1416—1419 (Stimmen); D-B Mus ms 13260

77/16   Jubilate Deo omnis terra (Grand Motet):

Abschrift: F-Pc Rés 1110, II, 197 ff.

77/17   Notus in Judea Deus (Grand Motet):

Abschriften: F-Pc Rés F 669; F-Pn Rés Vma ms 574; Vm¹ 1170; Vm¹ 1047 (Stimmen); D-B Mus ms 13260

77/18	Air: Il faut périr, pécheur
Literatur:	Le Cerf de la Viéville, Comparaison II, 178
Bemerkung:	Die Musik dieses Air ist nicht erhalten. Le Cerf bemerkt, Lully habe es einem Ondit zufolge auf seinem Totenbett komponiert. Er nehme jedoch an, es sei bereits früher entstanden.

LWV 78
WERKE, DIE VERMUTLICH VON LULLY STAMMEN

78/1   Adieu de Mademoiselle:

Abschriften: Qu. 43, 46, 55, 60

78/2   Marche des Fanatiques:

Geistl. Parodie: Opéra spirituel, 1710, 51: *Quel amour Pour nous le premier Etre*

78/3   Amarillis, Sarabande:

Abschriften: Qu. 22, 43

78/4   Sarabande:

Abschriften: Qu. 43, 55

78/5   Sarabande:

Abschriften: Qu. 46, 66

78/6   La Niert, Sarabande:

Abschrift: Qu. 43

78/7   Gigue:

  Abschriften: Qu. 43, 46, 66

78/8   Gigue:

  Abschrift: Qu. 43

78/9   Air:

  Abschrift: Qu. 43

78/10   Menuet en trio:

  Abschrift: Qu. 37

78/11   Ouverture de la convalescence du Roy:

  Abschrift: Qu. 78

78/12   Entrée:

  Abschrift: Qu. 78

78/13   Menuet:

  Abschrift: Qu. 78

78/14   Petite chaconne italienne:

  Abschrift: Qu. 43

78/15	L'Allarme:

Abschrift:	Qu. 43

78/16	Croissez, croissez, jeunes raisins:

Abschriften:	Qu. 22, 35, 46, 60, 65, 69
Weltl. Parodie, hs.:	Chansonnier Maurepas 12621, 117 (1687, sur le comte du Charmel, capitaine des cent Gentils-hommes): *Jouez, jouez, charmant Charmel, Rendez vôtre memoire illustre dans la France*

WERKE, DIE VON FREMDER HAND ZUSAMMENGESTELLT WURDEN

LWV 79
FRAGMENTS DE MONSIEUR DE LULLY

Bezeichnung:	Ballet
Bearbeiter des Textes:	Antoine Danchet
Bearbeiter der Musik:	André Campra
Erste Aufführung:	10. 9. 1702
Librettodrucke:	*Fragments / de Monsieur de Lully, / ballet, Paris, Chr. Ballard,* 1702 F-Pn Rés Yf 1702 und 2126 dass. in: Recueil général des Opera, Ballard, 1703, VII, F-Pn (ohne Prolog, trois nouvelles Entrées ajoutées en differents temps von Danchet u. Campra) Paris, Ballard, 1709, F-Pn
Abschrift in Partition réduite:	F-Pc Cons X 1090
Stimmen:	S-Uu Vok mus ihs 61:1
Druck in Partition réduite:	*Fragments / de Monsieur de Lully, / Ecuyer, Conseiller-Secretaire du Roy, Maison, Couronne de France / & de ses Finances; Et Sur-Intendant de la Musique / de Sa Majesté. / Ballet, Representé, pour la premiere fois, / Par l'Academie Royale de Musique, / Le Dimanche dixiéme jour de Septembre 1702. / A Paris, / Chez Christophe Ballard, seul Imprimeur du Roy pour la Musique. / ruë Saint Jean de Beauvais, au Mont-Parnasse. / M.DCCII. / Avec Privilege de Sa Majesté*

79/1	Identisch mit 42/1

79/2—9	Identisch mit 47/4—11

79/10	Identisch mit 40/35

79/11   Menuet:

Abschriften: Qu. 49, 50, 63

79/12   Choeur:

79/13—14   Identisch mit 43/4—5

79/15   Prelude:

79/16   Identisch mit 42/4

79/17   Identisch mit 42/2

   Bemerkung: Campra fügte dem Original neue Violinstimmen hinzu.

79/18   Identisch mit 32/14

79/19—20   Identisch mit 42/33, 28

79/21   Identisch mit 30/3

79/22   Identisch mit 32/24

79/23   Identisch mit 42/21

79/24   Identisch mit 18/26

79/25—26   Identisch mit 32/6, 8

79/27—29   Identisch mit 9/54—56

79/30—32   Identisch mit 21/20—22

   Bemerkung: Die Ritournelle 79/30 weicht von jener Fassung in den Abschriften des
                         Ballet des Amours déguisés ab.

79/33   Identisch mit 32/27

79/34—35   Identisch mit 33/5—6

79/36   Philene:

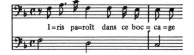

79/37	Identisch mit 27/32
Bemerkung:	Anstelle der Ritournelle Lullys setzte Campra die instrumentale Fassung des Récit.
79/38—40	Identisch mit 33/9—11
79/41—42	Identisch mit 43/37, 38
79/43	Identisch mit 40/39
79/44	Identisch mit 22/21
79/45	Identisch mit 36/4
79/46	Identisch mit 27/5
79/47	Identisch mit 22/5
79/48—49	Identisch mit 38/2—3
79/50	Identisch mit 43/39
79/51	Identisch mit 40/39
79/52	Identisch mit 32/19

79/53 Un Bohemien et une Bohemienne:

Bemerkung: Laut Angabe in dem Druck von 1702 soll diese Szene aus dem *Ballet des Amours déguisés* stammen. Es ist aber dort nicht vorhanden, und der Text fehlt im Librettodruck dieses Balletts.

79/54 Identisch mit 9/4

79/55 La Bohemienne:

79/56	Identisch mit 32/16
79/57—58	Identisch mit 33/12—13
79/59	Identisch mit 32/13
79/60	Identisch mit 35/3

79/61 Choeur:

79/62   Identisch mit 27/20

Bemerkung: Nach diesem Satz folgt eine bearbeitete Fassung von Robert Camberts *Trio de Cariselli,* das bis in die jüngste Gegenwart immer wieder Lully zuge-schrieben wurde. Cambert hatte das beliebte Stück bereits 1666 zu Bré-courts *Jaloux invisible* geschrieben.

79/63   Cariselli:

Bemerkung: Diesen Satz hat A. Campra komponiert, vgl. Concerts parodiques, 1730, III, 13

79/64   Les trois Pantalons:

Komponist: R. Cambert

79/65   Les trois Pantalons:

Bemerkung: Campra hat den Text Camberts neu vertont.

79/66   Identisch mit 22/27

79/67   Identisch mit 29/1

79/68   Vafrina:

Komponist: A. Campra

79/69   Identisch mit 32/18

79/70   Air des Scaramouches:

Komponist: vermutlich A. Campra

LWV 80
POURCEAUGNAC, DIVERTISSEMENT COMIQUE

Bezeichnung:	Divertissement comique
Druck:	Vgl. *LWV 41*
82/1—12	Identisch mit 52/12—23
Bemerkung:	Vgl. *LWV 41*

ANHANG

FÄLSCHLICH ZUGESCHRIEBENE WERKE

1 Ground:

Druck:	The First part of the division violin, London, Playford, 1701
Komponist:	unbekannt

2 Almand:

Slow Aire:

Courant:

Minuet:

Jigg:

Almand:

Courant:

Saraband:

Gavot:

Minuet, Rondo:

Aire:

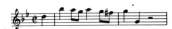

Druck: Lessons / for the / Harpsichord or Spinet / . . . By Mr. Baptiste Lully, London, D. Wright, s. d.

Komponist: Jean-Baptiste Loeillet

3   Prelude 5me Suitte en B mineur:

Allemande:

Courante:

Tombeau:

Gigue:

Allemande:

Rondeau:

Autre Rondeau:

ohne Titel:

Abschrift:	GB-Lbl Add 39569, 24—30 (Handschrift, 1702, aus dem Besitz von William Babell)
Bemerkung:	Diese Suite ist in der Abschrift überschrieben: Pieces de Mr. Baptiste.
Komponist:	unbekannt

4   Allemande:

Courante:

Minuett:

Almand:

Courant:

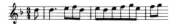

Minuett:

Abschrift:	A collection of Lessons set for the Harpsichord, GB-Lbl Add 31467, 99—101, 161—163
Komponist:	unbekannt

5   A Favourite Minuet:

Drucke:	The harpsichord Illustrated and Improv'd, London, Walsh, Nᵒ 516, 12 (a-Moll)
	Instructions for the hautboy, London, Perth, s. d., 17 (h-Moll)
	The gentleman's agreable companion for the German flute, s. d., 17 (h-Moll)
	A Favourite Minuet Set by Mr. Lully, London, R. Falkener, Nᵒ. 45, s. d. (a-Moll)
Komponist:	unbekannt

6   Minuet:

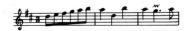

Druck: The Harpsichord Illustrated and Improv'd, London, Walsh, N° 516, 8
Komponist: unbekannt

7   Cantus Sur la Prima Chianzu da Chinqu'aisma de Monsr de Lully:

O spiert san=ti=sam ve   súr   nús

Abschrift: GB-Lbl Add 27573, 14
                Cantus Sur ilg. Psalm LXIV. Da Monsieur de Lully:

Ach spourtz O Dieu la ra=glia   ti = a

Abschrift: ebd. 18
                Cantus Sur il Psalm 119. Ex Monsieur de Lully:

Be = o et   ven = tü=rai   vel pog=nir

Abschrift: ebd. 31
                Cantus Ex Monsr. de Lully: Sur il Psalm 145:

E   au voelg te   E=xal=taer mi=eu Raig

Abschrift: ebd. 33
                Cantus: Ex Lulio Sur la Canzun da Noazas A tuot A laig:

Abschrift: ebd. 37
Komponist: unbekannt

ÜBERBLICK ÜBER DIE ALTE GESAMTAUSGABE UND DIE IN DEN CHEFS-D'OEUVRE CLASSIQUES DE L'OPÉRA FRANÇAIS EDIERTEN KLAVIERAUSZÜGE

Jean-Baptiste Lully, Oeuvres complètes, publiées sous la direction de Henry Prunières, Paris, Editions de la Revue Musicale, 1933—1939, Reprint, New York, Broude Brothers, 1966

Les Opéras
Vol. I   Cadmus et Hermione
Vol. II   Alceste
Vol. III Amadis

Les Ballets
Vol. IV   Ballet du Temps, Ballet des Plaisirs, Ballet de l'Amour malade
Vol. V   Ballet d'Alcidiane, Ballet des Gardes, Ballet de Xerxès

Les Motets
Vol. VI   Miserere
Vol. VII Plaude laetare, Te Deum, Dies irae

Les Comédies-ballets
Vol. VIII Le Mariage forcé, l'Amour médicin
Vol. IX   Les Plaisirs de l'Ile enchantée, la Pastorale comique, le Sicilien, le grand Divertissement de Versailles (George Dandin)
Vol. X   Monsieur de Pourceaugnac, Le Bourgeois Gentilhomme, les Amants magnifiques

In den Chefs-d'oeuvre classiques de l'opéra français erschienen in den Jahren 1876 bis 1892 unter der Leitung von Th. de Lajarte in Paris bei dem Verlag Michaelis folgende Opern, teilweise gekürzt: Alceste, Armide, Atys, Bellérophon, Cadmus et Hermione, Isis, Persée, Phaéton, Proserpine, Psyché und Thésée.

SYSTEMATISCHER ÜBERBLICK ÜBER DIE WERKE VON LULLY

A.   BÜHNENWERKE

I.   *Ballets, Mascarades, Intermèdes*

Ballet du Temps	LWV 1
Ballet des Plaisirs	LWV 2
Ballet des Bienvenus	LWV 4
Ballet de la Revente des habits	LWV 5
Ballet de Psyché	LWV 6
La Galanterie du Temps, Mascarade	LWV 7
Ballet de l'Amour malade	LWV 8
Ballet d'Alcidiane	LWV 9
Ballet de la Raillerie	LWV 11
Xerxès, Intermèdes	LWV 12
Ballet de Toulouse	LWV 13
Ballet de l'Impatience	LWV 14
Ballet des Saisons	LWV 15
Hercule amoureux und Ballet des sept Planètes	LWV 17
Ballet des Arts	LWV 18
Les Noces de Village, Mascarade ridicule	LWV 19
Les Amours déguisés	LWV 21
Entr'actes d'Oedipe	LWV 23
Mascarade du Capitaine ou l'Impromptu	LWV 24
Ballet de la Naissance de Vénus	LWV 27
Ballet des Gardes ou les Délices de la campagne	LWV 28
Le Triomphe de Bacchus dans les Indes, Mascarade	LWV 30
Ballet des Muses	LWV 32
Le Carnaval Mascarade	LWV 36
Ballet de Flore	LWV 40
Ballet des Ballets	LWV 46
Le Carnaval Mascarade	LWV 52
Le Triomphe de l'Amour	LWV 59
Le Temple de la Paix	LWV 69
Fragments de M. de Lully	LWV 79
Pourceaugnac, Divertissement comique	LWV 80

II.   *Comédies-ballets, Tragédie-ballet, Pastorales, Idylle, Eglogue*

Les Fâcheux	LWV 16
Le Mariage forcé	LWV 20
Les Plaisirs de l'Ile enchantée	LWV 22
L'Amour médecin	LWV 29
Pastorale comique	LWV 33
Le Sicilien	LWV 34
Le grand Divertissement Royal de Versailles, George Dandin	LWV 38
La Grotte de Versailles, églogue en musique	LWV 39
Divertissement de Chambord, Monsieur de Pourceaugnac	LWV 41
Le Divertissement Royal, les Amants magnifiques	LWV 42
Le Bourgeois Gentilhomme	LWV 43
Psyché, Tragédie-ballet	LWV 45
Les Fêtes de l'Amour et de Bacchus	LWV 47
Idylle sur la Paix	LWV 68
Acis et Galatée, pastorale héroïque	LWV 73

III. *Tragédies en musique*

Cadmus et Hermione	LWV 49
Alceste	LWV 50
Thésée	LWV 51
Atys	LWV 53
Isis	LWV 54
Psyché	LWV 56
Bellérophon	LWV 57
Proserpine	LWV 58
Persée	LWV 60
Phaéton	LWV 61
Amadis	LWV 63
Roland	LWV 65
Armide	LWV 71
Achille et Polixène	LWV 74

B. INSTRUMENTALWERKE

I.	Marches	LWV 10, 44, 48, 66, 75
II.	Branles	LWV 31
III.	Trio de la Chambre du Roi	LWV 35
IV.	Plusieurs pièces de symphonie	LWV 70
V.	Airs pour le Carrousel de Monseigneur	LWV 72
VI.	Tänze	LWV 75
VII.	Instrumentalwerke, die vermutlich von Lully stammen	LWV 78

C. WELTLICHE VOKALWERKE   LWV 3, 76, 78

D. GEISTLICHE WERKE

I.	Miserere	LWV 25
II.	O lacrymae	LWV 26
III.	Plaude laetare	LWV 37
IV.	Te Deum	LWV 55
V.	De profundis	LWV 62
VI.	Dies irae	LWV 64/1
VII.	Benedictus	LWV 64/2
VIII.	Quare fremuerunt	LWV 67
IX.	Nicht datierbare Petits Motets, Grands Motets und ein geistliches Air	LWV 77

VERZEICHNIS DER TITEL UND TITELVARIANTEN

Achille et Polixène   LWV 74
Acis et Galatée   LWV 73
Alceste   LWV 50
Alcidiane et Polexandre = Ballet d'Alcidiane
   LWV 9
Amadis   LWV 63
Amadis de Gaule = Amadis   LWV 63
Les Amants magnifiques = Le Divertissement
   royal LWV 42
Amor malato = Ballet de l'Amour malade
   LWV 8
L'Amour malade = Ballet de l'Amour malade
   LWV 8
L'Amour médecin   LWV 29
L'Amour peintre = Le Sicilien ou l'Amour
   peintre LWV 33
Les Amours déguisés   LWV 21
Andromède et Persée = Persée   LWV 60
Armide   LWV 71
Atys   LWV 53

Ballet d'Alcidiane   LWV 9
Ballet de Chambord = Le Bourgeois Gentil-
   homme   LWV 43
Ballet de Créquy = Le Triomphe de Bacchus
   dans les Indes   LWV 30
Ballet de Flore   LWV 40
Ballet de Fontainebleau en 1661 = Ballet des Sai-
   sons   LWV 15
Ballet de Fontainebleau en 1664 = Entr'actes
   d'Oedipe   LWV 23
Ballet de Fontainebleau en 1685 = Le Temple de
   la Paix   LWV 69
Ballet de l'Amour malade   LWV 8
Ballet de la Naissance de Vénus   LWV 27
Ballet de l'année 1664 = Les Plaisirs de l'île en-
   chantée   LWV 22
Ballet de la Princesse d'Elide = Les Plaisirs de
   l'île enchantée   LWV 22
Ballet de la Princesse d'Eriphile = Les Plaisirs
   de l'île enchantée   LWV 22
Ballet de la Raillerie   LWV 11
Ballet de la Revente des habits de ballet   LWV
   5
Ballet de l'Impatience   LWV 14
Ballet de M. de Créquy = Le Triomphe de Bac-
   chus dans les Indes   LWV 23
Ballet de Paris dit du Cardinal = Les Amours
   déguisés   LWV 21
Ballet de Pourceaugnac = Divertissement de
   Chambord, M. de Pourceaugnac   LWV 41
Ballet de Psyché   LWV 6
Ballet de Saint Germain = Ballet des Muses
   LWV 32
Ballet de Saint Germain en 1670 = Le Divertis-
   sement royal   LWV 42

Ballet des Arts   LWV 18
Ballet des Ballets   LWV 46
Ballet des Bienvenus   LWV 4
Ballet de Sceaux = Idylle sur la paix   LWV 68
Ballet des Délices de la campagne = Ballet des
   Gardes   LWV 28
Ballet des Fâcheux = Les Fâcheux   LWV 16
Ballet des Gardes ou les Délices de la campagne
   LWV 28
Ballet des Muses   LWV 32
Ballet des Plaisirs   LWV 2
Ballet des quatre Saisons = Ballet des Saisons
   LWV 15
Ballet des Saisons   LWV 15
Ballet des sept Arts libéraux = Ballet des Arts
   LWV 18
Ballet des sept Planètes = Hercule amoureux
   LWV 17
Ballet de Toulouse   LWV 13
Ballet de Versailles en 1658 = Ballet d'Alcidiane
   LWV 9
Ballet de Versailles en 1668 = Le Grand Diver-
   tissement royal de Versailles   LWV 38
Ballet de Vincennes en 1663 = Les Noces de
   Village   LWV 19
Ballet d'Hercole amante = Hercule amoureux
   LWV 17
Ballet d'Hercule amoureux — Hercule amoureux
   LWV 17
Ballet d'Oedipe = Entr'actes d'Oedipe   LWV
   23
Ballet du Cardinal = Les Amours déguisés
   LWV 21
Ballet du Carnaval = Le Carnaval Mascarade
   (1668)   LWV 36
Ballet du Palais royal 1660 = Xerxès   LWV 12
Ballet du Roi en 1657 = Ballet de l'Amour ma-
   lade   LWV 8
Ballet du Roi en 1664 = Entr'actes d'Oedipe
   LWV 23
Ballet du Roi en 1664 = Les Amours déguisés
   LWV 21
Ballet du Roi en 1664 = Les Amours déguisés
   LWV 21
Ballet du Roi en 1670 = Divertissement royal,
   les Amants magnifiques   LWV 42
Ballet du Temps   LWV 1
Ballet du Triomphe de Bacchus = Le Triomphe
   de Bacchus dans les Indes   LWV 30
Ballet royal dancé par leurs majestés entre les
   actes de la tragédie d'Hercule amoureux =
   Hercule amoureux   LWV 17
Ballet royal en 1666 = Ballet de la Naissance de
   Vénus   LWV 27
Bellérophon LWV 57
Le Bourgeois Gentilhomme LWV 43

Cadmus et Hermione   LWV 49
Le Carnaval = Le Carnaval Mascarade   LWV 36 und 52
Le Carnaval Mascarade   LWV 36 und 52

Divertissement de Chambord, M. de Pourceaugnac   LWV 41
Divertissement des guerriers en 1657 = Ballet de l'Amour malade   LWV 8
Le Divertissement royal en 1670 = Le Divertissement royal, les Amants magnifiques   LWV 42
Le Divertissement royal, les Amants magnifiques   LWV 42

Eglogue de Versailles = la Grotte de Versailles   LWV 39
Entr'actes d'Oedipe   LWV 23

Les Fâcheux   LWV 16
La Fête de Versailles = Le grand Divertissement royal de Versailles   LWV 38
Les Fêtes de l'Amour et de Bacchus   LWV 47
Fragments de M. de Lully   LWV 79

Galatée = Acis et Galatée   LWV 73
George Dandin = Le grand Divertissement royal de Versailles   LWV 38
La Galanterie du Temps   LWV 7
Le Grand Ballet = Le Divertissement royal, les Amants magnifiques   LWV 42
Le Grand Divertissement royal de Versailles, George Dandin   LWV 38
La Grotte de Versailles, églogue en musique   LWV 39

Hercule amoureux   LWV 17

Idylle de Sceaux = Idylle sur la paix   LWV 68
Idylle sur la paix   LWV 68
L'Impromptu = Mascarade du capitaine   LWV 24
Impromptu de Versailles ou Ballet des Gardes = Ballet des Gardes ou les Délices de la campagne LWV 28
Impromptu de Versailles ou Mascarade en 1665 = Ballet des Gardes ou les Délices de la campagne LWV 28
Isis   LWV 54

Les Jeux Pithiens = Le Divertissement royal, les Amants magnifiques   LWV 42

Le Mariage forcé   LWV 20
La Mascarade = Le Carnaval Mascarade   LWV 36 und 52
Mascarade Carnaval = Le Carnaval Mascarade   LWV 36 und 52
Mascarade de Versailles en 1658. Comédie des Gardes. Alcidiane = Ballet d'Alcidiane   LWV 9

Mascarade de Versailles en 1668 = Le Carnaval Mascarade   LWV 36 und 52
Mascarade de Versailles ou l'Impromptu en 1665 = Ballet des Gardes ou les Délices de la campagne   LWV 28
Mascarade du Capitaine ou l'Impromptu   LWV 24
Mascarade du Carnaval = Le Carnaval Mascarade LWV 52
Mascarade ridicule à Vincennes en 1663 = Les Noces de Village   LWV 19
Mascarade royale en 1668 = Le Carnaval Mascarade   LWV 36 und 52
M. de Pourceaugnac = Le Divertissement de Chambord, M. de Pourceaugnac   LWV 41

La Naissance de Vénus = Ballet de la Naissance de Vénus   LWV 27
La Noce de Village = Les Noces de Village   LWV 19
Les Noces de Village   LWV 19

Oedipe = Entr'actes d'Oedipe   LWV 23
L'Orangerie de Sceaux = Idylle sur la paix   LWV 68

Pastorale comique   LWV 33
Persée   LWV 60
Le petit Ballet de Fontainebleau en 1664 = Entr'actes d'Oedipe   LWV 23
Le petit Régal de Versailles = Le Grand Divertissement royal de Versailles   LWV 38
Les Plaisirs de l'Ile enchantée   LWV 22
Pourceaugnac, Divertissement comique   LWV 80
La Princesse d'Elide = Le Divertissement royal, les Amants magnifiques   LWV 42
Proserpine   LWV 58
Psyché = Le Ballet de Psyché   LWV 6 oder LWV 45 oder 56
La Puissance de l'Amour = Psyché   LWV 6

Le Régal de Versailles = Le Grand Divertissement royal de Versailles   LWV 38
Roland   LWV 65

Le Sicilien   LWV 34

Le Temple de la Paix   LWV 69
Thésée   LWV 51
Le Triomphe d'Alcide = Alceste   LWV 50
Le Triomphe de Bacchus dans les Indes   LWV 30
Le Triomphe de l'Amour   LWV 59
Trios de la Chambre du Roi   LWV 35
Trios pour le coucher du Roi = Trios de la Chambre du Roi   LWV 35
Trios pour le petit coucher du Roi = Trios de la Chambre du Roi   LWV 35

Xerxès   LWV 12

ADDENDA UND CORRIGENDA

27/41
  Transkription: US-BE Ms Parville (Cembalo)

33/1
  Abschrift: DDR-Dl (b) Mus 1827-F-33 (Stimmen)

33/3
  Abschrift: DDR-Dl (b) Mus 1827-F-33 (Stimmen)

35/4
  Transkriptionen: US-BE de La Barre Ms 11 und Ms Parville (Cembalo)
  Druck: Airs sérieux et à boire, Ballard 1712

37
  Abschrift: DDR-Dl (b) Mus 1827-D-2

38/7, 14
  Abschrift: DDR-Dl (b) Mus 1827-F-33 (Stimmen)

39/1
  Transkriptionen: US-BE Ms Menetou, Ms Parville, DDR-SWl Clavir-Buch (Cembalo)

40/2, 3
  Abschriften: F-V Ms mus 65/1 und 3

40/14, 18
  Abschrift: DDR-Dl (b) Mus 1827-F-33 (Stimmen)

42/16
  Abschrift: DDR-Dl (b) Mus 1827-F-33 (Stimmen)

42/26
  Abschriften: F-V Ms mus 65/1 und 3

43/1
  Abschrift: DDR-Dl (b) Mus 1827-F-33 (Stimmen)
  Transkriptionen: US-BE Ms Menetou, DDR-SWl Clavir-Buch (Cembalo)

43/7, 23
  Abschrift: DDR-Dl (b) Mus 1827-F-33 (Stimmen)

43/27
  Transkription: US-BE Ms Parville (Cembalo)

43/36
  Transkription: US-BE de La Barre Ms 11 (Cembalo)

45/25
  Transkription: US-BE Ms Parville (Cembalo)

45/36
  Transkriptionen: US-BE Ms Parville (Cembalo, zwei Fassungen)

47/4
  Abschrift: F-V Ms mus 65/2

47/5, 9
    Abschrift: DDR-Dl (b) Mus 1827-F-33 (Stimmen)

47/10, 11
    Abschrift: F-V Ms mus 65/2

47/29, 40
    Abschrift: DDR-Dl (b) Mus 1827-F-33 (Stimmen)

49
    Stimme: F-Pn Rés Vma ms 956 (Vokalstimme)

49/1
    Abschrift: DDR-Dl (b) Mus 1827-F-2 (Stimmen)

49/2
    Abschriften: F-V Ms mus 65/1 und 3

49/6
    Abschriften: F-V Ms mus 65/1, 2 und 3

49/10
    Abschrift: DDR-Dl (b) Mus 1827-F-2 (Stimmen)

49/16
    Abschrift: US-BE Ms Menetou (Vokalstimme)

49/34, 36, 42
    Abschrift: DDR-Dl (b) Mus 1827-F-2 (Stimmen)

49/43
    Abschrift: F-V Ms mus 65/1 und 3

49/44, 47
    Abschrift: DDR-Dl (b) Mus 1827-F-2

50/1
    Transkription: US-BE Ms Menetou (Cembalo)

50/2
    Abschriften: F-V Ms mus 65/1, 2 und 3

50/3, 5—7, 12, 15
    Abschriften: F-V Ms mus 65/1 und 3

51/1
    Abschrift: DDR-Dl (b) Mus 1827-F-8 (Stimmen)

51/5
    Abschrift: DDR-Dl (b) Mus 1827-F-8 (Stimmen)
    Transkription: US-BE Ms Parville (Cembalo)

51/7
    Abschrift: DDR-Dl (b) Mus 1827-F-8 (Stimmen)
    Transkription: US-BE Ms Parville (Cembalo)

51/9
    Abschriften: F-V Ms mus 65/1 und 3

51/12, 14
    Abschrift: DDR-Dl (b) Mus 1827-F-8 (Stimmen)

51/27
    Abschriften: F-V Ms mus 65/1 und 3, DDR-Dl (b) Mus 1827-F-8 (Stimmen)

51/28, 29
    Abschriften: F-V Ms mus 65/1 und 3

51/30
    Transkriptionen: US-BE Ms Parville, DDR-SWl Clavir-Buch (Cembalo)
                                    F-Pn Rés 2094 (Orgel)

51/32, 39, 41
    Abschrift: DDR-Dl (b) Mus 1827-F-8 (Stimmen)

51/50, 53, 55, 64
    Abschrift: DDR-Dl (b) Mus 1827-F-8 (Stimmen)

51/65
    Abschrift: DDR-Dl (b) Mus 1827-F-8 (Stimmen)
    Transkription: US-BE Ms Parville (Cembalo)

51/76, 79
    Abschrift: DDR-Dl (b) Mus 1827-F-8 (Stimmen)

53
    Exzerpte: US-BE de La Barre Ms 10, 211—241 (Symphonies)

53/1
    Abschrift: DDR-Dl (b) Mus 1827-F-6 (Stimmen, zwei verschiedene Suiten)

53/2, 3
    Abschriften: F-V Ms mus 65/1, 2 und 3

53/4
    Abschriften: F-V Ms mus 65/2, DDR-Dl (b) Mus 1827-F-6 (Stimmen)

53/5, 6, 7
    Abschriften: F-V Ms mus 65/1 und 3

53/9, 12
    Abschriften: DDR-Dl (b) Mus 1827-F-6 (Stimmen)

53/13, 14
    Abschriften: F-V Ms mus 65/1 und 3

53/34, 35, 36, 38, 42, 46, 47
    Abschrift: DDR-Dl (b) Mus 1827-F-6 (Stimmen)

53/48
    Abschrift: F-V Ms mus 65/2

53/54
    Abschrift: DDR-Dl (b) Mus 1827-F-6 (Stimmen)

53/55
  Abschriften: F-V Ms mus 65/1 und 3

53/58
  Abschrift: DDR-Dl (b) Mus 1827-F-6 (Stimmen)
  Transkriptionen: US-BE Ms Menetou, Ms Parville, DDR-SWl Clavir-Buch (Cembalo)

53/60
  Abschrift: DDR-Dl (b) Mus 1827-F-6 (Stimmen)
  Transkriptionen: US-BE Ms Menetou, DDR-SWl Clavir-Buch (Cembalo)

53/62, 70, 73, 77, 79
  Abschrift: DDR-Dl (b) Mus 1827-F-6 (Stimmen)

53/85
  Abschrift: DDR-Dl (b) Mus 1827-F-6 (Stimmen)
  Transkription: US-BE Ms Menetou (Cembalo)

53/86, 87
  Abschrift: DDR-Dl (b) Mus 1827-F-6 (Stimmen)

54
                                  S. 299, Abschriften Zeile 7, S-Skma

54/1
  Transkriptionen: US-BE Ms Menetou, Ms Parville, DDR-SWl Clavir-Buch (Cembalo)

54/2, 3, 6, 7, 9, 13
  Abschriften: F-V Ms mus 65/1 und 3

54/23
  Abschriften: F-V Ms mus 65/1, 2 und 3

54/24
  Abschriften: F-V Ms mus 65/1 und 3

54/33, 35
  Abschrift: DDR-Dl (b) Mus 1827-F-36 (Stimmen, Sätze in einer *Amadis*-Suite)

56
                                  S. 310, Abschriften, Zeile 4, US-Sp M L 96. L 85

57/1
  Transkriptionen: US-BE Ms Menetou, DDR-SWl Clavir-Buch (Cembalo)

57/2, 3, 5
  Abschriften: F-V Ms mus 65/1 und 3

57/24
  Transkription: US-BE Ms Menetou (Cembalo)

57/34
  Transkription: US-BE Ms Parville (Cembalo)

57/42, 43
  Transkription: US-BE Ms Menetou (Cembalo)

532

57/59
    Abschriften: F-V Ms mus 65/1 und 3

57/64
    Transkription: US-BE Ms Menetou (Cembalo)

58/1
    Abschrift: DDR-Dl (b) Mus 1827-F-11 (Stimmen)
    Transkription: US-BE Ms Menetou (Cembalo)

58/2, 4, 6—8
    Abschriften: F-V Ms mus 65/1 und 3

58/9
    Abschrift: DDR-Dl (b) Mus 1827-F-11 (Stimmen)

58/12, 16
    Abschriften: F-V Ms mus 65/1 und 3

58/26—28, 44
    Abschrift: DDR-Dl (b) Mus 1827-F-11 (Stimmen)

58/46
    Transkription: US-BE Ms Menetou (Cembalo)

58/58
    Abschrift: DDR-Dl (b) Mus 1827-F-11 (Stimmen)

58/65
    Abschriften: F-V Ms mus 65/1 und 3

58/78, 84
    Abschrift: DDR-Dl (b) Mus 1827-F-11 (Stimmen)

59/1
    Abschrift: DDR-Dl (b) Mus 1827-F-13 (Stimmen)
    Transkriptionen: US-BE Ms Menetou, DDR-SWl Clavir-Buch (Cembalo)

59/2
    Abschrift: US-BE Ms Menetou (Vokalstimme)

59/3
    Abschrift: DDR-Dl (b) Mus 1827-F-13 (Stimmen)
    Transkription: US-BE Ms Menetou (Cembalo)

59/5
    Abschrift: DDR-Dl (b) Mus 1827-F-13 (Stimmen)

59/6
    Abschrift: DDR-Dl (b) Mus 1827-F-13 (Stimmen)
    Transkription: US-BE Ms Menetou (Cembalo)

59/7, 8, 10—15, 20, 22, 23, 25
    Abschrift: DDR-Dl (b) Mus 1827-F-13 (Stimmen)

59/26
    Abschrift: DDR-Dl (b) Mus 1827-F-13 (Stimmen)
    Transkription: US-BE Ms Menetou (Cembalo)

59/27—30, 32, 34—36, 41, 46,
   47, 51—54
   Abschrift: DDR-Dl (b) Mus 1827-F-13 (Stimmen)

59/58
   Abschrift: DDR-Dl (b) Mus 1827-F-13 (Stimmen)
   Transkriptionen: US-BE Ms Menetou, Ms Parville, DDR-SWl Clavir-Buch (Cembalo)

59/59, 61, 62, 64—66, 68
   Abschrift: DDR-Dl (b) Mus 1827-F-13 (Stimmen)

59/69
   Abschrift: DDR-Dl (b) Mus 1827-F-13 (Stimmen)
   Transkription: US-BE Ms Parville (Cembalo)

59/71, 72
   Abschrift: DDR-Dl (b) Mus 1827-F-13 (Stimmen)

60/1
   Abschrift: DDR-Dl (b) Mus 1827-F-15 (Stimmen, zwei verschiedene Suiten)
   Transkriptionen: US-BE Ms Menetou, DDR-SWl Clavir-Buch (Cembalo)

60/2
   Abschriften: F-V Ms mus 65/1, 2 und 3

60/3
   Abschrift: F-V Ms 65/2

60/4
   Abschriften: F-V Ms mus 65/1, 2 und 3

60/5
   Abschriften: F-V Ms mus 65/1, 2 und 3, DDR-Dl (b) Mus 1827-F-15 (Stimmen)
   Transkriptionen: US-BE Ms Menetou, Ms Parville (Cembalo)

60/6, 10
   Abschrift: DDR-Dl (b) Mus 1827-F-15 (Stimmen)

60/11
   Abschriften: F-V Ms mus 65/2, DDR-Dl (b) Mus 1827-F-15 (Stimmen)

60/18
                                 Geistl. Parodien, vor Noëls 1702 ergänze Pellegrin

60/26
   Abschriften: DDR-Dl (b) Mus 1827-F-15 und F-11 (*Proserpine*-Suite, Stimmen)

60/29, 30
   Abschrift: DDR-Dl (b) Mus 1827-F-15 (Stimmen)

60/31
   Abschriften: DDR-Dl (b) Mus 1827-F-15 und F-11 (*Proserpine*-Suite, Stimmen)

60/56, 57
   Abschrift: DDR-Dl (b) Mus 1827-F-15 (Stimmen)

60/71
    Abschrift: DDR-Dl (b) Mus 1827-F-15 (Stimmen)
    Transkriptionen: US-BE Ms Menetou, DDR-SWl Clavir-Buch (Cembalo)

60/77
    Abschrift: DDR-Dl (b) Mus 1827-F-15 (Stimmen)
    Transkription: US-BE Ms Parville (Cembalo)

60/82
    Abschrift: DDR-Dl (b) Mus 1827-F-15 (nur Oboenstimme)
    Transkription: US-BE Ms Menetou (Cembalo)

60/84
    Abschrift: DDR-Dl (b) Mus 1827-F-15 (Stimmen)

61/1
    Abschrift: DDR-Dl (b) Mus 1827-F-7 (Stimmen)
    Transkriptionen: US-BE Ms Menetou, DDR-SWl Clavir-Buch (Cembalo)

61/2
    Transkription: US-BE Ms Menetou (Cembalo)

61/3
    Abschriften: F-V Ms mus 65/1 und 3
    Transkription: US-BE Ms Menetou (Cembalo)

61/4
    Abschriften: F-V Ms mus 65/1 und 3

61/7
    Transkription: US-BE Ms Menetou (Cembalo)

61/8
    Abschriften: F-V Ms mus 65/1 und 3, DDR-Dl (b) Mus 1827-F-7 (Stimmen)

61/10, 13
    Abschriften: F-V Ms mus 65/1 und 3

61/16
    Transkription: US-BE Ms Menetou (Cembalo)

61/17
    Abschriften: F-V Ms mus 65/1 und 3

61/24, 25
    Abschrift: DDR-Dl (b) Mus 1827-F-7 (Stimmen)

61/27
    Abschrift: DDR-Dl (b) Mus 1827-F-7 (Stimmen)
    Transkription: US-BE Ms Menetou (Cembalo)

61/28, 33
    Transkription: US-BE Ms Menetou (Cembalo)

61/37
    Abschrift: DDR-Dl (b) Mus 1827-F-7 (Stimmen)

61/40
  Transkriptionen: US-BE Ms Menetou, F-Psg Ms 2354 (Cembalo)

61/47
  Abschrift: DDR-Dl (b) Mus 1827-F-7 (Stimmen)

61/48
  Abschriften: DDR-Dl (b) Mus 1827-F-7 und F-11 (*Proserpine*-Suite, Stimmen)

61/50, 52
  Abschrift: DDR-Dl (b) Mus 1827-F-7 (Stimmen)

61/53
  Abschrift: F-V Ms mus 65/1 und 3
  Transkription: US-BE Ms Menetou (Cembalo)

61/54—56
  Abschriften: F-V Ms mus 65/1 und 3

61/57, 58
  Abschrift: DDR-Dl (b) Mus 1827-F-7 (Stimmen)
  Transkription: US-BE Ms Menetou (Cembalo)

61/61
  Abschrift: DDR-Dl (b) Mus 1827-F-7 (Stimmen)

61/65
  Abschrift: US-BE Ms Menetou (Vokalstimme)

63/1
  Abschrift: DDR-Dl (b) Mus 1827-F-36 (Stimmen, zwei verschiedene Suiten)
  Transkription: US-BE Ms Menetou (Cembalo)

63/2, 4
  Abschrift: DDR-Dl (b) Mus 1827-F-36 (Stimmen)

63/5
  Abschriften: DDR-Dl (b) Mus 1827-F-36, US-BE Ms Menetou (Vokalstimme)
  Transkription: US-BE Ms Menetou (Cembalo)

63/10
  Abschrift: DDR-Dl (b) Mus 1827-F-36 (Stimmen)

63/11
  Abschrift: DDR-Dl (b) Mus 1827-F-36 (Stimmen)
  Transkription: US-BE Ms Menetou (Cembalo)

63/12, 22, 24, 26, 30
  Transkription: US-BE Ms Menetou (Cembalo)

63/33
  Abschrift: DDR-Dl (b) Mus 1827-F-36 (Stimmen)

63/36
  Transkriptionen: US-BE Ms Menetou, Ms Parville (Cembalo)

63/43
 Abschrift: US-BE Ms Menetou (Vokalstimme)

63/49, 50
 Abschrift: DDR-Dl (b) Mus 1827-F-36 (Stimmen)

63/57, 58
 Transkription: US-BE Ms Menetou (Cembalo)

63/67
 Transkription: US-BE Ms Parville (Cembalo)

65/1
 Abschrift: DDR-Dl (b) Mus 1827-F-30 (Stimmen)
 Transkription: US-BE Ms Menetou (Cembalo)

65/2, 3
 Abschriften: F-V Ms mus 65/1 und 3

65/4, 5
 Transkription: US-BE Ms Menetou (Cembalo)

65/6, 7, 9, 10
 Abschriften: F-V Ms mus 65/1 und 3

65/11, 12
 Abschrift: DDR-Dl (b) Mus 1827-F-30 (Stimmen)
 Transkription: US-BE Ms Menetou (Cembalo)

65/13
 Transkription: US-BE Ms Menetou (Cembalo)

65/14
 Abschrift: F-V Ms mus 65/1 und 3

65/15, 21, 23, 24
 Abschrift: DDR-Dl (b) Mus 1827-F-30 (Stimmen)

65/41, 44
 Transkription: US-BE Ms Menetou (Cembalo)

65/55
 Abschrift: DDR-Dl (b) Mus 1827-F-30 (Stimmen)

65/63
 Abschrift: DDR-Dl (b) Mus 1827-F-30 (Stimmen)
 Transkription: US-BE Ms Menetou (Cembalo)

65/65
 Transkriptionen: US-BE Ms Menetou, Ms Parville, DDR-SWl Clavir-Buch (Cembalo)

65/66
 Abschrift: DDR-Dl (b) Mus 1827-F-30 (Stimmen)
 Transkription: US-BE Ms Menetou (Cembalo)

65/76, 78, 82, 83
   Abschrift: DDR-Dl (b) Mus 1827-F-30 (Stimmen)

68/1, 5, 8, 9
   Abschrift: DDR-Dl (b) Mus 1827-F-35 (Stimmen)

68/10
   Transkription: US-BE Ms Menetou (Cembalo)

68/11, 12
   Abschrift: DDR-Dl (b) Mus 1827-F-35 (Stimmen)

68/13
   Abschrift: F-V Ms mus 65/2

68/14
   Abschrift: DDR-Dl (b) Mus 1827-F-35 (Stimmen)

68/15, 16
   Abschrift: F-V Ms mus 65/2

69/1
   Abschrift: DDR-Dl (b) Mus 1827-F-21 (Stimmen)
   Transkription: US-BE Ms Menetou (Cembalo)

69/2
   Abschriften: F-V Ms mus 65/1 und 3, DDR-Dl (b) Mus 1827-F-21 (Stimmen)
   Transkription: US-BE Ms Menetou (Cembalo)

69/3
   Abschriften: F-V Ms mus 65/1, 2 und 3

69/4
   Abschriften: F-V Ms mus 65/2

69/5
   Abschriften: F-V Ms mus 65/1, 2 und 3
   Transkription: US-BE Ms Menetou (Cembalo)

69/6
   Abschrift: DDR-Dl (b) Mus 1827-F-21 (Stimmen)
   Transkription: US-BE Ms Menetou (Cembalo)

69/7
   Abschriften: F-V Ms mus 65/2, DDR-Dl (b) Mus 1827-F-21 (Stimmen)

69/8
   Abschriften: F-V Ms mus 65/1, 2 und 3
   Transkription: US-BE Ms Menetou (Cembalo)

69/9
   Abschriften: F-V Ms mus 65/2, DDR-Dl (b) Mus 1827-F-21 (Stimmen)

69/10—12
   Abschriften: F-V Ms mus 65/1 und 3, DDR-Dl (b) Mus 1827-F-21 (Stimmen)

69/13, 14
    Abschrift: DDR-Dl (b) Mus 1827-F-21 (Stimmen)
    Transkription: US-BE Ms Menetou (Cembalo)

69/15, 16
    Abschrift: DDR-Dl (b) Mus 1827-F-21 (Stimmen)

69/17
    Abschriften: F-V Ms mus 65/1 und 3

69/18
    Abschriften: F-V Ms mus 65/1 und 3
    Transkription: US-BE Ms Menetou (Cembalo)

69/20
    Abschriften: F-V Ms mus 65/1, 2 und 3

69/24
    Abschrift: DDR-Dl (b) Mus 1827-F-21 (Stimmen)

69/25
    Transkription: US-BE Ms Menetou (Cembalo)

69/26
    Abschrift: DDR-Dl (b) Mus 1827-F-21 (Stimmen)
    Transkription: US-BE Ms Menetou (Cembalo)

69/27, 30
    Abschrift: DDR-Dl (b) Mus 1827-F-21 (Stimmen)

69/31
    Abschrift: DDR-Dl (b) Mus 1827-F-21 (Stimmen)
    Transkription: US-BE Ms Menetou (Cembalo)

69/32
    Abschrift: DDR-Dl (b) Mus 1827-F-35 (Stimmen)
    Transkription: US-BE Ms Menetou (Cembalo)

69/33
    Transkription: US-BE Ms Menetou (Cembalo)

69/34, 37
    Abschriften: DDR-Dl (b) Mus 1827-F-21 und F-35 (Stimmen)

69/38
    Abschriften: F-V Ms mus 65/1 und 3

69/39
    Abschriften: DDR-Dl (b) Mus 1827-F-21 und F-35 (Stimmen)

69/44
    Abschriften: F-V Ms mus 65/1 und 3

70/1—7
    Abschrift: DDR-Dl (b) Mus 1827-F-35 (Stimmen)

71
  Abschrift: F-A Ms 2685 (vokale Exzerpte)

71/1
  Abschrift: DDR-Dl (b) Mus 1827-F-34 (Stimmen)
  Transkription: US-BE Ms Menetou (Cembalo)

71/2, 4, 6
  Abschriften: F-V Ms mus 65/1 und 3

71/7
  Abschrift: DDR-Dl (b) Mus 1827-F-34 (Stimmen)

71/9
  Abschrift: DDR-Dl (b) Mus 1827-F-34 (Stimmen)
  Transkription: US-BE Ms Menetou (Cembalo)

71/11
  Abschriften: F-V Ms mus 65/1 und 3

71/12
  Abschrift: DDR-Dl (b) Mus 1827-F-34 (Stimmen)
  Transkription: US-BE Ms Menetou (Cembalo)

71/14
  Transkription: US-BE Ms Menetou (Cembalo)

71/15
  Abschriften: F-V Ms mus 65/1 und 3

71/24, 26, 38
  Abschrift: DDR-Dl (b) Mus 1827-F-34 (Stimmen)

71/39
  Abschrift: DDR-Dl (b) Mus 1827-F-34 (Stimmen)
  Transkriptionen: US-BE Ms Parville (Cembalo, zwei Fassungen)

71/48, 51, 53, 54
  Abschrift: DDR-Dl (b) Mus 1827-F-34 (Stimmen)

71/62
  Transkription: US-BE Ms Menetou (Cembalo)

73/1, 5, 8
  Abschrift: DDR-Dl (b) Mus 1827-F-31 (Stimmen)

73/10
  Abschrift: F-V Ms mus 65/2

73/11—15, 21, 26, 27
  Abschrift: DDR-Dl (b) Mus 1827-F-31 (Stimmen)

73/32
  Abschriften: DDR-Dl (b) Mus 1827-F-31 und F-33 (Stimmen)
  Transkriptionen: US-BE de La Barre Ms 11, Ms Parville, DDR-SWl Clavir-Buch (Cembalo)

73/34, 38
  Abschrift: DDR-Dl (b) Mus 1827-F-31 (Stimmen)

73/46
  Abschriften: F-V Ms mus 65/1 und 3

73/49
  Abschrift: DDR-Dl (b) Mus 1827-F-31 (Stimmen)

74/1
  Abschrift: DDR-Dl (b) Mus 1827-F-32 (Stimmen, Suite, deren übrige Sätze von Col-
                                lasse stammen)

75/24
  Transkriptionen: US-BE Ms Parville, Ms Menetou (Cembalo)

VERZEICHNIS DER TEXTANFÄNGE UND DER INSTRUMENTALSÄTZE
(Texte vereinheitlicht in moderner Orthographie)

Abandonnez votre vengeance   308
L'Abondance   485
Achevons d'emporter la place   236
A chi n'intese remirando   72
Ach spourtz O Dieu   522
Acis, vivez désormais   493
A Copernic c'est trop faire la guerre   360
Adieu de Cadmus   217
Adieu de Mademoiselle   513
A disperatione forte   30
Admète, vour mourez   237
Admirons l'astre   211
Admirons le jus de la treille   200
Admirons notre jeune   113
Les Adroits et maladroits   28, 58
Les Aegipans et menades   318
Aeglé de m'aime plus   260
Les Affligés   240
Agréables retraites   438
L'Agriculture   84
Ah, belle inhumaine   152
Ah, cédons, rendons   364
Ah che non dormo   30
Ah che spargo indarno gridi   98
Ah, faut-il me venger   263
Ahi che senvola   98
Ahi Dolore, ahi martire   195
Ahi Rinaldo e dove sei   98
Ah, j'attendrai longtemps   443
Ah, je garderai bien mon coeur   374
Ah, j'entends un bruit   411
Ah, je suis descendu   446
Ah, Monsieur le capitaine   108
Ah, mortelles douleurs   152
Ah, ne reviendra-t-il pas?   142
Ah, Phaéton, est-il possible   401
Ah, plus que jamais aimons   177
Ah, pourquoi vous séparez-vous   238
Ah, que ces demeures sont belles   345
Ah, que l'amour cause d'allarmes   375
Ah, que l'amour paraît charmant   416
Ah, quelle cruauté   164
Ah, quelle douceur extrême   104
Ah, quelle erreur   474
Ah, quelle folie   136
Ah, quelle injustice cruelle   344
Ah, quelles peines   248
Ah, quel tourment de garder   434
Ah, que mes peines sont charmantes   314
Ah, que mon coeur est agité   433
Ah, qu'en amour le plaisir   313
Ah, que ne fait-on pas   244
Ah, que sur notre coeur   175

Ah, qu'il est beau, ho, ho ho   207
Ah, qu'il est beau le jouvenceau   135
Ah qu'il est dangereux de trouver   311
Ah, qu'il est difficile de bien aimer   396
Ah, qu'il est doux, belle Silvie   153
Ah, qu'il est doux de se rendre   508
Ah, qu'il fait beau dans ces bocages   189
Ah, qu'un amant dont la plainte   487
Ah, qu'un fidèle amant   357
Ah, si la liberté   475
Ah, tu me trahis, malheureuse   422
Ah, votre péril est extrême   379
Aimable ardeur, franchise heureuse   182
Aimable jeunesse, suivez la tendresse   197
Aimez, cherchez à plaire   148
Aimez, il n'est de beaux airs   313
Aimez, profitez du temps   301
Aimez qui vous aime   346
Aimez, régnez en dépit de l'envie   442
Aimez Roland à votre tour   434
Aimez, soupirez, coeurs   420
Aimez-vous, aimons-nous   438
Aimons en secret   287
Aimons-nous donc d'une ardeur   168
Aimons-nous, tout nous y convie   478
Aimons, tout nous y convie   261
Aimons un bien plus durable   278
Ainsi qu'après l'orage   461
Air   32—36, 38, 40—42, 45—51, 55, 57, 60, 61,
   65—69, 71—75, 77, 78, 81—83, 85, 86, 88, 91,
   93—100, 102, 103, 107, 108, 112—116, 118, 119,
   131, 136, 137, 139, 148, 150, 159, 165, 172, 174,
   178, 182, 184—187, 197, 199, 200, 202, 205, 206,
   211—213, 218, 219, 221—223, 232, 240—242, 244,
   245, 249, 255, 256, 259, 265, 268, 271, 272, 279,
   285, 291, 294—298, 301, 303, 304, 307, 309, 311,
   321, 322, 324, 329—331, 333, 334, 338, 342—344,
   347, 350, 355, 356, 358—361, 364—368, 371, 372,
   375, 376, 379, 380, 386, 388, 394, 397, 401, 405,
   408, 412, 417, 419, 423, 436, 439, 442, 447, 448,
   457, 462—464, 471, 474, 476, 477, 481, 485—488,
   491, 493, 496-499, 503, 504, 506, 513, 514, 518,
   520
Air champêtre   444
Air espagnol   505
Air italien   67
Air sérieux   347
A la fin l'amour couronne   427
A la fin petit Desfarges   505
A l'assaut   236
Alceste est morte   238
Alceste ne vient point   235
Alceste si jeune et si belle   239

Les Alchimistes 35, 64
Les 2 Alchimistes et 6 enfants 64
Alcide est vainqueur du trépas 242
Alcide, Mélisse, Roger 106
Alegrese enamorado 187
Alexandre, Achille, Hercule 116
Alexandre et Porus, 5 grecs 130
Alla caccia d'amore 35
L'Allarme 515
Allegramente 170
Allemande 125, 140, 499, 500, 519—521
Allez, éloignez-vous de moi 479
Allez, laissez-nous, soins 445
Allez, ne tardez pas 240
Allez répandre la lumière 406
Allons, accourez tous 273, 275
Allons, bergers, entrons 156
Allons faire entendre nos voix 432
Allons tous au devant 173
Altro è da quel che fu 67
Altro non è la pazzia 170
Amadis combat contre Arcalaus 419
Amadis punit les ingrats 416
Les Amadriates 223
Amanti al fin amor 72
Amanti ch'adorate 63
Les Amants 132
Amants, aimez vos chaînes 223
3 Amants et les 3 amantes 132
4 Amants et 4 maîtresses 57
2 Amants et 2 servantes déguisés 27
Amants que l'hymen a joints 163
Amants, que vos querelles 177
Les Amants qui enlèvent leurs maîtresses 71
Amants qui n'êtes point jaloux 340
Amants qui vous plaignez 275
Amarillis, Sarabande 513
Les Amazones 321
Les Américains 462
A me suivre tous ici 171
Amiam dunque in fin 39
Ami, me veux-tu croire 208
L'Amitié de M. le comte de Brionne 503
L'Amitié de M. le duc de Vendôme 49
A moi, camarades, buvons 254
A moi, Monsieur, à moi de grâce 185
A mon habit, à mon visage 89
Amor, crudel amor 268
Amor modera il cielo 39
L'Amour a bien des maux 230
L'Amour anime l'univers 314
L'Amour, cet amour infidèle 300
L'Amour comblé de gloire 342
Amour, cruel vainqueur 399
L'Amour dans ces beaux lieux 488
Les Amoureux 70
Les Amoureux et 2 servantes 70
L'Amour fait trop verser de pleurs 275
L'Amour, la nuit, le silence 30

Un Amour malheureux dont le devoir 278
Amour, mes voeux sont satisfaits 322
L'Amour meurt dans mon coeur 383
Amour n'est-ce point vous 165
L'Amour n'est qu'une vaine erreur 418
L'Amour ne veut point qu'on diffère 196
L'Amour plaît malgré ses peines 262
Amour, que veux-tu de moi 418
L'Amour qu'il a pour moi 378
L'Amour qui pour lui m'anime 337
L'Amour qu'on outrage 284
Amours déguisés en dieux marins 99
Amours déguisés en forgerons 95
Les Amours déguisés en grecs 100
Amours déguisés en jardiniers 97
Amours déguisés en rameurs 96
Amour se glisse dans nos bois 87
Les Amours et les guerriers 356
Les Amours et les zéphirs 196
Amours, sors pour jamais 476
Amour trop indiscret
Amour veut qu'on suive ses loix 162
Amour, vois quels maux tu nous fais 218
Angélique est reine 445
Angélique n'est plus insensible 442
Anima Christi 509
Animez nos coeurs et nos bras 254
A non gia punto adularni 72
A petits coups, mon cher camarade 166
Apollidon par un pouvoir magique 426
Apollon 180, 190
Apollon, Daphne et Cupidon 114
Apollon descend 244
Apollon en ce jour approuve 486
Apollon et les 4 bergers héroïques 365
Apollon flatte nos voeux 486
Apothéose de Lully 167
Après avoir chanté les fureurs 317
Après avoir vaincu mille peuples 334
Après la clarté perdue 71
Après un augure si doux 326
Après une peine extrême 349
Après un rigoureux supplice 308
Après un si sensible outrage 344
Après un sort si rigoureux 222
Après un temps plein d'orage 311
A qui des deux 105
A qui sait bien aimer 100
A quoi bon tant de raison 245
Arbas se cache 220
Arbres épais et vous, prés émaillés 104
Les Archers et sergents 69
Les armes que je tiens 299
Armide est encore plus aimable 471
Armide que le sang qui m'unit 470
Armide, vous m'allez quitter 478
Arrêtons-nous ici 473
L'Art d'accord avec la nature 228
Les Arts 199, 206

L'Assemblée 43, 448
Assemblez-vous, habitants 406
Assez de pleurs ont suivi nos malheurs 326
L'Astre brillant 340
Les Astres et les planètes 129
Astrologues 32
L'Attaque du fort 44
Atys est trop heureux 277
Au généreux Roland 435
Au milieu d'une paix profonde 431
Aunque prodigaos monstrais 505
L'Aurore 83, 163
Au temps heureux où l'on sait plaire 473
L'Automne 74
L'Automne, 4 vendangeurs et 4 vendangeuses 74
Autre Assemblée 43
L'Autre jour d'Annette j'entendis 146, 152
6 autres passions 41
Aux amants qu'on pousse à bout 176
Avançons, que rien ne nous étonne 251
Ave coeli munus 509
Les Aveugles 71
Les Aveugles jouant de la vielle 71
Les Avocats 172
Les Avocats musiciens, 2 procureurs et 2 sergents 170
Ay que dadesco de amour 131
Ay que locura con tanto rigor 186

Les Bacchanales 199, 318
Les Bacchantes 199
Bacchus accompagné de sylvains 61
Bacchus, Ariadne, 2 indiens, 2 indiennes et 4 faunes 114
Bacchus evec les menades et satyres 26
Bacchus couronné de pampre 122
Bacchus, des indiens, Ariadne et des dames grecques 364
Bacchus est révéré 154
Bacchus et Pan 317
Bacchus n'a triomphé du monde qu'avec peine 363
Bacchus revient vainqueur des climats 363
Bacchus suivi des esprits follets 122
Bacchus veut qu'on boive 200
Le Bailli 90
Un Baladin 42
Les Baladins ridicules 41
Les Baladins sérieux 42
Ballet des Nations 185
Ballet du palais d'Alcine 105
Barbacola 91
La Barque de Caron 241
Le Basque 223, 244
Les Basques 61, 131, 459
Les Basques moitié français moitié espagnols 60
Basta per hoggi 63
Les Bateliers 152
Les Bâtons 172

Batteries de tambours 191, 497
La Beauté la plus sévère 287
Les beaux jours et la paix sont revenus 342
Bel art qui retardez 87
Belle Angélique enfin je vous trouve 437
La belle courante 500
Belle Hermione, hélas 222
La Belle inconnue, une suivante 30
Belle nymphe, l'hymen va suivre 286
Belle princesse, enfin vous souffrez 379
Belle princesse, que vos charmes 417
Belles fleurs, charmant ombrage 342
La Bellezza sempre avezza 63
Bel tempo che vola 188
Benedictus dominus 428
Beo et ventürai 522
La Bergerie 261
Les Bergers 107, 113, 150, 152, 244, 319
3 Bergers et autant de bergères de cette heureuse contrée 49
Les Bergers et les bergères 113, 178, 455, 488
3 Bergers et 3 bergères 49
Les Bergers et les faunes 105
Bien que je sois fière et cruelle 44
Les Biscayens 172
4 Biscayens jouant des castagnettes 203
La Boccane 463
Une Bohémienne et 6 masques 74
Les Bohémiennes 36
Les Bohémiens 174
4 Bohémiens jouant de la guitare 203
Bois épais, redouble ton ombre 419
Bois, ruisseau, aimable verdure 73
Bona sera, Barbacola 91
Bondi Cariselli 518
Le Bonheur de l'esprit et de l'argent 55
Le Bonheur est partout 343
Le Bonheur et le malheur 32
6 Bons bourgeois 91
Borée et les 4 vents 358, 359
Bornez-vous vos désirs 470
Un Bourgeois, la mère, sa fille 108
Bourrée 25, 29, 47, 54, 58, 66, 69, 73, 75, 85, 90, 95, 96, 99, 106, 111, 112, 117, 118, 121, 125—127, 131, 160, 165, 172, 182, 193, 301, 326, 356, 367, 376, 394, 407, 502
Bourrée pour le père et les valets 66
Bourrée pour les courtisans 25
La Bourrée Sarabande 502
La Bourse 503
Boutade 125, 146
Branle 123, 125—127
Branle à mener 123, 126
Branle de Montirande 124
Branle double 124
Branle gai 123, 126
Les Braves et les jaloux 34
Des Bretons et des bretonnes 460
Briserez-vous des noeuds 377

Bruit de guerre   227, 334
Bruit de trompettes   227, 334
Buondi, buondi   169
Buvons, chers amis, buvons   183

Cabinets, lits de verdure   24
Caliste aura beau se défendre   207
Calme tes déplaisirs   218
Canarie   119, 131, 148, 166, 182, 308, 331, 360, 459,
   477
Canon à 5 parties   506
Le Capitaine d'un château   108
Capitaines de vaisseaux   107
Les Cariens   362, 363
Le Carnaval   149
Le Carnaval et la galanterie   268
Le Carrousel de Monseigneur   481
Castor et Pollux   112
Castor et Pollux, capitaines de vaisseaux   112
Les Cavaliers   107
Ce beau jour ne perment qu'à l'aurore   408
Cebell   279
Cede al vostro valore   50
Cédez, belle Amphidrite   357
Ce don mystérieux doit apprendre   380
Ce héros s'expose pour nous   378
Célébrez son grand nom   295
Célébrons ce grand jour   198
Célébrons en tous lieux   160
Célébrons la gloire immortelle   281
Célébrons la victoire   338
Célébrons son grand nom   295
Ce n'est pas un si grand crime   285
Ce n'est plus le temps de la guerre   193
Ce n'est point avec toi que je prétends   230
Ce n'est point par l'éclat   213
Centrez   423
Céphale et 6 chasseurs   87
Ce que je lis m'apprend   443
Ce que l'amour a de charmant   478
La Cérémonie turque   183
Cérès revient, ah, quelle peine   343
Cérès suivie de 8 moissonneurs   74
Cérès va vous ôter sa divine présence   338
Ces grands hommes pleins de chimères   214
Cessez, charmante Aeglé   252
Cessez de vous plaindre   219
Cessez pour quelque temps   295
Cessons d'aimer une infidèle   297
Cessons de porter   156
Cessons de redouter la fortune   387
C'est à lui d'enseigner   413
C'est à moi de prétendre   205
C'est assez de regrets   347
C'est dans ces climats écartés   121
C'est en vain qu'à l'amour   358
C'est en vain qu'en ces lieux   487
C'est la fontaine de la haine   436
C'est l'amour qui nous menace   433

C'est l'amour qui prend soin   437
C'est l'amour qui retient   479
C'est la première fois que j'aime   348
C'est la saison d'aimer   245
C'est le commun défaut des belles   277
C'est le dieu des eaux   294
C'est Médor qu'une reine   442
C'est par vous, ô soleil   405
C'est pour servir Cloris   208
C'est trop railler de mon martyre   217
C'est un doux amusement   205
C'est une autre que moi qui règne   341
C'est un secret qu'il faut   398
C'est votre secours que j'implore   408
Cet aimable séjour si paisible   215
Cet empire puissant   253
Chaconne   29, 50, 59, 65, 119, 141, 144—146, 215,
   265, 281, 338, 364, 374, 401, 427, 442, 463, 464,
   489, 496, 502—504, 514
La Chaconne des africains   215
La Chaconne des magiciens   134
Chaconne des maures   51
Chaconne des nations   265
Chaconne des scaramouches   189
Chaconne en rondeau   372
Chaconne italienne   503
Chaconne pour Madame la princesse de Conti
   464
Chacun est obligé d'aimer   197
Chacun vient ici bas prendre place   242
La Chaîne de l'hymen   470
Champagne heurtant aux portes de 4 médecins
   120
Champêtres divinités   176
Les Champs-Elysées   343, 345
Le Changement de Protée   398
Chanson   34, 105, 132, 148, 149, 505
Chanson à boire   148, 183
Chanson de satyre   103
Chantez dans ces lieux sauvages   157
Chantez la valeur éclatante   322
Chantez, peuples, chantez   179
Chantez, rossignols   157
Chantez tous en paix   253
Chantons, bergers, et nous réjouissons   451
Chantons et dansons   150
Chantons, faisons entendre   244
Chantons la douceur   467
Chantons le plus grand des mortels   318
Chantons les plaisirs charmants   198
Chantons tous de l'amour le pouvoir   153
Chantons tous en ce jour   158
Chantons tous en ce jour la gloire   427
Chantons tous sa valeur triomphante   463
La Charge   43
Charite, il est trop vrai   216
Charivari   29
Le Charivari crotesque   94
Les Charlatans   81

La charmante Scylla 487
Un charmant dialogue avec la paix 25
Charmant repos d'une vie innocente 456
Un charme dangereux dans ces bois 436
Charmons ici toute la terre 166
La Chasse 304
Les Chasseurs 35, 87, 103, 106
Les Chasseurs et paysans avec des bâtons 103
Chassons la crainte qui nous presse 213
Che colei solo col pondo 53
Cher Adonis, que ton sort 164
Chère Philis, dis-moi 105
Chercheurs de trésors 33
Cherchons la paix dans cet asile 390
Les Chevaliers 69
Les Chevaliers de Polexandre 48
6 Chevaliers et 6 monstres 106
Chi negar potrà che domini 37
La Chirurgie 87
Un Chirurgien 87
Ch'un a cui la grave età 63
Ciel, finissez nos peines 421
Le Ciel protège les héros 234
Ciel, quelle vapeur m'environne 290
Le Ciel qui m'a fait votre roi 430
Les Cobales ou esprits follets 121
Un Coeur dans l'amoureux empire 181
Un Coeur fidèle a pour moi 299
Un Coeur maître de lui-même 360
Un Coeur qui paraît invincible 320
Un Coeur qui veut être volage 358
Coeurs accablés de rigueurs inhumaines 425
Un Coeur toujours en paix sans amour 355
La Colère de Cérès 344
Le Combat 44, 80, 130, 419
Le Combat de plaisir 43
Combat des Grecs et des Troyens 100
Le Combat du dragon 220
Un Combat et un siège crotesque 43
Les Combattants 130, 169, 221, 236, 254, 272, 417
Les Combattants reconciliés 169, 172
Les Combattants romains 80
Les 4 Combattants jouant des enseignes 80
Commençons de célébrer 278
Comus 223, 244, 485
Concertants des arts et vertus 95
Concert champêtre 36
Concert de bergers 97
Concert de flûtes 98, 487
Concert de flûtes pour les amours 98
Concert de guitare 80, 81
Concert de la gloire 97
Concert de Pan 101
Concert des amazones 88
Concert des plaisirs 178
Concert de trompettes 79, 180
Concert de trompettes, hautbois et timballes 481
Concert de Vénus et des plaisirs 81
Concert d'Orphée 132

Concert du divertissement 32
Concert du printemps 75
Concert du roi 39, 53
Concert espagnol 94
Concert espagnol avec des harpes et guitares 131
Concert et récit d'Orphée 132
Concert italien 30
Concert pour Orphée 117
Connais, puissant amour, ta dernière victoire 490
Consolez-vous dans vos tourments 422
Contentez-vous des maux 422
Contre Bellérophon j'ai fait 320
Les Contrefaiseurs 27, 56, 57, 143
Les Contre-vérités 151
Les Coquets 30
Les Cordelins 106
Les Coribantes 291
Cor meum eia laetare 511
Corrigeons de l'hiver la rigueur 149
Un Corsaire et 4 pirates 85
4 Corsaires de Bajazet 46
Cosi a me sola è dato 53
Cosi cangia anch'or qui giù 30
La Cour 208
Courage amour 506
Courage, enfants, je suis à vous 236
Courante 65, 76, 94, 119, 124, 500, 501, 519—521
Courante crotesque 119
Courante en trio 127
Courante pour les nations 65
Courons à la chasse 304
Courons où tendent nos désirs 65
Courons tous admirer le vainqueur 382
Course de bague au faquin 49
Course de faquin 49
Les Courtisans 25, 26, 49, 265
Courtisans chargez d'orfèvrerie 86
Les Créanciers 68
4 Créanciers impatients 69
Crie, hélas 241
Crois-moi, modère l'éclat de ta colère 217
Croissez, jeunes raisins 515
Croyez-moi, croyez-moi 374
Croyez-moi, hâtons-nous, ma Silvie 137
Cruelle, ne voulez-vous pas 259
Cupidon 114
Les Curieux combattants 169
Cybèle veut que Flore 263
Les Cyclopes 195, 312, 378, 380, 491
Cyclopes achevez ce superbe palais 312
Les Cyclopes et les fées 195
Cyrus 132
Cyrus et Mandane 132

Dalla baretta 518
Dal regno amoroso 30
Les Dames de la cour d'Yole 79
Dames représentant 15 familles impériales 77
Le Damigelle delle cochette 34

Dans ce beau jour, quelle humeur   230
Dans ce palais bravez l'envie   406
Dans ces beaux lieux tout nous enchante   345
Dans ces charmantes retraites   156
Dans ces déserts paisibles   158
Dans ces forêts venez suivre   360
Dans ces lieux il faut que tout ressente   462
Dans ces lieux tout rit sans cesse   392
Dans ce solitaire séjour   302
Dans ce triste séjour   381
Dans cette demeure charmante   406
Dans cette paisible retraite   391
Les Danseurs   182
Les Danseurs de corde   106
Danseurs rustiques   211
Dans la cour du plus grand des rois   25
Dans l'empire amoureux le devoir   282
Dans les chants, dans les jeux, passons   517
Dans les climats les plus heureux   445
Dans les enfers tout rit   348
Dans les jours de réjouissance   485
Dans nos bois Silvandre s'écrie   140
Dans nos climants sans chagrin   436
Dans quel accablement cet oracle   327
Dans un jour de triomphe   469
Dans un piège fatal   419
Dans vos chants si doux   103
Les Débauchés   161
Le Débiteur   69
De ces lieux l'éclat et les attraits   451
Déesse des appas   134
La Déesse Lucine   25
Dégagez-vous d'un amour si fatal   302
Deh piangete al pianto mio   194
Déjà grondaient les horribles tonnerres   450
Dell'inferno, e d'amore   30
Le Démon malicieux et fin   296
Les Démons   47, 97, 120, 164, 197, 241, 242, 259, 380, 476, 477
Démons agiles   106
Les Démons entrent dans les statues   78
8 Démons envoyés par la magicienne Zelopa   47
Les Démons et les monstres   419
Les Démons et les vents   71
Démons sauteurs   106
Démons soumis à nos loix   425
De nécessité nécessitante   262
Dépêchez, préparez ces lieux   196
Dépit amoureux   177
Le Dépit éteint ma flamme   437
Dépit mortel, transport jaloux   256
Le Dépit veut que l'on s'engage   254
De profundis clamavi   409
Depuis que l'on soupire   508
De quoi ne vient point à bout   260
Descendons sous les ondes   384
Descente d'Apollon   73
La Descente de Cybèle   279
Descente de Juno   300

La Descente de la gloire   227
Descente de la machine   205
La Descente de l'amour   311
La Descente de Mars   248
Descente de Pallas   330
La Descente des armes   497
La Descente des dieux   205
Déserts écartés, sombres lieux   349
Désormais on doit aimer sans crainte   494
Dès qu'on voit paraître   467
De tant d'amis qu'avait Admète   238
Détruisons nos bienfaits   344
Dialogue   86, 88, 128, 149, 152, 181, 185, 281, 291
Dialogue de Marc-Antoine et de Cléopâtre   96
Diane   66, 359
Diane, dissipez nos craintes   363
Diane et ses nymphes   73
Dies irae, dies illa   428
Dieu des enfers, hélas   117
Le Dieu dont tu tiens la naissance   240
Dieu du vin   191
Dieu! je ne vois plus Hermione   222
Le Dieu Mars   26
Le Dieu Pan et sa suite   101
Le Dieu qui nous engage   199
Dieu qui vous déclarez mon père   406
Le Dieu semble approuver le serment   404
Les Dieux   112
Dieux champêtres   213
Dieux et déesses maritimes   111
Dieux, le pont s'abîme   234
Les Dieux marins   174, 228, 294
Les Dieux marins et les neréides   357
Les Dieux ne l'ont donné   372
Dieux, où sommes-nous   258
Les Dieux punissent la fierté   373
Dieux, quel feu vient partout   408
Dieux qui connaissez nos malheurs   326
Dieux qui me destinez une mort   383
Di rigori armata   188
La Discorde   333
Dis-moi vite   93
Disputons seulement à qui sait mieux   467
Les Diverses influences des 7 planètes   79
Divertissement   32
Divine paix, apprends-nous   450
Les Divinités   308, 347
Les Divinités de fleuves et les nymphes   229
Les Divinités de la terre   298
Les Divinités des fleuves   228
Les Divinités et les nymphes   228
Les Divinités infernales   347, 380
Dixit Dominus   510
Docteur en ânerie   34
Un Docteur et quatre paysans   54
Un Docteur portant une tête d'âne   34
4 Docteurs   88
11 Docteurs reçoivent un docteur en ânerie   34
Les Docteurs, trivelins et scaramouches   60

Domine salvum fac   510
Domine salvum fac regem   512
Le Donneur de livres   204
Don Quichotte et Sancho Pança   26
Dormez, beaux yeux   175
Dormons tous   283
Douce félicité, ne quittons   84
Douce paix qui dans ces retraites   462
La Douceur de l'espérance   392
Doutez-vous de mon feu   96
Doux repos, innocente paix   254
Les Dryades   223
Les Dryades et les faunes   176
Du célèbre Roland   432
Du fameux bord de l'Inde   317
Dulce muerte es el amor   187
D'un beau pêcheur la pêche malheureuse   506
D'un coeur ardent   138
D'une affreuse fureur Mars n'est plus   365
D'une constance extrême   289
D'une égale tendresse   467
D'un pauvre coeur soulagez le martire   136
Dunque à studio si penoso   63
Dunque sempre nel martoro   63
D'un roi toujours vainqueur   455

E au voelg   522
Ecco il rimedio vero   38
E che sarebbe amor   34
Les Echos   159, 201, 281, 291
Echos retentissant dans ces lieux   298
E cio credibile   72
Ecoutons les oiseaux de ces bois   275
Les Ecuyers   107
4 Ecuyers amenant par la main 4 vieilles demoisel-
    les   108
E di non ridere   53
Les Egyptiens   172, 308, 401, 407
Les Egyptiens et égyptiennes   26, 93
Eh, comment pourrait-on passer   211
El dolor solicità   187
Elevez vos concerts   204
En ces lieux je ne vois que des promenades
508
En des lieux écartés dans une paix   441
Endimion   361
Les Enfants   64, 65
Enfin, après tant de hasards   128
Enfin grâce au dépit   231
Enfin il est en ma puissance   474
Enfin j'ai dissipé la crainte   492
Enfin je vous revois, charmante cour   56
Enfin je vous revois, princesse   330
Enfin, ma soeur, le ciel est appaisé   311
En lui donnant la préférence   341
Entourez de glaçons   159
Entrée   58, 154, 236, 240, 242, 244, 291, 431, 432,
    439, 444, 455, 460, 467, 468, 476, 483, 514

Entrée d'Apollon   180
Entrée de ballet de 8 personnes affligées   195
Entrée de Baptiste   96
Entrée de Beauchamps   265
Entrée de Diane   66
Entrée de l'étang   331
Entrée de Poliphème   488
Entrée des nations   281
Entrée du roi   166
Entrée triomphante de Thésée   255
Entre les autres rois   456
En vain j'ai respecté   270
En vain quand l'amour est extrême   320
En vain un coeur, incertain   282
L'Envie   212
L'Envie en vain frémit de voir   394
Eole   44, 45
Eole, dieu des vents   112
Eole et les 4 vents   45, 112
Epargnez ce que j'aime   260
Les Esclaves   138, 161, 179, 265
Les Espagnols   131, 186, 187
2 Espagnols et 2 espagnoles   94
Espère en ta valeur   329
L'Espoir dans nos coeurs   377
Espoir si cher et si doux   285
Esprits de haine et de rage   473
Esprits empressés à nous plaire   412
Esprits follets   33
Esprits infernaux, il est temps   419
Essaie un peu de l'inconstance   231
Est-ce vous, Oriane?   421
Est-on sage dans le bel âge   194
8 Estropiés   88
Et bien Psyché des cruautés   313
L'Eté   23
Et laissez régner sur les ondes   173, 235
Les Etoiles   83
Etoile du point du jour   111
Europe et 6 nymphes   114
E voi belle che lodate   72
Exaudiat te Dominus   512
Exaudi Deus deprecationem   510
Exécutons l'arrêt du sort   307
Les Exempts et gardes   118
L'Exercice des mousquetaires   43

Facio la reverenza   267
Faisons cesser nos allarmes   322
Faisons tout retentir du bruit   206
Faites grâce à mon âge   252
Fanfare   227, 265, 331, 334
Les Fantômes   79, 175, 382
La Farce   57
La Farce et ses soldats   57
Faudra-t-il encore vous attendre   487
Les Faunes   73, 115, 122, 193, 200, 211
Les Faunes et dryades   177
Les Faunes et femmes rustiques   132

Les Faunes et sauvages 133
Faut-il encore que je vous aime? 440
Faut-il que contre nous tout le ciel 377
Faut-il que votre coeur à l'amour 341
Les Fées 200
Les Fées de Roland 446
Fermez-vous pour jamais 426
La Fête africaine 215
La Fête infernale 241, 242
La Fête marine 232, 234
Fidèles coeurs 426
Fierté, sévère honneur 356
Le Fil de la vie 307
Les Filles de cour et les filles de village 56
3 Filles de village 91
6 Filous 24
Le Fils de Jupiter va combattre 377
2 Fils du seigneur 108
Les Flammes amoureuses descendent-elles 340
Fleurs qui fûtes jadis des héros 165
Flore 113, 160, 250
Flore et ses nymphes 97
Flore, Palès, 3 bergers et 3 bergères 113
Florestan, Corisande, ô bienheureux 416
Flore suivie de 4 jardiniers 73
Les Florentins 70
Flore, Zéphire, les nymphes de Flore 366
Flûtes 175, 178, 261, 287, 288, 291, 328, 345, 420,
    479, 487, 494
Folâtrons, divertissons-nous 201
Folies d'Espagne 10, 209
Fontaine qui d'une eau si pure 438
Les Forêts sont en feu 328
Les Forgerons 195, 306
Les Forgerons forgeant sur l'enclume 95
Fortezza debellate 59
Les Foudres et tempêtes 78
Français 189
Une Fripière couverte d'habits 27
Les Fureurs de la guerre 307
Les Furies 212, 333, 403
Les Furies et les lutins 197
Les Furies ou suivantes de Cérès 344
Fut-il jamais amant plus fidèle 416
Fuyez les lieux où règne Armide 472
Fuyons, nos voeux sont vains 377

Gaillarde 38, 83, 125, 146, 182, 262
Le Galant 30
Les Galants amis et rivaux 42
4 Galants braves, 2 coquettes et des jaloux 33
4 Galants cajolant la femme de Sganarel 94
4 Galants et 4 maîtresses 70
4 Galants et 4 nains 105
Les Galants, les galantes 161
Les Garçons tailleurs 182
Gardez pour quelqu'autre 300
Gardez tous un silence 327
Gardez vos tendres amours 260

Gardez-vous, beautés sévères 199
Gardons-nous bien d'avoir envie 219
Gavotte 24, 37, 49, 58, 61, 74, 94, 103, 105, 106,
    118, 124, 126, 129, 142—145, 150, 160, 179, 182,
    199, 211, 212, 223, 233, 244, 262, 272, 287, 289,
    290, 303, 325, 329, 335, 343, 366, 379, 398, 407,
    432, 439, 451, 468, 477, 481, 485, 520
Gavotte en rondeau 61
Gavotte pour le roi 54
Gavotte pour les suisses 25
Gavotte pour Orithie et ses nymphes 359
Les Géants 46
6 Géants et autant de nains 46
4 Géants et 4 nains 105
Geloso veleno che sempre ohimè 30
La Générale de la garde française 497
Le Génie de la France 25
Les Génies et les fées font un essai de danse 432
Les Gens de bonne chère 148
Gentil musica francese 56
Les Gestes de Molière et des satyres 104
Les Gestes des satyres 104
Gia soche chi due volte 267
Gigue 61, 62, 83, 97, 104, 137, 184, 187, 208, 242,
    250, 279, 318, 347, 350, 360, 384, 401, 408, 412,
    432, 442, 457, 461, 463, 476, 481, 486, 488, 491,
    504, 514, 519, 520
Gigue pour les gorgones 476
Giustitia 267
Les Glacés 305
La Gloire 229
La Gloire d'Atys 280, 281
La Gloire de Thésée 265
La Gloire et la renommée 97
La Gloire n'est que trop pressante 257
La Gloire où ce vainqueur aspire 458
La Gloire paraît au milieu d'un palais 227
La Gloire vous appelle 447
Les Glousglous 166
Les Gorgons 476
6 Goguenards 68

Goujats, soldats 100
Les Gourmands 68
Goûte en paix chaque jour 284
Goûtons bien les plaisirs, bergère 156
Goûtons dans ces aimables 336
Le Gouverneur d'Egypte 96
Les Grâces, les dryades et les nayades 354
Un Grand calme est trop fâcheux 290
Un Grand d'Athènes 265
Grande musique 166
La Grandeur brillante 371
Grand héros, le ciel vous est propice 496
Gran Maestra del sopportare 63
Les Grecs vainqueurs des Troyens 100
Ground 519
Guéris-toi, si tu peux 217
La Guerre 88, 307
La Guerre et la famine 307

Les Guerriers 379
Guerriers, il ne faut pas faire 97

Les Habitants champêtres 477
Habitants de l'île enchantée 261
Les Habitants de Sicile 338, 344
La Haine 40, 476
Hâtez-vous de servir 323
Hâtez-vous, pasteurs, accourez 210
Hâtez-vous, plaisirs 297
Hautbois 206, 213, 249, 342, 343, 371, 443, 445,
  448, 498, 499
Hé! Comment pourrait-on passer cette vie 211
Hélas, Charon, hélas 241
Hélas, il va périr 377
Hélas, peut-on sentir 136
Hélas, quel bruit? qu'entends-je? 304
Hélas, superbe gloire 227
Hélas, une chaîne si belle 407
Les Héros 164
Les Héros de l'histoire 25
Un Héros, des mortels l'amour 451
Les Héros des romans 25, 26
Héros dont la valeur étonne l'univers 333
Les Héros et héroïnes 117
Les Héros, pâtres, ouvriers des arts 206
Le Héros que j'attends 226
Un Héros que la gloire élève 321
Un Héros que le ciel fit naître 352
Un Héros qui mérite une gloire éternelle 393
Héros victorieux 388
Les Heures 111, 163
Les Heures de la nuit 83
Les Heures du jour 83
Heureuse intelligence 373
Heureuse mort, tu vas me secourir 328
Heureuse une âme indifférente 395
Heureux deux amants inconstants 255
Heureux l'empire qui suit ses loix 293
Heureux les tendres coeurs 460
Heureux qui peut briser 302
Heureux qui peut être inconstant 340
Heureux qui peut plaire 213
Heureux qui peut voir du rivage 396
L'Hiver qui nous tourmente 306
Un Hiver, 6 galants 74
Holà, debout! Pour la chasse ordonnée 102
Holà, qui va là? 93
Les Hommes désolés 240
Les Hommes et femmes armés 179
Les Hommes et femmes échevelés 195
Les Hommes et femmes rustiques 132
Les Hommes portant des enseignes 201
Honorons à jamais 386
Hor che le destre 59
Hor che veglian le stelle 30
L'Hymen détruit la tendresse 243
Hymen, ô doux hymen 386

Un Hymen qui peut plaire 235
L'Hymen seul ne saurait plaire 288

Ici l'ombre des ormeaux 153
Il avait mis aux fers la discorde 432
Il est bien doux de boire 207
Il est des nuits charmantes 361
Il est doux d'être amant d'une bergère 458
Il est mort, l'insolent 492
Il est seul, profitons d'un temps 480
Il est temps de finir 422
Il est temps de vous arrêter 426
Il est temps que l'amour nous enchaîne 335
Il est vrai, nos charmes 33
Il faut aimer, c'est un fatal destin 357
Il faut changer toujours 231
Il faut passer tôt ou tard 241
Il faut périr, pécheur 513
Il faut profiter du bonheur 253
Il faut que votre destinée 216
Il faut qu'un amant persévère 366
Il me fuit l'inconstant 399
Il ne faut plus que je diffère 220
Il ne m'aime que trop 378
Il ne m'est pas permis de finir 308
Il n'est pas sûr toujours de croire 232
Il n'est point de grandeur charmante 257
Il n'est rien de si beau 251
Il timor qual'hora affrena 30
Il veut bien quelquefois visiter 451
Immortels habitants des cieux 489
Les Importuns 185, 204
Les Importuns du village 90
L'Impromptu de Versailles 108, 118
Impuissante vengeance, inutile secours 325
L'Inconstance n'a plus l'empressement 297
Les Indiens 122, 281, 401
Les Indiens avec les bacchantes 122
Les Indiens et les indiennes 35, 122
Inexorable Mars 249
Une Infidélité cruelle n'efface point 286
Influences de Jupiter 81
Influences de la lune 80
Influences de Mercure 80
Influences de Saturne 82
Influences du soleil 82
Infortunés qu'un monstre affreux 378
Ingrate bergère 504
Ingrate, écoutez-moi 341
L'Innocence 41
Insegnar la dicta all appetito 63
Les Instruments champêtres 211
Intermède 56, 102—105, 173, 175, 178, 179,
  194—197
Intermedio 56
Interrompez vos badinages 122
In van fia che poi ti lagni 72
Invincible héros, c'est par votre courage 472
Invocation 258

Io non la so   63
Iris charme mon âme   135
Iris paraît dans ce bocage   516
Irritons notre barbarie   418
Isis est immortelle   308
Iste sanctus   510
Italiens   188

J'abandonne les cieux   495
J'abandonne ma gloire   440
J'ai cherché vainement la fille   300
J'ai cru trouver ici la nymphe   487
J'ai fait serment, cruelle   508
J'ai foison de dettes   296
J'aimerai toujours ma bergère   445
J'ai peine à concevoir   341
J'aime, c'est mon destin d'aimer   396
J'ai perdu la beauté   380
J'ai quitté les forêts   317
J'ai rendu les humains heureux   344
J'ai sans cesse suivi vos pas   343
La Jalousie, les chagrins et les soupçons   93
Les Jardiniers   161
J'avais toujours bravé l'amour   258
Jean Doucet et son frère   36
Jean le blanc   119
Je cherche à médire   198
Je cherche en vain l'heureux amant   298
Je cours assurer ma mémoire   495
Je crains que Junon ne refuse   373
Je croyais Jeanneton   181
Je descends, je descends   52
Je goûtais une paix heureuse   373
Je languis nuit et jour   181
Je le veux, mais auparavant   103
Je m'aperçois sans cesse   396
Je n'ai point de choix à faire   243
Je n'aurai pas de peine   304
Je ne dois plus me contraindre   517
Je ne puis souffrir l'outrage   207
Je ne puis vous braver l'amour   361
Je ne triomphe pas du plus vaillant   469
Je ne verrai jamais la lumière   346
Je ne verrai plus ce que j'aime   434
Je ne veux que votre coeur   441
Je ne viens point en qualité de nymphe   26
Je ne vous croyais pas dans un lieu   395
Je n'osais pas espérer   440
J'entends un bruit de musique   443
Je plaids ses malheurs   402
Je portais dans une cage   103
Je prétends rire   230
Je puis des éléments interrompre   446
Je quitte une paix profonde   337
Je répands sur les humains   86
Je réponds à tes voeux   475
Je reviens dans ces lieux   415
Je reviens enfin à mon tour   147
Je sens un plaisir extrême   280

Je sors de mes grottes profondes   492
Je soumets à mes loix l'enfer   424
Je suis au comble de mes voeux   489
Je suis jeune, je le confesse   217
Je suis trahi, ciel   446
Je tourne en vain les yeux   478
Le Jeu, le ris, la joie   75
La jeune Iris me fait aimer   141
Jeunes coeurs, laissez-vous prendre   233
Les jeunes débauchés   66, 67
Jeunes lis qui semblez ne faire   165
La Jeunesse   300, 367, 368
Les Jeux et les amours ne règnent pas   248
Jeux innocents, rassemblez-vous   394
Jeux junoniens   375, 376
Je vais partir, belle Hermione   217
Je vais revoir ma fille   344
Je veux haïr toujours un amant   424
Je veux joindre en ces lieux   280
Je vivrai si c'est votre envie   438
Je vois Alphée, ô dieu   337
Je vous promets de n'éteindre   426
Joignez à mes chants magnifiques   205
Joignons aux plus aimables chants   516
Joignons nos soins et nos voix   206
Les Joueurs   148
Jouissez des douceurs que l'hymen   330
Jouissons des plaisirs   146, 178
Jouissons d'un bonheur extrême   477
Jouissons sous ses loix d'un sort digne   458
Jubilate Deo   512
Junon   142
Jupiter   67, 133, 222
Jupiter a dompté les géants   339
Jupiter et les 4 nations   81
Jupiter lance le tonnerre   339
Jupiter vient sur la terre   299
Jusqu'au plus haut des cieux   165

Laisse mon coeur en paix   283
Laissez calmer votre colère   376
Laissez-nous en repos, Philène   152
Laissons en paix toute la terre   201
La Langueur des beaux yeux   507
Laudate pueri dominum   510
L'ho pur passata   63
Liberté, liberté   252, 303
Les Liciens   331
La Logistille   446
Loin d'ici, loin de nous   345
Lorsqu'Amadis périt   413
Lorsque l'amour vous asservit   323
Lorsque par le feu du bel âge   257
Lorsqu'un amour fidèle et tendre   461
La Louchie   59
Loure   104, 157, 158, 187, 199, 208, 228, 232, 442, 451, 457, 491
Lubin, prenez mes deux garçons   108
Luci belle voi godete   30

La lumière aujourd'hui   237
La Lune, influence de pèlerins   80
Lunga serie di regi   59
Les Lutins   259, 307, 382
Les Lycéens   331

Ma chère liberté   346
Madame en bergère   85
Ma douleur eut été mortelle   426
Un Magicien qui fait sortir 4 démons   93
Les Magiciens   134, 324
Ma gloire murmure en ce jour   438
Magnificat anima mea   511
Mahameta per giordina   184
La Maison d'Autriche   77
La Maison de France   77
Mais quels concerts se font entendre   487
Mais si vous ne vous aimez guère   162
Un Maître à danser   93, 109, 182
Un Maître à danser avec le magister du village
   109
Un Maître à danser vient d'enseigner une cou-
   rante   94
Le Maître d'école un peu poète et compositeur
   90
Les Maîtres à danser   65, 148, 169
Les Malades   307
Les Maladies furieuses   307
Les Maladies languissantes   307
Les Maladies lentes   307
Maledette sian le scuole   63
Malgré moi votre amour vainqueur   357
Malgré tant d'orage   232
Malgré tous mes malheurs   319
Le Malheur qui nous accable   325
Mandane   132
Mandane et Cyrus   132
Mânes de ce guerrier   496
Ma petite Colinette   24
Ma poi che dotte il lei   63
Ma princesse, quel bonheur   221
Les marchands maures   69, 70
Marche   36, 101, 151, 209, 227, 236, 253, 255, 272,
   297, 303, 317, 320, 334, 335, 371, 375, 397, 434,
   444, 448, 461, 471, 488, 490, 497—499
Marche africaine   220
Marche à la tête de 4 quadrilles   165
Marche d'Alexandre et Porus   130
Marche de combattants   220
Marche de Comus   485
Marche de Mérops   400
Marche des africains   220
Marche de Savoie   448
Marche des dragons de Monterey   498
Marche des dragons du roi   499
Marche des fanatiques   513
Marche des fusilliers   498
Marche des gardes de la Marine   498
Marche des grecs   130

Marche des indiens   130
Marche des mousquetaires   51
Marche des peuples qui portent des présents   402
Marche des sacrificateurs   220, 402
Marche des sylvains   350
Marche du prince d'Orange   499
Marche du régiment du roi   191
La Marche du sacrifice   253, 325
La Marche du siège   236
Marche en rondeau   236
Marche française   43, 497
Marche funèbre   239
Marche italienne   43
Marche pour la cérémonie turque   183
Marche pour la pompe funèbre   194
Marche pour le combat de la barrière   417
Marche pour les bergers   130
Margot la brune   178
Le Marié   444
Le Marié et la mariée   37, 89, 163
Les Mariés   162
Les Mariniers   152
Mars   26, 201
Mars et les guerriers   356
Marsan est aimable   151
Mars et les amours   356
Mars redoutable   221
Mars suivi d'Alexandre   79
Mars suivi de sa troupe   201
Mascarade espagnole   131
Les 7 Masques   75
Masques ridicules   149
Masques sérieux   149
Les Matassins   61, 170, 172
Les Matelots   232
Les Matelots jouant des trompettes marines   61
Mathurine   30
Les Maures   105, 139, 281
Ma Vénus a charmé les hommes   86
Ma volage s'avance   208
Les Médecins   107, 120
Médor, je tremble   441
Les 8 meilleurs danseurs de la cour d'Alcidiane
   42
Mêlons aux chants de victoire   250
Mêlons donc leurs douceurs   154
Les Menades et Aegipans   199
La Ménagerie   228
Menuet   59, 72, 74, 76, 94, 98, 102, 108, 111,
   113—115, 117, 122, 129, 130, 133, 140, 141,
   143—145, 150, 154, 157, 160-162, 166, 172, 174,
   177, 189, 193, 196, 213, 214, 223, 224, 228, 229,
   232, 245, 249, 273, 288, 294, 295, 298, 300, 304,
   319, 329, 336, 338, 354—356, 364, 372, 385, 390,
   392, 403, 405, 414, 425, 431, 443, 444, 450, 452,
   457, 460, 461, 464, 467—469, 481, 483, 486, 504,
   506, 514, 516, 519—522
Menuet de trompettes   180
Menuet de Vincennes   107

Le Menuisier   206
Le Mépris d'un coeur volage   230
Mercure   65
Mercure, dieu de l'éloquence   30
Mercure, dieu des charlatans   81
Mercure, quel dessin vous fait ici   336
Les Mercures   35
Mes plus fiers ennemis vaincus   198
Les 4 Messieurs   90
Mille nouveaux concerts viennent se faire   372
Miserere mei deus   109
Moi qui suis un sergent   108
Les Moissonneurs   250
Mome et polichinel   202
Momus   26
Mon coeur   146
Mon coeur veut fuir toujours   274
Le Monde est délivré   382
Mondor et Tabarin   25
Mon empire a servi de théâtre   295
Mon fils, si tu plaints mes malheurs   311
Mon père est le dieu redoutable   402
Mon sort était digne d'envie   399
Le Monstre approche de ces lieux   384
Le Monstre est mort   384
Les Monstres   106
Monstres, cherchez votre victime   382
Mon terrible secours vous est nécessaire   381
Montrons notre allégresse   326
Mon vainqueur encore aujourd'hui   374
La Mort barbare   239
Les Moscovites   65
Mourez perfides coeurs   252
Moi qui suis un sergent à verge   108
Les Muses   205, 295, 296
Les Muses et les jeux s'empressent   244
Les Muses et Piérides   133
Les 9 Muses guidées par Apollon   75
Muses, préparons nos concerts   317
Les Muses vont lui faire entendre   393
Les Mutins sont vaincus   252

N'aimons jamais ou n'aimons guère   255
Les Nations   281
Les 4 Nations   81, 165, 166
N'attendez pas qu'ici je me vante   136
N'avancez pas plus loin   280
La Navigation, ritournelle   85
Les Nayades et les dryades   160
Les Nayades, sylvains, fleuves et dryades   193
Ne craignez point le naufrage   85
Ne les cherchez qu'au bord des pots   200
Ne permettons pas qu'elle ignore   424
Neptune   174
Ne songeons qu'à vous réjouir   171
Ne troublez pas nos jeux, importune raison   367
Ne troublez point les charmes   295
Ne vous faites point violence   283
La Niert, sarabande   513

4 Nobles Vénitiens et 4 gentildonnes   25
Une Noce de village   36, 444, 463
La Noce de Cadmus   222
Noires ondes du Styx   308
Non, ce n'est que pour la colère   381
Non è cora intelligibile   63
Non, il n'est pas possible de contraindre   356
Non, je le promets   258
Non, je n'ai point gardé mon coeur   478
Non, je n'entends vos conseils   440
Non, je ne puis souffrir   375
Non, je ne saurais plus me taire   495
Non, la plus fière liberté   363
Non, les soulèvements d'une ville rebelle   319
Non, nous n'aurons point de bruit   215
Non, on ne peut trop plaindre   436
Non, pour être invincible   420
Non, rien n'arrêtera la fureur   423
Non, rien n'est comparable au destin   402
Non t'ascolta   63
Non tener honta   185
Non vi è più bel piacer   506
Nos fâcheux maris jaloux   37
Nos tendres soins et ma langueur   517
Notre espoir allait faire naufrage   385
Notre parfait bonheur   264
Notus in Judea Deus   512
Nous accourons au seul bruit   493
Nous avons pour nous en ce jour   348
Nous avons préparé pour lui les fêtes   483
Nous avons traversé le vaste sein   461
Nous devons nous animer   279
Nous goûtons une paix profonde   193
Nous mêlons toute notre gloire   507
Nous n'avons jamais de chagrin   148
Nous ne saurions choisir de demeure   413
Nous ne trouvons partout que de gouffres   476
Nous pouvons nous flatter   283
Nous ressentons mêmes douleurs   382
Nous suivons de Bacchus   154
Nuit charmante et paisible   362
La Nymphe de Fontainebleau   73
Les Nymphes   160, 291, 344
Les Nymphes de Diane   360
Les Nymphes de Flore   271
Nymphes des eaux, nymphes de ce bocage   353
Nymphes guerrières   379
3 Nymphes, juges de combat   133
Nymphes maritimes   99

O bienheureuse vie   346
Objets charmants et rares   75
O ch'immensa impatienza   67
O ciel inexorable   383
O ciel, ô saintes destinés   452
O dieu de la clarté   404
O dieu qui lancez le tonnerre   409
O dieux! quel spectacle funeste   237

O dieux, qui punissez l'audace   373
O dulcissime Domine   511
4 Officiers   91
O fortune cruelle   419
O che bene   34
Oh che concerto harmonico   68
Les Oiseaux réjouis   138
Les Oiseaux vivent sans contrainte   158
Les Oiseleurs à la chouette   66
O jour pour la Lycie   330
O Junon, puissante déesse   376
O lacrymae fideles   110
O le doux emploi pour la rage   381
O malheureuse mère   344
O Mars, ô toi qui peut déchaîner   220
Les Ombres heureuses forment un concert   345
Les 8 Ombres enlevant Euridice   118
O Minerve, arrêtez la cruelle   252
Omnes gentes plaudite   511
O mort, que vous êtes lente   421
O mort, venez finir mon destin   386
On a beau fuir l'amour   215
On a quitté les armes   335
On a vu ce héros   395
On conterait plutôt les épices   458
L'Onde se presse d'aller sans cesse   228
On dit que vos yeux sont trompeurs   507
On n'entend plus le bruit des armes   431
On ne voit plus ici paraître   227
On nous tourmente sans cesse   259
Un Opérateur suivi d'un arracheur de dents   92
O quanto mio   38
Orateurs latins et philosophes grecs   132
L'Or de tous les climats   120
L'Orfèvrerie   86
O rigoureux martyre   407
Orithie   359
Orphée   132
Orphée et Euridice   118
O Sapientia in misterio   511
O signor avocato che sete   267
Osons tous obscurcir   212
O sort inexorable   383
O spiert santisam   522
O tranquille sommeil   381
O trop heureux Admète   238
Où êtes-vous allé   142
Où êtes-vous allées, mes belles amourettes   507
Où penses-tu porter tes pas   314
Où suis-je, d'où vient ce nuage   299
Où suis-je, quel spectacle   312
Ouverture   26, 31, 39, 44, 47, 52, 59, 62, 72, 79,
    84, 89, 92, 95, 101, 107, 110, 119, 121, 128, 147,
    151, 155, 159, 167, 173, 181, 192, 210, 226, 248,
    270, 293, 316, 333, 352, 370, 390, 411, 430, 450,
    453, 466, 483, 495
Ouverture de la convalescence du roi   514
Ouvrez les yeux, voyez cet astre   362
Les Ouvriers   206

Ouvrons tous nos yeux à l'éclat   180
O vertu charmante   371
O vous, adorable immortelle   491
O vous, dont le nom plein de gloire   447
O vous, pour qui l'amour   403
O vous, qui prenez part   287

Les Pages   118, 169
Paissez, chères brebis   135
La Paix dans ces beaux lieux   339
Paix là, taisez-vous donzelles   109
La Paix règne dans ce bocage   458
La Paix revient dans cette asile   461
Le Palais brisé   480
Le Palais va tomber   339
Pallante   47
Pallante, chez des illustres esclaves   47
Pallas et 4 amazones   88
Pan   211
Pan, Arcas et des sylvains   366
Pan et les 4 sylvains   366
Les 3 Pantalons   518
Les Pantomimes   175, 178
Les Parents de la mariée   37, 38
Parle ici sans crainte   119
Parle, nous voilà prêts   324
Par le secours d'une douce   446
Par mes enchantements   424
Parmi che non rifiute   31
Par quels noirs et fâcheux passages   314
Les Parques   307
Partez, allez, volez   249
Les 4 Parties du monde   25, 165, 166
Par un cruel châtiment   373
Passacaille   124, 145, 387, 478, 493, 496
Passacaille de flûtes et de violons   312
Passepied   291, 371, 401, 460, 464
Les Passions   178
Les Passions pantomimes   178
Le Patissier, sa servante et son garçon   89
Les pâtres   244, 245, 444
Des Pâtres, des pastourelles, des bergers   444
Patrocle va combattre   495
Pauvre Baptiste, que le ciel t'assiste   81
Pauvres amants, quelle erreur   138
Pavane   463
Les Paysans   67, 68, 119, 211
Les Paysans combattent avec les bâtons   135
Les Paysans et docteurs   28
Les Paysans et paysannes   60
3 Paysans et 3 paysannes accompagnés de quelques
    flûtes   109
Les Paysans reconciliés   135
Les Pêcheurs   232
Les Pêcheurs de corail   173
Les Pêcheurs de perles   41
La Peine d'aimer est charmante   215
Les Peintres   86
Peintres, dames, valets   86

Les Peintres et 4 dames ridicules 87
La Peinture 86
Les Pèlerins 80
Pendant que ces flambeaux de lumière 507
Per due lustri di procelle 63
Perche crudo amore 518
Le Père et la mère du marié 37
Le Père et les valets des débauchés 66
Le perfide Renaud me fuit 480
Persée il faut périr 387
Les Personnes affligées
Per te veglia il cor mio 30
Petit air 401
Un petit doigt, Philis 183
Petite chaconne 50
Petite chaconne italienne 514
La petite guerre 43
Les petites filles 83
Les Peuples d'Amas 471
Les Peuples de Cataye 442
Peuples et rois, tout gémit 166
Des Peuples transis de froid 305
Peut-être dormez-vous, adorable inhumaine 24
Peut-être un soupir si tendre 441
Peut-on changer si tôt 286
Peut-on être insensible aux plus charmants 277
Peut-on mieux faire 214
Peut-on vous mépriser sans crime 437
Les Philosophes 116
Les Phrygiens 278, 279, 281
Pierre du Puis, Gille le Niais 30
Piglialo sù, Signor monsù 170
Un Pilote et les mariniers 45
Pioua il cielo 59
Pirame et Thisbé 129
La Pitié 327
Più che d'ogni mercede 63
Les Plaideurs 65
Plaignons les maux 328
La Plainte 291
La Plainte d'Ariadne 115
La Plainte d'Atys 291
La Plainte de Cloris 152
La Plainte de Vénus sur la mort d'Adonis 164
La Plainte du dieu Pan 304
La Plainte en italien 194
4 Plaisants ou goguenards 93
Le Plaisir est nécessaire 398
Les Plaisirs 50, 148, 178, 300, 355
Les Plaisirs à ses yeux 271
Les Plaisirs et la suite de Vénus 82
Les Plaisirs, les jeux et les ris 301
Les Plaisirs les plus doux 300
Les Plaisirs nous préparent leurs charmes 331
Les Plaisirs nous suivent désormais 413
Les Plaisirs ont choisi pour asile 479
Les Plaisirs où l'Amour convie 208
Plaisirs, plaisirs venez en foule 82
Plaisirs, venez sans crainte 395

Plaude laetare 150
Un plein repos favorise 450
Les plus belles chaînes 264
Le plus grand des héros rend le calme 331
Le plus heureux amant 132
Plus j'observe ces lieux 473
Plus on connaît l'amour 475
Le plus sage s'enflamme et s'engage 265
Plus votre époux mourant voit l'amour 238
Pluton 30, 164
Pluton enlevant Proserpine 97
Pluton et Proserpine 79, 117
La Poésie 52
Les Poètes 116, 130
Polexandre 48
Polexandre triomphant 48
Les Polichinels 149
La Poligamie 170
Un Poltron de vaisseau avec les esclaves 60
Un Poltron et 2 braves 55
Les Poltrons et les braves 29
La Pompe funèbre 239
Pompe que ce palais de tous côtés 313
La Populace 255
Les Portefaix et 6 nains 65
Les Porteurs de haches 179
Les Postures des satyres 104
Pour ce grand roi redoublons nos efforts 319
Pour fuir l'amour qui vous appelle 337
Pour hâter mon bonheur 491
Pour le peu de bon temps qui nous reste 256
Pour le roi européen 166
Pour les menades et aegipans 199
Pour les nayades, sylvains 193
Pour les pèlerins jouant de la vielle 80
Pour les plus fortunés 250
Pourquoi du ciel m'obliger à descendre 311
Pourquoi m'abandonner pour une amour nouvelle 287
Pourquoi n'avoir pas le coeur tendre 318
Pourquoi tant se contraindre 364
Pour rendre son empire heureux 456
Poursuivons jusqu'au trépas 472
Pour tout vaincre il suffit qu'un héros 330
Pour une si belle victoire 243
Pour vous quand il vous plaît 470
Poussons à sa mémoire des concerts si touchants 179
Prélude 132, 165, 178, 194, 197, 198, 222, 227, 234, 239—244, 249, 251, 253, 258, 265, 272, 279, 280, 283, 286, 287, 290, 294, 295, 300, 308, 311, 312, 314, 315, 320—323, 327, 329—331, 334, 335, 338, 339, 342, 344, 346—349, 356, 361—365, 367, 368, 377—380, 382, 383, 386, 387, 393, 395, 397—400, 404, 407, 411, 418—426, 431, 433, 434, 440, 443, 446, 447, 450, 452, 456, 458, 460, 462, 468, 470, 473—476, 478, 480, 486, 487, 492, 495, 496, 516, 520
Prélude des divinités en écho 265

Prélude des muses   295
Prélude des 4 nations   165
Prélude des sacrificateurs   179
Prélude de trompettes   180, 201
Prélude du carrousel   481
Prélude pour la noce de Cadmus   222
Prenez soin sur ces bords des troupeaux   397
Préparez de nouvelles fêtes   273
Préparez vos chants d'allégresse   329
Préparons-nous pour la fête nouvelle   453
Pressez-vous ce travail que l'amour   312
Prétends-tu que je sois un amant   251
Le Prince qui poursuit   456
Princesse, savez-vous ce que peut ma colère   258
Princesse, tout conspire à couronner   322
4 des principaux corsaires de Bajazet   46
Le Printemps   50, 161
Le Printemps, aimable Silvie   506
Le Printemps et sa suite   405
Le Printemps quelquefois est moins doux   272
Le Printemps ramène la verdure   508
Le Printemps suivi du jeu, du ris, de la joie et de
    l'abondance   75
Prions, prions la déesse   251
Profitons des beaux jours   213
Profitons du temps qu'il donne   147
Promettez-moi de constantes amours   300
La prompte renommée a publié   455
Proserpine   96, 343
Proserpine avec deux compagnes   164
Proserpine, Proserpine   343
Protée   397, 398
Protée disparaît et se transforme en tigre   398
Protée en a trop dit   399
Protée et sa suite   396
La Prudence, la force, la justice   25
Publions en tous lieux   293
Puisque je perds toute espérance   235
Puisqu'enfin pour te satisfaire   216
Puissant roi qui donnez chaque jour   296
Puissent-ils prés de nous trouver   491
Pyrame et Thisbé   129
La Pythie   327

Quadrille   165
Qu'aisément le dépit dégage   231
Qu'à l'envie chacun se presse   490
Quand briserez-vous vos fers   333
Quand des riches pays arrosés   445
Quand Florimond les coudes sur la table   174
Quand j'attends les beaux jours   271
Quand je plaisais à tes yeux   177
Quand l'amour à vos yeux offre un choix   102
Quand le péril est agréable   275
Quand l'opéra tant vanté   174
Quand on aime bien tendrement   280
Quand on est aimé comme on aime   416
Quand on est sans espérance   232
Quand on obtient ce qu'on aime   328

Quand on suit une amour nouvelle   255
Quand on veut faire fort bonne chère   214
Quand on vient dans ce bocage   444
Quand un vainqueur est tout brillant   321
Quanti poveri amanti   33
Quare fremuerunt gentes   449
Qu'Atys dans ces respects mêle l'indifférence   285
Qu'avec plaisir je reviens   483
Que ce Dieu mérite qu'on l'aime   122
Que ce jardin se change en un désert affreux   323
Que ce qui suit les loix du maître   222
Que ce roi vainqueur a de gloire   456
Que ces lieux ont d'attraits   301
Que chacun se ressente   211
Que dans le temple de mémoire   469
Que de fantômes vains errent de toutes parts   362
Que de fleurs vont éclore   367
Que de malheurs accablent la Lucie   325
Que d'esclaves soumis   48
Que de tous côtés on entende le nom   400
Que devant vous tout s'abaisse   281
Que fais-tu, montre-moi   313
Que j'aime à choquer le verre   194
Que je viens d'immoler une grande victime   290
Que l'absence de ce qu'on aime   343
Que la douceur d'un triomphe   472
Que la guerre est effroyable   431
Que l'amour a d'attraits   284
Que l'amour est doux à suivre   336
Que l'amour qui nous enchaîne   487
Que l'astre qui nous luit   211
Que la terre partage   298
Que la valeur et la prudence   380
Que la vengeance a d'attraits   263
Que la vieillesse est lente   237
Quel bien devez-vous attendre   303
Quel bonheur pour la France   462
Quel bonheur suprenant pour nos coeurs   260
Quel bruit de guerre m'épouvante   227
Quel chemin ont-ils pris ces amants   492
Quel coeur sauvage ici ne s'engage   229
Quel coeur se peut assurer   349
Quel désordre, quel tintamarre   108
Quel désordre soudain   212
Que le ciel annonce   412
Que le ciel pour Persée est prodigue   382
Que l'éclat de son nom s'étende   468
Que le feu des forges   306
Que l'empire amoureux est un charmant empire
    366
Que l'enfer, la terre et les cieux   380
Que les jaloux sont importuns   34
Que les mortels se réjouissent   393
Que les plus galantes fêtes   488
Quel heureux jour pour nous   372
Que l'hymen prépare des noeuds   264
Que l'incertitude est un rigoureux   399
Quelle cruauté, quel mépris   437
Quelle gloire pour la mer   111

Quelle horreur, quel affreux ravage 329
Quel malheur, Dieux! quelle tristesse 400
Quel mortel osa jamais prétendre 496
Que l'on chante, que l'on danse 287
Que l'on chante, que tout réponde 407
Que l'on doit être content 256
Que l'on enchaîne pour jamais 350
Quel plaisir d'aimer sans contrainte 262
Quel plaisir de voir 424
Quel plaisir de voir en ce jour 330
Quel plaisir de voir Claudine 263
Quelques courtisans 49
Quels agréables sons ont frappé 312
Quel sort a plus d'appas 469
Quel spectacle charmant pour mon coeur 327
Quel spectacle vient me surprendre 259
Quels spectacles charmants 190
Que maudit soit l'amour 219
Que n'aimez-vous, coeurs insensibles 385
Que ne puis-je arrêter l'ardeur 416
Que ne puis-je expirer après ce coup 492
Qu'en furie l'on jure 379
Que nos pleurs, que nos cris 240
Que nos prairies seront fleuries 261
Que notre accord est doux 205
Que notre vie doit faire envie 342
Que pour jamais un noeud charmant 440
Que Protée avec nous partage 397
Que rien ne trouble ici Vénus 249
Que servent les faveurs 282
Que soupirer d'amour 168
Questi genti dal sol 36
Qu'êtes-vous devenu 460
Que tout l'univers se pare 298
Que tout parle à l'envie de notre amour 323
Que tout retentisse 229
Que tout sente ici bas l'horreur 291
Que tout se ressente de la fureur 345
Que votre empire 40
Que votre sang se change 493
Que vous connaissez trop peu aimable Climène 507
Que vous faites couler et de sang et de larmes 325
Qui dans la nuit ramène le soleil 72
Qui goûte de ces eaux 439
Qu'il coûte cher d'être fidèle 340
Qui les saura, mes secrètes amours 507
Qu'il est doux d'accorder 227
Qu'il est doux de trouver dans un amant 320
Qu'il n'échappe pas, qu'il périsse 387
Qu'il passe au gré de ses désirs 249
Qu'il règne, qu'il règne 452
Qu'il sait peu son malheur 287
Quitte ta houlette 178
Quittez ces démarches lentes 122
Quittez de si vaines chansons 319
Quittons, quittons notre vaine 120
Quoi Cadmus, fils d'un roi 214

Quoi, jamais plus de sang 88
Quoi, l'épée à la main 220
Quoi, vous avez promis 489
Quoi, vous pleurez 286
Quoi, vous vous employez pour la fière Psyché 312
Qu'on ne porte point d'autres fers 243
Qu'un beau visage a davantage 207
Qu'une injuste fierté 490
Qu'une première amour est belle 286
Qu'un indifférent est heureux 280

La Raison 57
La Raison et 4 notaires 57
Rangeons-nous sous ses loix 128
Récit 26, 28, 39, 44, 48, 51, 65, 70, 71, 73, 75, 82, 85—87, 89, 90, 92, 93, 97, 98, 102, 108, 110, 113, 117, 120—122, 130, 132, 133, 147, 159, 198, 200
Reçois le juste prix 241
Redoublons nos concerts 174
Regina coeli 511
La Reine 77
Réjouissance 417
Renaud 106
Renaud? ciel! ô mortelle peine 480
Rendez à votre fils 237
Rendez hommage à votre reine 347
Rendez-vous, beautés cruelles 193
Rendez-vous, Monsieur le gouverneur 38
Rendons hommage à notre reine 347
La Renommée 26
Renversons toute la nature 348
Répands, charmante nuit 168
Retirez-vous, cessez 272
La Retraite 43
La Retraite pour le régiment de Savoie 448
Revenez, revenez amours 248
Revenez, revenez liberté charmante 297
La Revente des habits 26
Rien ne peut l'arrêter 272
Rien n'est impossible à l'amour 346
Rigaudon 484, 485
Le Ris accompagné d'un choeur d'instruments 53
Les Ris, les jeux et les zéphirs 113
Rispondete a miei lamenti 194
Ritournelle 31—40, 48, 52, 56, 59, 63, 65, 67, 70, 75, 84—89, 92, 94, 96, 98, 100, 102, 104, 105, 109, 110, 113, 115, 120, 132, 135, 136, 138, 152, 153, 156, 158, 162, 164, 168, 175, 178, 181, 182, 186, 188, 204, 211, 213, 215—218, 220—222, 228—230, 234, 235, 237—241, 248, 249, 251, 254, 256—260, 263, 264, 273, 280, 282, 283, 285—287, 290, 294, 297, 299, 302, 303, 307, 311—314, 322, 323, 325—328, 336—341, 344, 345, 349, 352, 353, 356, 359, 365, 366, 374, 376, 377, 383, 391, 394, 395, 399, 401, 404, 406, 416, 419, 423, 424, 434, 438, 440, 442, 450, 469, 478, 487, 489, 504, 505
Ritournelle de Junon 142
Ritournelle de Scocapur 146

Ritournelle d'Esculape   146
Ritournelle des rochers   146
Ritournelle des rossignols   157
Ritournelle pour donner du plaisir   120
Ritournelle pour la sérénade   162
Un Rival n'est pas inutile   235
Rochers, vous êtes sourds   115
Rofilis   63
Le Roi   32, 77, 132, 166
Le Roi représentant Cyrus   132
Le Roi représentant Eole   45
Le Roi représentant Jupiter   67
Le Roi représentant la haine   40
Le Roi représentant la maison de France   77
Le Roi représentant le dieu Mars   79
Le Roi représentant le ris   54
Le Roi représentant Renaud   97
Le Roi septième influence   83
Rois indiens   166
Rois qui pour souverain   400
Roland, courez aux armes   447
Roland en furie   24
Rompons, brisons   239
Rondeau   49, 58, 60, 81, 94, 102, 105, 119,
    130—132, 145, 152, 178, 201, 211, 212, 221, 227,
    232, 234, 248, 250, 253, 265, 271, 272, 279, 307,
    308, 320, 321, 330, 342, 343, 355, 356, 372, 375,
    385, 398, 403, 414, 447, 456, 461, 468, 471, 472,
    486, 520
Rondeau pour les flûtes et les violons allant à la
    table du roi   102
Le Rossignol   157

Les Sacrificateurs   117, 221, 386
Sacrificateurs et philosophes   116
Le Sacrifice   221, 253, 325
Le Sacrifice de Mars   220
Sacrificium deo   109
Sage et divine fée   446
La Sage-femme   91
La Saison des frimats   271
Les Saisons   50
Les 4 Saisons, les 12 signes de Zodiaque et les
    12 heures   101
Salve regina   512
Sa Majesté représentant le soleil   160
Sangaride, ce jour et un grand jour pour vous
    278
Sans Alceste, sans ses appas   240
Sans cesse bénissons ce vainqueur   458
Sans cesse combattons   372
Sans crainte dans nos prairies   455
Sans le dieu qui nous éclaire   404
Sans mentir on est misérable   508
Sans nous tous les hommes deviendraient   120
Sapete che sia amour   53
Sarabande   24, 32, 37, 38, 53, 71, 83, 96, 99, 115,
    117, 125, 126, 127, 132, 140—142, 145, 146, 149,
    160, 162, 174, 182, 186, 196, 199, 291, 359, 386,
    472, 502, 513, 520
Sarabande en canarie   119
Sarabande en rondeau   471
Saturne, dieu des enchantements   80, 82
Les Sauvages   97
Les Sauvages de la Colchide   99
Les Sauvages d'Amérique   461
Les Sauvages et les biscayens   172
Les Savants et les ignorants   54
Savez-vous mes drôles   139
Scaramouche   34, 60
Les Scaramouches   30, 189, 518
Les Scaramouches, trivelins et un arlequin repré-
    sentant une nuit   188
Scoca pur tutti tuoi strali   146, 505
Se colei ti guidera   72
Secourez-nous, justes dieux   264
Le Secours de l'absence   434
Le Seigneur du village   90
6 Seigneurs   63
Se non canto io pur mi strozzo   67
Se que me muero   186
Serenade   24, 63, 162, 168
Les Sergents   108
Serons-nous dans le silence   223
Les Servantes   108
Ses justes loix, ses grands exploits   271
Seti sabir, ti respondir   183
Les Siciliens   338
Si du triste récit   138
Si je change d'amant   230
Si je fais vanité   314
Si je n'ai parlé de ma flamme   508
Si l'amour vous soumet   92
S'il est quelque bien au monde   303
S'il faut que ma félicité   440
Si l'hymen unissait mon destin   278
Sin amor la mosura   131
Si quelquefois l'amour cause des peines   354
Si quelquefois suivant nos douces loix   198
Si vous vous aimez bien tous deux   162
Slow aire   519
Les Sobres et les ivrognes   28, 55
Sofferenza è forte scudo   63
Sofferenza tra li scogli   63
Le Soin de goûter la vie   133
Le Soin de vous défendre   387
Les Soins d'un amour extrême   337
Soit amour, soit pitié   176
Les Soldats   57
Les Soldats et notaires   28
Le Soleil   83, 160, 180
Le Soleil chasse les ombres   154
Le Soleil et les 12 heures du jour   83
Le Soleil peint nos champs   273
Le Sommeil   283, 381, 397, 411, 474
Le Sommeil d'Atys   283
Le Sommeil de Renaud   381, 473

Le Sommeil et les songes 78
Sommes-nous pas trop heureux 63
Son bras est craint du couchant 451
Sono dottor per occasion 90
Un Songe affreux m'inspire une fureur 470
Les Songes 78, 362
Les Songes agréables 284
Les Songes funestes 284, 285
Songez-vous qu'Isis est ma mère 402
Les Sorciers 342
Sors, barbare Erinnys, sors du fond 305
Sors du sein d'Armide 476
Le Sort de Phaéton se découvre 398
Sorte ch'ognh'or leggiera volubil 51
Sortez ombrez, sortez 258
Sortez pour jamais en ce jour 447
Sortez, sortez de ces lieux 171
Sortons, sortons de ces déserts 157
Sortons d'esclavage 423
Sospettosi furori 30
Sourdines 352, 361, 473, 474
Sous ses loix l'amour veut qu'on jouisse 493
Soyez fidèle, le soin d'un amant 149
Soyez unis à jamais 264
Spesso amor vuol ch'il cappriccio 63
Star bon turca giourdina 184
Les Statues 78, 178, 218, 219
Straton donne ordre 231
Les Suisses 25, 70
La Suite d'Apollon, bergers galants, Apollon 199
La Suite de Bacchus 199
La Suite de Cérès 250
La Suite de Flore 272
La Suite de la haine 476
La Suite de Mars 80, 201
La Suite de Melpomène 272
La Suite de Mome, les polichinels, matassins et esprits follets 201
La Suite de Polexandre 48
La Suite d'Hébé 301
Les Suivantes d'Urgande 425
Les Suivants d'Alquif et d'Urgande 414
Les Suivants d'Astrée et de Saturne 394
Les Suivants de la Fortune 371, 394
Les Suivants de l'Amour 208
Les Suivants de Minerve 265
Les Suivants de Neptune 174
Les Suivants de Saturne 394
Suivez les mouvements 483
Suivons Armide et chantons sa victoire 471
Suivons ce héros, suivez-nous 394
Suivons de si douces loix 40
Suivons l'aimable paix 459
Suivons l'amour, c'est lui qui nous mène 414
Suivons l'amour, laissons-nous enflammer 216
Suivons l'amour, portons sa chaîne 365
Suivons les mouvements 483
Suivons notre héros 468
Suivons partout ses pas 370

Sur mon palier de province 108
Sus, sus, chantons 172
Sus, sus du vin 183
Les Sylvains 122, 317, 350
Les Sylvains et bacchantes 122
Les Sylvains et les satyres 303
Symphonie 26, 39, 59, 104, 109, 141, 142—146, 149, 172, 178, 193, 194, 205, 206, 213, 240, 300, 311, 321, 326, 327, 344, 345, 398, 419, 420, 463, 464, 473, 487, 491
Symphonie cachée 312
Symphonie de la gloire de Thésée 265
Symphonie des enchantements 420
Symphonie d'Orphée 132
Symphonie en trio 312
Symphonie pour les nouveaux mariés 162
Symphonie pour la descente de la gloire 227

Taisez-vous, taisez-vous, flots 110
Tant de beauté, tant de vertus 239
Tant que l'homme est sur la terre 234
Te deum laudamus 309
Tel s'empresse d'appeler la mort 421
Téméraire Persée, arrêtez 384
Temoins du désespoir dont mon coeur 438
La Tempête 383
Les Tempêtes et les foudres 78
Le Temps seul peut guérir 374
Un tendre coeur rempli d'ardeur 506
Un tendre engagement va plus loin 254
Tendres coeurs, conservez l'espérance 494
Te plaindras-tu toujours de l'amour tendre 462
Terminez mes tourments 307
La Terre nous ouvre ses gouffres 324
Les Thébains 107
Thisbée 132

Tinque, tinque 267
Ti star nobile 185
Toi qui dans ce tombeau n'es plus 422
Tombeau 520
Ton extrême rigueur 104
Tôt ou tard l'amour est vainqueur 274
Tôt, tôt, tôt 306
Tous ces chagrins et ces regrets 220
Tous les dieux sont d'accord 349
Tous les gens, beau Monsieur de Balle 109
Tous les jours cent jeunes bergères 506
Tous les peuples policés 171
Tout ce qu'à nos voeux 168
Tout ce que j'attaque se rend 367
Tout ce que vous voyez reconnaît mon pouvoir 488
Tout doit céder dans l'univers 466
Tout doit se ressentir du trouble de nos coeurs 362
Tout est paisible sur la terre 319
Tout est perdu, le monstre s'avance 328
Tout l'univers admire ses exploits 414
Tout m'apprend qu'Apollon 326

Tout mortel doit ici paraître 242
Tout plaît et tout rit 302
Tout ressent les feux de l'amour 364
Les Traciens 163
Tra gl'amanti che fan tanto gl'esperti 36
Traître, attends, je le tiens 480
Tranquilles coeurs, préparez-vous 352
Tremblez, reconnaissez 424
Les Trembleurs 305
Trianon 228
Trio 127, 139—146, 158, 195, 199, 213, 249, 287,
    311, 322, 323, 325, 328, 338, 362, 364—366, 368,
    372, 420, 443, 452, 487, 503, 514
Trio de Cariselli 518
Le Triomphe 417
Le Triomphe de Thésée 255
Triomphez, amours victorieux 368
Triomphez, charmante reine 435
Triomphez, généreux Alcide 246
Triton éveillant Protée 397
Les Tritons 294, 397
La Trivelinade 504
Les Trivelins 30
Les Trivelins et polichinels 60
Les Trivelins et scaramouches 120
Trompettes 165, 172, 180, 201, 236, 248, 253, 297,
    320, 330, 331, 334, 349, 481, 503
Trop heureux qui moissonne 250
Trop heureux qui peut s'engager 417
Trop heureux, trop malheureux 458
Trop indiscret amour 132
Troupe d'Astrée dansante 392
Une Troupe de bohémiens et de bohémiennes 92
Troupe de compagnes d'Astrée dansante 390
Troupe de petits amours 98
Troupe d'insulaires orientaux 434
Tu devrois bien plutôt songer 206
Tu m'écoutes, hélas 104
Tu pares nos jardins d'une grâce 450
Les Turcs portant des turbans 184

L'Un dell altro agn'un si burla 52
Unissons nos efforts et qu'une ardeur 485
Unissons-nous, troupe immortelle 197
Usez mieux, ô beautés fières 105

Va, dangereux amour, va, fuis loin 359
Vaine fierté, faible rigueur 337
Le Vainqueur a contraint 433
Le Vainqueur est comblé de gloire 334
Valets de chiens endormis 102
Valets de chiens et les chasseurs avec des cors de
    chasse 103
Valets de chiens et musiciens 102
Valets de chiens éveillés 103
Les Valets de la fête 89
Valets de pied et écuyers 107
La Valeur à mes yeux 251
Va, ton soin m'importune 442

Vaya, vaya de fiestas 188
Les Vendangeurs 250
Venerabilis barba capucinorum 508
Venere io son che vo cercando 30
Venez, aimable paix, le vainqueur 334
Venez, dieu des festins 222
Venez, furieux corybantes 290
Venez goûter les doux fruits de la gloire 321
Venez, grande princesse 175
Venez, haine implacable 475
Venez près de ces fontaines 157
Venez, que rien ne nous arrête 208
Venez seconder mes désirs 475
Venez tous dans mon temple 279
Venez, venez, nymphes 314
Venez, venez, peuples 166
Venez-vous contre moi défendre 347
Venez-vous partager l'allégresse publique 330
Venez vous ranger sous mes loix 70
Vengeons-nous 208
Les Vents 45, 112, 212, 234
Les Vents impétueux 383
Vents qui troublez les plus beaux jours 173
Vénus et les grâces 496
Vénus et les plaisirs 81
Vénus et ses néréides 111
Vénus, veut-elle résister 315
Vertumne 163
Les vertus 88
Vertus, Pallas et amazones 88
La Vertu veut choisir ce lieu 370
La Victoire 44
Les Vieillards 27, 89, 256
2 Vieillards épousent 2 jeunes filles 29
4 Vieillards et 4 enfants 27, 54
Les Vieilles 108
Viens dans notre village 206
Viens, digne sang des dieux 329
Viens, aimable bergère sur la fougère 506
Violons 212, 326, 343, 387
Vivant sous sa conduite 128
Vivez en paix, amants 444
Vivez, quittez vos fers 423
Vivez, vivez contents dans ces aimables 265
Vivez, vivez, heureux époux 229
Vivons heureux, aimons-nous 129
Vivons, l'amour nous y convie 441
Vi vorrei pure accordare 72
Voici la charmante retraite 477
Voici le champs de Mars 221
Voici le favorable temps 361
Voici l'heureux séjour des innocents plaisirs 122
Voi sete il ristoro 518
Vois ma Climène 146, 189
Voler con fede esimia 35
Volez, tendres amours 415
Les Voltigeurs 179
Vos beaux yeux embrassent mon coeur 56
Vos mépris, trop ingrate Iris 317

Votre fait est clair et net   170

Voulez-vous des douceurs parfaites   200

Vous allez voir bientôt votre amant   257

Vous avez peu d'impatience   434

Vous chantez sous ces feuillages   175

Vous devez vous animer d'une ardeur   279

Vous, divinités aimables   496

Vous êtes son fils, je le jure   403

Vous êtes tous deux aimables   375

Vous juriez autrefois que cette onde   298

Vous l'aimez, vous l'aimez, ah   378

Vous me demandez donc   313

Vous me jurez sans cesse une amour   323

Vous méprisiez trop l'amour   280

Vous me quittez et je demeure   441

Vous m'ôtez Sangaride, inhumaine   290

Vous ne devez plus attendre   420

Vous n'êtes pas encore délivré   264

Vous qui croyez l'amour une faiblesse   494

Vous qui dans ces lieux solitaires   491

Vous qui fuyez la lumière et le bruit   362

Vous qui reconnaissez ma suprême puissance   348

Vous qui voulez pour moi signaler   338

Vous savez l'amour extrême   129

Vous suivez à regret la gloire   375

Vous veillez lorsque tout sommeille   274

Voyez ce que j'ai soin de faire   260

Voyons qui sait le mieux assortir   343

Voyons tous deux en aimant   157

Y a-t-il dans notre couvent   232

Les Yeux qui m'ont charmé   304

Zelmatide et chevaliers de sa suite   45, 46

Les Zéphirs   78, 281

Ziego me tienes Belisa   94

Ziliante, troupe d'insulaires orientaux   434

ORTSVERZEICHNIS
(Aufführungs-, Fund- und Verlagsorte; Aufführungsorte in Kursivschrift)

Agen   12, 210, 247, 269, 389, 410,

Aix-en-Provence   15, 51, 225, 292, 310, 315, 332, 389

Amiens   292

Amsterdam   15, 16, 20, 63, 64, 140, 155, 192, 203, 204, 209, 225, 226, 246, 266 268—270, 292, 293, 301, 310, 315, 316, 332, 333, 351, 369, 370, 388, 389, 410, 411, 428—430, 452, 455—457, 459—463, 465, 466, 482, 494, 495

Anet   *482*

Angers   292

Antwerpen s. Anvers

Anvers   76, 203, 225, 246, 269, 310, 315, 332, 351, 369, 388, 428, 452, 465, 482, 494

Avignon   13, 17, 19, 51, 155, 197, 216, 250, 262, 277, 282, 353, 378, 385, 386, 391, 415, 419, 421, 453—455, 465, 509—512, 540

Baltimore   20

Berghopsom   16

Berkeley   26—29, 39—44, 46—49, 51—76, 204, 209, 225, 247, 266, 269, 310, 315, 351, 369, 389, 410, 443, 449, 453, 465, 529—541

Berlin   6, 20, 109, 110, 150, 227—235, 237—245, 247—264, 309, 310, 409, 449, 509—512

Besançon   6, 12, 109, 128, 134, 137, 155, 189, 192—197, 202, 204, 207, 209, 215—217, 219, 220, 225, 230, 231, 234, 235, 247, 251, 257, 264, 266, 268, 269, 274, 281, 283, 284, 287, 292, 298, 299, 301, 304, 310—315, 327—330, 340, 347, 350, 351, 369, 373, 375, 377, 380, 381, 386, 389, 393, 394, 396, 400, 402, 405, 410, 413, 416, 418, 421, 424, 428, 429, 432, 437, 440—442, 449, 465, 469, 470, 478, 491, 509—512

Blois   167

Bologna   465

Bonn   14, 199, 262, 294, 320, 326

Bordeaux   181, 292, 315

Borkeloo   446

Boston   225

Brüssel   11, 109, 133, 150, 160, 166, 169, 177—179, 189, 190, 194, 197, 199—201, 209, 215, 225, 226, 246, 270, 292, 309, 316, 321, 333, 352, 356—359, 369, 409, 428, 446, 449, 509—512

Büdingen   15, 269, 369, 465

Burgsteinfurt   246, 315, 369, 388, 410

Cambridge   8, 11, 177, 181, 182, 189, 211, 213, 215, 216, 225, 248, 250—252, 254, 255, 258, 261—263, 266, 315, 410, 465, 481

Carpentras   10, 209, 211, 215, 225, 227, 239, 243, 247, 269, 315, 389, 410, 466

Chambord   *167, 180*

Chicago   9, 247, 315

Compiègne   *25*

Darmstadt   246, 292

Den Haag, s. La Haye

Dijon   6, 17, 18, 247, 269, 449

Dresden   109, 150, 309, 409, 428, 529—541

Dreux   310

Edinburgh   8

Essone   *13*

Fontainebleau   *13, 72, 107, 309, 452*

Frankfurt   203, 209, 247, 266, 292, 351, 388, 410, 429, 452, 465, 482

Genf   16, 20, 306

Göttweig   11

Grenoble   209, 269

Hamburg   246, 269, 292, 315, 332, 388, 410, 465, 482, 494

Hannover   482

Harburg   203, 209, 225, 292, 315, 332, 351, 369, 388, 410

Kassel   123

Köln   209, 246, 268, 309, 315, 332, 351

La Haye   16, 209, 225, 247, 269, 292, 310, 388, 429, 452, 482, 494

La Rochelle   218, 258, 296, 299, 346, 352, 353

Leipzig   209, 292

Liège   16, 266, 292, 310

Lille   18, 64, 116, 130, 157, 277, 288, 294, 302, 310, 318, 326, 353, 385, 391, 415, 421, 425, 455, 459

Limoges   18, 116, 277

London   9, 12, 16, 20, 24, 56, 84, 86, 88, 98, 102, 141, 153, 158—165, 167, 173, 174, 177—180, 186, 189, 192—197, 199, 200, 202, 204, 206, 209, 213, 214, 217, 219, 224, 225, 231, 232, 238, 242, 243, 245, 247, 252, 255, 256, 258, 259, 261—263, 266, 269, 270, 276, 279, 281, 284—294, 296, 305, 306, 310, 316, 318, 322—325, 327, 328, 333, 352, 353, 355, 359, 361—368, 373, 379, 381—383, 385—399, 403, 414, 418, 420, 427, 428, 430, 433, 435, 436, 453, 457, 460, 462, 474, 476, 481, 484, 485, 489, 490, 493, 496, 505, 519—522

London/Canada   225, 292

Los Angeles   20

Lucsambor   17

Lüttich s. Liège

Lyon   8, 11, 12, 15, 17, 18, 20, 108, 109, 136, 140, 150, 155, 156, 174, 175, 192, 197, 225, 231, 234, 242, 243, 246, 247, 248, 250, 253, 255, 265, 269, 276, 292, 294, 305, 309, 310, 316, 332, 342, 353, 355, 369, 388, 392, 409—413, 415, 416, 420, 424, 428, 429, 439, 449, 450, 465, 469, 471, 481

Madrid   479
Mainz   225, 310
Marseille   7, 64, 116, 155, 187, 193, 209—211, 219, 222, 223, 292, 369, 410, 428, 449, 453, 465, 482
Melun   18, 224, 276
Metz   19, 262, 277, 288, 353, 386, 454
Modena   310
München   203, 209, 225, 269, 292, 315, 369, 388, 452, 465, 482

Nancy   19, 277
Nantes   18, 277, 454, 482
Neumünster   484
New Haven   203, 209, 246, 410, 449, 453, 465
New York   20, 351, 410, 452, 523
Nîmes   369
Norrköping   12, 230, 275, 277, 278, 353, 357, 383, 400, 401, 407, 473, 475, 490, 492

Oldenburg   465
Orléans   224
Oxford   209—212, 215, 225, 248, 251, 252, 254, 255, 258, 261—263, 265, 387

Paris   *13, 23, 29, 31, 39, 52, 59, 62, 76, 84, 92, 95, 108, 147, 159, 191, 203, 209, 224, 266, 309, 315, 368, 409, 465, 494*
5—20, 23—25, 29—31, 51, 52, 59, 62, 72, 76, 77, 84, 85, 87, 89, 92, 95, 101, 108—110, 118, 123, 124, 128, 130—132, 134, 137, 140—152, 155—167, 169—175, 178—204, 206, 209—216, 218—234, 236, 241—250, 252—256, 258—263, 265—310, 313, 315—336, 338, 339, 342—344, 346—348, 350—357, 359—377, 379, 380, 382, 384—392, 394—398, 400—414, 417—420, 422—424 427—434, 436, 439, 442—445, 447—453, 455—457, 459, 460, 462—469, 471—479, 481—491, 493—502, 504, 506—512, 515, 523, 530
Prag   6, 9

Reims   19, 157, 178, 262, 277, 415, 455
Rennes   209, 246, 248—256, 260, 268, 269, 292, 465
Rochester   292
Rodez   18, 454
Rom   465
Rouen   19, 178, 262, 277, 332, 353, 391—396, 399, 401, 405—407, 454

Saint-Etienne   288
Saint-Germain-en-Laye   *127, 133, 137, 173, 191, 202, 226, 246, 268, 270, 292, 332, 351*
Sceaux   *449*
Schwerin   309, 529, 531—535, 537, 540
Seattle   12, 194, 196, 199, 200, 209, 232, 269, 292, 298—300, 304, 310, 311, 314, 318—321, 323, 327, 328, 332, 374, 375, 378, 380, 383, 385—387, 395, 396, 398—401, 404, 405, 407, 408, 410, 465, 490, 492, 532
Sens   19, 216, 262, 277, 282, 386, 415, 421, 454, 506

Skara   226, 271, 410
Stockholm   12, 248, 261, 292, 293, 295, 301, 389, 393, 395, 396, 407, 411, 413—415, 420, 426, 465, 472, 490—492, 532
Strasbourg   292
Stuttgart   7, 209, 225, 227, 246, 266, 292, 310, 332, 410, 428, 429, 452

Tenbury   9, 153, 155, 181, 204, 209, 210, 219, 225, 226, 247, 266, 270, 292, 293, 310, 316, 332, 369, 389, 409, 428, 429, 449, 453, 466, 482, 495, 509—512
Toulouse   6, 8—11, *13,* 18, *62,* 167, 172, 181—185, 189, 204, 206, 247, 266, 269, 292, 310, 389, 391, 410, 454, 465, 482
Troyes   17, 18, 122, 130, 224
Tübingen   203, 225, 269, 292, 315, 332, 351, 429, 452, 465, 482
Turin   204, 209, 225, 247, 269

Ulm   292
Uppsala   11, 155, 159—161, 173, 174, 176—180, 209, 213, 220, 281, 288, 315, 352—360, 390, 392, 396, 449, 466, 490, 493, 515
Urbana   10, 269

Växjö   221, 223, 227, 229, 236, 239, 241, 242, 248, 253, 254, 256, 265, 281, 284, 285, 293, 295, 296, 298, 455
Valenciennes   269, 292
Vaux-le-Vicomte   76
Versailles   6, 8—11, 15, 51, *101,* 104, *110, 119,* 128, 130—132, 134, 137, 149, *150,* 152—154, *155,* 163, 169, 172, 173, 175, 181, 184, 186, 189, 191, 192, 195, 196, 199—202, 209, 210, 212, 214, 220—222, 225—228, 232, 234, 239—241, 243, 247, 248, 250, 253, 261, 262, 265, 266, 268—272, 279, 284, 285, 288, 289, 292, 293, 295, 296, 298, 300, 301, 303, 306, 310, 311, 314, 316, 317, 321, 324, 333, 334, 336, 338, 343, 345, 347, 350—352, 354—356, 359, 361, 363, 365, 367, 370, 371, 375—377, 379, 380, 382, 386, *388,* 389, 390, 392, 397, 398, 401—405, 409, 411, 412, 419, 422, 424, 425, 427—429, *428,* 432—436, 439, 443, 446—448, 450, 452, 455, 457—459, 462, 465—468, 471—474, 476, 477, 481, 483, 486, 489, 491, 492, 495—499, 505, 529—541

Vincennes   *89*

Washington   209, 315, 332, 351, 369, 429
Wien   155, 281, 285, 293, 324, 354, 367, 387, 390, 395, 397, 398, 401, 405, 408, 468, 471, 479
Wiesbaden   192
Wiesentheid   269
Wolfenbüttel   12, 246, 278, 310, 332

Zürich   482

PERSONENVERZEICHNIS

A. H. P. E. L. D. L.   17, 140, 156, 175, 218, 271, 303, 321, 333, 365, 392, 415, 450, 469, 489

Aisné, l'abbé   177

d'Alembert, J. le Rond   474

Alexander VIII., Papst   490

Alleaume, V.   310

Alphonso d'Este   25

Amaulry, T.   246, 309, 310, 332, 388, 428, 465

d'Andichon, H.   18, 391, 454

d'Anglebert, J. H.   60, 117, 140, 141, 147, 210, 259, 293, 446, 474, 479, 489, 500, 504

Anthony, J. A.   20, 76, 101, 134, 137, 192, 204, 247, 270, 293, 316, 352, 390, 430, 453, 466

Antonio, M.   479

Arendsz, T.   209, 388, 428

d'Argenson, R.-L. de Voyer de Paulmay, marquis   11

d'Artagnon, abbé   385

d'Artigny, Melle   121

Aubanel, L.   19

Aubry, conseiller au parlement   204

Augé, A. J. B.   247

Augier   12

Babel   56, 65, 73, 86, 100, 115, 140—142, 151, 152, 156, 158, 183, 184, 199, 213, 222, 233, 243, 245, 253, 261, 263, 265, 289—291, 294, 295, 297, 303, 312, 313, 339, 345, 346, 349, 357, 371, 372, 404, 420, 431, 436, 451, 453, 469, 505

Babell, W.   521

Bacilly, B. de   15, 26, 34, 37, 40, 56, 60, 63, 65, 70, 71, 73, 82, 85—87, 89, 92, 97, 100, 102—104, 108, 110, 111, 113, 115, 117, 131, 147—149, 152—154, 156, 158, 159, 162, 163, 165, 168, 171, 174, 175, 180, 181, 183, 189, 190, 200, 505—508

Bailly, J.   16, 256, 263, 276, 281, 306, 390, 430, 435, 437, 439, 443, 466

Ballard   113, 123, 140, 201, 203, 209, 225, 246, 269, 292, 309, 310, 315, 332, 333, 335—337, 339—343, 346—349, 351, 369, 387, 389, 429, 430, 433, 444, 466, 470—473

Ballard, Chr.   15, 16, 18, 56, 109, 150, 155, 167, 209, 246, 247, 269, 292, 309, 315, 316, 332, 351, 369, 387, 389, 409, 410, 427—429, 449, 452, 453, 465, 482, 494, 495, 515, 529

Ballard, J.-B.-Chr.   16, 18, 204, 210, 225, 247, 266, 269, 292, 310, 351, 369, 389, 410, 429, 465, 482

Ballard, R.   21, 25, 29, 31, 39, 52, 59, 62, 73, 76, 77, 84, 86, 87, 89, 92, 95, 97, 101—103, 105, 110, 115, 121, 151, 155, 159, 167, 168, 171, 173, 192, 196, 202, 225, 266, 268, 292, 315, 505

Baltazar, abbé   385

Barberet, V.   370

Barbier, J.-B.   17, 306

Barbin, Cl.   192

Bardy   247, 269

Barlès, prêtre   19, 385, 415, 454

Baron, J. B.   332

Bartsch, C.   310

Batard   19

Baudry, R.   17, 209, 225, 266, 309

Baussen, H. de   225, 247, 269, 316, 369, 389, 410, 429, 465

Baxter et Saurin   310

Bayet   247

B.D.B.   111, 115

Beauchamps, C.-L.   8, 13, 26, 76, 107, 108, 265

Beaujeu, M. de   315

Beauregard   296

Benserade, I. de   7, 23, 25, 26, 29, 34, 39, 52, 71, 72, 82, 84, 110, 127, 147, 266, 351, 506

Berès, P.   5

Bernard, S.   15

Berton, C.-P.   19

Bertrand, marionettes de   247

Besongne   332

Biancolelli, P. F. (Dominique)   226, 270, 316, 390, 411, 430, 435, 443

Bienfait, marionettes de   270, 370, 389, 411, 430

Bismarck, C. J.   246, 310, 332

Blaeu   134, 135, 154, 175—177, 197—201, 207, 208, 211, 213—215, 217, 219, 220, 229—235, 237, 238, 240—245, 248, 251, 253, 256—258, 260, 261, 264, 274, 275, 278, 282—284, 286—289, 294, 297—304, 311, 313, 314, 317, 322, 323, 327, 328, 330, 331, 335, 340—342, 346—350, 363, 364, 370—375, 377—381, 383, 386, 391—396, 399, 400, 402, 404, 405, 413, 416—421, 424—426, 431, 432, 436—442, 444, 450, 467, 469—471, 474, 477, 478, 494

Blaise, B.   411

Bligny. princesse de   167

Blondy, danceur   491

Böttger, F.   20, 120, 167, 182

Boileau-Despréaux, N.   276, 315

Boivin, F.   16

Bonnart, N.   8, 209

Bonnet, J.   20

Borrel, E.   20, 167, 181, 192, 210, 226, 247, 270, 293, 316, 333, 352, 370, 390, 430, 466, 483

Bouhours, D.   16, 452

de Bouillon, cardinal,   37, 190, 484

Bourdaloue, L.   229

Bourdin   8

Bourgeois, L. T.   12, 14

Brancas, Melle de   111

Brandenburg, S.   14

Brenner, C. D.   20, 247

Briasson, A.-Cl.   16, 226

Brice, G.   509

Brionne, comte de   503

Broglio, comte de   305

Brossard, S. de   14, 225, 509

Brou, J. de   12
de Buisson, le chevalier   108
Butard, J. H.   18
Buti, F.   31, 62, 76
Buxtehude, D.   63

Cailleau   411
Cambert, R.   10, 518
Campistron, J. G. de   482, 494
Campra, A.   10—12, 40, 50, 51, 88, 98, 102, 105,
     106, 111, 113, 115, 119, 121, 129, 131—133,
     135—137, 139, 140, 148, 152, 165, 166, 173,
     180—182, 189, 190, 204—206, 515, 517, 518
Carissimi, G.   509
Carmody, F. J.   20, 247, 411
Carolet   210, 256, 270, 276, 294, 306, 370, 389, 411
Cavalli, F.   6, 59
Cavelier, G.   15
Certain, M.-F.   368, 439
Champerreux   389
Chancy, F. de   13, 123
Chapelon, J.   19, 288
Charmel, comte du   515
Charpentier, M.-A.   10, 12
Charpentier   293
Chassain, L.   17, 64, 105, 116, 137, 140, 141, 183,
     189, 223, 224, 231, 233, 240, 246, 274, 288, 289,
     299, 302, 353, 358, 374, 385, 392, 393, 397, 433,
     469, 472
Chastel, M.   17
Chastelin   18
Chatelin, Z.   270
Chaulieu, G. A. de   3
Chaveau   209
Chauvel, Cl.   292
Chauvon   16
Chestelin   18
Chigi, cardinal de   107
Choisy, abbé de   481
Christine, Königin von Schweden   13
Christout, M. F.   20, 23, 26, 30, 31, 39, 52, 62, 72,
     76, 77, 84, 92, 95, 101, 110, 128, 134, 137, 147,
     151, 159, 167, 173, 181, 192, 204
Clairambault   14, 136, 218
Clérambault, L.-N.   12
Clermont, comte de Tonnerre   276
Clermont, Melle de   11
Colbert, J. B.   276
Colbert de Seignelay   449
Colbert de Turgis   276
Cole, W. P.   309, 509
Collasse, P.   6, 8—12, 37, 38, 50, 58, 59, 73,
     77—79, 89, 94, 96, 108, 110, 117—119, 122, 125,
     127—131, 139, 151, 174, 269, 463, 464, 494, 495,
     541
Collé, Ch.   16, 276, 306
Colles, G.   76
Collignon, J.   19
Conti, princesse de   464

Corallo, N.   465
Corbinelli   174
Corelli, A.   9
Corneille, P.   107, 191, 192
Corneille, Th.   121, 192, 309, 315
de Coulanges Ph.-E.   15, 16, 63, 64, 77, 115, 136,
     137, 151, 174, 196, 212, 218, 224, 226, 229, 233,
     237, 238, 242, 243, 253, 263, 276, 294, 296, 305,
     306, 327, 336, 353, 368, 392, 401, 405, 418, 421,
     484
Crapart, N.   19
Créquy, duc de   25, 121, 151
Cucuel, G.   310
Cuinet, J. N. (Kopist)   204
Curtis, A.   140, 301

Dalnsteiner, P.   292
Les Dames de l'Assomption   509
Danchet, A.   64, 515
Dangeau, Ph. de Courcillon, marquis de   20, 218,
     271, 449, 481
Daspremont, comtesse de   316
David (Kopist)   248, 410
Davison, A. Th.   481
Delalande, M.   9, 10, 12
Delaroche, A.   247, 269, 429, 465
Delatour   390
Delorme, C.   19
Delormel, P.   225, 226, 247, 269, 332, 410, 429,
     465, 482
Desessartz, J.   18, 102, 140, 157, 166, 207, 214, 216,
     226, 245, 249, 251, 253, 257, 261, 263, 271, 274,
     277, 281, 297, 299, 302, 324, 327, 333, 337, 346,
     347, 363, 365, 368, 373, 374, 383, 385, 393—395,
     397, 400, 402, 405, 407, 408, 412, 415, 421, 432,
     435, 439, 441, 443, 444, 451, 466, 470, 479, 489
Desmarets, H.   8—10
Desoer, F. J.   276, 336, 414
Desprets, G.   18
Destouches, A. C.   10, 11, 191
Dolet et la Place, troupe de   370
Dominique, s. Biancolelli
Dorneval   270, 305, 333
Dorville, V.   247
Dragonetti, D.   12
Dragons de Monterey   498
Dubois, Mme   19
Dubos, abbé J.-B.   428
Du Boucet   9
Du Buisson   12
Duchêne, R. s. Mme de Sévigné
Duchesne   16, 19, 466, 482
Dufourcq, N.   20, 481
Dufresny, Ch., sieur de La Rivière   306, 316, 323,
     466, 473, 475
Dumanoir, G.   8
Dumesnil, L.   19
Dumont, H.   204, 266
D'Urfey   16, 279, 318, 505
Dussieux, L.   20

Ecorcheville, J.   20, 93, 123, 124, 127
Eftcourt   279
d'Egmont, comtesse   12
Eitner, R.   14
Ellis-Little, M.   1
Eppelsheim, J.   1, 13
d'Estrées, V.-M.   6, 243, 294

Falkener, R.   521
Favart, C. S.   226, 247, 254, 256, 276, 306, 333, 349, 443, 482
Federhofer, H.   225
Feillâtre   224
Ferré (Kopist)   247, 310, 351, 369, 489, 410, 449, 465
Feuillet, R. A.   24, 186, 365, 432
Fille, M. P.   17
Flahault   466
Font, A.   305, 306, 323
Fontenelle, B. le Bovier de   309, 315
Foppens, B.   428
Fossard, F.   505
Foucault, H.   2, 6–9, 12, 61, 92, 115, 116, 209, 225, 292, 310, 389
Francoeur, F.   11
Frère   16, 306
Fresne, J. du   15, 24, 102, 134, 135, 163, 186, 187, 189, 192, 194–197, 202, 211, 213, 214, 218, 223, 224, 228, 229, 231, 233, 241–244, 249, 253, 261–263, 265, 271–273, 281, 285, 288, 289, 294, 295, 299, 303, 305, 316, 317, 325–327, 336, 338, 340, 345, 347, 348, 352–355, 359, 360, 365, 368, 376, 379, 380, 384–386, 390, 392, 393, 395–398, 400, 403, 405, 408, 412–415, 421, 424, 427, 431, 432, 439, 443, 444, 453, 457, 458, 462, 479, 484, 485, 489, 493, 496
Fuzelier, L.   14, 247, 270, 276, 293, 305, 310, 333, 370, 430

Gandouin   270
Garcin, C.   17
Les Gardes de la Marine   498
Garnier, P.   18
Garnier-Arnould   12
Gastoué, P.   17, 20
Gaudran   117, 261, 479, 491
Gautier, J. J.   19
Gautier, P.   10, 11
Gherardi, E.   16, 299, 304, 305, 389, 411–414, 466, 473, 475, 476
Girard, Th.   119
Girdlestone, C.   20, 192, 204, 210, 226, 247, 270, 316, 333, 370, 390, 411, 430, 466, 483, 495
Gosse, P.   16
Gourdon, J. B.   269
Gramont, comte de   115
Grandval   418
Grannis, V. B.   20
Gresse   140, 301

Grimarest, J. L. le Gallois de   399, 419, 443
Gros, E.   3, 20, 204, 210, 226, 247, 270, 293, 333, 352, 370, 390, 410, 411, 428, 430, 465, 466
Grout, D. J.   310
Gueffier, P. F.   16
Guibert, A.-J.   20, 76, 92, 101, 119, 128, 134, 137, 150, 167, 180, 192, 202
Guiche, comtesse de   111
Guillaume Henry de Nassau   324
Guilleragues, G. J. de La Vergne, vicomte de   224
Guillois, J. D.   8
Guise, M. de   13

Haensel, U.   484, 485
Hagen, P.   209
Harlay de Champvallon, F. de, archevêque de Paris   263
Hawkins, J.   279, 447
Henault, A.   18
Henault, G.   18, 391
d'Hendicourt   63, 115
Herluison   224
Heus, J. Ph.   210–215, 218–223, 362, 363, 370–372, 376, 377, 379–382, 384–390, 392–394, 396–398, 400, 401, 403–409, 411, 412, 414, 417–420, 422–427, 429, 431, 433–437, 443, 445–447
Hillairet, J.   509
Hoorns, G.   16, 64
Horthemels, D.   17
Hortschansky, K.   351
Hotot, J.   167
Huguenet   9
Hurault, marquis de Belebat   294

Inselin   13
Isherwood, R. M.   20, 59, 77, 101, 155, 192, 210, 226, 270, 293, 316, 333, 352, 370, 411, 430, 453, 466, 483, 495

Jeannot, chirurgien   243
Jorry, S.   19
Jordan, M.-A.   351
Julia, D.   509

Karstädt, G.   63
Kennedy, P. H.   210

La Barre, M. de   13, 505
Labaye, F.   19
Labbet, A.-J.   411
La Chaise, le père F. de   261
La Chevardière   269
La Ferté Saint-Nectaire, H. de   137, 427
La Fond   139, 305, 460, 484
La Fontaine, J. de   411, 430
Laguerre, E. Jacquet de   8, 10
Lajarte, Th. de   523

Lallouette, F. 509
La Laurencie, L. de 20, 30, 31, 39, 52, 59, 62, 95, 109, 159, 167, 173, 181, 192, 214, 226, 253, 270, 293, 306, 307, 309, 409, 411, 430, 466, 483
Lambert, M. 18, 84, 85, 92, 96, 113, 116, 153, 158, 194
La Monnoye, B. de 16, 17, 64, 77, 178, 194, 276, 315—317, 389, 410, 484, 485
La Mothe Théobon 186
La Motte Houdancourt, A.-L. 151
Langlois 19
Langronne, S. 17
Larivet 204
La Sablière, M. de 239
La Sablière 181
La Salle 270, 332, 369, 389, 410, 482
La Tour, Th. de 174
L'Attaignant, abbé G.-Ch. de 16, 19, 276, 285, 306, 479
Laujon, P. 247, 254, 256, 276, 466, 482
La Vallière, J.-C. de la-Beaume-le Blanc 7, 108
Lavergne de Tressau, L. de, évêque de Nantes 18
Lavigne 19
Le Bas, J. 16, 64, 156, 262, 263, 276, 296, 318, 385, 392, 414, 453
Le Camus, S. 18
Le Cène, M. Ch. 369, 389, 410, 429
Le Cerf de la Viéville, J. Fresneuse de 1, 3, 20, 139, 140, 155, 158, 167, 175, 181, 183, 186, 188, 194, 208, 210, 214, 218—220, 248, 250, 251, 254, 258—260, 263, 264, 275, 276, 278, 280, 282, 283, 285, 293, 295, 299, 304, 307, 309, 335, 339, 341, 342, 345, 347, 373, 375, 382—384, 386, 390, 394, 398—403, 406, 409, 416, 418, 419, 422, 430, 434, 437, 439, 440, 464, 466, 469, 470, 475, 480, 483, 489, 490, 499, 505, 506, 513
Le Chevalier A. 316—320, 322—328, 330, 331
Le Clerc, N. 17, 18
Lemolt 465
Le Peletier, Cl. 484
Le Petit, P. 151
Le Roux 225, 292, 332, 449, 482
Lesage, A. R. 16, 333
Le Sainct, Ph. 209
Lesclapart 16
Lesure, F. 410
Letellier 310
Le Tellier, Fr.-M., marquis de Louvois 418
Le Tonnelier de Breteuil, Ch., évêque de Boulogne 339
Lignière 484
Lobkowitz 6
Loeillet, J.-B. 520
Longueval, Mme de 190
Lottin, Ph. N. 18, 281, 296, 454
Louis XIII. 13
Louis XIV. 5, 13, 63, 108, 194, 197, 271, 296, 411, 430
Loyson, E. 101

Lubert, abbé de 273
Lully, J.-L. 6, 8, 9, 12
Lully, L. 6, 8, 9, 12
Lully, Mme (Frau von J.-B. Lully) 17
de Luyne, G. 76, 151

Macharty, abbé 389
Magnus, A. 209, 388, 410, 428
Maine, comte du Bourg du 427
Maizeau 16
M. Al. 276
Mancini, Ph. de, duc de Nevers 151
de Mante 224
Marais, M. 9, 12, 263, 382
Marcel, danceur 491
Marchand, L. 11
Maricourt 269
Marie-Thérèse d'Autriche 186
Martinet 484
Martinet, abbé 305
Martinot, abbé 233
Martinozzi, L. 25
Maurice, troupe de la veuve 430
Massieu, abbé 402
Massip, C. 139
Maurepas, J.-F. Phélypeaux de 14, 16, 24, 36, 63, 77, 81, 108, 115, 129, 136, 137, 151, 158, 174, 177, 178, 186, 189, 190, 196, 212, 214, 217, 218, 223, 224, 227—229, 231—233, 236, 237, 242, 243, 249, 252, 253, 256, 258, 261—263, 272, 273, 276, 277, 281, 284, 288, 289, 294, 296, 305, 316, 324, 326, 339, 346, 352, 353, 360, 368, 379, 398, 402, 416, 427, 433, 439, 445, 457, 460, 476, 479, 481, 484, 490, 515
Maurice, Vve 226
Mayeux 8
Mazarin, G. 25
M. D. 393
M. D. C. 333
M. D. L. 214, 284, 289, 433, 484
M. D. L. F. 134, 139, 156, 157, 172, 189, 195, 197, 202, 211, 213, 228, 229, 233, 242, 245, 249, 253, 261, 263, 275, 284, 288, 293, 316, 327, 368, 400, 462
M. D. L. R. 431
M. D. N. 271, 390, 392, 395, 397
Meilhac, F. 18
Ménestrier, C.-F. 210, 226
Menetou 529, 530, 532—541
Menissel 18
Mesnier, P. 428, 465
Meyer, A. 6, 8, 12, 155, 204, 209, 246, 247, 266, 269, 292, 332, 351, 369, 389, 410, 429, 449, 453, 482
Michaelis 523
Michard, C. 18
Minato, N. 59
M. L. B. 127
M. L. M. 186, 214, 233, 262, 296, 401

M. L. M. D. S. 339
M. L. P. M. 508
M. M. 395, 489, 508
M. N. 223, 265
Modène, duchesse de 13, 25
Molière, J.-B. Poquelin 76, 92, 101, 104, 119, 121,
    133, 134, 137, 150, 167, 173, 180, 191, 192, 202,
    203, 266
Molin, A. 225
Mollier, L. 110
Mongrédien, G. 481
Monnet 16
Monnier, P. 192, 194, 198—200
Montmorency, H. de 276
Morambert, abbé 276
Moreau, L. und F. 476
Morin, A. 17, 18, 20
Mortier, P. 369, 389, 429
Moulinier, E. 507
Mouret, J.-J. 11
Mouton, Ch. 126
M. R. 102, 187, 199, 223, 224, 241, 243, 244, 281,
    294, 295, 303, 338, 345, 347, 353, 354, 359, 365,
    376, 385, 392, 396, 398, 403, 405, 415, 457, 479,
    496
Muguet, F. 203
Multeau, B. 19

Nanty, G. 17
Neaulme, J. 16
Neufville de Villeroy 115
Nevers, duc de 151
Newman, J. E. 20, 192, 210, 226, 247, 270, 293,
    316, 333, 370, 390, 411, 430, 466
Niert, M. de 167
Nogent, M. de 151
Noske, F. 63
Nully, J. de 18
Nyon 390

Olyer, A. 225
d'Orléans, duc 10
d'Orléans, Melle 1
Orneval 16
Ouboy, N. 17, 18
Oudot, J. 18
Oudot 17, 174, 183, 214, 219, 224
Overbeek, B. 411

Palaprat, J. 389
Panard C.-F. 16, 256, 262, 263, 276, 306, 430, 435,
    443, 445, 482
Parfaict, F. und C. 430
Parvi 247, 254, 256, 276
Parville 529—532, 534, 535, 537, 540, 541
Pascal, F. 17, 64, 130, 137, 152, 153, 157, 158
Patu et Portelance 437, 444
Pearson 16
Pellegrin, chevalier 293

Pellegrin, S.-J. 17—19, 102, 130, 140, 156—158,
    178, 216, 218, 233, 234, 249, 251, 255, 257,
    260—262, 274—278, 281, 288, 289, 294, 296, 302,
    317—320, 325—328, 353, 355, 357, 365, 371, 374,
    375, 378, 385, 391, 393, 394, 396, 401, 406—408,
    412, 413, 415, 418, 421, 425, 433, 434, 439, 454,
    455, 459, 479, 490, 506, 534
Pellisson, M. 20, 92, 119, 151, 167, 173, 181
Pellisson 37, 155
Périgny, le président 95, 203, 504, 505, 507
Périgny, la présidente 249
Perrin, P. 108, 110, 150, 181, 190, 506, 507, 509
Perth 521
Philidor, A. Danican 1, 2, 5, 7, 9, 13—15, 26, 39,
    50, 52, 56, 59, 62, 72, 77, 101, 123—127, 190,
    204, 209, 210, 226, 247, 266, 292, 310, 316, 332,
    351, 369, 389, 410, 429, 449, 453, 465, 466, 482,
    497—499, 501, 505, 509—512
Piis, A. 306
Pijolet, E. 269
Piron, A. 226, 305
Playford, J. 127, 484, 519
Pointel, A. 90, 91, 123, 124, 134, 138, 153—158,
    162, 163, 171, 175, 176, 192—202, 204—208,
    210—212, 214, 215, 217—223, 226—229, 231—234,
    236, 240—242, 245, 266, 270—275, 277—280,
    282—290, 310—314, 333, 335—337, 339—343,
    346—349, 351, 352, 354—369, 371—375, 377—380,
    383, 385, 389—406, 408, 411, 412, 414, 417—420,
    422—427, 429—431, 433—447, 495
Poitevin, A. 254
Ponteau, C. F. B. de 270
Postel, C. H. 494
Poulaille, H. 282, 391
Prault 270, 430
Prin 52
Prunières, H. 1, 2, 20, 30, 31, 39, 52, 59, 62, 72,
    76, 77, 84, 92, 101, 104, 105, 109, 150, 151, 155,
    167, 173, 181, 192, 210, 247, 270, 309, 316, 333,
    388, 409, 411, 430, 466, 523

Quinault, Ph. 3, 117, 128, 131, 148, 149, 191, 202,
    203, 209, 224, 246, 247, 268, 281, 288, 289, 292,
    309, 332, 351, 368, 409, 428, 452, 465, 507, 508

Racine, J. 449
Raflé, A. 15, 108, 134, 135, 175, 186, 187, 189,
    194, 197, 200, 207, 208, 211, 213, 218, 222—224,
    228, 230, 231, 233, 242—244, 257, 262, 264, 275,
    285, 287, 300, 301, 305, 316—320, 322, 327, 336,
    337, 339, 340, 342, 348, 349, 353, 355, 357—360,
    363, 367, 374, 377, 380, 385, 386, 391, 392, 396,
    405, 408, 409, 413—415, 418, 420, 422, 427, 433
Rameau, J. Ph. 474, 475
Rebel, J. F. 9, 11
Reboulh, H. 17, 211—219, 222—224
Regnard, J.-F. 254, 411
Ribon 15
Ribou R. 225, 246, 269, 292, 315, 332, 369, 388,
    410, 429, 465, 482

Riccoboni, A.-F.   270, 276
Riccoboni fils   411
Richelieu, Wignerod de   8
Rigollet   247, 429, 465
Ro.   24
Robert, P.   509
Roger, E.   192—197, 199—202, 210—215, 218—223,
    226—229, 232—234, 236, 239—242, 244—246, 265,
    270—273, 275, 278, 283—285, 288—291, 293—301,
    303—310, 316—322, 324, 325, 329—331, 333—336,
    338, 339, 343, 344, 347—351, 370—372, 376, 377,
    379—382, 384—412, 414, 417—420, 422—427, 429,
    430, 432, 433, 435, 436, 442—444, 447, 453,
    455—457, 458—463, 466—469, 471—477, 479, 480,
    482—486, 488—493, 499
Romagnesi, J.-A.   226, 270, 316, 390, 411, 430, 435,
    466
Rosier, N. de   466—469, 471—477, 480
Rossi, L.   13, 505
de Roucy, femme du comte de Lamet   479
Roure, marquis du   121
Rousseau   402
Rousseau, J.-J.   373, 375, 383

S. A. le duc de   111, 117
Saboly, N.   17, 108, 194, 197, 224, 233
Sainctonge, L. G. (Gillot) de   318, 329, 364, 367,
    398, 439, 453, 458
Sainte-Maure, J.-M.   151
Saint-Evremond, Ch. de   16, 436
Saint Pavin, prieur de St. Côme   158
Salomon   11
Sauval, H.   509
Savoye, L. Th. de   115
Schelte, H.   203, 225, 246, 266, 269, 292, 310, 315,
    332, 351, 369, 388, 410, 429, 452, 465, 482, 494
Schenk, P.   411
Scheurleer, H.   225, 482
Schneider, H.   192, 310
Sercy, Ch. de   15
Sery, comte de   497
Sévigné, Mme de   109, 157, 218, 239, 243, 258, 266,
    295, 307, 505
Sévigné, Fr.-M.   137
Sibleys Music Library   292
Sicard, relieur du palais   410, 465
Silin, C. J.   20, 23, 39, 72, 101, 159, 352
Simon   19
S. M.   508
Soer, P.-J. de   16
Soleinne, M. de   310
Soulié, E.   20
Sourches, L.-F. de Bouschet   20, 481
Spinola, marquis de los Balbasés   294

Stichter, J.   466
Sticotti, A.-J.   270, 306, 430, 435, 443, 445
Strelitz, A.   16
Subligny, Melle   479
Suse, Mme de la   189
Sweerts, H.   63

Tallemant des Réaux, G.   258
Tessier, A.   1, 2, 5, 7
Théobon   231
Thiery, marquise de   189
Thibaut, Mme de   269
Thubeuf   13
Thuliere, M. de la   115
Titcomb, C.   481
Toulouse, comte de   9
Trolle, Chr. Ch. A.   484, 485
Troupe des acteurs pantomimes   370
Turenne, H. de La Tour d'Auvergne, vicomte de
    243

d'Uxelles, marquise,   253

Valleyre   16, 210
Van Dunwaldt   203, 225, 246, 269, 292, 310, 315,
    332, 351, 369, 388, 410, 452, 465, 482, 494
Van Eijl, A. M.   63
Vault   157, 158, 257, 297, 301, 363, 371
Vedeilhhié   18
Vendôme, L. J. duc de   49, 484
Ventadour, L. Ch. de Levis, duc de   189
Verger, N.   18
Vergier, S.   16, 24, 89, 119, 122, 153, 163, 172, 196,
    200, 228, 258, 289, 303, 335, 339, 354, 355, 360,
    367, 376, 379, 386, 392, 397, 417, 431, 439, 457,
    462, 468, 477, 485, 493
Vernillat, F.   306
Vernouillet, Mme de   306
Veron   8
Vienne, comtesse de   158
Vignol (Kopist)   155, 209, 225, 310
Voys, G. de   203, 209, 225, 247, 269, 310, 388, 410,
    429, 452, 494

Wetstein, H.   310
Wingfield   7
Wilhelm III. von Oranien   305, 499
Witte, P.   18
Wolfgang, A.   203, 209, 225, 246, 266, 269, 292,
    310, 315, 332, 351, 369, 388, 410, 428, 452, 465,
    482, 494
Wright, D.   520—522

Zweerts, H.   16, 64